臺海擊鉢吟集校注

臺海擊鉢吟集校注 第二冊 目 次

卷九

伍、形　容……五八九

陸、生活點滴

柒、記 事……六五七

捌、詠時令……六八九

玖、寫　景……七五九

卷一九……七五九

拾、詠月

貳、傳奇

卷八

一四二、煉石補天

蔡振豐

媧皇煉石是耶非①？補得天成願不違②。剩有洪爐餘煅在③，盛時都作五雲飛④。

【析韻】

非、違、飛，上平、五微。

【釋題】

淮南子覽冥訓：「往古之時，四極廢、九州裂，天不兼覆，地不周載，火爁炎而不滅，水浩洋而不息。猛獸食顓民，鷙鳥攫老弱。於是，女媧煉五色石以補蒼天，斷鰲足以立之四極，殺黑龍以濟冀州，積蘆灰以止淫水。蒼天補，四極正；淫水涸，冀州平；蛟蟲死，顓民生。」注：「女媧陰帝佐虙戲治者也。三皇時，天不足西北，故補之。」又，列子湯問亦載，茲從略。南宋楊萬里見澹庵胡先生舍人詩：「補天老手何須石，行地新堤早著沙。」元雅琥（？—？，至順前後人，至正初，卒。）上執政四十韻詩：「斬鯨青海沸，煉石補天迍。」清秋瑾感時詩之二：「煉石無方乞女媧，白駒過隙感韶華。」媧，ㄨㄚ。

【注解】

①媧皇……非　是不是女媧治製五色石？媧皇，女媧氏。一作「女媧」、「女趫」。有二說：㈠、神話古帝名。或謂伏羲之妹，或謂伏羲之女。（淮南子覽冥訓、太平御覽卷七八、通志卷一三）㈡、夏禹妃，塗山氏之女。（史記夏本紀、吳越春秋越王無余外傳、漢書古今人表）。唐湛賁（？—？）日五色賦：「光浮石壁，謂媧皇之補天；影入詞林，疑江淹之夢筆。」煉石，治製五色石。煉，同「鍊」。（清趙翼陔餘叢考卷一九）唐李賀李憑箜篌引：「女媧煉石補天處，石破天驚逗秋雨。」餘參釋題。是耶非，是耶？非耶？猶今語是不是。

②補得……違　修治破損的天空，恢復完整無缺，達成她的期待。補，本謂修治破衣，使完整。禮記內則：「衣裳綻裂，紉箴請補綴」莊子山水：「莊子衣大布而補之。」西漢桓寬鹽鐵論申韓：「夫衣小缺襟裂，可以補。」願，希望（期待）達到的目標（指標）。即心願。願望。詩鄭風野有蔓草：「邂逅相遇，適我願兮。」東晉陶潛歸去來兮辭：「富貴非吾願，帝鄉不可期。」唐韓愈論孔戣致仕狀：「戣獨何人，得遂其願。」南宋葉適後端午行：「祈年賽願從其俗，禁斷無益反為酷。」違，背離，違反。書君陳：「違

上所命，從厥攸好。」孟子 梁惠王上：「不違農時，穀不可勝食也。」
③剩有……在　大火爐裏，留下殘存的火氣。洪爐，大火爐。爐，亦作「鑪」。三國志 魏書 王粲傳附陳琳：「今將軍總皇威，握兵要，龍驤虎步，高下在心，以此行事，無異於鼓洪爐以燎毛髮。」餘煆，殘存的火氣。煆，ㄒㄧㄚ。火氣（猛烈）。唐 柳宗元同劉二十八院長述舊言懷詩：「瘴氣恆積潤，訛火亟生煆。」
④盛時……飛　火旺的時候，都化成五色瑞雲、騰空而奔。盛時，火旺的時候。盛，ㄕㄥˋ。旺

煉石補天圖

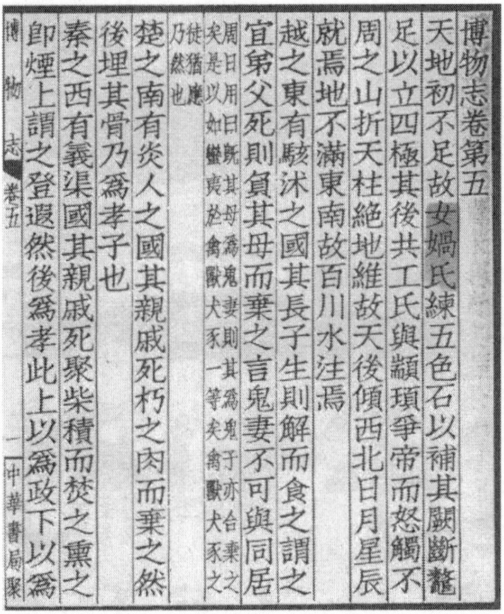

博物志卷第五
天地初不足故女媧氏練五色石以補其闕斷鼇足以立四極其後共工氏與顓頊爭帝而怒觸不周之山折天柱絕地維故天後傾西北日月星辰就焉地不滿東南故百川水注焉
越之東有駭沭之國其長子生則解而食之謂之宜弟父死則負其母而棄之言鬼妻不可與同居周日用曰既其母爲鬼妻則其爲鬼子亦合棄之夫是以如蠻夷於禽獸犬豕一等夫禽獸犬豕之徒猶應乃然也
楚之南有炎人之國其親戚死朽之肉而棄之然後埋其骨乃爲孝子也
秦之西有義渠國其親戚死聚柴積而焚之熏之即煙上謂之登遐然後爲孝此上以爲政下以爲
博物志　卷五　一　中華書局聚

博物志書影（局部）

（盛）。興（盛）。茂（盛）。禮記 月令：「【季春之月】生氣方盛，陽氣發泄。」論語 泰伯：「孔子曰：『才難，不其然乎？唐 虞之際，於斯為盛。』」呂氏春秋 功名：「樹木盛，則飛鳥歸之。」五雲飛，五色瑞雲，騰空而奔。青、白、赤、黑、黃五色瑞雲曰五雲。周禮 春官 保章氏：「以五雲之物，辨吉凶、水旱降、豐荒之祲象。」

一四三、煉石補天

陳濬芝

戴天何自仰巍巍①？煉石分明寓巧機②。造化我能將筆補③。探根躡窟悟精微④。

【析韻】

巍、機、微，上平、五微。

【釋題】

同前首。

【注解】

①戴天……巍　蒙受天恩，為甚麼敬慕崇高偉大？戴天，蒙受天恩。北宋 王禹偁 擬李靖破頡利可汗露布：「臣等無任樂聖戴天，忭舞懽呼之至，謹具露布以聞。」何自，何以。因何。史記 張釋之馮唐列傳：「文帝輦過，問唐曰：『父老何自為郎？家何在？』」漢書 張良傳：「吾求公，避逃我，今公何自促吾兒游乎？」北宋 蘇軾 司馬溫公神道碑：「公以

文章名於世而以忠信自結人主，朝廷知之可也。四方之人。何自知之？」仰，敬慕。東漢 張衡 思玄賦：「仰先哲之玄訓兮，雖彌高而弗違。」新唐書 韓愈傳 贊：「自愈沒，其言大行，學者仰之如泰山、北斗云。」巍巍，崇高偉大。論語 泰伯：「巍巍乎！舜 禹之有天下也而不與焉。」何晏集解：「巍巍，高大之稱。」西漢 董仲舒 春秋繁露 奉本：「孔子曰：『唯天為大，唯堯則之，則之者大也，巍巍乎其有成功也。』」明 方孝孺身修思永堂記：「巍巍高出乎往古，而開久大之業者，皆身修思永之明效，而百王之取法者也。」

②煉石……機　冶製五色石，顯然依仗技藝機靈。煉石，詳前首注①。分明，有多義。在此，作「顯然」解。南朝 梁武帝遊仙詩：「委曲鳳臺日，分明柏寢事。」唐 杜甫歷歷詩：「歷歷開元事，分明在眼前。」寓，ㄩˋ。寄。猶云依托。巧機，用於描述工夫，謂技藝高超、手工靈活。

③造化……補　我能用筆來修治自然。造化，猶言自然。西晉 張協七命：「功與造化爭流。德與二儀比大。」南宋 趙彥衛（？—？，開禧間人）

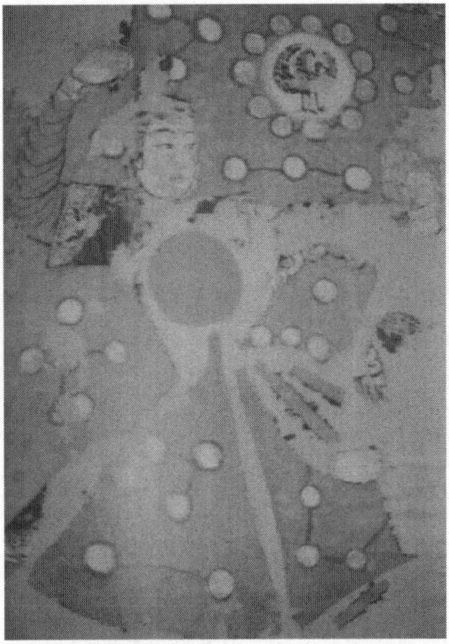

無款女媧圖殘片（唐）

雲麓漫鈔卷一：「竊謂心居中虛，治五官，心當屬土；肺在上為華蓋，庇覆五臟，當屬火；始應天地造化。」將，ㄐㄧㄤ。取。拿。北魏楊衒之洛陽伽藍記平等寺：「將筆來，朕自作之。」唐李白將進酒詩：「五花馬，千金裘，呼兒將出換美酒。」補，詳參前首注②。

④探根……微　登上洞穴，詳細尋求根本，理解其中的精細、隱微。探根躡窟猶躡窟探根。登上洞穴，仔細尋求根本。探，多方尋求。唐韓愈韋侍講盛山十二詩序：「韋侯讀六藝之文，以探周公、孔子之意。」北宋秦觀韓愈論：「探道德之理，述性命之情。」木下曰根。喻事物的本原、關鍵處。躡，ㄋㄧㄝˋ。攀登（上）。史記司馬相如列傳：「然後，躡梁父、登泰山，建顯號、施尊名。」窟，ㄎㄨ。洞穴。戰國策齊策四：「狡兔有三窟，僅得免其死耳。」悟，理解。書顧命：「今天降疾殆，弗興弗悟。」精微，精細隱微。禮記中庸：「故君子尊德性而道問學，致廣大而盡精微，極高明而道中庸。」西晉成公綏（二三一—二七三）嘯賦：「玄妙足以通神悟靈，精微足以窮幽測深。」

一四四、姮娥奔月

鄭兆璜

之一

偷來靈藥更心酸①，月殿長憐對影單②。自此豪華謝窮羿③，只留圓缺任人看④。

之二

偷藥姮娥悔百端⑤，一秋涼露自悲酸⑥。風流卻笑唐天子⑦，也訪霓裳到廣寒⑧。

【析韻】

酸、單、看，上平、十四寒。（之一）

端、酸、寒，上平、十四寒。（之二）

【釋題】

太平御覽卷四引東漢張衡靈憲云：「羿請不死藥於西王母，羿妻姮娥竊以奔月，托身於月，是為蟾蜍。」淮南子覽冥訓：「譬若羿請不死之藥於西王母，姮娥竊以奔月。」高誘注：「姮娥，羿妻。羿請不死之藥於西王母，未及服之，姮娥盜食之，得仙。奔入月中為月精。」東晉干寶搜神記卷一四：「羿請無死之藥於西王母，嫦娥竊之以奔月。」此一神話故事，亦見之於馬王堆（西）漢墓出土帛畫。羿，ㄧˋ。唐堯時，十日並出，草木枯焦，渠射落九日。妻姮娥，竊食靈藥，奔月為神。（楚辭天問、淮南子本經及覽冥訓）。另，夏有窮國國君亦名羿，渠不修國政，為寒浞弒。（左傳襄公四年）。帝嚳時有射師，亦稱羿（說文）。姮娥，本作恆娥，俗作姮娥。因避漢文帝（劉恆）諱，改稱常娥，通作嫦娥。姮，ㄏㄥˊ。唐李商隱常娥詩：「常娥應悔偷靈藥，碧海青天夜夜心。」清邵瑞彭（？—？）夜半樂戊辰中秋詞：「舊情偷藥，新愁倚樹，為誰起舞霓裳，廣寒宮下？」

【注解】

①偷來……酸　竊取了仙藥，內心越發悲痛。偷，竊取。偷「來」，表示動作「偷」的結果。猶言「偷回了」。唐李咸用（生卒年待考，晚唐之人。）同友生題僧院杜鵑花詩：「留得卻緣真達者，見來寧作獨醒人。」朱子語類卷二：「前輩有此說，看來理或有之。」清李漁奈何天隱妬：「纖纖玉指，秤來不上半斤。」靈藥，傳說中的仙藥。海內十洲記長洲：「長洲，一名青丘……一州之上，專是林木，故一名青丘。又有仙草、靈藥、甘液、玉英，靡所不有。」唐李商隱常娥詩：「常娥應悔偷靈藥，碧海青天夜夜心。」明屠隆（一五四二—一六〇五）綵毫記游翫月宮：「我乃虛無一氣化成，何藉金母之靈藥。」更，益發。心酸，內心悲痛。東漢蔡琰（一七七—？）胡笳十八拍之十七：「十七拍兮心鼻酸，關山修阻行路難。」李商隱離思詩：「氣盡前溪舞，心酸子夜歌。」

②月殿……單　月宮裏，朝著自己孤零零的身影，經常令人同情。月殿，猶云月宮。長憐，經常（令人）同情。對，朝著。影，光反射所成的虛像。或擋住光所產生的像。單，孑然一身。

③自此……羿　從此，生活鋪張、濶綽，這一切都要感激老公——窮羿。自此，指服靈藥，直奔月宮以後的時間言。豪華，謂在月宮奢侈的生活。豪華，奢侈。北周庾信游春人詩：「長安有狹邪，金屋盛豪華。」窮羿，詳釋題。

④只留……看　僅僅存在盈虧的現象，聽憑眾人觀望。留，存。遺存。漢古詩焦仲卿妻詩：

「我命絕今日，魂去尸長留。」北宋蘇軾和子由澠池懷舊詩：「泥上偶然留指爪，鴻飛那復計西東。」明于謙（一三九八—一四五七）詠石灰詩：「粉骨碎身至不顧，要留青白在人間。」圓缺，月的盈虧狀況。唐韋應物擬古詩之十：「華月屢圓缺，君還浩無期。」蘇軾水調頭歌詞：「人有悲歡離合，月有陰晴圓缺，此事古難全。」任，聽憑。隨。餘參考卷一、一、注①。

⑤偷藥……端　竊取仙藥的姮娥，妳有好多好多的追悔。姮娥，詳釋題。悔，參卷一、九、注②。百端，猶云百感。端，代詞。百端，種種感想。唐韓愈此日足可惜贈張籍詩：「思之不可見，百端在中腸。」

⑥一秋……酸　枯葉隨風飄落、露水冰冷襲人，內心自然哀痛難過。一秋，「一葉落知天下秋」省作「一葉秋」、「一秋」。典出淮南子說山訓：「見一葉落而知歲之將暮。」文錄載唐人

嫦娥奔月（明唐寅）

詩曰：「山僧不解數甲子，一葉落知天下秋。」大集經：「一葉落天下秋。」唐元稹賦得九月盡詩：「霜降三旬後，蓂餘一葉秋。」北宋蘇軾過海得子由書詩：「門外三竿日，江關一葉秋。」元劉因（一二四九—一二九三）早秋詩：「昨朝一葉見秋生，今日千巖萬壑清。」涼露，冰冷的露水。唐白居易贈內詩：「漠漠闇苔新雨地，微微涼露欲秋天。」自，自然。餘詳卷六，一一三、注②。悲酸，哀痛心酸。

⑦風流……子　哈哈！沒想到風流天子唐明皇。風流，參考卷一、八、注①，卷五、八五、注①。卻笑，竟笑。唐天子，指唐玄宗（明皇）李隆基。南宋曾慥（？—一一六四）類說卷五舊題唐柳宗元龍城錄明皇夢遊廣寒宮：「頃見一大宮府，榜曰：廣寒清虛之府。」

⑧也訪……寒　也為了尋求仙樂而來到廣寒宮。訪，尋求。晉書儒林傳序：「於是傍求蠹簡，博訪遺書，創甲乙之科，擢賢良之舉。」霓裳，霓裳羽衣曲。唐樂曲名。屬商調曲，時號越調。本傳自西涼，名婆羅門。開元年間，河西節度使楊敬述獻，經玄宗潤色，於天寶十三載（七五四）改名霓裳羽衣曲。唐時樂曲，曲終必促速；唯此曲將畢，引聲益緩。楊貴妃善霓裳羽衣舞。時唐宮多奏此樂，安史亂後，譜調已不全。小說家附會謂玄宗與方士遊月宮，聞仙樂，歸而記之。（明皇雜錄、楊太真外傳、仙傳拾遺等）南宋王灼碧鷄漫志卷三云：「霓裳羽衣月宮事荒誕。」霓裳羽衣曲於樂府詩集卷八〇婆羅門題注與唐會要卷三三諸樂，均詳載其來源及編曲經過，茲從略。廣寒，詳前注。

一四五、精衛填海

鄭鵬雲

杜鵑枝上可憐紅①，知汝冤禽恨血同②。滄海變田如有日③，移山終不笑愚公④。

【析韻】

紅、同、公，上平、一東。

【釋題】

山海經北山經：「髮鳩之山，其上多柘木。有鳥焉，其狀如烏，文首、白喙、赤足，名曰精衛。其鳴自詨。是炎帝之少女，名曰女娃，女娃遊於東海，溺而不返，故為精衛，常銜西山之木石，以堙於東海。」南朝梁任昉述異記卷上：「昔炎帝女溺死東海中，化為精衛。其名自呼，每銜西山木石填東海，偶海燕而生子，生雌狀如精衛，生雄如海燕。今東海精衛誓水處，曾溺於此川，誓不飲其水。一名誓鳥，一名冤禽，又名志鳥，俗呼帝女雀。」南朝梁劉孝威（四九六—五四九）公無渡河詩：「銜石傷寡心，崩城掩孀袂。」唐韋應物難言詩：「掬土移山望山盡，投石填海望海滿。」清葉世佺（一六一四—一六五八）謁劉公祠詩：「精衛勞填海，媧皇莫補天。」銜，ㄒㄧㄢˊ。口含物。亦作「啣」。榮按：世佺乃葉小鸞之長兄，餘詳本卷、一三九、附錄。

【注解】

①杜鵑……紅　杜鵑枝頭上，引人同情的紅花。杜鵑，指杜鵑花（Rhododendron simsii）亦稱映山紅。杜鵑花科。半常綠或落葉灌木，多分枝。葉互生，卵狀橢圓形，上有疏糙伏毛，下毛較密。春季開花，花冠濶漏斗狀，紅色，二—六朵簇生枝端。蒴果卵圓形，密披糙毛。產於長江以南各地，生在山坡上或栽培。有許多變種。屬常見觀賞植物，又是酸性土壤的指示植物。可憐，參 考卷一、九、注④。紅，花朵的顏色。

②知汝……同　知道你和冤禽—精衛的唾血，有一樣的顏色。汝，ㄖㄨˇ。你。冤禽，精衛鳥的別名。北周 庾信 哀江南賦：「豈冤禽之能塞海，非愚叟之可移山。」清 陳茗香（？—？）懸罍猿題詞：「千古英雄盡浪淘，冤禽銜石尚悲號。」餘詳釋題。恨血，典出莊子 外物：「萇弘死于蜀，藏其血，三年而化為碧。」唐 李賀 秋來詩：「秋來鬼唱鮑家詩，恨血千年土中碧。」陸龜蒙 和襲美館娃宮懷古五絕之三：「此地最應沾恨血，至今春草不匀生。」榮按：五絕者，五首絕句也；並非五言絕句之省詞。

③滄海……日 （果）真有那麼一天，滄海化作桑田。滄海桑田，典出。東晉 葛洪（二八一？—三四一）神仙傳：「（王遠）因遣人召麻姑，亦莫知麻姑是何人也。言曰：『王方平敬報，久不到民間，今來在此，想姑能暫來語否？』須臾信還，不見其使，但聞信語曰：『麻姑載拜，不相見忽已五百餘年，尊卑有序，拜敬無界，煩信承來在彼，食頃即到，先受命當按行蓬萊，今便暫往，如是當還，還便親覲，願未即去。』如此兩時，聞麻姑來。……麻

姑自說云：『接待以來，已見東海三為桑田。向到蓬萊，又水淺於往日會時略半耳，豈將復有陵陸乎？』（王）遠嘆曰：『聖人皆言海中行復揚塵也。』」後恆以此典形容世事翻覆遷改、人事變遷。唐儲光羲（七〇六？—七六二？）獻八舅東歸詩：「獨往不可羣，滄海成桑田。」

④移山……公　到底，不好譏訕愚公移山。終，到底。終究。墨子天志中：「欲以此求賞譽。終不可得。」唐韓愈獨釣詩之四：「所期終莫至，日暮與誰迴。」列子湯問：「太形（行），王屋二山，方七百里，高萬仞，本在冀州之南、河陽之北。北山愚公者，年且九十，面山而居。懲山北之塞，出入之迂也，聚室而謀，曰：『吾與汝畢戶平險，指通豫南，達於漢陰，可乎？』雜然相許。……遂率子孫荷擔者三夫，叩石墾壤，箕畚運於渤海之尾。……寒暑易節，始一反焉。河曲智叟笑而止之，曰：『甚矣！汝之不慧！以殘年餘力，曾不能毀山之一毛；其如土石何？』北山愚公長息曰：『汝心之固，固不可徹；曾不若孀妻弱子。雖我之死，有子存焉。子又生孫，孫又生子；子又有子，子又有孫；子子孫孫無窮匱也；而山不加增，何苦而不平？』河曲智叟無以應。操蛇之神聞之，懼其不已也，告之於帝。帝感其誠，命夸蛾氏二子負二山，一厝朔東，一厝雍南。自此，冀之南、漢之陰無隴斷焉。」

一四六、精衛啣石

陳朝龍

愁海難填暗自傷①，朝朝啣石恨彌長②。春風蜀魄冤何似③？啼血斑斑枉斷腸④。

【析韻】

傷、長、腸，下平、七陽。

【釋題】

參考前首。唐韓愈學諸進士作精衛銜石詩：「口銜山石細，心望海波平。」羅隱子規詩：「一種有冤無可報，不如含石疊滄溟。」近人梁啟超（一八七三－一九二九）澳亞歸舟雜興詩：「乘桴豈是先生志，銜石應憐後死心。」魯迅（一八八一－一九三六）題三義塔詩：「精禽夢覺仍銜石，鬥士誠堅共抗流。」

【注解】

①愁海……傷　憂慮大海不容易充實、整平，私下獨自傷心。愁，憂慮。左傳襄公二九年：「哀而不愁，樂而不荒。」填，充塞。史記司馬相如傳上林賦：「佗佗籍籍，填阬滿谷，掩平彌澤。」暗，私下。不公開地。自，指本身言。傷，憂思。悲傷。詩周南卷耳：「維以不永傷。」戰國策秦策一：「天下莫不傷。」注：「傷，愍也。」

②朝朝……長　天天含著石塊，怨氣越來越多。朝朝，ㄓㄠ ㄓㄠ。天天。每天。列子仲尼：

「子列子亦微焉，朝朝相與辯。」東晉干寶搜神記卷一三：「始皇時，童謠曰：『城門有血，城常陷沒為湖。』有嫗聞之，朝朝往窺。」啣石，口含石塊。啣，ㄒㄧㄢˊ。同「銜」。口含。舊唐書音樂志二：「啣葉而嘯。」聊齋志異金陵女子：「趙啣恨遽出。」恨，怨氣。另參卷二、二六、注④。彌，更加。益。老子：「其出彌遠，出知彌少。」論語子罕：「仰之彌高，鑽之彌堅。」長，多。呂氏春秋觀世：「士與聖人之所自來，若此其難也，治必待之，治奚由至？雖幸而有，未必知也，不知則與無賢同，此治世之所以短，而亂世之所以長也。」高誘注：「短，少也。長。多也。」

③春風……似 跟蜀王杜宇的冤情多麼相似。太平御覽卷一一六引西漢揚雄蜀王本紀：「蜀之先稱王者有蠶叢、折權、魚易、俾明。是時，椎髻左衽，不曉文字，未有禮樂。從開明已上至蠶叢凡四千歲。……後有王曰杜宇，出天墮山……乃有立為蜀王，號曰望帝，移居郫邑。」又引十三州志云：「當七國稱王，獨杜宇稱帝於蜀。……望帝使鱉冷鑿巫山，治水有功，望帝自以德薄，乃委國禪鱉冷，號曰開明。遂自亡去，化為子規。故蜀人聞鳴曰：『我望帝也。』又云：『望帝使鱉冷治水而淫其妻，冷還，帝慚，遂化為子規。杜宇死時，適二月，而子規鳴，故蜀人憐之。』」西晉左思蜀都賦劉注引蜀記曰：「昔有人姓杜、名宇，王蜀，號曰望帝。宇死，俗話云：『宇化為子規，子規，鳥名也。蜀人聞子規鳥，皆曰：望帝也。』」華陽國志蜀志亦載。榮按：杜宇卒於二月，故以春風隱指之，又蜀魄即蜀王遺魄。冤，謂冤情。何，多麼。子規，杜鵑鳥。

④啼血……腸　哀鳴唾血，遍地血漬，悲傷逾恆，一切枉然。啼血，杜鵑鳥哀鳴出血或杜鵑鳥哀鳴時所流出的血。杜鵑鳥喙色紅，春時杜鵑花開即鳴，聲甚哀切。古人誤傳其「夜啼達旦，血漬草木」。唐顧況（七二七？—八一六？）子規詩：「杜宇冤亡積有時，年年啼血動人悲。若教恨魄皆能化，何樹何山着子規。」南宋真山民（？—？，寶慶、祥興間人）啄杜鵑詩：「歸心千古終難白，啼血萬山都是紅。」清陳維崧虞美人詞：「無聊笑捻花枝說，處處鵑啼血。」斑斑，斑點眾多貌。唐李益（七四八—八二七）寄贈衡州楊使君詩：「湘竹斑斑湘水春，衡陽太守虎符新。」南宋黃機（？—？，寧宗前後人）乳燕飛次徐斯遠韻寄稼軒詞：「滿袖斑斑功名淚，百歲風吹急雨。」紅樓夢第三四回：「枕上袖邊難拂拭，任他點點與斑斑。」枉斷腸，參考卷三、四四、注③，卷七、一三五、注②。

一四七、精衛啣石

蔡振豐

之一

頻年啣石水雲鄉①，未到填時願未償②。竊藥姮娥同此恨③，青天碧海兩茫茫④。

之二

空勞啣石往來忙⑤，終古難填此水鄉⑥。我道不如離恨補⑦，煉工一乞女媧皇⑧。

【析韻】

鄉、償、茫，下平、七陽。（之一）

忙、鄉、皇，下平、七陽。（之二）

【釋題】

參本卷、一四五、一四六等二首釋題，略。

【注解】

①頻年……鄉　她！在水雲瀰漫、風景清幽的地方。年復一年，口含石塊，默默堆積。頻年，連年，多年。後漢書李固傳：「明將軍體履忠孝，憂存社稷，而頻年之間，國祚三絕。」北宋蘇軾永興軍秋試舉人策問：「是以頻年遣使，冠蓋相望於道。」啣石，詳前首注②。水雲鄉，水雲瀰漫，風景清幽的地方。蘇軾南歌子別潤守許仲途詞：「一時分散水雲鄉，唯有落花芳草斷人腸。」傅榦注：「江南地卑濕而多沮澤，故謂之水雲鄉。」南宋陸游秋夜遣懷詩：「六年歸臥水雲鄉，本自無閑可得忙。」

②未到……償　還沒有填滿，期望尚未達成。願，參考本卷、一四二、注②。償，ㄔㄤˊ。實現。

③竊藥……恨　偷取仙藥的姮娥，一樣因「願」而生怨氣。竊藥，參考本卷一四四、注①。

姮娥，詳本卷、一四四、釋題。同，一樣，此，謂「願」。恨，參考卷二、二六、注④。

④青天……茫　潔淨晴朗的天空，靛藍澄澈的海洋，都那麼地開闊、遙遠。青天碧海，參卷八、一四四、注②唐 李商隱 常娥詩引句。茫茫，曠遠貌。三國 魏 阮籍 詠懷詩之十二：「綠水揚洪波，曠野莽茫茫。」

⑤空勞……忙　口含石塊，來來回回，白忙一場。空勞，徒然忙碌。猶言白忙。啣石，參注①。

⑥終古……鄉　自古以來，就不容易填滿這處處湖泊、水流的地方。終古，自古以來。世說新語 棲逸：「蘇門山上忽有真人，（阮）籍登臨就之，箕踞相對。籍商略終古，上陳黃 農玄寂之道，下考三代聖德之美以問之，仡然不應。」水鄉，河流、湖泊多的地方。西晉 陸機 答張世然詩：「余固水鄉士，總轡臨清淵。」清 李斗 揚州畫舫錄 草河錄上：「山地種蔬，水鄉捕魚，採蓮踏藕，生計不窮。」

⑦我道……補　我覺得比不上抒解離別的愁苦。道，覺得。唐 李白 幽州胡馬客歌：「雖居燕支山，不道朔雪寒。」清 納蘭性德 采桑子詞：「而今才道當時錯，心緒淒迷。」不如，比不上。離恨，因離別而產生的愁苦。南朝 梁 吳均（四六九—五二〇）陌上桑詩：「故人寧知此，離恨煎人腸。」南唐 李煜 清平樂詞：「離恨恰如春草，更行更遠還生。」補，彌補。補救。引申作「抒解」。

⑧煉工……皇　鍛冶的工夫，只有懇求女媧。煉工，鍛冶的功夫。餘參考卷八、一四二、釋題及注①。一乞，一求。「一」，助詞。加強語氣用。女媧皇，即媧皇。餘詳卷八、一四

二釋題及注①。

一四八、相思樹　　梁啟超

惻惻思君君不知①，長門買賦更無期②。山山綠徧相思樹③，正是江南草長時④。

【析韻】

知、期、時，上平、四支。

【釋題】

古傳說，戰國末期宋（康）王奪其舍人韓憑妻何氏，韓夫婦先後自殺。何氏遺書求合葬；王不許。使兩塚相望。宿夕間，冢端各生大梓木，旬日竟長大盈抱，二樹屈體相就，根交於下，枝錯於上。又有鴛鴦一對，恆棲枝頭，晨夕不去，交頸悲鳴，音聲感人。宋人僉哀之，因名其木曰相思樹。事詳東晉干寶搜神記卷十一。宋，殷商之後。子姓。康王名偃，暴虐無道，諸侯皆曰「桀宋」。宋康王四十三年（周赧王廿九年、乙亥、公元前二八六年）齊滅宋，與魏、楚三分其地，宋亡。相思樹，昔文人恒用以象徵愛情忠貞不渝也。唐王建春詞：「庭中並種相思樹，夜夜還棲雙鳳凰。」黃損（？—？，晚唐人，五代時猶健在。）鷓鴣詩：「而今世上多離別，莫向相思樹下啼。」相思樹，學名 Acacia confusa Merr. 豆科。葉在幼苗時屬二回羽狀複葉，成長後則全為假葉；假葉複生、鐮刀狀披針形。頭狀花序，腋出、金黃色。木材可供作枕木，坑木及薪炭等用，亦可做行道樹。具紅色種子者，稱紅豆樹、海紅豆。

【注解】

①惻惻……和　非常悲傷地想念你，你未必知道。惻惻，ㄘㄜˋ ㄘㄜˋ。傷痛。西晉 潘岳 寡婦賦：「庶浸遠而哀降兮，情惻惻而彌甚。」唐 杜甫夢李白詩之一：「死別已吞聲，生別常惻惻。」思，想念。

②長門……期　內心愁苦、憂悶，益發不知道要到何時，才能舒暢。長門買賦，形容心境愁苦憂悶。餘參卷三，四四、四五等二首。更，益，更加。無期，不知何時。隸釋 漢費鳳別碑：「壹別會無期，相去三千里。」唐 李頻（？—八七六）關東逢薛能詩：「惟君一度別，便似見無期。」

③山山……樹　一山又一山、相思樹一片翠綠。山山，猶云眾山。一山又一山。徧，ㄅㄧㄢˋ。同「遍」。全面。書 舜典：「望于山川，徧于羣神。」詩 邶風 北門：「我入自外，室人交徧讁我。」

④正是……時　恰好就是江南青草茂盛、高大的季節。江南，泛稱長江以南地區。近代專指江蘇南部與浙江一帶。草長，草茂盛且高大。長，ㄔㄤˊ。南朝 梁 丘遲（四六四—五〇八）與陳伯之書：「暮春三月，江南草長，雜花生樹，羣鶯亂飛。」時，謂季節。

一四九、鞭石成橋

蔡振豐

成得橋來亦可憐①，神人驅遣憶當年②。祖龍我道頑于石③，何不回頭策一鞭④。

【析韻】

憐、年、鞭，下平、一先。

【釋題】

藝文類聚卷七九引晉伏琛三齊略記：「始皇作石橋，欲過海觀日出處。于時有神人，能驅石下海，城陽一山石，盡起立。嶷嶷東傾，狀似相隨而去。云石去不速，神人輒鞭之，盡流血，石莫不悉赤，至今猶爾。」後遂以「鞭石」為神助之典。北周庾信哀江南賦：「東門則鞭石成橋，南極則鑄銅為柱。」北宋蘇軾兩橋詩西新橋：「岌岌類鞭石，山川非會稽。」元陳樵（一二七八—一三六五）蔗庵賦：「秦人鞭石而望洋，謝娥入海而增喟。」明王世貞太和即事詩之一：「路疑鞭石就，室似鑿空懸。」

【注解】

①成得……憐　造好了橋，依然引人同情。成得，猶云造妥。築妥。來，參考卷七、一二八、注④。亦可憐，仍然令人同情。亦，仍然。猶。可憐，參考卷一、一九、注②。

②神人……年　想起往年，神奇非凡的人，差使、逼我離去。神人，神奇非凡的人。謂其姿

容、行止、技藝等非常人所能及。東漢桓譚（生卒年待考，新莽、光武間人）新論：「天下神人五：一曰神仙，二曰隱淪，三曰使鬼物，四曰先知，五曰鑄凝。」驅遣，役使離去。玉臺新詠古詩為焦仲卿妻作：「謂言無罪過，供養卒大恩，仍更被驅遣，何言復來還。」憶，回想。當年，往年；昔年。晉書文苑傳序：「翰林總其菁華，曲論詳其藻絢，彬蔚之美，競爽當年。」

③祖龍……石　我覺得：秦皇的固執、倔強，和山石沒兩樣。祖龍，詳卷一、三、注④。頑，固執、倔強。于，跟……一樣。與……相當。

④何不……鞭　為甚麼不轉過頭來，用力擊它一鞭。何不，為什麼不。回頭，轉過頭。以鞭擊馬曰策。論語雍也：「孟之反不伐，奔而殿，將入內，策其馬曰：『非敢後也，馬不進也。』」策一鞭，擊它一鞭。打「它」一鞭。猶今語打（它）一下。

一五〇、黃姑借天帝錢聘織女　　劉廷璧

完婚無聘費徘徊①，十萬金錢借一來②。莫道姻緣天作合③，神仙眷屬也須財④。

【析韻】

徊、來、財，上平、十灰。

【釋題】

黃姑，星宿名。即河鼓。玉臺新詠卷九東飛伯勞歌：「東飛伯勞西飛燕，黃姑織女時相見。」河鼓，一作何鼓（爾雅 釋天）。又名天鼓。史記 天官書：「牽牛為犧牲。其北為河鼓。」晉書 天文志上：「河鼓三星，旗九星，在牽牛北。」一說河鼓即牽牛，本首詩作者劉君採此說也。天帝，上帝。舊時婚姻，訂婚、迎娶皆稱聘。通「娉」。織女，星宿名。在銀河西，與河東牽牛星相對。詩 小雅 大東：「跂彼織女，終日七襄。」春秋元命苞（初學記卷二）、淮南子 俶真始謂為神女。東漢 班固 西都賦：「臨乎昆明之池，左牽牛而右織女。」牽牛、織女從此呈現並稱。文選 洛神賦 注引曹植 九詠 注云：「牽牛為夫，織女為婦，牽牛、織女之星各處一旁，七月七日乃得一會。」始明言牽牛、織女為夫婦，而後逐漸形成牛郎織女有關之民間神話故事。明 馮應京 月令廣義 七月令引小說云：「天河之東有織女，天帝之子也。年年機杼勞役，織成雲錦天衣，容貌不暇整。帝憐其獨處，許嫁河西牽牛郎，嫁後遂廢織紝。天帝怒，責令歸河東，但使一年一度相會。」唐 韓鄂（？—？，晚唐、五代間人）歲華紀麗卷三引風俗通云：「織女七夕當渡河，使鵲為橋。」南朝 梁 宗懍荊楚歲時記：「七月七日，牽牛、織女聚會之夜。……河鼓、黃姑，牽牛也。皆語之轉。」南宋 羅願（一一三六—一一八四）爾雅翼卷一三：「涉秋七日，鵲首無故皆髡。相傳以為是日河鼓與織女會於漢東。役鵲鳥為梁以渡，故毛皆脫去。」三國 魏 曹丕 燕歌行：「牽牛織女遙相望，爾獨何辜限河梁。」唐 杜甫 一百五日在夜月詩：「牛女漫愁思，秋期猶渡河。」北宋 劉筠（九七一—一〇三一）戊申年七夕詩：「伯勞東翥燕西飛，又報黃姑織女期。」

【注解】

①完婚……徊　迎娶缺少聘禮，令人徬徨。完婚，男子娶妻。明 史可法（一六〇一—一六四五）家書五：「考期場事俱不遠，吾弟完婚後，當以進取為志。」紅樓夢第一〇九回：「我想要給你二哥哥完婚，你想想好不好？」無聘，缺（少）聘禮。費，ㄈㄟˋ。勞煩。北宋 賀鑄 減字浣溪沙詞：「易失舊歡勞蝶夢，難禁新恨費鸞腸。」徘徊，猶言彷徨。游移不定貌。漢書 高后紀：「產不知祿已去北軍，入未央宮欲為亂。殿門弗內，徘徊往來。」

②十萬……來　十萬銀兩，全借到手的時候。十萬，稱數額。金錢猶銀兩。一，皆。副詞，表性態。詩 邶風 北門：「王事適我，政事一埤益我。」六韜 立將：「社稷安危，一在將軍。」

③莫道……合　不要說：婚姻緣分、是上蒼的匹

牛郎織女（作者清 吳友如）

配。莫道，不要說。姻緣，婚姻的緣分。京本通俗小說志誠張主管：「開言成匹配，舉口合姻緣。」初刻拍案驚奇卷五：「若不是姻緣，眼面前也強求不得的。」老殘遊記第二〇回：「是前生註定事，莫錯過姻緣。」天作合，詩大雅大明：「文王初載，天作之合。」毛傳：「合，配也。」本謂文王迎娶大姒為上天所賜。後恆用以稱頌婚姻美滿。藝文類聚卷一五引西晉張華元皇后哀策文：「王假有道，義在伉儷，……天作之合，駿發其祥。」

④神仙……財　即使神仙，一旦結為夫妻，還是要花費錢財。神仙，亦作「神僊」。神話傳說有超人能力，可以超脫塵世，長生不老的個體。史記孝武帝本紀：「海上燕齊之閒，莫不搤捥而自言有禁方，能神僊矣。」眷屬，家屬。親屬。亦用以指夫妻。元王實甫西廂記第五本第四折：「永老無別離，萬古常完聚，願普天下有情的都成了眷屬。」

一五一、黃姑借天帝錢聘織女　蔡振豐

一笑仙人也愛財①，黃姑借聘我疑猜②。如何玉杵雲英索③，不必金錢十萬來④。

【析韻】

財、猜、來，上平、十灰。

【釋題】

同前首。

【注釋】

①一笑……財　哈！仙人一樣喜歡錢財。一笑，獨笑。戰國　宋玉　登徒子好色賦：「嫣然一笑，惑陽城、迷下蔡。」唐　白居易　長恨歌：「回眸一笑百媚生，六宮粉黛無顏色。」仙人，神話傳說長生不老，有種種神通的人。史記　秦始皇本紀：「於是遣徐市發童男女數千人，入海求僊人。」雲笈七籤卷一七：「長生不死，延數萬歲，名編仙籙，故曰仙人。」也愛，一樣喜歡。財，泛指金錢、財貨。國語　周語下：「聖人保樂而愛財，財以備器，樂以殖財。」

②黃姑……猜　我不相信黃姑借錢備辦聘禮。黃姑，詳前首釋題。借聘，向人暫挪備辦聘禮所需金錢、財貨。疑猜，不相信。後漢書　范升傳：「願陛下疑先帝之所疑，信先帝之所信，以示反本，明不專己。」北宋　歐陽修　清平樂詞：「別來音信全乖，舊朝前事堪猜。」

③如何……索　雲英討取玉杵，怎麼回事？如何，參卷一、一、注③。太平廣記卷五略以：「唐　裴鉶　傳奇敘長慶間（八二一—八二四）秀才裴航下第，途經藍橋驛，渴甚，有女雲英以水漿飲之，甘如玉液。雲英絕美，航欲娶為婦，因遍訪得玉杵臼為聘。既婚，夫婦相偕入山仙去。」玉杵，玉杵臼的省詞。玉製杵臼。同上引書：「我今老病，只有此女孫（指雲英），昨有神仙遺靈丹一刀圭，但須玉杵臼擣之百日，方可就吞，當得後天而老。君（指秀才裴航）約取此女者，得玉杵臼，吾當與之也。」索，討取。唐　杜甫　少年行詩：「不通姓字粗豪甚，指點銀瓶索酒嘗。」

④不必……來 不一定要十萬銀兩啊！不必，不一定。沒有一定。史記 樂毅列傳：「善作者不必善成，善始者不必善終。」金錢十萬來，參考前首詩文、釋題及注①、②。

一五二、宓妃枕

蔡 汝 修

玉佩鏗鏘久不聞①，空留寶枕帶蘭芬②。洛神一賦堪相抵③，香澤騷才各半分④。

【析韻】

聞、芬、分，上平、十二文。

【釋題】

昭明文選 洛神賦 李善注：「記曰：『魏 東阿王，漢末求甄逸女既不遂；太祖回與五官中郎將。植殊不平，晝思夜想，廢寢與食。』黃初中入朝，帝示植 甄后玉鏤金帶枕，植見之，不覺泣。時已為郭后讒死，帝意亦尋悟，因令太子留宴飲，仍以枕賚植。植還度轘轅，少許，時將息洛水上思甄后。忽見女來，自云：『我本託心君王，其心不遂。此枕是我在家時從嫁前與五官中郎將，今與君王遂用薦枕蓆。讙情交集，豈常辭能具？為郭后以糠塞口，今被髮，羞將此形貌重睹君王。』爾言訖，遂不復見所在，遣人獻珠於王。王答以玉珮，悲喜不能自勝，遂作感甄賦。後，明帝見之，改為洛神賦。」又，「感甄事絕不見正史，當屬齊東之談，不必深辨自知其偽也。」楚辭 離騷：「吾令豐隆乘雲兮，求宓妃之所在。」西漢司馬相如上林賦：「若夫青琴、宓妃之徒，絕殊離俗。」李善注：「如淳曰：『宓妃，伏羲氏女，溺死洛，遂為洛水之神。』」唐李白感興詩之二：「洛浦有宓妃，飄飄雪爭飛。」洛神一稱甄女。明何景明（一四八三—一五二一）結腸賦：「誦麻枲之微詞兮，知甄女之託志。」又稱甄神。明陳汝元金蓮記彈絲：「那些個陽春白雪調偏高，賦寫甄神醉裏迷，風流難過五陵豪。」甄宓（一八二—二二一）東漢中山無極（今河北無極縣）人。漢太保甄邯後，父逸官上蔡令，卒於任。袁紹（？—二〇二）次子熙（？—二〇七）婦。建安九年（二〇四）曹操破紹，次子丕（一八七—二二六）入鄴，至紹府驚見宓姿貌絕倫，強納之為婦，廿五年（三月改元延康，二二〇年）十月丕篡漢，國號魏，立宓為后。次年，郭妃恃寵誣后詛咒天子，遭賜死。子叡即位，追謚為文昭皇后。三國志魏書有傳。東阿王即曹植，植（一九二—二三二）操之四子，字子建。太祖，對曹操之尊稱。五官中郎將，曹丕竊國前官職，建安十六年，渠拜斯職，為丞相之副。

【注解】

①玉佩……聞　玉佩的清脆響聲，好久不曾聽到。玉佩，玉石所製的佩飾。佩，一作「珮」。詩秦風渭陽：「何以贈之，瓊瑰玉佩。」鏗鏘，ㄎㄥ ㄑㄧㄤ。形容金玉或樂器等聲宏亮。在此，用以描述玉佩搖動所發出清脆之聲。明徐霖（？—？）繡襦記厭習風塵：「裙襯弓鞋入繡房，蘭茝生香，環珮鏗鏘。」久不聞，有一段好長的時間，不曾聽到了。

②空留……芬　只遺存一只散發著蘭花般清香的玉鏤金帶枕。空留，只留。僅留。空，只。

僅。唐李白江上吟：「屈平詞賦懸日月，楚王臺榭空山丘。」元王實甫西廂記第一本第一折：「似神仙歸洞天，空餘下楊柳煙，只聞得鳥雀喧，」留，保存。遺下。墨子非儒下：「厚其禮，留其封，敬見而不聞其道。」唐杜甫三絕句之一：「羣盜相隨劇虎狼，食人更肯留妻子？」寶枕，三國魏甄后玉鏤金帶枕。曹植持此枕至洛水，思甄后而作感甄賦，即洛神賦。唐李賀春懷引：「寶枕垂雲選春夢，鈿合碧寒龍腦凍。」花月痕第一五回：「正是：寶枕贈陳思，漢佩要交甫。為歌靜女詩，此風亦已古。」帶蘭芬，含有蘭花的清香。帶，含有。南朝齊孔稚珪北山移文：「風雲悽其帶憤，石泉咽而下愴。」北宋梅堯臣陳浩赴福州幕詩：「遠山猶帶雪，野水已如藍。」蘭芬，猶云蘭芳。謂蘭花所散發的清香。

③洛神……抵　一篇洛神賦能夠彼此抵消。洛神一賦，一篇洛神賦。詳所附書影。堪相抵，能彼此抵消。

④香澤……分　香氣、詩才，平分春色。香澤，香氣。指寶枕所散發的氣味。唐王丘（？—七四三）詠史：「蘭露滋香澤，松風鳴珮環。」騷才，猶云詩才。騷為一種詩體。即楚辭體。南宋陸游長短句序：「風、雅、頌之後，為騷、為賦、為曲、為引、為行、為謠、為歌，千餘年後，乃有倚聲製辭，起於唐之季世。」各半分，猶平分春色。

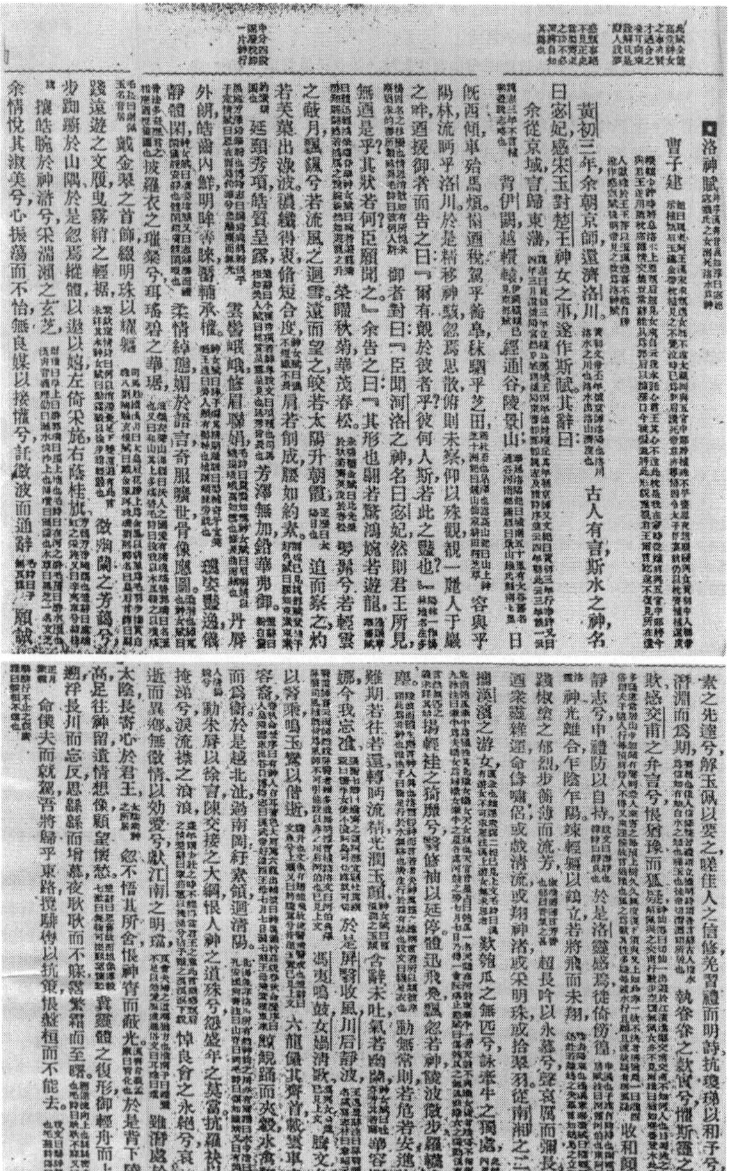

洛神賦

曹子建

黃初三年，余朝京師，還濟洛川。古人有言，斯水之神，名曰宓妃。感宋玉對楚王神女之事，遂作斯賦。其辭曰：

余從京域，言歸東藩，背伊闕，越轘轅，經通谷，陵景山。日既西傾，車殆馬煩。爾迺稅駕乎蘅皋，秣駟乎芝田，容與乎陽林，流眄乎洛川。於是精移神駭，忽焉思散，俯則未察，仰以殊觀，覩一麗人于巖之畔。迺援御者而告之曰：『爾有覿於彼者乎？彼何人斯，若此之艷也？』御者對曰：『臣聞河洛之神，名曰宓妃，然則君王所見，無迺是乎？其狀若何？臣願聞之。』余告之曰：『其形也，翩若驚鴻，婉若遊龍，榮曜秋菊，華茂春松。髣髴兮若輕雲之蔽月，飄颻兮若流風之迴雪。遠而望之，皎若太陽升朝霞；迫而察之，灼若芙蕖出淥波。穠纖得衷，脩短合度，肩若削成，腰如約素。延頸秀項，皓質呈露，芳澤無加，鉛華弗御。雲髻峨峨，脩眉聯娟，丹脣外朗，皓齒內鮮，明眸善睞，靨輔承權。瓌姿豔逸，儀靜體閑。柔情綽態，媚於語言。奇服曠世，骨像應圖。披羅衣之璀粲兮，珥瑤碧之華琚。戴金翠之首飾，綴明珠以耀軀。踐遠遊之文履，曳霧綃之輕裾。微幽蘭之芳藹兮，步踟躕於山隅。於是忽焉縱體，以遨以嬉，左倚采旄，右蔭桂旗。攘皓腕於神滸兮，采湍瀨之玄芝。余情悅其淑美兮，心振蕩而不怡。無良媒以接懽兮，託微波而通辭。願誠素之先達兮，解玉佩以要之。嗟佳人之信脩，羌習禮而明詩。抗瓊珶以和予兮，指潛淵而為期。執眷眷之款實兮，懼斯靈之我欺。感交甫之弃言兮，悵猶豫而狐疑。收和顏而靜志兮，申禮防以自持。於是洛靈感焉，徙倚彷徨，神光離合，乍陰乍陽。竦輕軀以鶴立，若將飛而未翔。踐椒塗之郁烈，步蘅薄而流芳。超長吟以永慕兮，聲哀厲而彌長。爾迺眾靈雜遝，命儔嘯侶，或戲清流，或翔神渚，或采明珠，或拾翠羽。從南湘之二妃，攜漢濱之游女。歎匏瓜之無匹兮，詠牽牛之獨處。揚輕袿之猗靡兮，翳脩袖以延佇。體迅飛鳧，飄忽若神，陵波微步，羅襪生塵。動無常則，若危若安，進止難期，若往若還。轉眄流精，光潤玉顏。含辭未吐，氣若幽蘭。華容婀娜，令我忘飡。於是屏翳收風，川后靜波，馮夷鳴鼓，女媧清歌。騰文魚以警乘，鳴玉鸞以偕逝。六龍儼其齊首，載雲車之容裔。鯨鯢踊而夾轂，水禽翔而為衛。於是越北沚，過南岡，紆素領，迴清陽。動朱脣以徐言，陳交接之大綱。恨人神之道殊兮，怨盛年之莫當。抗羅袂以掩涕兮，淚流襟之浪浪。悼良會之永絕兮，哀一逝而異鄉。無微情以効愛兮，獻江南之明璫。雖潛處於太陰，長寄心於君王。忽不悟其所舍，悵神宵而蔽光。於是背下陵高，足往神留，遺情想像，顧望懷愁。冀靈體之復形，御輕舟而上遡。浮長川而忘反，思緜緜而增慕。夜耿耿而不寐，霑繁霜而至曙。命僕夫而就駕，吾將歸乎東路。攬騑轡以抗策，悵盤桓而不能去。

洛神賦書影

一五三、趙夫人繡列國圖

蔡振豐

買絲破費美娉婷①，列國圖成歲月經②。繡到河山分鼎足③，金針也合幾番停④。

【析韻】

婷、經、停，下平、九青。

【釋題】

東晉王嘉拾遺記吳：「吳主趙夫人，丞相達之妹。善畫，巧妙無雙，能於指間以綵絲織雲霞龍蛇之錦，大則盈尺，小則方寸，宮中謂之『機絕』。孫權……思得善畫者使圖山川地勢軍陣之像。……夫人曰：『丹青之色，甚易歇滅，不可久寶。妾能刺繡，作列國方帛之上，寫以五嶽河海城邑行陣之形。』既成，乃進於吳主，時人謂之針絕……。」繡，針刺。以針引彩線按絲織品上之圖樣密刺之。清鈕琇觚賸續編妙霓：「手裁紫鳳，巧邁因祗，售針絕之文章。」

【注解】

①買絲……婷　美佳人花錢去買絲線。買絲，購買絲線。破費，花錢。北宋蘇軾讀開元天寶遺事詩之三：「破費八姨三百萬，大唐天子要纏頭。」娉婷，佳人。唐喬知之綠珠篇：「石家金谷重新聲，明珠十斛買娉婷。」元白樸梧桐雨第一折：「則見展翅忙呼萬歲聲，

驚的那娉婷將鑾駕迎。」

②列國……經　完成列國刺繡圖，已有一段時間了。歲月，泛指時間。東晉陶潛和劉紫桑詩：「栖栖世中事，歲月共相疎。」南朝梁徐陵與楊僕射書：「歲月如流，平生何幾。」經，已。文明小史第九回：「不料本城營官，早經得信，曉得這裏百姓不是好惹的。」

③繡到……足　當理清天下呈現鼎足分立的時候。繡，詳釋題。河山，參考卷二、三六、注④。分鼎足，鼎足分立。猶云鼎立。鼎有三足，分鼎足，即分而為三並立之。

④金針……停　金針也應該稍事休息了，金針，亦作「金鍼」。針的美稱。用以縫補刺繡。敦煌曲子詞傾杯樂：「時招金針，擬貌舞鳳飛鸞。」唐羅隱七夕詩：「香帳簇成排窈窕。金針穿攞拜嬋娟。」合，應該。應當。張彥遠（八一五？—八七五？）法書要錄卷四敘書錄：「上謂鳳閣侍郎王方慶曰：『卿家多書，合有右軍遺跡。』」幾番，幾次。引申作稍事。停，歇息。

一五四、妬婦津

陳朝龍

任是身殘妬未殘①，至今遺恨在江干②。此津只許無鹽問③，豔服新妝膽總寒④。

【析韻】

殘、干、寒，上平、十四寒。

【釋題】

妬，ㄉㄨˋ。廣韻謂「妒」與「妬」同。古籍中「妒」、「妬」多互用。性好猜忌、鳥肚雞腸，懷恨別人勝過自己的婦人，謂之妬婦。妬婦津位於今山東臨清縣。津，渡口，即渡河的碼頭。唐段成式酉陽雜俎卷一四諾皐記上：「臨清有妬婦津。相傳言：晉太始中，劉伯玉妻段氏，字明光。性妬忌；伯玉常於妻前誦洛神賦，語其妻曰：『娶婦得如此，吾無憾矣。』明光曰：『君何得以水神美而輕我？吾死，何愁不為水神。』其夜，乃自沈而死，死後七日，託夢語伯玉曰：『君本願神，吾今得為神也。』伯玉寤而覺，遂終身不復渡水。有婦人渡此津者，皆壞衣枉妝，然後敢濟。不爾，風波暴發，醜婦雖妝飾而渡，其神亦不妬也。婦人渡河無風浪者，以為己醜不致水神怒。好婦諱之，無不皆自毀形容以塞嗤笑也。故齊人語曰：『欲求好婦，立在津口，婦立水傍，好醜自彰。』」屬古傳說故事。

【注解】

①任是……殘　即便是軀體不全；但見不得人好的心卻是完完整整。任是，即便是。即使是。唐杜荀鶴山中寡婦詩：「桑柘廢來猶納稅，田園荒後尚徵苗。……任是深山最深處，也應無計避征徭。」北宋秦觀南鄉子詞：「盡道有些堪恨處，無情，任是無情也動人。」身，軀體。殘，不全。身殘，即今語身體殘障。如：目盲、耳聾、口啞、瘸腿……等是。妬，見不得人好的心。餘參釋題。未殘，不殘。謂完完整整。

②至今……干　到現在，留下來的怨氣，仍遺存江畔。遺恨，餘恨。到死還繼續感到悔恨、

怨恨。後漢書王常傳：「聞陛下即位河北，心開目明，今得見闕庭，死無遺恨。」西晉陸機文賦：「恆遺恨以終篇，豈懷盈而自足。」北宋梅堯臣望夫石詩：「千古遺恨深，終不見車軌。」江干，江畔。玉臺新詠南朝梁元帝烏棲曲之一：「復值西施新浣沙，共泛江干瞻月華。」唐杜甫賓至詩：「豈有文章驚海內，謾勞車馬駐江干。」

③此津……問　這個渡口，只容許醜女問路。津，渡口。只許，僅同意。只容許。無鹽問，醜女問路。無鹽，齊宣王后。戰國時，無鹽邑（今山東東平縣東）有女鍾離春，貌極醜，四十猶未嫁，自謁齊宣王，陳四殆之義。宣王納為后。（列女傳卷六，新序雜事二）。後因用以通稱醜女。問，問路。

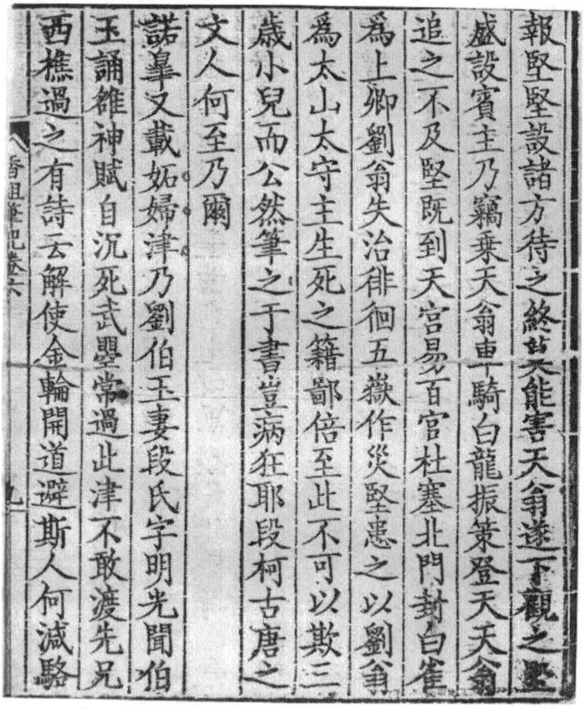
報堅堅設諸方待之終莫能害天翁遂下觀之堅
盛設賓主乃竊乘天翁車騎白龍振策登天天翁
追之不及堅既到天宮易百官杜塞北門封白雀
爲上卿劉翁失治徘徊五嶽作災堅患之以劉翁
爲太山太守主生死之籍鄙倍至此不可以欺三
歲小兒而公然筆之于書豈病狂耶段柯古唐之
文人何至乃爾
諾臯又載妬婦津乃劉伯玉妻段氏字明光聞伯
玉誦雒神賦自沉死武學常過此津不敢渡先兄
西樵過之有詩云解使金輪開道避斯人何減駱

香祖筆記卷六

香祖筆記書影（局部）

④豔服……寒　穿著華麗的衣裳、打扮嶄新入時；卻不免擔心、害怕。豔服，色澤亮麗、造

型動人的衣裳。新妝，亦作「新粧」。謂女子新穎別緻的打扮修飾。南朝梁王訓（五一〇—五三五）應令詠舞：「新妝本絕世，妙舞亦如仙。」唐李白清平調詞之二：「借問漢宮得誰似？可憐飛燕倚新粧。」膽寒，驚懼。南宋楊萬里柴步灘詩：「今茲過我舟，念昔猶膽寒。」

一五五、妬婦津

蔡振豐

一津遙阻激奔湍①，妬婦令人膽盡寒②。身到死時情尚酷③，風波如此請君看④。

【析韻】

湍、寒、看，上平、十四寒。

【釋題】

同前首。

【注解】

①一津……湍　急流與這個渡口有一段好長的距離。一津，指妬婦津。津，渡口。餘詳前首釋題。遙阻，猶云遠阻。距離大且多阻隔。禮記王制：「自江至於橫山，千里而遙。」詩秦風蒹葭：「遡洄從之，道阻且長。」激奔湍，猶云激湍。急流也。奔，急走。亦作「犇」。詩周頌清廟：「駿奔走在廟。」西晉潘岳西征賦：「交渠引漕，激湍生風。」

明劉基平西蜀頌序：「是故冬寒之極，必有陽春；激湍之下，必有深潭。」湍，ㄊㄨㄢ。

②妬婦……寒　妬婦非常令人驚懼。妬婦，詳前首釋題。膽盡寒，盡，皆。悉。左傳昭公二年：「周禮盡在魯矣。」膽寒，參考前首注④。

③身到……酷　生命都已結束；情緒仍如此激烈。身，軀體。死，生命結束。情，指情緒言。荀子正名：「性之好、惡、喜、怒、哀、樂謂之情。」酷，ㄎㄨˋ。痛恨。顏氏家訓文章：「銜酷茹恨，徹于心髓。」在此，引申作激烈解。表性態。

④風波……看　這樣的風浪，請您仔細瞧瞧。風波，風浪。楚辭屈原九章哀郢：「順風波以從流兮，焉洋洋而為客。」

一五六、桃源避秦　　陳濬芝

避秦久已絕塵埃①，境界欣從世外開②。翻怪桃花太多事③，如何勾引捕魚來④。

【析韻】

埃、開、來，上平、十灰。

【釋題】

東晉陶潛桃花源詩並記：「晉太元中，武陵人捕魚為業。緣溪行，忘路之遠近。忽逢桃花林，夾岸數百步，中無雜樹，芳草鮮美，落英繽紛，漁人甚異之。復前行，欲窮其林。

林盡水源，便得一山，山有小口，彷彿若有光，便捨船，從口入。初極狹，才通人，復行數十步，豁然開朗。土地平曠，屋舍儼然，有良田、美池、桑竹之屬。阡陌交通，雞犬相聞。其中往來種作，男女衣著，悉如外人。黃髮垂髫，並怡然自樂。見漁人，乃大驚，問所從來。具答之。便要還家，設酒殺雞作食。村中聞有此人，咸來問訊。自云先世避秦時亂，率妻子邑人來此絕境，不復出焉，遂與外人間隔。問今是何世，乃不知有漢，無論魏晉。此人一一為具，言所聞皆嘆惋。餘人各復延至其家，皆出酒食。停數日，辭去。此中人語云：『不足為外人道也。』既出，得其船，便扶向路，處處志之。及郡下，詣太守說如此。太守即遣人隨其往，尋向所志，遂迷不復得路。南陽劉子驥，高尚士也，聞之，欣然親往，未果。尋病終。後遂無問津者。」（詩、五古一六〇言，從略。）唐王勃秋晚入洛於畢公宅別道王宴序：「雖源水桃花，時時失路。」北宋陳師道寄邢和叔詩：「他日宦遊客，誤入桃花源。」清王攄（一六三五—一六九九）雪灘釣叟歌：「雪灘亦似武陵路，中有仙源無處尋。」

【注解】

①避秦……埃　隱居已久，早已脫離暴政的加害。避秦，逃脫秦的苛政而隱居。餘詳釋題。絕塵埃，斷了汙染。說文：「絕，斷絲也。从糸、从刀、从卩。古文絕，象不連體絕二絲。」引申為斷義。荀子修身：「折骨絕筋，終身不可以相及也。」塵埃，喻汙染。猶指暴政。楚辭屈原漁父：「安能以皓皓之白而蒙世俗之塵埃乎？」

②境界……開　（正）高興從塵世之外，開啟新境地。境界，境地。無量壽經上：「比丘白

佛，斯義宏深，非我境界。」元 耶律楚材 外道李浩和景賢霏字韻予再和呈景賢詩：「我愛北天真境界，乾坤一色雪花霏。」欣，本作「訢」。喜悅。猶今語「高興」。莊子 秋水：「於是焉河伯欣然自喜，以天下之美為盡在已。」世外，塵世之外。世俗以外。唐 李白 雜題詩序：「乘興踏月，西入酒家。不覺人物而忘，身在世外。」清 王世禎 池北偶談 談獻二王公家書：「事在身外，身在世外，鷗波萍跡，足寄此生。」開，啟。開啟。「開啟」屬同意複詞。詩 周頌 良耜：「以開百室，百室盈止，婦子寧止。」

③翻怪……事　反而責怪桃花太好管閒事。翻，反而。北周 庾信臥疾窮愁詩：「有菊翻無酒，無弦則有琴。」怪，參卷七、一四〇、注③。太多事，太好管閒事。多事，好事。多管閒事。作多餘的事。莊子 漁父：「今子既上无君侯有司之勢，而下无大臣職事之官，而擅飾禮樂，選人倫，以化齊民，

桃花源　清石濤（原濟，約 1642-約 1718）

不泰多事乎？」泰，通「太」。

④如何……來　怎麼招引捕魚為業的武陵人來的？如何，詳卷一、一、注③。勾引，招引。吸引。唐杜甫風雨看舟前落花戲為新句詩：「江上人家桃樹枝，春寒細雨出疏籬。影遭碧水潛勾引，風妬紅花卻倒吹。」元于伯淵（？—？，中統、皇慶間人）點絳唇套曲：「秋波送搬鬭的春山縱，春山縱勾引的芳心動。」捕魚，指武陵人，捕魚為業者言。餘詳釋題。

一五七、桃源避秦

張　貞

天為逃民一面開①，桃花如錦勝蓬萊②。可憐時政同秦酷③，費我津頭問幾回④。

【析韻】

開、萊、回，上平、十灰。

【釋題】

同前首。

【注解】

①天為……開　上蒼幫助避世隱居的人網開一面。天，上蒼。猶言老天；上天。為，ㄨㄟˋ。幫助。論語述而：「冉有曰：『夫子為衛君乎？』」逃民，猶逃人。避世隱居的人。一面

開，網開一面。喻襟懷寬大，恩澤遍施。史記殷本紀：「湯出，見野張網四面，祝曰：『自天下四方，皆入吾網。』湯曰：『嘻！盡之矣！』乃去其三面，祝曰：『欲左，左；欲右，右。不用命，乃入吾網。』諸侯聞之，曰：『湯德至矣，及禽獸。』」「網開三面」同「網開一面」，亦省作「網開」。

②桃花……萊　桃花源景色綺麗、環境幽靜，超過仙山蓬萊。桃花，桃花源的省詞。用彩絲織成各種圖案花紋的絲織品曰錦。錦為美物，因以喻「鮮豔華美」。勝，ㄕㄥ。贏過。超過。唐杜甫北征詩：「平生所嬌兒，顏色白勝雪。」蓬萊，亦作「蓬壺」。古代方士傳說有仙人所居之山（島）。山海經海內北經：「蓬萊山在海中。」史記封禪書：「自威、宣、燕昭使人入海求蓬萊、方丈、瀛洲。此三神山者，其傳在勃海中。」舊題東晉王嘉（？—？，寧康、元熙間人。）拾遺記卷一高辛：「三壺者海中三山也。一曰方壺，則方丈也；二曰蓬壺，則蓬萊也；三曰瀛壺，則瀛洲也；形如壺器。」

③可憐……酷　令人惋惜啊！時政和暴秦沒有兩樣。可憐，參考卷一、九、注④。時政，當前的政治措施。後漢書班超傳論：「時政平則文德用，而武略之士無所奮其力能。」同，和……一般。和……沒有兩樣。秦，指嬴秦言。酷，殘暴。韓非子顯學：「今上急耕田墾草，以厚民產也，而以上為酷。」

④費我……回　害我到渡口，請教了不知多少次。費，參考卷八、一五〇、注①。津頭，渡口。幾回，多少次。

一五八、木蘭回家

陳 濬 芝

歸來東閣又今吾①，回首從征淚欲珠②。為問沙場霜雪苦③，如花貌減幾分無④？

【析韻】

吾、珠、無，上平、七虞。

【釋題】

典出古樂府木蘭辭：「唧唧復唧唧，木蘭當戶織。不聞機杼聲，惟聞女嘆息。問女何所思，問女何所憶？『女亦無所思，女亦無所憶。昨夜見軍帖，可汗大點兵，軍書十二卷，卷卷有爺名。阿爺無大兒，木蘭無長兄，願為市鞍馬，從此替爺征。』……歸來見天子，天子坐明堂，策勳十二轉，賞賜千百強。可汗問所欲，『木蘭不用尚書郎，願借明駝千里足，送兒還故鄉。』爺孃聞女來，出郭相扶將。阿姊聞妹來，當戶理紅妝。小弟聞姊來，磨刀霍霍向豬羊。開我東閣門，坐我西閣床。脫我戰時袍，著我舊時裳。當窗理雲鬢，對鏡貼花黃。出門看火伴，火伴皆驚惶：『同行十二年，不知木蘭是女郎。』……。」木蘭是否真有其人，似已不可考。或謂木蘭姓花、或謂渠姓魏、姓朱、姓木，亦有謂木蘭乃複姓者。至於其籍里，亦有多說：（一）任城（今山東濟寧）；南朝宋何承天（三七〇－四四七）姓苑持此說。（二）商丘（今河南商丘）；唐李亢（一作李亢、生卒年不詳）獨異志主此說。商丘嘗郭鎮有木蘭廟，木蘭姓魏。（三）安徽。（四）湖北。拙意以為較合理之推斷，木蘭應係北朝豫魯間人。

【注解】

①歸來……吾　回到了東廂，又恢復成現在的我。東閣，東廂的居室或樓房。唐任希古（？—？，初唐人）和長孫秘監憂伏日苦熱詩：「北林開逸徑，東閣敞閒扉。」又今吾，又恢復現在的我。謂回復女兒身也。今，現在。詩魯頌有駜：「自今以始，歲其有。」餘參本首釋題。

②回首……珠　回頭想起參加征戰，不禁珠淚涔涔。回首，參卷五、九二、注④。從征，參與征戰（或征討）。猶云從軍、從戎、參軍。淚欲珠，珠淚涔涔。

③為問……苦　被問及戰場上迎霜淋雪的艱困、痛楚。為問，ㄨㄟˋ ㄨㄣˋ被問到。為，被。左傳襄公十年：「戰而不克，為諸侯笑。」史記屈原賈生列傳：「身客死於秦，為天下笑。」沙場，本謂平沙曠野。後多指戰場。唐王昌齡塞上曲：「從來幽幷客，皆向沙場老。」霜

代父從軍圖（前排右一為花木蘭）

雪苦，迎霜淋雪的艱困、痛楚。按：一般秋末降霜，隆冬下雪。霜雪來襲，較之風吹雨打，更為難受。

④如花……無　美麗的容貌，倏然少去好多分吧？如花貌，詳卷二、二一、注③。減幾分無，少掉幾分了吧？無，參考卷一、二、注④。

一五九、趙師雄林下見美人　　鄭兆璜

款語移樽到翠巖①，美人消受福非凡②。二分涼月三分雪③，紙帳梅花冷透衫④。

【析韻】

巖、凡、衫，下平、十五咸。

【釋題】

增廣尚友錄統編卷十二：「趙師雄，隋睢陽人。開皇中，過廣州南海縣羅浮山。天寒日暮，見林間酒肆旁茅舍一美女，淡妝靚色，素服出迎。時殘雪未消，月色微明，雄與語，極清麗，芳香襲人，乃相與扣酒家門共飲，一綠衣童子歌笑，雄不覺醉臥。既覺，但覺風寒相襲，東方未明。熟視，乃在大梅樹下，有翠羽嘈啾其上，月落參橫，惆悵而已。」榮按：尚友錄原係明廖用賢編，張伯琮補輯。其後，前清思退主人、倉山主人二度續編，名增廣尚友錄統編凡十六卷，今存有民十六上海錦章書局石印本。日人諸橋轍次大漢和辭典卷十

「趙師雄」條稱尚友錄卷十六云云，諒非根據前引統編本言，茲誌以待考。又，舊題唐柳宗元龍城錄亦載趙師雄遷羅浮故事。後人因以羅浮夢比喻梅花。亦作羅浮魂。唐殷堯藩（？—？，元和間人）送劉禹錫侍御出刺連州詩：「梅花清入羅浮夢，荔子紅分廣海程。」元岑安卿（一二八六—一三五五）栲栳山人集題推篷圖詩：「江南烟雨正愁絕，一枝喚醒羅浮魂。」

【注解】

①款語……巖　搬動酒器到一片青綠的崖岸，促膝長談。款語，懇談。亦作「款話」。唐段成式酉陽雜俎前集卷五怪術：「（普）寂云：『方有小事，無暇款語，且請遲回休憩也。』」北宋蘇東坡與開元明師書之四：「泥雨遠煩瓶錫，不克款語。」劉長卿潁川留別司倉李萬詩：「客裡相逢款話深，如何岐路剩沾襟。」移樽，搬動酒器。樽，酒器。北周庾信周祀圓丘歌皇夏飲福酒：「受釐徹俎，飲福移樽。」唐白居易李留守……因成四韻以獻之詩：「引棹尋池岸，移樽就菊叢。」到，至。及。介所在。史記律書：「孝文曰：『朕能任衣冠，念不到此。』」翠巖，青綠色的崖岸。

②美人……凡　姿容姣好的女子相伴，是多麼不一樣的幸福。美人，參卷一、四、釋題。消受，猶云享受，受用。元尚仲賢（？—？，元初人。）氣英布第四折：「也則為薦賢人當上賞，消受的紫綬金章。」在此，引申作「陪伴」解。儒林外史第二回：「受了十方的錢鈔，也要消受。」福，指幸福。非凡，不凡，謂多麼不一樣。

③二分……雪　秋夜皎潔的明月，帶著淡淡的雪色。二分明月，皎潔純白的明月，近人徐自華（一八七三—一九三五）題潘蘭史江湖載酒圖詩：「二分明月一分秋，秋滿江湖月滿舟。」三分猶云幾許。雪，指雪色。

④紙帳……衫　好像醉臥在裝飾有梅花的紙帳裏，寒意穿透了衣衫。紙帳，紙製帳子。用藤皮繭紙纏於木上，以索纏緊，勒作皺紋，不用糊，以線拆縫。以稀布為頂，取其透氣。帳上常畫梅花、蝴蝶等為飾。南宋朱敦儒（一〇八一—一一五九）鷓鴣天詞：「道了還了鴛鴦債，紙帳梅花醉夢閒。」一冷透，寒意穿過……。餘詳釋題。

一六〇、武則天詔貶牡丹

鄭　以　庠

之一

逆鱗攖怒到雌龍①，傾國名花頓減容②。等是唐宮恩厚薄③，嬌紅一抹口脂濃④。

之二

深宮惡夢恰惺忪⑤，國色偏教彼怒逢⑥。不獨花王遭小謫⑦，廬陵先已貶中宗⑧。

【析韻】

龍、容、濃，上平、二冬。（之一）

忪、逢、宗，上平、二冬。（之二）

【釋題】

清 李汝珍（一七六三—一八二八）鏡花緣第四回：「武后細細看去，只見眾花惟牡丹尚未開放。即查羣芳圃，亦是如此。不覺大怒道：『朕自進宮以來，所有上林苑、羣芳圃各花，每於早晚，俱令宮人加意灌溉，百般培養，自號督花天王。因素喜牡丹，尤加愛護……三十餘年，習以為常。朕待此花，可謂深仁厚澤。不意今日羣芳大放，彼獨無花。負恩昧良，莫此為甚！』……武后道：『你（榮按：指太平公主）既替他懇求，姑且施恩，再限兩個時辰。如再無花，就怨不得朕了。』……武后道：『此時已交辰初，就以辰時為限。爾等即燒炭火千盆，先把千株枝梗炙枯，不可傷根。……』」第五回：「……正在談論，已交巳初。只見宮人紛紛來報，此處羣芳圃牡丹，俱已放葉含苞，頃刻就要開花了。武后道：『原來他也曉得朕的炮製利害！既如此，權且施恩，把火撤去。』宮人遵旨，撤去火盆。霎時，各處牡丹大放。連那碳火炙枯的，也都照常開花。——如今世上所傳的枯枝牡丹，淮南卞倉最多。……這個異種，大約就是武則天留的『甘棠遺愛』。——當時，武后見牡丹已放，怒氣雖消，心中究竟不快，因下一道御旨道：『昨朕賞雪，偶爾高興，欲赴上苑賞花，曾降勅旨，令百花於來晨黎明齊放，以供玩賞。牡丹乃花中之王，理應遵旨先放。今開在羣花之後，明係玩誤。本應盡絕其種。姑念素列藥品，尚屬有用之材，著貶去洛陽。所有大內牡丹四千株，俟朕宴過羣臣，即命兵部派人解赴洛陽，著該處節度使章更，每歲委員採貢丹皮若干石，以備藥料之用。』……所以天下牡丹，至今惟有洛陽最盛。」武則天（六二四—七〇五）。唐并州文水（今山西文水縣）人。姓武名曌。父士護，高祖時，任工部尚書。曌十四歲，選為太宗才人。太宗崩，出為尼。高宗復召入宮，永徽六年（六五五）立為皇后，代決政事，由是掌握國政。高宗崩，曌廢中宗、睿宗，天授元年（六九〇）九月，改國號曰周，自稱神聖皇帝。前後執政達四十餘年，富權略、能用人。但為鞏固政治，寵任酷吏、嚴刑峻法，且篤信佛教，豪奢專橫，弊政時見。神龍元年（七〇五）正月，宰相張柬之舉兵擁中宗復位，遷太后於上陽宮，十一月病卒。遺制去帝號，稱則天大聖皇后。（新、舊唐書則天皇后紀）。

【注解】

①逆鱗……龍　忤旨，觸怒女皇。韓非子說難：「夫龍之為蟲也，柔可狎而騎也，然其喉下有逆鱗徑尺，若有人嬰之者，則必殺人。人主亦有逆鱗，說者能無嬰主人之逆鱗則幾矣！」古以龍為人君之像，因稱人君之怒為批逆鱗。倒生的鱗片，稱逆鱗。嬰，作「觸犯」解，通「攖」。攖怒，觸怒。雌龍，女皇。在此，指武則天。餘參釋題。

②傾國……容　獨占鰲頭的花王，即時失色不少。傾國名花，指花中之王牡丹。頓，即時。列子天瑞：「凡一氣不頓進，一形不頓虧，亦不覺其成，不覺其虧。」減容，猶言失色。

③等是……薄　同樣是唐宮所賜的恩惠，仍有厚薄之分。等是，同樣是。一樣是。都是。比

宋 蘇軾 和子由除夜元日省宿致齋詩：「等是新年未相見，此身應坐不歸田。」元 劉因（一二四九—一二九三）人月圓曲：「古今多少荒煙廢壘、老樹遺臺。太行如礪、黃河如帶，等是塵埃。」

④嬌紅……濃　只要輕輕敷上口脂、面藥，容光隨即煥發。嬌紅、濃，均用以形容面色、精神。前者意謂鮮豔的紅色。南宋 朱敦儒 阮郎歸詞：「柳花陌上撚明璫，嬌紅新樣妝。」後者表顏色深淺程度，深謂之濃，淺稱之淡。抹，ㄇㄛˇ。搽：塗抹。口脂，唇膏。唐制，皇帝於臘日（陰曆十二月八日），賜大臣口脂、面藥。杜甫臘日詩：「口脂面藥承恩澤，翠館銀罌下九霄。」

⑤深宮……忪　在深宮裡，正從惡夢中驚醒過來。深宮，參考卷五、八七、注④。惡夢，不好的夢。恰，正好。惺忪，ㄒㄧㄥ ㄙㄨㄥ。蘇醒。

洛陽牡丹（校注者于民國九三年四月十四日遊洛時攝）

明湯顯祖牡丹亭鬧殤：「不隄防你後花園閑夢銃，不分明再不惺忪。」

⑥國色……逢　卻遇上花王特別令她憤怒。國色，指牡丹。偏教，詳卷二、二三、注②。彼，她。即武則天。逢，遇上。

⑦不獨……謫　不單單牡丹被譴責、受罰。不獨，不單。花王，花中之王。即牡丹。遭，遇。在此，引申作「被」解。小謫，小譴責、小處罰。謫，ㄓㄜˊ。

⑧廬陵……宗　之前，中宗李哲已經被謫降為廬陵王呢！榮按：嗣聖元年（六八四）二月，太后廢中宗為廬陵王，另立豫王旦（史稱睿宗），改元文明。貶，謫降。

卷九

一六一、羯鼓催花

蔡振豐

淵淵雜沓笑聲中①，轉眼花開遍六宮②。早伏漁陽鼙鼓兆③，承恩辜負海棠紅④。

【析韻】

中、宮、紅，上平、一東。

【釋題】

唐南卓（？—？，大中前後人。）羯鼓錄：「嘗遇二月初，詰旦巾櫛方畢，時當宿雨方晴，景色明麗。小殿內庭，柳杏將吐。覩而嘆曰：『對此景物，豈得不為他判斷之乎？』左右相目，將命備酒；獨高力士遣取羯鼓。上旋命之臨軒，縱擊一曲，曲名春光好，神思自得。及顧柳杏，皆已發拆。上指而笑謂嬪御曰：『此一事不喚我作，天公可乎？』嬪御侍官皆呼萬歲。」羯鼓，屬打擊樂器。起源於印度，自西域傳入，盛行於開元、天寶年間。通典樂四：「羯鼓，正如漆桶，兩頭俱擊。以出羯中，故號羯鼓，亦謂之兩杖鼓。」新唐書禮樂志：「羯鼓，八音之領袖，諸樂不可方也。」並參卷五、九二、釋題。唐溫庭筠華清宮詩：「宮門深鎖無人覺，半夜雲中羯鼓聲。」催花，謂以人為的方式，促使花朵綻放。

【注解】

①淵淵……中　頻頻鼓聲夾雜在眾人的笑聲當中。淵淵，鼓聲。恆用作象聲詞。詩小雅采芑：「顯允方叔，伐鼓淵淵，振旅闐闐。」毛傳：「淵淵，鼓聲也。」又，商頌那：「鞉鼓淵淵，嘒嘒管聲。」南朝梁何遜宿雨南洲浦詩：「沉沉夜看流，淵淵聽朝鼓。」雜沓，ㄗㄚˊ ㄊㄚˋ。本作「雜遝」（史記淮陰侯列傳）。眾多紛雜貌。唐杜甫麗人行：「簫鼓哀吟感鬼神，賓從雜遝實要津。」西漢揚雄甘泉賦：「駢羅列布，鱗以雜沓兮，偨傂參差，魚頡鳥盰。」

②轉眼……宮　一眨眼，百花開滿了內苑。轉眼，轉動眼睛，形容時間短促。遍，ㄅㄧㄢˋ。周

徧。荀子 性惡：「足可以遍行天下，然而未嘗有能遍行天下者也。」六宮，泛稱后妃嬪御居住的地方，猶云內宮。周禮 天官 內宰：「上春，詔王后帥六宮之人。」又：「內宰，……以陰禮教六宮之人。」鄭玄注略以：正寢一、燕寢五為六宮。唐 白居易 長恨歌：「回頭一笑百媚生，六宮粉黛無顏色。」（滎按：一作回「眸」。）在此，指內苑。

③早伏……兆（在這）之前（或本來），已經潛藏來自東面邊境引發動亂的跡象了。早，表示一定時間以前。與「晚」、「遲」相對。左傳宣公二年：「（趙盾）盛服將朝，尚早，坐而假寐。」戰國策 齊策一：「早救之，孰與晚救之便。」又，早，本來。已經。北宋 秦觀阮郎歸詞之一：「日長早被酒禁持，那堪更別離。」元 盧摯（一二四二？—一三一四？）沉醉東風 閑居曲：「恰離了綠山青山那答，早來到竹籬茅舍人家。」伏，潛藏。暗藏。漁陽鼙鼓，詳參卷五、九一、注③，同卷、九六、注②。兆，詳卷一、一三、注③。

④承恩……紅 蒙受賞識、德惠；卻虧欠了楊美人啊！承恩，蒙受恩澤。在此，指安祿山言。史記 佞幸傳 贊：「冠鵕鸃入侍，傅粉承恩。」辜負，虧欠。虧負。對不住。同「孤負」。三國志 蜀書 張嶷傳：「衛將軍姜維率嶷等因簡之資以出隴西。」裴松之注引西晉 陳壽 益郡耆舊傳：「臣當值聖明，受恩過量；加以疾病在身，常恐一朝隕沒，辜負榮遇。」唐 白居易 戊申歲暮詠懷詩：「幸得展張今日翅，不能辜負昔時心。」北宋 王禹偁 舍人院竹詩：「西垣不宿還堪恨，辜負夜窗風雨聲。」老殘遊記第一回：「天風海水，能移我情，即使看不著日出，此行亦不為辜負。」海棠紅，隱指楊妃。餘參考卷五、九一、注④。滎

按：天寶十五載（七五六）六月，楊妃冤死馬嵬坡。

一六二、羯鼓催花

林清漪

錦棚待賞百花紅①，羯鼓聲中一轉風②。獨有江梅催不理③，珍珠閒煞小樓東④。

【析韻】

紅、風、東，上平、一東。

【釋題】

同前首。

【注解】

①錦棚……紅　在精緻的篷架下，等著觀賞萬紫千紅的眾花。錦棚，精緻的篷架或小屋。錦，比喻或形容事務的美好。南朝梁劉勰文心雕龍才略：「一朝綜文，千年凝錦。」唐韓愈和崔舍人詠月二十韻：「屬思摛霞錦，追歡罄縹缾。」棚，ㄆㄥˊ。用竹、木搭成的篷架或小屋。隋書柳彧傳請禁絕角抵戲奏：「高棚跨路，廣幕陵雲。」待賞，等著觀看、欣賞。百花，亦作「百華」。各種花。北周庾信忽見檳榔詩：「綠房千子熟，紫穗百花開。」唐熊孺登（？—？，元和、長慶間人。）祇役遇風謝湘中春色詩：「應被百華撩亂笑，比來天地一閒人。」紅，概稱花色。猶謂萬紫千紅。

②羯鼓……風　羯鼓頻催的那一刻，風向竟然改變。羯鼓　詳前首釋題。一，竟然。轉風，風向改變。南朝　梁　劉孝綽（四八一－五三九）答張左西詩：「仙掌方晞露，零扁正轉風。」

③獨有……理　只有江梅不理會催促。獨有，只有。江梅，南宋　范成大　梅譜：「江梅，遺核野生、不經栽接者，又名直腳梅，或謂野梅。凡山間水濱荒寒清絕之趣，皆此本也。花稍小而疎瘦有韻，香最清，實小而硬。」清　張錫祚（？－？，康、乾間人）題美人歲朝圖詩：「和氣散林皋，江梅香滿屋。」近人沈尹默（一八八三－一九七一）玉樓春詞：「垂垂又見江梅發，空醉剛圓杯底月。」催不理　不理睬催促。

④珍珠……東　小樓東窗的珍珠簾子正閒著百般無聊。珍珠，指珍珠簾。元　馬致遠　小桃紅四公子宅賦　夏曲：「映簾十二掛珍珠，燕子時來去。」清　陳維崧　醉花陰重陽和漱玉韻詞：「今夜是重陽，不捲珍珠，陣陣西風透。」閒，通「閑」。安靜無事。煞，ㄕㄚˋ。極甚。很。唐　羅鄴　嘉陵江詩：「嘉陵南岸雨初收，江似秋嵐不煞流。」東，指東窗言。

一六三、醉鍾馗　陳朝龍

英雄骨相自踈頑①，鬼斧神工列兩班②。昨日終南新嫁妹③，合歡酒醉始開顏④。

【析韻】

頑、班、顏，上平、十五刪。

【釋題】

馗，ㄎㄨㄟˊ。鍾馗乃我國古來民間傳說能驅妖逐邪之神。一說自終葵（椎）演化而來。古代民俗以椎驅鬼。六朝人認為「終葵可逐鬼避邪。後遂演化為『鍾馗』。清顧炎武日知錄卷三二：「考工記，大圭長三尺，杼上終葵首。禮記玉藻，終葵椎也。方言，齊人謂椎為終葵。馬融廣成頌，翬終葵，揚關斧。蓋古人以椎逐鬼，若大儺之為耳。……」一說由商代左相仲虺（ㄓㄨㄥˋ ㄏㄨㄟˇ）演化而來。仲虺為商湯左相，兼驅鬼之方相，後由驅鬼之巫成為食鬼之神。一說唐玄宗於病中夢見一大鬼捉一小鬼啖之，玄宗問之，自稱鍾馗，謂生前曾應武舉落第，死後托夢決心消滅天下妖孽，玄宗醒後，命吳道子繪成圖像。北宋沈括夢溪筆談補筆談卷三：「禁中舊有吳道子畫鍾馗，其卷中首唐人題記曰：『明皇開元講武驪山，歲〔口〕，翠華還宮，上不懌，因痁作，將踰月，巫醫殫伎不能致良。忽一夕，夢二鬼，一大、一小。其小者衣絳犢鼻，屨一足，跣一足，懸一屨，搢一大筠紙扇，竊太真紫香囊及上玉笛，遶殿而奔。其大者戴帽，衣藍裳，袒一臂，鞹雙足，乃捉其小者，刳其目，然後擘而啖之。上問大者曰：『爾何人也？』奏云：『臣鍾馗氏，即武舉不捷之士也。誓與陛下除天下之妖孽。』夢覺，痁若頓瘳，而體益壯。乃詔畫工吳道子，告之以夢，曰：『試為朕如夢圖之』。道子奉旨，恍若有覩，立筆圖訖以進，上瞠視久之，撫几曰：『是卿與朕同夢耳。何肖若此哉！』……熙寧五年，上令畫工摹搨鐫板，印賜兩府輔臣各一本。是歲除夜，遣入內供奉官梁楷就東西府給賜鍾馗之象。觀此題記，似始於開元時。」

【注解】

①英雄……頑　英雄的體相，本就強硬、固執。英雄，參考卷二、二九、注③。骨相，骨指人的骨骼、形體。相謂相貌。相，ㄒㄧㄤˋ。古人以骨相推論人的命和性。東漢論衡有骨相篇。隋書趙綽傳：「上每謂綽曰：『朕於卿無所愛惜，但卿骨相不當貴耳。』」亦作「骨像」。三國魏曹植洛神賦：「奇服曠世，骨像應圖。」自，本來。王充論衡問孔：「人之死生自有長短，不在操行善惡也。」唐杜甫古柏行：「扶持自是神明力，正直原因造化工。」金段克己（一一九六—一二五四）水調歌頭詞：「月自與人無意，人被月明催老，今古共悠悠。」疎頑，本作「疏頑」。本意懶散頑鈍。後漢書列女傳曹世叔妻：「吾性疏懶，教道無素，恆恐子穀負辱清朝。」唐唐彥謙八月十六日夜月詩：「賴將吟詠聊惆悵，早是疏頑耐別離。」北宋曾鞏西園席上詩：「唯慙別乘疎頑慙，滿足塵埃更有詩。」又指強硬、固執。清黃景仁送溫舍人汝適歸廣州詩：「我昔獻賦來田間，骨節疏頑性孤鯁。」在此，從後解。

②鬼斧……班　技能精湛、巧奪天工。參加朝會，左右兩行。鬼斧神工，形容技能精巧，非人工所能。清屈大均（一六三〇—一六九六）端州訪研歌和諸公：「年來巖底采無餘，鬼斧神工多得髓。」亦作「鬼斧工」。列兩班，參加朝會，排成左右兩行。帝制時代，中央朝會，恆於殿庭正廳分文武左右兩列排序奏陳、應答。兩班，亦用指文武官員。新唐書百官志三：「兩班三品以朔望朝，就食廊下，殿中侍御史二人為使涖之。」南宋陸游送

襄陽鄭帥唐老詩：「一朝丹詔自天下，兩班仰首看騰驤。」明王鏊（一四五〇—一五二四）震澤長語象諱：「一日，上御奉天門視朝，侍衛忽驚擾，兩班亦喧亂。」

③昨日……妹　昨天，鍾馗才辦完大妹子的于歸之禮。昨日，昨天。終南，本山名。詳卷六、一一〇、注④。在此，用以代稱鍾馗。新嫁妹，甫為其妹辦完婚嫁之禮。嫁，ㄐㄧㄚˋ。女子完婚。詩大雅大明：「自彼殷商，來嫁于周。」

④合歡……顏　婚宴裏酪酊大醉，好不容易看到他高高興興。合歡，聯歡。禮記樂記：「故酒食者，所以合歡也。」在此，指婚宴言。始開顏，才呈現喜悅之色。始，纔。方。玉臺新詠古詩為焦仲卿妻作：「年始十八九，便言多令才。」禮記月令仲春之月：「桃始華。」開顏，喜悅。歡笑。南朝宋謝靈運酬從弟惠連詩：「末路值令弟，開顏披心胸。」唐李白酬岑勛以詩見招：「開顏酌美酒，樂極忽成醉。」

鍾馗圖　近人溥儒（1896-1963）
紙本，設色，縱 86.5CM，橫 36.5CM

一六四、楊太眞爲劉晏畫眉

蔡振豐

一丸螺黛沐恩新①，解惜劉郎是太真②。童子無知偏有福③，並肩也作展眉人④。

【析韻】

新、真、人，上平、十一真。

【釋題】

楊太真，詳卷五、九〇、釋題，茲從略。劉晏（七一五—七八〇）。字士安，曹州南華（今山東菏澤）人。年七歲舉神童。開元十三年（七二五）十一月，玄宗封泰山，禪社首，百官、貴戚、四夷酋長從行，儀衛環列山下達百餘里。晏於是年拜授秘書省正字。北宋樂史（九三〇—一〇〇七）楊太真外傳卷上：「上一日御勤政樓，大聲張樂。時教坊有王大娘，善戴百尺竿，上施木山，狀瀛洲、方丈，令小兒持絳節出入其間，而舞不輟。時劉晏以神童為秘書省正字，十歲，慧悟過人。上召於樓中，貴妃坐於膝上，為施粉黛，與之巾櫛。貴妃令詠王大娘戴竿，晏應聲曰：『樓前百戲競爭新，唯有長竿妙入神。誰謂綺羅翻有力，猶自嫌輕更著人。』上與妃及嬪御皆歡笑移時，聲聞於外。」榮按：太真生於開元七年（七一九），十四歲入壽邸，年廿一度為女道士，天寶四載（七四五）七月冊立為貴妃。渠較晏猶少四歲，畫眉之說，純屬虛構。舊時文人每多不察。晏於天寶中舉賢良方正制科，肅、代二朝，歷任京兆尹、戶部侍郎、吏部尚書同中書門下平章事及度支、鹽鐵、轉運、鑄鐵諸使，主理財政達二十餘年。任內改善南北水運、整頓鹽政、穩定國家經濟，一清中唐財經困境與紊亂。有能名；德宗初，遭楊炎誣陷，誅死。新舊唐書均有傳。

【注解】

①一丸……新　一團畫眉的墨，象徵又深獲德惠。一丸螺黛，一團螺子黛。丸，ㄨㄢˊ。計算圓狀物的量詞。三國魏曹植善哉行：「仙人王喬，奉藥一丸。」太平御覽卷六〇五引東宮舊事：「皇太子初拜，給香墨四丸。」古，墨作團狀，計數因稱丸。螺黛，螺子黛的省詞。畫眉的墨。北宋歐陽修阮郎歸詞之五：「淺螺黛，淡燕脂，閑粧取次宜。」元白樸念奴嬌壬戌秋泊漢江鴛鴦灘寄贈詞：「聚淚鮫綃，畫眉螺黛，總在歸時節。」沐恩，蒙恩。唐許敬宗（五九二—六七三）初春登樓即自應詔詩：「沐恩空改鬢，將何謝夏成。」

②解惜……真　懂得重視劉晏才情的人是楊太真啊！解惜，懂得重視。劉郎，指劉晏的才情而言，餘參本首釋題。太真，楊貴妃。詳卷五、九〇、釋題。

③童子……福　還不怎麼明白事理的小孩兒，出乎尋常地有這份福氣。童子，未成年的人。今語謂小孩兒。詩衛風芄蘭：「芄蘭之支，童子佩觿。」無知，沒有知覺。意謂不懂。不明事理。論語子罕：「子曰：『吾有知乎哉？無知也。』」朱熹集注：「孔子謙言已無知識。」史記酷吏列傳：「此愚儒，無知。」北宋蘇軾上富丞相書：「居今之世，而欲進說於明公之前，不得其間而求入焉，則亦可謂天下之至愚無知者矣。」偏，ㄆㄧㄢ。

意外。出乎尋常。南朝陳徐陵走筆細書應令詩：「秋來應瘦盡，偏自着腰身。」福，福分。猶福氣。

④並肩……人　同列者，也一道心情愉快呢！並肩，同列。南史陸驗傳：「鳴佩珥貂，並肩英彥。」展眉人，心情喜悅的人。展眉，展開眉頭。形容心情喜悅或坦然。唐李白長干行：「十四為君婦，羞顏為嘗開。……十五始展眉，願同塵與灰。」白居易留北客詩：「即須分手別，且強展眉歡。」元稹遣悲懷詩之三：「唯將終夜常開眼，報答平生未展眉。」未展眉，愁苦狀也。

一六五、楊妃洗兒　鄭兆璜

一洗公然寵益鍾①，彩輿歡接話從容②。阿環兒戲渾閒事③，底甚金錢賜九重④。

【析韻】

鍾、容、重，上平、二冬。

【釋題】

楊妃即楊貴妃，詳卷五、九〇、釋題。清褚人獲隋唐演義第八一回：「楊妃此時方侍宴而回，正在微酣半醉之間，見祿山來拜謝恩，口中聲聲自稱孩兒。楊貴妃因戲語道：『人家養了孩兒，三朝例當洗兒。今日恰是你生日的三朝了，我今日當從洗兒之例。』於是乘著酒興，叫內監宮女們都來，把祿山脫去衣服用錦緞渾身包裹，作襁褓的一般，登時結起一綵輿。把祿山坐於輿中，宮人簇擁著繞宮遊行。……玄宗尚在宜春院中閒坐看書，遙聞喧笑之聲，即問左右：『後宮何事喧笑？』左右回奏道：『是貴妃娘娘，為洗兒之戲。』玄宗大笑，便乘小車，來至楊妃宮中觀看，共為笑樂，賜楊妃金錢、銀錢各十千，為洗兒之錢。」清袁枚隨園詩話卷二：「楊妃洗兒事，新舊唐書皆不載，而溫公通鑑乃採天寶遺事以入之，豈不知此種小說，乃村巷俚言，所載張嘉貞選壻得郭元振，年代大訛，何足為典要，乃據以污唐家宮闈耶？余詠玉環云：『唐書新舊分明在，哪有金錢洗祿兒？』蓋洗其冤也。」古來，嬰兒生後三日或滿月，有為其洗身之舊俗，稱洗兒。南宋孟元老東京夢華錄卷五育子云：「至滿月，……大展洗兒會，親賓盛集，煎香湯於盆中，下菓子、綵錢、蔥、蒜等，用數丈綵繞之，名曰圍盆，以釵子攪水，謂之攪盆，觀者各撒錢於水中，謂之添盆，盆中棗子直立者，婦人爭取食之，以為生男之徵。浴兒畢，落胎髮，遍謝坐客。」產後第三日稱三朝。褚人獲，順治、康熙間（生卒年不詳）江蘇長州（今蘇州）人。字稼軒。渠據隋史遺文、隋唐志傳、隋煬帝演義及各民間傳說，撰成隋唐演義一百回。

【注釋】

①一洗……鍾　經過這麼一次公開的「洗兒之戲」，他更加地感受到呵護、寵信。一洗，指洗兒之戲。一，言次數。公然，本意明目張膽，無所顧忌。唐杜甫茅屋為秋風所破歌：「南村羣童欺我老無力，忍能對面為盜賊。公然抱茅入竹去，脣焦口燥呼不得，歸來倚杖

自歎息。」寵，ㄔㄨㄥˇ。謂愛護逾常。左傳隱公三年：「公子州吁，嬖人之子也，有寵而好兵。」益，更加。鍾，聚、集。左傳昭公二八年：「子貉早死無後，而天鍾美於是。」

②彩輿……容　用結綵的軟轎接待，一路上有說有笑，輕鬆舒坦。彩輿，同「綵輿」，謂結綵的軟轎。接，指接待言。話從容，狀有說有笑、輕鬆舒坦。

③阿環……事　玉環啊！你輕率玩忽，簡直不當一回事。阿環，楊玉環。即楊妃。另詳卷五、九〇、釋題。兒戲，處裡事情輕率玩忽。史記絳侯周勃世家：「曩者霸上、棘門軍，若兒戲耳，其將固可襲而虜也。」渾閒事，參卷四、七四、注③。

④底甚……重　最後，賞錢還不是來自皇帝的恩賜。底甚，底極。終止。終極。今語「最後」。金錢，洗兒用賞錢。賜，上給予下。九重，指宮禁，用以代稱皇帝。唐李邕賀章仇兼瓊克捷表：「遵奉九重，決勝千里。」明無心子金雀記作賦：「明朝入禁中，奏聞九重。」清鈕琇觚賸續編人觚：「先是，寶（法寶）出奔時，九重大怒，命大索天下。」

一六六、楊妃醉酒

李祖訓

沈香亭北賜華筵①，飲倒霓裳隊裏仙②。到為祿兒心更醉③，宮鸚何故喚朝天④。

【析韻】

筵、仙、天，下平、一先。

【釋題】

楊太真外傳卷上：「上又宴諸王於木蘭殿。時木蘭花發，皇情不悅。妃醉中舞霓裳羽衣一曲，天顏大悅，才知迴雪流風，可以迴天轉地。上嘗夢十仙子，乃製紫雲迴；並夢龍女，又製淩波曲。二曲既成；遂賜宜春院及梨園弟子並諸王。」唐 白居易 長恨歌：「金屋妝成嬌侍夜，玉樓宴罷醉和春。」京劇貴妃醉酒又名百花亭，原稱醉楊妃。康熙六十一年（壬寅、一七二二）間，朱廷鏐、朱廷璋二人根據明人鈕格所撰傳奇劇本磨塵鑒第十二折醉妃改編之。大意略以：楊玉環備受明皇寵幸，曾約共飲於百花亭。屆時，明皇爽約，貴妃久候不至，詢諸宦官高力士，方悉明皇夜宿西宮江妃處，因而怨艾有加，引酒獨酌，自遣愁煩。

【注解】

①沈香亭……筵　在沈香亭的北端、賞給盛美的筵席。沈香亭，亦作「沉香亭」，唐時長安宮中亭名。玄宗曾命移植牡丹（木芍藥）於此亭前，與楊貴妃共賞，使李龜年持金花牋召李白，命作新詞。白時方醉，左右以水灑面，稍醒，援筆成清平樂三章，有「解釋春風無限恨，沈香亭北倚闌干」之句。（事載北宋 樂史 楊太真外傳卷上，唐詩記事卷一八。）另見本書卷五、九四。賜，參考前首注④。華筵，ㄏㄨㄚˊ ㄧㄢˊ。盛美的筵席。唐 杜甫 劉九法曹鄭瑕邱石門宴集詩：「能吏逢聯璧，華宴直一金。」

②飲倒……仙　使霓裳舞羣之仙——楊妃酩酊大醉。飲倒，猶飲醉。倒，ㄉㄠˇ。霓裳隊裏仙，霓裳羽衣曲舞羣之仙。指楊妃言。蓋太真擅長霓裳舞。

③到為……醉　反而，乾兒子——安祿山，內心越發迷惑。到，ㄉㄠˋ。通「倒」。卻。反而。北周 庾信 和侃法師之三：「誰言舊國人，到在他鄉別。」唐 李嘉祐（？—？，約卒于大歷末）秋朝木芙蓉詩：「水面芙蓉秋已衰，繁條到是着花時。」祿兒，安祿山。詳卷五、九一、注②。心更醉，內心越發迷惑。莊子 應帝王：「鄭有神巫曰季咸，知人之生死存亡，禍福壽夭，……列子見之而心醉。」

④宮鸚……天　甚麼緣故？宮鸚不斷呼叫：謁見天子。宮鸚，宮中飼養的鸚鵡。餘參考卷五、九一、注①。何故，什麼緣故。為甚麼。左傳 宣公一一年：「夏徵舒為不道，弒其君，寡人以諸侯而戮之，諸侯、縣公皆慶寡人，女獨不慶寡人，何故？」東晉 干寶 搜神記卷一六：「夫人從何而來？車上所載何物？丈夫安在？何故獨行？」唐 盧仝（？—八三五）月蝕詩：「何故中道廢，自遺今日殃。」喚，呼叫。朝天，謁見帝王。唐 杜甫 偪仄行詩：「東家蹇驢許借我，泥滑不敢騎朝天。」

一六七、楊妃病齒

蔡振豐

托腮無語對斜暉①，病齒偏教進饌稀②。痛到心時香到唾③，金盤辛負荔枝肥④。

【析韻】

暉、稀、肥，上平、五微。

【釋題】

楊貴妃，名玉環、號太真。姿態豐豔，善歌舞、通音律，智算過人。幼即嗜甜，喜食荔枝，且必生致之。玄宗乃置騎傳送，自嶺南至長安，走數千里，味未變已至京師。病齒，謂齒有疾，或係齲齒，今語蛀牙也。楊妃事略、傳奇，分詳卷五、九〇、九一、九三、九四、九五、九六，卷九、一六四、一六五、一六六等各首，茲從略。

【注解】

①托腮……暉　面對夕陽，默默凝思。托腮，凝思貌。金 董解元西廂記 諸宮調卷五：「倚定門兒手托腮，悶答孩地愁滿懷，不免入書齋。」無語，無言。謂沒說話。對，朝。向。斜暉，亦作「斜輝」。黃昏西斜的陽光。南朝 梁 簡文帝 序愁賦：「玩飛花之入戶，看斜暉之度寮。」唐 杜牧 懷鍾靈舊遊詩之三：「斜輝更落西山影，千步虹橋氣象兼。」清 龔自珍 卜算子詞：「蘋葉弄斜暉，蘭蕊彫明鏡。」

②病齒……稀　牙疼，特別使人奉上清淡不稠的餐點。病齒，詳釋題。偏教，詳卷二、二三、注②。進饌稀，奉上清淡不稠的飲食。禮記 曲禮上：「侍飲於長者，酒進則起。」戰國 楚 宋玉 高唐賦：「進純犧，禱璇室。」饌稀，清淡爽口且不濃稠的菜餚。饌，ㄓㄨㄢˋ。論語 鄉黨：「有盛饌，必變色而作。」唐 韓愈 故太學博士李君墓志銘：「一筵之饌，禁忌，十常不食二三。」稀，薄。不濃。北宋 蘇軾 次韻田國博部夫南京見寄之二：「火冷餳稀杏粥稠，青裙縞袂餉田頭。」元 陳思濟（一二三二—一三〇一）漱石亭和段超宗韻：「風波

萬頃一官微，羨殺田家豆粥稀。」

③痛到……唾　心，都會覺得不舒坦；口液卻散發芬芳。痛，苦。謂不舒坦。到，至。唾，ㄊㄨㄛˋ。口液。（說文）

④金盤……肥　真對不住金盤裡又大又甜的荔枝。金盤　亦作「金柈」。金屬製餐具。東漢 辛延年 羽林郎詩：「就我求珍肴，金盤膾鯉魚。」南史 劉穆之傳：「及至醉飽，令廚人以金柈貯檳榔一斛以進之。」辜負，參卷九、一六一、注④。荔支肥，荔枝果實豐美。荔支，後作「荔枝」。西晉 稽含（二六三—三〇六）南方草木狀卷下：「荔枝樹，高五六丈餘，如桂樹，綠葉蓬蓬，冬夏榮茂，青華朱實，實大如雞子，核黃黑似熟蓮，實白如肪，甘而多汁，似安石榴。」其果實亦稱荔枝。唐 杜牧 過華清宮絕句之一：「一騎紅塵妃子笑，無人知是荔枝來。」北宋 蘇軾 食荔支詩之二：「羅浮山下四時春，盧橘楊梅次第新。日啖荔支三百顆，不妨長作嶺南人。」肥，形容果肉豐美。

一六八、月中桂

魏　清德

下風未許群芳拜①，上界長需一木支②。十二萬年齊宇宙③，花開子落莫嫌遲④。

【析韻】

支、遲，上平、四支。

【釋題】

古神話傳說月中有桂樹，樹下有一人，名吳剛，常斫之，樹創隨合。唐 段成式酉陽雜俎 天咫：「舊言月中有桂、有蟾蜍。故異書言月桂高五百丈，下有一人常斫之，樹創隨合，人姓吳名剛，西河人（榮按：今河南 浚縣、滑縣一帶），學仙有過，謫令伐樹。」又，初學記 安天論亦載，茲從略。唐 李白 贈崔司戶文昆季詩：「欲折月中桂，特為寒者薪。」許渾下第貽友人詩：「人心高下月中桂，客思往來波上萍。」

【注解】

①下風……拜　自認不如，不應允眾花來敬禮膜拜。莊子 在宥：「黃帝退捐天下，築特室，席白茅，閒居三月，復往邀之。廣成子南首而臥，黃帝順下風膝行而進，再拜稽首而問曰：『聞吾子達於至道，敢問治身奈何而可以長久？』廣成子蹷然而起曰：『善哉問乎！來！吾語汝……。』」後因以甘拜下風，表示誠心欽佩，自認不如。許，應允。羣芳，各種花，即眾花。拜，禮敬。

②上界……支　天界經常需要撐持；一木難支。上界，上天。天界。佛、道所稱神仙居住的地方。唐 張九齡（六七八—七四〇）祠紫蓋山經玉泉山寺詩：「上界投佛影，中天揚梵音。」長，ㄔㄤˊ。經常。詩 商頌 長發：「濬哲維商，長發其祥。」支，ㄓ。撐持。左傳定公元年：「天之所壞，不可支也。」一木難支，亦省作「一木支」。世說新語 任誕：「（和嶠）曰：『元裒如北廈門，拉攞自欲壞，非一木所能支。』」隋 王通（？—六一八）文中子 事君：

「大廈將顛，非一木所支也。」唐 杜甫水檻詩：「扶顛有勸誡，恐貽識者嗤。既殊大廈傾，可以一木支。」北宋 李之儀（一〇四八—一一二八？）鑒然亭詩：「溫公天下士，百計興艱危；大廈勢已傾，意欲一木支。」清 葉廷琯鷗陂漁話 劫灰錄 李定國事：「芾翁（高芾堂）題一律云：『一木難支大廈傾，東南半壁盡降城。』」

③十二……宙　歲月長久與天地同壽。十二萬年，形容歲月長久。齊，相等。相同。論語 里仁：「見賢思齊焉，見不賢而內自省也。」孟子 滕文公上：「夫物之不齊，物之情也。或相倍蓰，或相什百，或相千萬。」宇宙，天地。莊子 讓王：「余之於宇宙之中，……日出而作，日落而息，逍遙於天地之間。」後漢書 馮衍傳 顯志賦 論：「遊精宇宙，流目八紘。」注：「尹文子曰：『四方上下曰宇。』蒼頡篇曰：『舟輿所屆曰宙。』」

④花開……遲　不要疑惑花朵綻放、種子墜地，來得那麼晚。開，綻放。落，墜地。嫌，疑惑。金史 宣宗紀：「上嫌其太重。」遲，延宕。今語謂晚。

一六九、赤繩繫足

蔡振豐

千里全憑一繫功①，赤繩原不礙西東②。私心露水姻緣問③，曾否牽情費此公④？

【析韻】

功、東、公，上平、一東。

【釋題】

唐李復言續玄怪錄卷四定婚店：「杜陵（今陝西西安東南）韋固，少孤，思早娶婦，多岐求婚，必無成而罷。元和二年，將遊清河，旅次宋城南店，客有以前清河司馬潘昉女見議者。來日先明，期於店西龍興寺門。固以求之意切，且往焉。斜月尚明，有老人倚布囊坐於階上，向月檢書，固步觀之，不識其字，既非蟲篆八分科斗之勢，又非梵書，因問曰：『老父所尋者何書？……』老人笑曰：『此非世間書，君因何得見？』固曰：『非世間書，則何也？』曰：『幽冥之書。』固曰：『幽冥之人，何以到此？』……固曰：『然則，君又何掌？』曰：『天下之婚牘耳。』……因問：『囊中何物？』曰：『赤繩子耳，以繫夫妻之足。及其生則潛用相繫，雖讎敵之家，貴賤懸隔，天涯從宦，吳楚異鄉，此繩一繫，終不可逭。君之腳已繫於彼矣，他求何益？』……宋城宰聞之，題其店曰定婚店。」南宋張元幹（一〇九一—一一七〇）瑞鶴仙壽：「有赤繩繫足，從來相門，自然媒妁。」明湯顯祖牡丹亭：「定婚店，赤繩羈鳳；藍橋驛，配遞乘龍。」

【注解】

①千里……功　路途這麼遙遠，都靠着一條繩索將他們拴縛起來，而成就了姻緣美事。千里，泛稱路途遙遠。荀子勸學：「故不積跬步，無以至千里。」杜陵在陝西西安東南。宋城在河南東部近魯西、蘇北，兩地相距何止千里。餘參釋題。憑，靠。藉。仗。一，指赤繩言。繫，拴縛。功，成就的事情。

②赤繩……東 赤色的繩索，本來就不會阻隔兩地。赤繩，赤色繩索；餘詳釋題。原不擬，本來就不會阻隔。西東，猶云兩地。杜陵在西，清河在東，故稱。

③私心……問 私下存疑；打探這段尚未成為正式的姻緣，究竟怎麼回事？私心，私人（或個人）的心念。露水姻緣，本謂野合。指不正當的男女關係。清 袁枚 續新齊諧 露水姻緣之神：「問所職司，曰：『言之慚愧，掌人間露水姻緣事。』」此處，應作尚未成為正式的姻緣解。問，一探究竟。

④曾否……公 過去，有沒有引發感情？有沒有敬煩這位老翁？牽情，引發感情。唐 朱慶餘（？—？，永貞 咸通間人）中秋月詩：「孤高稀此過，吟賞倍牽情。」費此公，敬煩這一位老翁。

一七〇、廣寒宮織登科記

陳朝龍

天上人間兆寶函①，織成蕊榜妙機緘②。姓名自出嫦娥手③，錦繡文章便不凡④。

【析韻】

函、緘、凡，下平、十五咸。

【釋題】

東漢 郭憲（？—？）洞冥記：「冬至後，月養魄於廣寒宮。」開元天寶遺事：「唐明皇遊月宮，見天府，榜曰：『廣寒清虛府』。素娥十餘人，皓衣乘白鸞，舞于桂城下。」唐 柳宗元 龍城錄 明皇夢遊廣寒宮：「上皇申天師與道士鴻都客。八月望日夜，因天師作術，三人同遊月中，(頃)見一大官府，榜曰：『廣寒清虛府。』」本為虛構，後遂以為月中仙宮名。唐 鮑溶 宿水亭詩：「夜深星月伴芙蓉，如在廣寒宮裡宿。」金 趙元（？—？，明昌、天興間人）大暑詩：「不到廣寒冰雪窟，扇頭能有幾多風？」製作衣帛泛稱織，莊子 盜跖：「耕而食，織而衣。」又，古辭木蘭詩：「唧唧復唧唧，木蘭當戶織。」在此，織。作「製作」解。登科記，科舉及第士子之名錄也。唐時，特重進士，進士登科謂之登龍門。好事者因舉及第者姓名，編次為登科記。（清 徐松 登科記考）。唐 劉禹錫 贈致仕滕庶子先輩詩：「朝服歸來畫錦榮，登科記上更無名。」本詩題屬年久流傳民間之神話故事，古人恆以月中折桂喻榮登科甲，附記之。廣寒宮，詳本首插圖。

【注解】

①天上……函　典冊匣裏，預示著仙界、塵世的種種。天上人間，天上和人間。神仙世界和人世社會。唐 白居易 長恨歌：「但教心似金鈿堅，天上人間會相見。」清 吳偉業 七夕感事詩：「天上人間總玉京，今年牛女倍分明。」兆，預示。北宋 蘇洵（一〇〇九—一〇六六）權書下項籍：「兆垓下之死者，鉅鹿之戰也。」明 王廷相（一四七四—一五四四）雅述下：「以庶殺適，以天道律之，自有可死之理，而何待雄雞斷尾兆之耶？」寶函，盛典冊等物的匣子。南朝 梁 王筠（四八一—五四九）國師草堂寺智者約法師碑：「開寶

函之奧點，闢金字之微言。」唐溫庭筠菩薩蠻詞：「寶函鈿雀金鸂鶒，沉香闕上吳山碧。」

②織成……緘　編妥了名題金榜的好氣運。織成，編妥。蕊榜，原指道教學道升仙，列名蕊宮（蕊珠宮）。後恆用以指科舉中試揭曉名第的榜示。南宋葛立方（？—一一六四）韻語陽秋卷一八：「名字巍峨先蕊榜，詞章斐亹動文奎。」清黃叔琳（一六七二—一七五六）庚午重赴鹿鳴詩：「蕊榜新開敞盛筵，漫勞車馬問衰年。」妙，美好。機緘一語出自莊子天運：「天其運乎？地

元　無名氏　廣寒宮想像圖

其處乎？日月其爭於所乎？孰主張是？孰維綱是？孰居无事推而行是？意者其有機緘而不得已耶？」謂氣運。隱居通議古賦一引宋傅幼安訓畲賦：「妙造化之機緘兮，極上蟠而下際。」

③姓名……手　姓與名當然來自嫦娥的手迹。姓名，姓與名。自，當然。嫦娥，詳參卷八、一四四、釋題。手，手迹。漢書郊祀志上：「天子識其手，問之，果為書。」顏師古注：「手，謂所書手迹。」

④錦繡……凡　美好的文章就是傑出。錦繡，形容美好的事物。唐劉禹錫酬樂天見貽賀金紫之什詩：「珍重和詩呈錦繡，願言歸計並園廬。」元趙善慶（？—？，仁宗前後之人）水仙子仲春湖上曲：「六橋錦繡，十里畫圖，二月西湖。」便，就。莊子達生：「若乃夫沒人，則未嘗見舟而便操之也。」不凡，傑出。花月痕第二回：「處熱鬧場中，而面目冷冷者，此其人不凡矣。」

一七一、題霍小玉傳後

陳濬芝

腸斷情郎去不還①，生成薄命是紅顏②。負心我輩知多少③？難得黃衫滿世間④。

【析韻】

還、顏、間，上平、十五刪。

【釋題】

霍小玉，唐傳奇筆記中一妓女。傳為霍王侍婢所出，王薨，易姓鄭，淪為平康女。渠通詩書、善音樂。嘗與隴西進士李益海誓山盟，後李爽約，霍積思致疾。一日，有黃衫客強挾李至。小玉既見李，竟慟極而卒。唐蔣防（？—？，貞元、太和間人）撰有霍小玉傳，經收錄於太平廣記卷四八七。詳附錄全文。

【注解】

①腸斷……還　情人一去不回，多麼地令人悲痛。腸斷，形容極度悲痛。東晉干寶搜神記卷二〇：「臨川東興，有人入山，得猿子，便將歸。猿母自後逐至家。此人縛猿子於庭中樹上，以示之。其母便搏頰向人，欲乞哀狀，直謂口不能言耳。此人既不能放，竟擊殺之，猿母悲喚，自擲而死。此人破腸視之，寸寸斷裂。」唐白居易長恨歌：「行宮見月傷心色，夜雨聞鈴腸斷聲。」情郎，情人。在此指李益。（餘詳釋題）。一去不還，省詞作「去不還」，謂一去不回。

②生成……顏　向來美女大多福分不高。生成，生就。謂自然形成。水滸傳第一〇五回：「那山四面，都是生成的石室，如房屋一般，因此叫做房山。」紅樓夢第二九回：「原來寶玉自幼生成來的有一種下流癡病。」薄命，命運不好。福分差。漢書外戚傳下孝成許皇后：「妾薄命，端遇竟寧前。」紅樓夢第三二回：「黛玉聽了這話，不覺又喜又驚。又悲又嘆……你縱為我的知己，奈我薄命啊！」紅顏，參考卷五、八九、注③。

③負心……少　對我昧良心、忘恩德的，不知道有多少人？負心，昧良心、忘恩德。唐蔣防霍小玉傳：「我為女子，薄命如斯；君是丈夫，負心若此！」我輩，我等。知多少，參考卷二、三一、注③。

④難得……間　整個塵世，都不容易有黃衫客啊！難得，不容易有。不易得到。禮記儒行：「非時不見，不亦難得乎？」黃衫，黃衫客。餘參考釋題及附錄。滿世間，整個塵世。滿，遍。全。唐杜牧九日齊山登高詩：「人世難逢開口笑，菊花須插滿頭歸。」明瞿佑（一三四一—一四七二）清明即事詩：「滿院曉煙聞燕語，半窗晴日照蠶生。」清劉存元（一八〇五—一八八〇）立秋詩：「睡起秋聲無處覓，滿堦梧葉月明中。」

太平廣記卷第四百八十七　雜傳記四

霍小玉傳　蔣防譔

大曆中。隴西李生名益。年二十。以進士擢（擢原作推。據明鈔本改。）第。其明年。拔萃。俟試於天官。夏六月。至長安。舍於新昌里。生門族清華。少有才思。麗詞嘉句。時謂無雙。先達丈人。翕然推伏。每自矜風調。思得佳偶。博求名妓。久而未諧。長安有媒鮑十一娘者。故薛駙馬家青衣也。折券從良。十餘年矣。性便僻。巧言語。豪家戚里。無不經過。追風挾策。推為渠帥。常受生誠託厚賂。意頗德之。經數月。李方閒居舍之南亭。申未間。忽聞叩門甚急。云是鮑十一娘至。攝衣從之。迎問曰。鮑卿。今日何故忽然而來。鮑笑曰。蘇姑子作好夢也未。有一仙人。謫在下界。不邀財貨。但慕風流。如此色目。共十郎相當矣。生聞之驚躍。神飛體輕。引鮑手且拜且謝曰。一生作奴。死亦不憚。因問其名居。鮑具說曰。故霍王小女字小玉。王甚愛之。母曰淨持。淨持即王之寵婢也。王之初薨。諸弟兄以其出自賤庶。不甚收錄。因分與資財。遣居於外。易姓為鄭氏。人亦不知其王女。姿質穠艷。一生未見。高情逸態。事事過人。音樂詩書。無不通解。昨遣某求一好兒郎。格調相稱者。某具說十郎。他亦知有李十郎名字。非常歡愜。住在勝業坊古寺曲。甫上車門宅是也。已與他作期約。明日午時。但至曲頭覓桂子。即得矣。鮑既去。生便備行計。遂令家僮秋鴻。於從兄京兆參軍尚公處。假青驪駒。黃金勒。其夕。生澣衣沐浴。修飾容儀。喜躍交并。通夕不寐。遲明。巾幘。引鏡自照。惟懼不諧也。徘徊之間。至於亭午。遂命駕疾驅。直抵勝業。至約之所。果見青衣立候。迎問曰。莫是李十郎否。即下馬。令牽入屋底。急急鎖門。見鮑果從內出來。遙笑曰。何等兒郎造次入此。生調誚未畢。引入中門。庭間有四櫻桃樹。西北懸一鸚鵡籠。見生入來。即語曰。有人入來。急下簾者。生本性淡雅。心猶疑懼。忽見鳥語。愕然不敢進。逡巡。鮑引淨持下堦相迎。延入對座。年可四十餘。綽約多姿。談笑甚媚。因謂生曰。素聞十郎才調風流。今又見容儀雅秀。名下固無虛士。某有一女子。雖拙教訓。顏色不至醜陋。得配君子。頗為相宜。頻見鮑十一娘說意旨。今亦便令永奉箕箒。生謝曰。鄙拙庸愚。不意顧盼。倘垂採錄。生死為榮。遂命酒饌。即令小玉自堂東閤子中而出。生即拜迎。但覺一室之中。若瓊林玉樹。互相照曜。轉盼精彩射人。既而遂坐母側。母謂曰。汝嘗愛念開簾風動竹。疑是故人來。即此十郎詩也。爾終日吟想。何如一見。玉乃低鬟微笑。細語曰。見面不如聞名。才子豈能無貌。生遂連起拜曰。小娘子愛才。鄙夫重色。兩好相暎。才貌相兼。母女相顧而笑。遂舉酒數巡。生起。請玉唱歌。初不肯。母固強之。發聲清亮。曲度精奇。酒闌及暝。鮑引生就西院憩息。閒庭邃宇。簾幕甚華。鮑令侍兒桂子、浣紗。與生脫靴解帶。須臾玉至。言敘溫和。辭氣宛媚。解羅衣之際。態有餘妍。低幃暱枕。極其歡愛。生自以為巫山洛浦不過也。中宵之夜。玉忽流涕觀生曰。妾本倡家。自知非匹。今以色愛。托其仁賢。但慮一旦色衰。恩移情替。使女蘿無托。秋扇見捐。極歡之際。不覺悲至。生聞之。不勝感歎。乃引臂替枕。徐謂玉曰。平生志願。今日獲從。粉骨碎身。誓不相捨。夫人何發此言。請以素縑。著之盟約。玉因收淚。命侍兒櫻桃。褰幄執燭。授生筆研。玉管絃之暇。雅好詩書。筐箱筆研。皆王家之舊物。遂取繡囊。出越姬烏絲欄素縑三尺以授生。生素多才思。援筆成章。引諭山河。指誠日月。句句懇切。聞之動人。染畢。命藏於寶篋之內。自爾婉孌相得。若翡翠之在雲路也。如此二歲。日夜相從。其後年春。生以書判拔萃登科。授鄭縣主薄。至四月。將之官。便拜慶於東洛。長安親戚。多就筵餞。時春物尚餘。夏景初麗。酒闌賓散。離惡縈懷。玉謂生曰。以君才地名聲。人多景慕。願結婚媾。固亦眾矣。況堂有嚴親。室無冢婦。君之此去。必就佳姻。盟約之言。徒虛語耳。然妾有短願。欲輒指陳。永委君心。復能聽否。生驚怪曰。有何罪過。忽發此辭。試說所言。必當敬奉。玉曰。妾年始十八。君纔二十有二。迨君壯室之秋。猶有八歲。一生歡愛。願畢此期。然後妙選高門。以諧秦晉。亦末為晚。妾便捨棄人事。剪髮披緇。夙昔之願。於此足矣。生且媿且感。不覺涕流。因謂玉曰。皎日之誓。死生以之。與卿偕老。猶恐未愜素志。豈敢輒有二三。固請不疑。但端居相待。至八月。必當却到華州。尋使奉迎。相見非遠。更數日。生遂訣別東去。到任旬日。求假往東都覲親。未至家日。太夫人已與商量表妹盧氏。言約已定。太夫人素嚴毅。生逡巡不敢辭讓。遂就禮謝。便有近期。盧亦甲族矣。嫁女於他門。聘財必以百萬為約。不滿此數。義不在行。生家素貧。事須求貸。便托假故。遠投親知。涉歷江淮。自秋及夏。生自以孤負盟約。大愆回期。寂不知聞。欲斷其望。遙託親故。不遺漏言。玉自生逾期。數訪音信。虛詞詭說。日日不同。博求師巫。遍詢卜筮。懷憂抱恨。周歲有餘。羸臥空閨。遂成沈疾。雖生之書題竟絕。而玉之想望不移。賂遺親知。使通消息。尋求既切。資用屢空。往往私令侍婢潛賣篋中服玩之物。多託於西市寄附鋪侯景先家貨賣。曾令侍婢浣沙。將紫玉釵一隻。詣景先家貨之。路逢內作老玉工。見浣沙所執。前來認之曰。此釵吾所作也。昔歲霍王小女。將欲上鬟。令我作此。酧我萬錢。我嘗不忘。汝是何人。從何而得。浣沙曰。我小娘子即霍王女也。家事破散。失身於人。夫壻昨向東都。更無消息。悒成疾。今欲二年。令我賣此。賂遺於人。使求音信。玉工悽然下泣曰。貴人男女。失機落節。一至於此。我殘年向盡。見此盛衰。不勝感傷。遂引至延先公主宅。具言前事。公主亦為之悲歎良久。給錢十二萬焉。時生所定盧氏女在長安。生既畢於聘財。還歸鄭縣。其年臘月。又請假入城就親。潛卜靜居。不令人知。有明經崔允明者。生之中表弟也。性甚長厚。昔歲常與生同歡於鄭氏之室。盃盤笑語。曾不相問。每得生信。必誠告於玉。玉常以薪蒭衣服。資給於崔。崔頗感之。生既室。崔具以誠告玉。玉恨歎曰。天下豈有是事乎。遍請親朋。多方召致。生自以愆期負約。又知玉疾候沈綿。慙恥忍割。終不肯往。晨出暮歸。欲以回避。玉日夜涕泣。都忘寢食。期一相見。竟無因由。冤憤益深。委頓牀枕。自是長安中稍有知者。風流之士。共感玉之多情。豪俠之倫。皆怒生之薄行。時已三月。人多春遊。生與同輩五六人詣崇寺翫牡丹花。步於西廊。遞吟詩句。有京兆韋夏卿者。生之密友。時亦同行。謂生曰。風光甚麗。草木榮華。傷哉鄭卿。銜冤空室。足下終能棄置。寔是忍人。丈夫之心。不宜如此。足下宜為思之。嘆讓之際。忽有一豪士。衣輕黃紵衫。挾朱（朱原作未。據明鈔本改。）彈。丰神雋美。衣服輕華。唯有一剪頭胡雛從後。潛行而聽之。俄而前揖生曰。公非李十郎者乎。某族本山東。姻連外戚。雖乏文藻。心嘗樂賢。仰公聲華。常思覯止。今日幸會。得覩清揚。某之敝居。去此不遠。亦有聲樂。足以娛情。妖姬八九人。駿馬十數匹。唯公所欲。但願一過。生之儕輩。共聆斯語。更相歎美。因與豪士策馬同行。疾轉數坊。遂至勝業。生以近鄭之所止。意不欲過。便託事故。欲回馬首。豪士曰。敝居咫尺。忍相棄乎。乃輓挾其馬。牽引而行。遷延之間。已及鄭曲。生神情恍惚。鞭馬欲回。豪士遽命奴僕數人。抱持而進。疾走推入車門。便令鎖卻。報云。李十郎至也。一家驚喜。聲聞於外。先此一夕。玉夢黃衫丈夫抱生來。至席。使玉脫鞋。驚寤而告母。因自解曰。鞋者諧也。夫婦再合。脫者解也。既合而解。亦當永訣。由此徵之。必遂相見。相見之後。當死矣。凌晨。請母粧梳。母以其久病。心意惑亂。不甚信之。僶勉之間。強為粧梳。粧梳纔畢。而生果至。玉沈綿日久。轉側須人。忽聞生來。欻然自起。更衣而出。恍若有神。遂與生相見。含怒凝視。不復有言。羸質嬌姿。如不勝致。時復掩袂。返顧李生。感物傷人。坐皆欷歔。頃之。有酒餚數十盤。自外而來。一座驚視。遽問其故。悉是豪士之所致也。因遂陳設。相就而坐。玉乃側身轉面。斜視生良久。遂舉杯酒酧地曰。我為女子。薄命如斯。君是丈夫。負心若此。韶顏稚齒。飲恨而終。慈母在堂。不能供養。綺羅絃管。從此永休。徵痛黃泉。皆君所致。李君李君。今當永訣。我死之後。必為厲鬼。使君妻妾。終日不安。乃引左手握生臂。擲盃於地。長慟號哭數聲而絕。母乃舉尸寘於生懷。令喚之。遂不復蘇矣。生為之縞素。旦夕哭泣甚哀。將葬之夕。生忽見玉繐帷之中。容貌妍麗。宛若平生。着石榴裙。紫褴襠。紅綠帔子。斜身倚帷。手引繡帶。顧謂生曰。媿君相送。尚有餘情。幽冥之中。能不感嘆。言畢。遂不復見。明日。葬於長安御宿原。生至墓所。盡哀而返。後月餘。就禮於盧氏。傷情感物。鬱鬱不樂。夏五月。與盧氏偕行。歸於鄭縣。至縣旬日。生方與盧氏寢。乎帳外叱叱作聲。生驚視之。則見一男子。年可二十餘。姿狀溫美。藏身暎幔。連招盧氏。生惶遽走起。遶幔數匝。倏然不見。生自此心懷疑惡。猜忌萬端。夫妻之間。無聊生矣。或有親情。曲相勸喻。生意稍解。後旬日。生復自外歸。盧氏方鼓琹於牀。忽見自門抛一斑屏鈿花合子。方圓一寸餘。中有輕絹。作同心結。墜於盧氏懷中。生開而視之。見相思子二。叩頭蟲一。發殺觜一。驢駒媚少許。生當時憤怒叫吼。聲如豺虎。引琴撞擊其妻，詰令實告。盧氏亦終不自明。爾後往往暴加捶楚。備諸毒窟。竟訟於公庭而遣之。盧氏既出。生或侍婢媵妾之屬。蹔同枕席。便加妬忌。或有因而殺之者。生嘗遊廣陵。得名姬曰營十一娘者。容態潤媚。生甚悅之。每相對坐。嘗謂營曰。我嘗於某處得某姬。犯某事。我以某法殺之。日日陳說。欲令懼己。以肅清閨門。出則以浴斛覆營於牀。週廻封署。歸必詳視。然後開。又畜一短劒。甚利。顧謂侍婢曰。此信州葛溪鐵。唯斷作罪過頭。大凡生所見婦人。輒加猜忌。至於三娶。率皆如初焉。

一七二、題霍小玉傳後　　王　松

病體支離淚暗潸①，十郎去後總情關②。可憐鞋脫終成讖③。了卻因緣一夢間④。

【析韻】

潸、關、間，上平、十五刪。

【釋題】

同前首。

【注解】

①病體……潸　帶病的身子，衰弱不堪；淚水正偷偷地流著。病體，帶有疾病的身子。支離，衰弱。南齊謝朓遊山詩：「託養因支離，乘閑遂疲蹇。」北宋蘇軾次韻王定國馬上見寄詩：「昨夜霜風入袂衣，曉來病骨更支離。」暗，不公開地。猶云偷偷地。潸，ㄕㄢ。

涕淚流貌。詩小雅大東：「睠言顧之，潸焉出涕。」史記扁鵲傳：「魂精泄橫，流涕長潸。」索隱：「長潸謂長垂淚也。」

②十郎……關　十郎離開以後，閉門不出，一概謝絕與外人往來。十郎，李益。詳附錄霍傳。總，一概。西晉杜預（二二八—二八四）春秋左氏傳序：「經之條貫，必出於傳；傳之義例，總歸諸凡。」情關，猶云情閉。即杜戶而居，謝絕與外人往來。

③可憐……讖　令人悲傷、同情啊！「脫鞋」的夢，竟成為預知噩耗的憑藉。可憐，參考卷一、一九、注②。鞋脫終成讖。詳本卷、一七三、釋題。讖，ㄔㄣˋ。預言吉凶得失的文字、圖記、語言。

④了卻……間　一夢之間，了結了彼此因緣。了卻，了結。南宋辛棄疾破陣子為陳同甫賦壯詞以寄之：「了卻君王天下事，贏得生前身後名，可憐白髮生。」因緣，梵語尼陀那。四十二章經十三：「沙門問佛，以何因緣，得知宿命，會其至道。」翻譯名義集卷四釋十二支：「尼陀那，此云因緣。（鳩摩羅）什曰：『力強為因，力弱為緣。』（僧）肇曰：『前緣相生，因也；現相助成，緣也。』」一夢間，詳本卷、一七三、釋題。

一七三、霍小玉夢李益　　陳濬芝

黃衫多事到深居①，幻境居然實又虛②。恨未當時詢小玉③，脫鞋占夢果何書④？

【析韻】

居、虛、書，上平、六魚。

【釋題】

唐 蔣防 霍小玉傳：「玉自生逾期，數訪音信，虛詞詭說，日月不同。……更無消息，悒怏成疾。……先此一夕，玉夢黃衫丈夫抱生來。至席，使玉脫鞋。驚寤而告母，因自解曰：『鞋者，諧也，夫婦再合。脫者解也，既合而解，亦當永訣。由此徵之，必遂相見，相見之後當死矣。』……」。餘參本卷一七一、釋題及附錄。

【注解】

①黃衫……居　黃衫客啊！你，好管閒事地來到妾身幽居之所。黃衫，黃衫客。即釋題所稱黃衫丈夫。另詳本卷一七一、釋題及附錄。多事，參考卷八、一五六、注③。深居，幽居，不與外界接觸。淮南子 人間訓：「聖人深居以避辱。」唐 周賀（？—？，晚唐 太和末猶健在。）送僧還南嶽詩：「自說深居後，鄰州亦不行。」到深居，猶言至渠幽居之所。

②幻境……虛　虛假的境界，竟然，既像真的、又像假的。幻境，虛假的境界。在此，指夢黃衫客抱生入室。南宋 陸游 秋晚詩：「幻境槐安夢，危機竹節灘。」居然，參卷七、一二六、注①。實又虛，既似實又似虛。實，真的。虛，假的。空的。

③恨未……玉　後悔、埋怨，沒能及時問明小玉。恨，悔怨。謂既後悔又埋怨。未，沒有。當時，那個時候。未當時猶云沒有及時。詢，問。

④脫鞋……書　卸下雙鞋圓夢，怎麼回事？脫鞋占夢，詳釋題。占夢，圓夢，根據夢中所見附會預測人事的吉凶。左傳 哀公一六年：「衛侯占夢嬖人。」果何書，猶言怎麼回事。果，終究。何，怎麼。書，本謂寫。記錄。記載。指「脫鞋占夢」一事。

一七四、吳彩鸞寫韻

蔡振豐

療貧日日托毫端①，唐韻親抄憶彩鸞②。我笑五緡廉索直③，原堪一字一珠看④。

【析韻】

端、鸞、看，上平、十四寒。

【釋題】

吳彩鸞，唐代仙女。西山 吳真君之女也。相傳與進士文簫同居十年，並乘一虎仙去。唐 裴鉶 傳奇 入仙壇：「鍾陵 西山有遊帷觀，每至中秋，車馬喧闐。太和末（按指：八三三—八三五間），有書生文簫往觀。覩一姝甚麗。吟曰：『若能相伴陟仙壇，應得文簫駕彩鸞，自有繡襦并甲帳，瓊臺不怕雪霜寒。』生意其神仙，植足不去。姝亦相盼相引，至絕頂坦然之地。俄有仙童，持天判曰：『吳彩鸞以私欲洩天機，謫為民妻一紀。』姝乃與生下歸鍾陵。」鍾陵，即鍾陵郡。寫韻，書寫唐韻。彩鸞既遷謫為民妻；而文簫貧，渠為書寫孫愐 唐韻，售以為生。清 吳騫 扶風傳信錄：「憶別深宮七百年，幾經塵劫而相捐，踏燈忽漫春攔手，寫韻曾看夜擘牋。」或謂吳彩鸞寫唐韻，確有其人其事。後人傳會傳說，於鍾陵建寫韻亭，又稱寫韻軒。元 張雨（一二八三—一三五〇）題東坡真跡詩：「寫韻軒中塵不驚，與誰同躡鳳凰翎。彩鸞可惜情緣重，只合清齋寫道經。」

【注解】

①療貧……端　為了救窮，天天依賴筆下工夫。療貧，猶云救窮。金 元好問 問商卿還山中詩：「半世虛名不療貧，棲遲零落百酸辛。」日日，天天。托，依靠。唐 元稹 鶯鶯傳：「旅寓惶駭，不知所托。」剪燈新話 富貴發迹司志：「俾枯魚蒙斗水之活，困鳥托一枝之安。」紅樓夢第六回：「托著老子娘的福，吃喝慣了。」毫端，筆底。筆下。北宋 王安石 贈李士雲詩：「毫端出窈窕，心手初不著。」清 屠文漪（？—？）邁陂塘 題陸專亭小照詞：「是誰將玉山瓊樹，毫端圖畫偏似。」

②唐韻……鸞　親自抄寫唐韻，想起吳彩鸞。隋 陸法言（生卒年不詳）撰切韻五卷，唐 儀鳳二年（六七七）長孫訥言（？—？）加注並訂正訛誤。天寶十載（七五一）孫愐（？—？）重加訂正，改名唐韻，切韻至此不再流行。北宋 景德四年（一〇〇七）真宗命陳彭年（九六一—一〇一七）等校訂增刪，至大中祥符元年（一〇〇八）書成，更名大宋重修廣韻，唐韻又廢。原書亦早已失傳。今所存者為唐寫本殘卷四十四頁。

③我笑……直　我笑她：一冊只收五串錢，索價太便宜了。笑，謂嘲虐。緡，ㄇㄧㄣˊ。成串的錢。五緡，五串錢。廉索直。索價不高。直，ㄓˊ。通「值」。

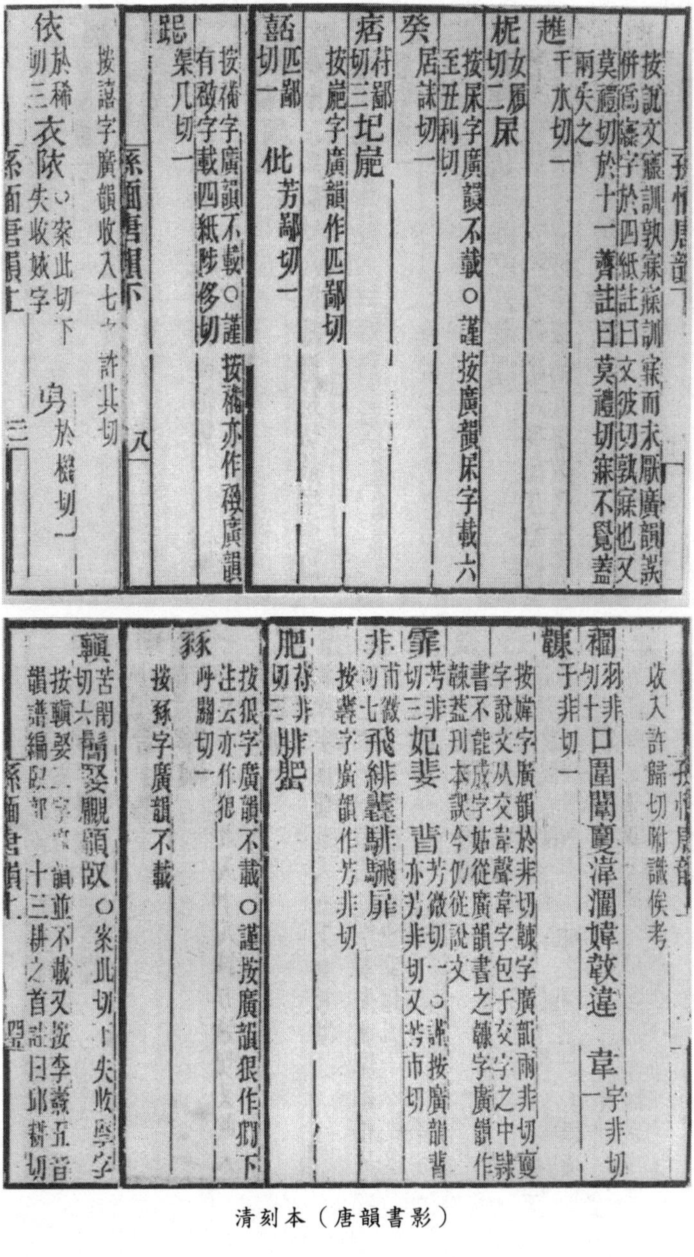
清刻本（唐韻書影）

④原堪……看　本來能夠字字珠璣看待的啊！原堪，本來能夠。一字一珠，猶言字字珠璣或字字璣珠。形容字之珍貴，每字有如珍寶。元　許有壬（一二八七—一三六四）字詞：「瑤臺構而開以金碧，字字璣珠飛玉眉。」看，視之。

一七五、韓翠蘋題紅葉限齊題鷄韻

陳濬芝

紅葉紛紛亂未齊①，多情有句筆頻題②。西風寫出相思恨③，不買吟箋到碧鷄④。

【析韻】

齊、題、鷄，上平、八齊。

【釋題】

唐僖宗時，儒士于祐晚步禁衢間，於御溝得紅葉，上題詩云：「流水何太急？深宮盡日閑。殷勤謝紅葉，好去到人間。」祐蓄於書笥，終日詠味；復題「曾聞葉上題紅怨，葉上題詩寄阿誰？」於葉上，置御溝上流水中。後在河中娶得遺散宮人韓氏，即題詩者。事見南宋劉斧（？—？）青瑣高議前集卷五流紅記（副題紅葉題詩娶韓氏）。元雜劇白樸韓翠蘋御水流紅葉、李文蔚（？—？，至元間在世）金水題紅怨均演此故事。榮按：韓翠蘋亦作韓采蘋，同一人也。

【注解】

①紅葉……齊　許許多多沒條理、不整齊的紅葉。紅葉，紅色的葉子，多指楓葉。餘參釋題。紛紛，盛多貌。史記天官書：「若煙非煙，若雲非雲，郁郁紛紛，蕭索輪囷，是謂卿雲。」

亂，沒有條理。左傳莊公十年：「吾視其轍亂，望其旗靡，故逐之。」未齊，不齊。

②多情……題　充滿感情，思索成句，一再地握管書寫。多情，富於感情。南史元帝徐妃傳：「徐娘雖老，猶尚多情。」唐杜牧贈別詩：「多情卻似總無情，惟覺罇前笑不成。」有句，思索成句。筆頻題，一再地握管寫下來。頻，屢次。列子黃帝：「汝何去來之頻。」題，書寫。世說新語巧藝：「韋仲將（誕）能書。」注引衛恒四體書勢：「誕善楷書，魏宮闕多誕所題。」

③西風……恨　秋風摹繪了彼此的思念、卻無法一見的怨氣。西風，西面吹來的風。多指秋風。唐李白長干行：「八月西風起，想君發揚子。」清陳維崧百字令送周求卓之任滎陽詞：「西風夕照，老鴉啼上枯樹。」寫，摹繪。墨子經說上：「圜，規寫交也。」孫詒讓閒詁：「寫，謂圖畫其象。」北魏賈思勰齊民要術園籬：「既圖龍蛇之形，復寫鳥獸之狀。」將秋風「吹拂」比喻為摹繪……。相思，彼此想念。恨，參考卷二一、二六、注④。

④不買……鵶　並不想購買詩稿；人卻已到達碧鵶坊。吟箋，亦作「吟牋」。意味詩稿。南宋陸游病起詩：「收拾吟牋停酒椀，年來觸事動憂端。」碧鵶，碧鵶坊。參考卷六、一○七、注④。

一七六、讀紅樓夢有感

陳朝龍

巾幗鬚眉盡大家①，海棠社啟足豪華②。顰卿死後諸姬散③，麗句何堪誦葬花④。

【析韻】

家、華、花，下平、六麻。

【釋題】

紅樓夢原稱石頭記又稱金陵十二釵、風月寶鑑、情僧錄，屬章回體長篇小說。作者曹雪芹（一七一五？—一七六四？）一生親歷人世、家族之興亡盛衰，輔今追昔，「燕市哭歌悲遇合，秦淮風月憶繁華」（懋齋詩鈔敦敏贈芹圃七律），渠以如椽之筆，披閱十載、增刪五次，敷華掞藻，立意遣詞無一落前人窠臼，前八十回約成書於乾隆十七、十八年（一七五三—一七五四）間。後四十回，據研究指出：應係高鶚（一七四八？—一八一五）依曹原未定稿所續作。紅樓夢以賈、史、王、薛四大家族為背景，以賈寶玉、林黛玉、薛寶釵三者之間的愛情與婚姻發展為中心，細述大家巨室之沈浮、興衰，寫十八世紀我國舊社會中個人之矛盾掙扎，與叛逆性格之悲劇，對當時宮庭、官場等黑暗，貴胄、望族等腐朽，科舉制度、婚姻、禮教等刻板，思想、道德等不盡適當之束縛，均有相當深入之批評並提出作者個人之理想與主張。全書無論人物形象、情節結構或語言藝術，皆有諸多特色與成就。近人魯迅（一八八一—一九三六）於所撰中國小說史略曾謂：「自有紅樓夢出來以後，傳統的思想和寫法都打破了。」一二〇回中，出現之人物，其有名、有姓、有稱謂者計達四七三人（皇室、貴冑、官宦，八七人。賈、薛、王、史四家親屬一〇六人。賈府僕傭、神人仙子、僧尼清客、鄉紳友儕、藝人戲子……等二八〇人，其等家眷尚不一一包括在內。依據今人馮其庸等校注本統計之）。紅樓夢自傳抄迄今，版本已達十四、五種之多，已知抄本即有十三種。近百年來以該書為主題，已成為一專業研究領域，略稱之為紅學。

【注解】

①巾幗……家　女的、男的，都出身豪門巨室。巾幗詳卷二、三四、注③。鬚眉，詳卷二、二三、注④。盡，皆。悉。左傳 昭公二年：「周禮盡在魯矣。」大家，猶巨室，古稱公卿大夫之家。書 梓材：「王曰：『封，以厥庶民暨庶臣，達大家。』」孔傳：「言當用其眾人之賢者與小臣之良者，以通達卿大夫及都家之政於國。」蔡沈 集傳：「大家，巨室。」後即用以稱豪門貴族。唐 韓愈 杜君墓志銘：「杜氏大家，世有顯人。承繼棉棉，以及公身。」

②海棠……華　海棠詩社一開始就有夠奢侈。社，指詩社言。詩人為吟咏而定期聚會的社團，亦稱吟社。啟，開始。足，足夠。詩 小雅 信南山：「既霑既足，生我百穀。」豪華，奢侈。北周 庾信 遊春人詩：「長安有狹邪，金屋盛豪華。」紅樓夢第九四回：「那賈母高興，叫人傳話到廚房裡，快快預備酒席，大家賞花。叫：『寶玉、環兒、蘭兒各人各做一

首詩誌喜。……』對著李紈道：『你們都陪我喝酒。』李紈答應了『是』，便笑對探春笑道：『都是你鬧的。』探春道：『饒不叫我們做詩，怎麼我們鬧的。』李紈道：『海棠社不是你起的麼，如今那棵海棠也要來入社了。』大家聽著都笑了。……寶玉上來，斟了酒，便立成了四句詩，寫出來念與賈母聽道：海棠何事忽摧隤，今日繁花為底開？應是北堂增壽考，一陽旋復占先梅。賈環也寫了來念道：草木逢春當茁芽，海棠未發候偏差。人間奇事知多少，冬月開花獨我家。賈蘭恭楷謄正，呈與賈母，賈母命李紈念道：煙凝媚色春前萎，霜浥微紅血後開。莫道此花知識淺，欣榮預佐合歡杯。……。」

③顰卿……散　黛玉一往生，眾美女也就分開不再相聚。顰卿，指林黛玉。紅樓夢第三回：「……寶玉又道：『妹妹尊名是哪兩個字？』黛玉便說了名。寶玉又問表字。黛玉道：『無字。』寶玉笑道：『我送妹妹一妙字，莫若"顰顰"二字極妙。』探春便問何出。寶玉道：『古今人物通考上說："西方有石名黛，可代畫眉之墨。"況這林妹妹眉尖若蹙，用取這兩字，豈不兩妙。』」諸姬，眾美女。姬，ㄐㄧ。古代婦女的美稱。吳越春秋卷三王僚使公子光傳：「於是莊王棄其秦姬越女，罷鐘鼓之樂。」散，分。與「聚」相對。禮記 大學：「財聚則民散，財散則民聚。」逸周書 時訓：「鴻雁不來，遠人背叛；玄鳥不歸，室家離散。」

④麗句……花　華美高雅的文句，怎麼能述說清楚葬花的原委與動機？麗句，妍美華麗的句子。北宋 晏幾道 臨江仙詞：「東野亡來無麗句，于君去後少交親。」清 汪啟淑（？—？，

乾、嘉間人）水曹清暇錄：「閑題麗句寄瑤臺，邀取飛瓊駕鶴來；遲日煖風煙景媚，碧桃花下共持杯。」何堪，何能。誦，ㄙㄨㄥˋ。述說。孟子 告子下：「子服堯之服，誦堯之言，行堯之行，是堯而已矣。子服桀之服，誦桀之言，行桀之行，是桀而已矣。」林黛玉惜花，故於餞花之日，將殘花落瓣，掩埋於葬桃之處。紅樓夢第二十七回：「……只聽山坡那邊有嗚咽之聲，一行數落著，哭的好不傷感。……聽他哭道是：花謝花飛花滿天，紅消香斷有誰憐？游絲軟繫飄春榭，落絮輕沾撲繡簾。閨中女兒惜春暮，愁緒滿懷無釋處，手把花鋤出繡閨，忍踏落花來復去。柳絲榆莢自芳菲，不管桃飄與李飛。桃李明年能再發。明年閨中知有誰？三月香巢已壘成，樑間燕子太無情！……昨夜庭外悲歌發，知是花魂與鳥魂？花魂鳥魂總難留，鳥自無言花自羞。……天盡頭，何處有香丘？未若錦囊收豔骨，一抔淨土掩風流。質本潔來還潔去，強於污淖陷渠溝。爾今死去儂收葬，未卜儂身何日喪？儂今葬花人笑痴，他年葬儂知是誰？試看春殘花漸落，便是紅顏老死時。一朝春盡紅顏老，花落人亡兩不知！」

一七七、讀紅樓夢弔林黛玉

林次湘

一夢紅樓感此生①，拋書我獨恨聲聲②。顰兒且莫因情誤③，金玉良緣不到卿④。

【析韻】

生、聲、卿，下平、八庚。

【釋題】

紅樓夢，詳前首釋題。弔，ㄉㄧㄠˋ。哀悼。莊子至樂：「莊子妻死，惠子弔之。」林黛玉，紅樓夢一主角。賈母之外孫女。賈寶玉乃其表兄。黛玉之父林如海，探花出身，官至巡鹽御史，娶賈代善與史太君（賈母）之女賈敏為妻。寶玉之父—賈政，與敏屬親兄妹。敏早卒，黛玉暫住外家；林父亡後，遂長期寄居賈府。渠自幼體弱多病，聰慧敏感，深感環境壓抑、地位委屈，憎惡周遭諸醜惡事務、蔑視權勢利祿，內心蘊積叛逆，並與傳統思想格格不入，形成孤高自許、目無下塵而又自傷無奈、鬱悒悲愁之性格。因與賈寶玉思想相當一致，彼此相愛相惜，惟於封建、禮教諸束縛下又無法結合，於寶玉受騙與薛寶釵成婚之夜，盡焚詩稿，嘔血而死。（詳第三、八、十四、廿、廿六、卅四、八二、九七、九八等回。紅樓夢校注，里仁民七三）渠與賈寶玉均為曹高於書中極力歌頌之正面人物，為我國古典文學作品中著名之典型形象。賈寶玉，賈母之次子政與王夫人所出。林黛玉之表兄，長黛玉一歲，銜玉而生。

【注解】

①一夢……生　一旦夢及紅樓情節，不由得對這一生有好多的感慨。一，一旦。夢，作動詞。猶言夢及。感，內心有所感觸。

②拋書……聲　丟下書本，我暗自怨聲連連。拋，ㄆㄠ。又作「抛」。丟棄。後漢書　安成孝侯賜傳：「賜與（兄）顯子信賣田宅，同拋財產，結客報吏。」書，書本。指小說紅樓夢。獨，暗自。表方式、狀態等之副詞。亦作「唯獨」解。史記　吳王濞傳：「（濞）已拜受印，高帝召濞相之，謂曰：『若狀有反相。』心獨悔，業已拜，因拊其背告曰：『……愼無反。』」恨，參考卷二、二六、注④。聲聲，連續不斷狀。

③齉兒……誤　黛玉啊！妳千萬不要被「情」所迷惑。齉兒，同齉卿。參前首注③。且莫，千萬不要。北宋　梅堯臣　達觀禪師歸隱靜寺古律之二：「且莫似杯渡，滄波無去蹤。」清平山堂話本　西湖三塔記：「我兒且莫出門便了。」因情誤，被「情」所迷惑。情，指不會有結果的戀情而言。誤，迷惑。左傳　哀公十九年：「十九年春，越人侵楚，以誤吳也。」杜預注：「誤吳，使不備也。」唐　韓愈　詠雪贈張籍：「誤雞宵呃喔，驚雀暗徘徊。」

④金玉……卿　像金玉般圓滿的姻緣，還沒有來到妳的身邊呢！金玉良緣，如金玉般美好的姻緣。金玉，黃金與珠玉。喻珍貴、美好。詩　小雅　白駒：「毋金玉爾音，而有遐心。」不到，猶還未到。卿，指稱林黛玉。

一七八、瀟湘館問病

林次湘

藥爐久已費安排①，公子多情淚暗揩②。共有難醫心裏病③，因緣誤卜一枝釵④。

【析韻】

排、揩、釵，上平、九佳。

【釋題】

林黛玉無意間，乍聞薛寶釵所遣婆子的一段混話，甚是刺心，由是精神益發恍惚、輾轉纏綿，不知不覺和衣倒下。昏睡中，竟惡夢到：「無端遭迫下嫁繼母某遠親為續弦，求諸賈母、舅媽等人作主，不果。寶玉卻許其住下，且剖心保證，寶玉胸坎鮮血直流，……丫鬟紫鵑驚見黛玉夢中放聲大哭，迅即將其喚醒，始知為惡夢；而精神更加不繼、乾咳不止，且痰見血絲。同時，寶玉亦臥病在牀。賈璉（大表哥）情商王太醫來府診治，經把脈望聞，斷係平日鬱結所致：「六脈弦遲，素由積鬱。左寸無力，心氣已衰。開脈獨洪，肝邪偏旺。木氣不能疏達，勢必上侵脾土，飲食無味，甚至勝所不勝，肺金定受其殃。氣不流精，凝而為痰；血隨氣湧，自然咳吐。理宜疏肝保肺，涵養心脾。……姑擬黑逍遙以開其先，復用歸肺固金以繼其後。……。」（詳第八二、八三回。紅樓夢校注，里仁、民七三）。瀟湘館，林黛玉寄食賈府期間所居館室。另參附圖。問病，探候患者。

【注解】

①藥罐……排　煎藥的烘爐、瓦罐老早就煩勞丫鬟、老媽子張羅備著。榮按：林黛玉體弱多病、湯藥不斷。安排，張羅備辦。妥善布置。北宋李中（？—？，開寶初仍健在）竹詩：「閑約羽人同賞處，安排棋局就清涼。」南宋陳與義春日詩：「忽有好詩生眼底，安排

句法已難尋。」元無名氏賺蒯通第二折：「他安排著香餌把鰲魚釣，準備著窩弓將虎豹射。」

②公子……揩　寶玉少爺呀！你的內心充滿感情，還偷偷地擦拭著眼淚。公子，指賈二少─賈寶玉。多情，參卷九、一七五、注②。揩，ㄎㄞ。擦拭。

③共有……病　同樣有不容易治療的心病。

④因緣……釵　姻緣陰錯陽差，占定了薛寶釵。因，通「姻」。因緣，姻緣。指結為夫妻的緣分。卜，參考卷六、一〇九、注②。一枝釵，指薛寶釵。餘詳紅樓夢第九六、九七等二回。

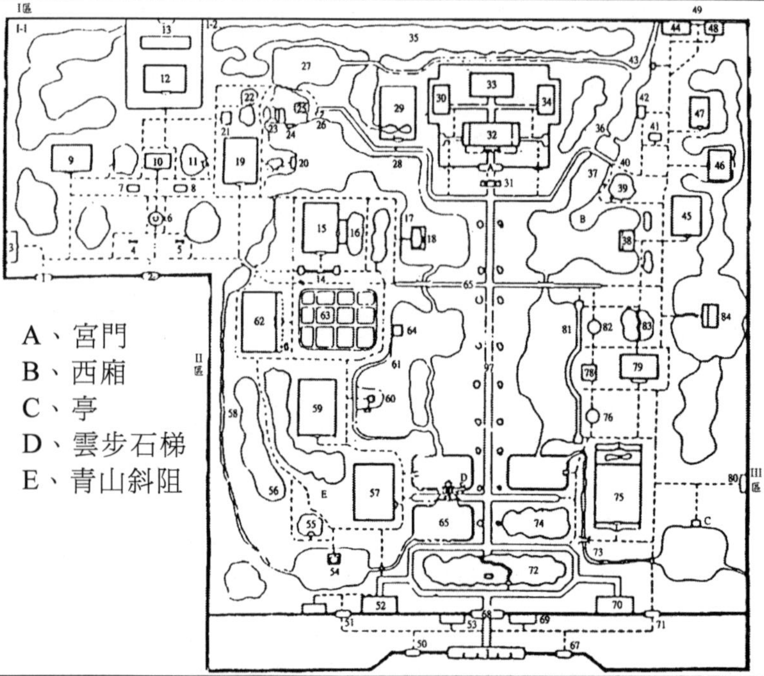

A、宮門
B、西廂
C、亭
D、雲步石梯
E、青山斜阻

I區			II區	III區
1	2			
1.通往賈母內室角門	14 夾道過街門	32.行　宮	50.聚錦門	67.東角門
2.通往王夫人內室角門	15.暖香塢	33.大觀樓	51.西內角門	68.儀門
3.老婆子值夜房	16.蓼風軒	34.綴錦閣	52.浦仁諭德廳	69.班房
4.木香棚	17.竹橋	35.大主山	53.議事廳	70.體仁沐德廳
5.荼蘼架	18.藕香榭	36.沁芳閣	54.滴翠亭	71.東內角門
6.牡丹亭	19.綴錦樓	37.葬花塚	55.小山坡	72.翠　嶂
7.薔薇院	20.紫菱洲	38.凹晶溪館	56.青山斜阻	73.翠烟橋
8.芍藥圃	21.芭蕉塢	39 小　山	57 蒲湘館	74.小　山
9.榆蔭堂	22.山　道	40.沁芳閘橋	58.引　水	75.怡紅院
10.紅香圃	23.蘿港石洞	41.茅　舍	59.秋爽齋、曉翠堂	76.圓　亭
11.湘雲眠芍	24.花　漵	42.清　堂	60.柳葉渚	77.正甬路
12.梨香院	25.船　塢	43.從外河引水	61.柳　堤	78.方　廈
13.通往後街偏門	26.雲步石梯	44.廚房	62.稻香村	79.嘉蔭堂
	27.朱欄折帶板橋	45.攏翠庵	63.分畦列畝	80.通往寧國府角門
	28.翠樾樓	46.達摩庵	64.蘆雪庭	81.長　廊
	29.蘅蕪苑	47.丹　房	65.沁芳亭橋	82.圓　亭
	30.含芳閣	48.值夜房	66.橫道	83.曲　洞
	31.省親別墅玉石牌坊	49.後　門		84.凸碧山莊

大觀園平面示意圖

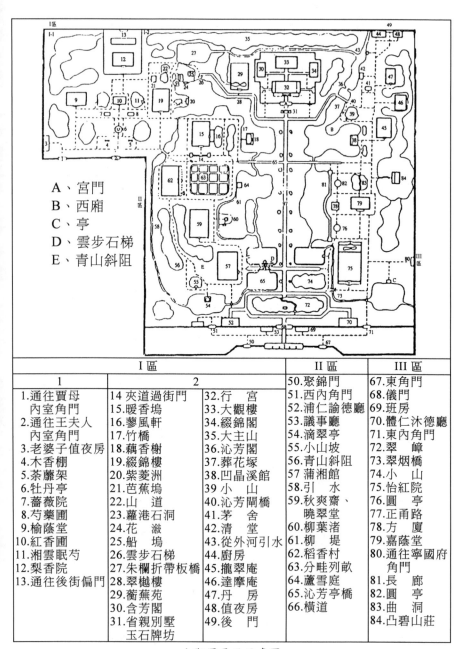

一七九、史湘雲醉臥花茵

陳叔寶

踈慵醉態肆癡頑①，落絮飛茵繞翠鬟②。欲向繁華尋好夢③，黑甜鄉在萬花間④。

【析韻】

頑、鬟、間，上平、十五刪。

【釋題】

史湘雲，父史鼎。鼎，賈母（史太君）長兄之子。湘雲乃賈母之姪孫也。賈寶玉壽誕，是日亦為其堂兄賈璉愛妾平兒生日。趁賈母、王夫人等外出，渠等於紅香圃治席三桌歡飲。抓鬮行令、划拳較量，湘雲不勝酒力，酩酊大醉離席而遁。紅樓夢校注第六二回：「正說著，只見一個小丫頭笑嘻嘻的走來：『姑娘們快瞧雲姑娘去，吃醉了圖涼快，在山子後頭一塊青板石凳上睡著了。』眾人聽說，都笑道：『快別吵嚷。』說著，都走來看時，果見湘雲臥於山石僻處一個凳子上，業經香夢沉酣，四面芍藥花飛了一身，滿頭臉衣襟上皆是紅香散亂，手中的扇子在地下，也半被落花埋了，一羣蜂蝶鬧穰穰的圍著她，又用鮫帕包了一包芍藥花瓣枕著。眾人看了，又是愛，又是笑，忙上來推喚挽扶。湘雲口內猶作睡語說酒令，唧唧嘟嘟說：『泉香而酒冽，玉盌盛來琥珀光，直飲到梅梢月上，醉扶歸，卻為宜親友。……，』」花茵，本作花裀，裀，同「茵」。用花作坐墊。

【注解】

①疎慵……頑　懶散、酒酣，不自約束、瘋瘋顛顛。疎慵，懶散。疏，俗體字作「疎」（廣韻）唐 白居易 閑夜詠懷因召周協律劉薛二秀才詩：「世名檢束為朝士，志性疎慵是野夫。」北宋 蘇軾 次韻答邦直子由詩之一：「簿書顛倒魂夢間，知我疎慵肯見原。」醉態，酒酣的狀態。酣，ㄏㄢ。肆癡頑，不自約束，瘋瘋癲癲。肆，ㄙˋ。縱恣。左傳 昭公一二年：「昔（周）穆王欲肆其心，周行天下。」癡頑，愚頑無知。唐 王建 昭應宮舍詩：「癡頑終日羨人閑，卻喜因官得近山。」

②落絮……鬢　飄落的白花、香草，散布在他一頭秀髮的周遭。落絮，飄落在地的白花。南朝 梁 蕭子顯（四八七—五三五）春日貽劉孝綽詩：「新禽爭弄響，落絮亂從風。」飛茵，飄散在地的香草。茵，茵蔯。亦作「茵陳」、「因陳」、「茵蔯蒿」、「綿茵陳」。草本植物。經冬不死，因舊而生，故名。有香氣，入藥。繞，ㄖㄠˋ。周環。翠鬢，美稱婦女髮式。在此，作「秀髮」解。

③欲向……夢　想趁著盛年，求個美夢。欲向，想對著。向，對著。繁華，喻盛年。史記 呂不韋列傳：「不韋因使其姊說（華陽）夫人曰：『……不以繁華時樹本，即色衰愛弛後，雖欲開一言，尚可得乎？』」三國 魏 阮籍 詠懷詩之四：「昔日繁華子，安陵與龍陽。」尋好夢，覓美夢；求美夢。

④黑甜……間　不覺就酣睡在眾花之中。黑甜鄉 猶夢鄉。形容酣睡。元 馬致遠 陳摶高臥第四折：「笑他滿朝朱紫貴，怎如我一枕黑甜鄉。」萬花間，眾花之中。萬，形容數量多。

參、月　旦

卷一〇

一八〇、續　絃

陳　濬　芝

琴弦斷卻已多時①，乞得鸞膠續亦宜②。願向因緣翻舊簿③，百年長繫此紅絲④。

【析韻】

時、宜、絲，上平、四支。

【釋題】

續絃，本作「續弦」。古恆以琴瑟喻夫婦，因謂喪妻曰斷弦，再娶曰續弦。明　沈鯨（？—？，嘉靖、隆慶間人。）雙珠記　處分後事：「我新喪偶，尚未續弦，令正既要嫁人，何不與我成婚？」

【注解】

①琴絃……時　喪妻已經有一段時間了。琴絃斷卻，斷絃。絃，ㄒㄧㄢˊ。琴瑟類樂器上撥動使發音的生絲線。今多用銅絲、鋼絲……。本作「弦」。禮記 樂記：「昔者舜作五弦之琴以歌南風。」唐 李商隱 錦瑟詩：「錦瑟無端五十弦，一弦一柱思華年。」斷絃，指妻亡故。唐 白居易 甲去妻後妻犯罪請用子蔭贖罪……判：「王吉去妻，斷絃未續；孔氏出母，疎網將加。」南宋 鄭剛中（一〇八八—一一五四）答潼洲宇文龍圖：「自聞抱琴瑟斷絃之悲，日欲修慰，……。」

②乞得……宜　找到適當的對象，接續過去的姻緣也是應該的。乞，ㄑㄧˋ。求（討）。左傳 定公二年：「邾莊公與夷射姑飲酒，私出。閽乞肉焉，奪之杖以敲之。」唐 韓愈 郴州祈雨詩：「乞雨女郎魂，炰羞潔且繁。」海內十洲記 鳳麟洲載：「西海中有鳳麟洲，多仙家，煮鳳喙麟角合煎作膏，能續弓弩已斷之弦，名續弦膠，亦稱鸞膠。」後多用以喻續娶後妻。五代 劉兼（？—？）秋夕書懷呈戎州郎中詩：「鸞膠處處難尋覓，斷盡相思寸寸腸。」清 金捧閶（一七六〇—一八一〇）守一齋筆記 龍虎山道童：「（劉侍郎）喪耦，欲續鸞膠，聞裴撫女賢且美，議婚。」續，連接。宜，應該。應當。

③願向……簿　打從心裏想去披覽舊的婚姻冊。願，出自心裏所想的念頭。向，去。因緣，詳參卷九、一七八、注⑥。翻，披覽。北宋 黃庭堅 放言詩之十：「欲付此中意，歸翻書蠹書。」清 趙翼 五十初度詩：「閑翻青史覽窮塵，歷歷前聞觸頭頻。」舊時，謂注定男

女婚配的名冊曰姻緣簿（冊）。元 王實甫西廂記第五本第四折：「那裏有糞堆上長出連枝樹，淤泥中生出比目魚，不明白展污了姻緣簿？」清 孔尚任 桃花扇 入道：「怎知道姻緣簿久已勾銷。」

④百年……絲 終身經常拴縛著這一條紅線。百年，終身。一生。東晉 陶潛 擬古詩之二：「不學狂馳子，直在百年中。」唐 杜甫登高詩：「萬里悲秋常作客，百年多病獨登臺。」北宋 蘇軾渚宮詩：「百年人事知幾變，直恐荒廢成空陂。」長，參考卷九、一六八、注②。繫，參考卷九、一六九注①。紅絲，猶赤繩。參卷九、一六九、注②。

一八一、新 妾　　陳朝龍

輕盈弱態不勝嬌①，新抱衾裯待鵲橋②。生怕舊人爭一哭③，開心第一合家歡④。

【析韻】

嬌、橋，下平、二蕭。

【釋題】

新妾，甫入門之側室。新，纔。剛。荀子 不苟：「新浴者，振其衣。新沐者，彈其冠。人之情也。」妾，昔一夫多妻制下，男子於妻（正室）外，所娶之女子。易 鼎：「得妾以其子，无咎。」呂氏春秋 慎勢：「妻妾不分則家室亂。」

【注解】

①輕盈……嬌　纖柔輕飄、弱不禁風的姿態，非常美好、可愛。輕盈，纖柔輕飄的樣子。樂府詩集卷三四相逢行：「下車何輕盈，飄然似落梅。」唐 劉禹錫 楊柳枝詞：「輕盈嫋娜占春華，舞榭妝樓處處遮。」弱態，弱不禁風的姿態。不勝，非常。十分。後漢書 皇甫規傳：「臣不勝至誠，沒死自陳。」清 紀昀閱微草堂筆記 灤陽消夏錄一：「車殆馬煩，不勝困憊。」嬌，美好可愛。唐 杜甫宿昔詩：「花嬌迎雜樹，龍喜出平地。」

②新抱……橋　剛裹著簇新的錦被，等候同寢。抱，以臂合圍持物。詩 召南 小星：「抱衾與裯，寔命不猶。」衾裯，ㄑㄧㄣ ㄔㄡ。寢時覆體之具。衾，大被。裯，襌被。待，等候。鵲橋，神話每年七月七夕，牛郎織女相會，羣鵲銜接為橋以渡銀河。在此，引申作「（相會）同寢」解。

③生怕……哭　唯恐原配一旦心懷妒意，搶先聲淚俱下。生怕，唯恐。唐 曹唐（？—？咸通中病卒）劚劍詩：「生怕雷霆號澗底，長聞風雨在牀頭。」金 董解元 西廂記 諸宮調卷一：「花憔月悴羅衣褪，生怕旁人問。」舊人，謂原配及已娶入諸姬妾。爭，較量。水滸傳第五回：「師父聽說，我家時常齋僧布施，那爭師父一箇？」本詩此處，謂原配等可能心懷妒意。一哭，一一傷心落淚。一猶一一。韓非子 八經：「……是以事至而結智，一聽而公會。」陳奇猶集釋：「內儲說上『一聽』節：齊湣王聽竽，好一一聽之。是一聽，即一一聽之。」

④開心……歡　最期待的是：全家和合、老小無猜。開心，本謂心情舒暢。快樂。兒女英雄傳第三三回：「普天下的婦道，第一件開心的事無過丈夫當著他的面讚他自己養的兒子。」第一，表示程度深。開心第一即第一開心，猶云最快樂的是……，引申作「最期待」解。合家歡，全家老小和合無猜。

一八二、新　妾

蔡振豐

花身二八正垂髫①，夫壻跟前曲細調②。防有吼聲吹到耳③，按絃低唱念奴嬌④。

【析韻】

髫、調、嬌，下平、二蕭。

【釋題】

同前首。

【注解】

①花身……髫　十六歲、如花之身，年紀還小。花身，如花之身。南宋范成大內丘梨園詩：「汗後鵞梨爽似冰，花身耐久老猶榮。」二八，十六歲。正垂髫，年齒猶稚。正，當。垂髫，兒童或童年。髫，ㄊㄧㄠ。童子下垂之髮。西晉潘岳藉田賦：「被褐振裾，垂髫總髮。」東晉陶潛桃花源記：「黃髮垂髫，並怡然自樂。」

②夫壻……調　在丈夫面前，彈唱著小調。夫壻，參卷四、七三、注③。跟前，身邊。面前。元　王元鼎（？—？，至治、天曆間人。）河西後庭花曲：「你來我跟前委實圖甚？」紅樓夢第二三回：「你又在我跟前弄鬼。」一曲細調，彈唱小調。曲，ㄑㄩˇ。調，ㄉㄧㄠˋ。

③防有……耳　事先做好戒備，生怕會有咆哮之聲，傳到耳跟。防，預先戒備，以免遭受攻擊或受害。吼，ㄏㄡˇ。咆哮。榮按：齊人之「福」，河東「獅」吼也。吹，猶傳。

④按絃……嬌　撫著琴絲，低聲唱一曲念奴嬌。按，ㄢˋ。撫。低唱，低聲唱。念奴嬌，詞調名。念奴，唐　天寶年間著名歌者，因取為調名。別名有大江東去、酹江月，壺中天慢等。大體均百字左右，雙調，分平韻、仄韻兩種，句讀大同小異。（以上分詳詞譜卷二八，詞律卷一六）。又，念奴嬌，亦作曲牌名。屬大石調，字數與詞調前半闋同，南北曲均有，南曲作引子，北曲用於套曲中。在此，「念奴嬌」實一詞雙闋。蓋新妾所唱未必念奴嬌也。是耶非？

一八三、小　星

鄭　兆　璜

抱盡衾裯恨暗銜①，自憐命薄恐遭讒②。同心我羨賢夫婦③，永夜明星戒旦嚴④。

【析韻】

銜、讒、嚴，下平、十五咸。

【釋題】

小星，本詩經召南篇名。詩召南小星序：「小星，惠及下也。夫人無妬忌之行，惠及賤妾。」後因以小星為妾之代稱。明吳炳（一五九五—一六四八）療妬羹賢風：「夫人時常寬慰，許備小星。」清鈕琇觚賸雲娘：「公子治吉席，將為小星催粧。雲忽易戎服，掣所佩刀，出立堂上，責公子。」

【注解】

①抱盡……銜　擁著大被、小被，內心偷偷藏著一股怨氣。盡，止。抱盡，抱過來、抱過去。猶云擁著。衾裯，參考卷十、一八一、注②。恨暗銜，參考卷二、廿六、注⑧及卷三、五一、注⑤。

②自憐……讒　同情自己的福分（太差），生怕惹人言語中傷。自，指本身。憐，哀憐。憐憫。猶云同情。命薄，同「薄命」。卷六、一〇七、注③；另參考卷九、一七一、注②。恐遭讒，參考卷三、五一、注①，五二、注①。

③同心……婦　我羨慕您們夫妻倆情投意合。同心，情投意合。羡，ㄒㄧㄢˋ。亦作「羨」。因喜愛而想要得到。意即羨慕。賢夫婦，猶賢伉儷。

④永夜……嚴　漫漫長夜裏，您倆就像明亮的牛女二星，惟恐清晨忽忽地到來！永夜，長夜。明星，明亮之星。因以喻彼夫婦若七夕牛女二星。戒，防備。引申作惟恐解。旦，清晨。嚴，急。孟子公孫丑下：「充虞請曰：『前日不知虞之不肖，使虞敦匠事。嚴，虞不敢

請。』」朱熹集注：「嚴，急也。」

一八四、孕　婦

林鵬霄

乾坤混沌一時包①，消息傳來十月交②。試較紅羅舊裙帶③，柳腰合抱為誰教④？

【析韻】

包、交、教，下平、三肴。

【釋題】

懷胎在身之婦人稱孕婦。孕，ㄩㄣˋ。懷胎。易漸：「鴻漸于陸，夫征不復，孕婦不育，凶。利禦寇。」李鼎祚集解引虞翻曰：「孕，妊娠也。」國語魯語上：「鳥獸孕，水蟲成。」韋昭注：「孕，懷子也。」已婚女子曰婦。詩魏風氓：「三歲為婦，靡室勞矣。」鄭玄箋：「有舅姑曰婦。」

【注解】

①乾坤……包　陰陽一體、不容分割；即刻裹在一起。乾坤混沌，陰陽一體，不可分剖。乾，☰。ㄑㄧㄢˊ。陽，隱指男。坤，☷。ㄎㄨㄣ。陰，隱指女。混沌，ㄏㄨㄣˋ ㄉㄨㄣˋ。渾然一體，不可分割貌。東漢班固白虎通天地：「混沌相連，視之不見，聽之不聞，然後剖判。」唐儲光羲仲夏入園中東陂詩：「暑雨若混沌，清明如空虛。」一時包，即刻裹在一起。

一時，即刻。立即。即時。世說新語 容止：「始入門，諸客望其神姿，一時退匿。」水滸傳第七回：「既蒙到我寒家，本當草酌三杯，爭奈一時不能周備，且和師兄一同上街閒玩一遭。」紅樓夢第四回：「卻十分面善得緊，只是一時想不起來。」

②消息……交 有孕的音信，在十月前後通告到了。消息，音信。信息。東漢 蔡琰悲憤詩：「迎問其消息，輒復非鄉里。」清 周準（？—？乾、嘉間人）明妃曲：「中原消息斷，胡地風沙寒。」傳來，傳達。猶云通告知曉。十月，指農曆十月。交，指時間前後上下。左傳僖公五年：「其九月、十月之交乎？」清 俞樾 茶香室叢鈔 出自幽谷：「李子田太史，曾於秋冬之交，見黃鶯就水次。」

③試較……帶 比較一下紅色綾羅所裁製的老舊裙帶。試較，猶云比較。意謂計量其長短。紅羅裙帶，紅色綾羅剪裁製成的裙帶。舊，與「新」相對。指過去既已使用者言。裙，女性所著腰際以下的衣服。帶，栓繫衣裳等的長條狀物。

④柳腰……教 是誰？使她纖細的腰身變的粗大了！柳腰，形容女子纖柔細小的腰肢。元 張可久 四塊玉 春情曲：「杏臉香銷玉粧臺，柳腰寬褪羅裙帶。」合抱，兩臂環抱。多形容樹身的粗大。老子：「合抱之木，生於毫末。」北宋 蘇軾 萬松亭詩：「為問幾株能合抱，殷勤記取角弓詩。」在此，用以形容有孕而腰肢變粗。為，ㄨㄟˋ。是。教，ㄐㄧㄠˋ。使。令。

一八五、採茶女

辛邦彥

春回小峴綠芽舒①，仙種蔥蘢二月初②。村女攜筐歌采采③，曉煙滿袖露霑裾④。

【析韻】

舒、初、裾，上平、六魚。

【釋題】

從事摘取茶葉之婦女稱採茶女。採，ㄘㄞˇ。摘取。史記 循吏列傳：「秋冬則勸民山採，春夏以水，各得其所便，民皆樂其生。」茶，一名「茗」。學名 Camellia sinensis。山茶科。常綠灌木。葉革質，長橢圓狀披針形或倒卵狀披針形，邊緣有鋸齒。秋末開花，花一──三朵腋生、白色、有花梗。蒴果扁球狀，有三鈍棱，產於我國中部至東南部與西南部。廣泛栽培。茶樹性喜濕潤氣候與微酸性土壤，耐陰性強，用種子、扦插或壓條繁殖。葉含咖啡鹼、茶鹼、鞣酸、揮發油等，有興奮大腦與心臟等作用，除充作飲料外，並為製茶鹼、咖啡鹼等原料。根供藥用。甫自茶園所摘取之茶葉，俗稱茶青，經搓揉、烘焙等一定之程序，始可供沖泡、煎煮。飲料用茶葉一般分為綠茶、半熟茶與熟茶或綠茶、紅茶；綠茶加入乾燥花即成花茶，或稱香片。亦有加上地名以區分之，如杭州龍井、武夷紅茶、臺灣烏龍……。臺茶名著中外，自十九世紀起即已大量出口、外銷歐 美，單公元一八九五年（清 光緒二十一年、馬關和約成立之年）臺茶年外銷量已達一九、五五六千磅。（J.Daridson:The Island of Formosa,Past & Present, 1903）。

【注解】

①春回……舒　暖春的小嶺，望去一片綠油油的茶樹嫩芽。峴，ㄒㄧㄢˋ。小而高的山嶺。舒，伸。展開。引申作「一片」解。

②仙種……初　二月初旬，仙界的品種青翠茂盛。仙種，仙界的品種。種，ㄓㄨㄥˇ。宋無名氏水調頭歌　壽徐樞詞：「桃培萬歲，千年仙種又栽蓮。」葱蘢，ㄘㄨㄥㄌㄨㄥˊ。亦作「蔥蘢」、又作「蔥籠」。形容草木清翠茂盛。東晉 郭璞（二六七—三三四）江賦：「涯灌芊蕀，潛薈葱籠。」唐 柳宗元 酬賈鵬山人郡內新栽松寓興見贈詩之一：「積雪表明秀，寒花助蔥蘢。」金 史肅（？—？大定、大安間人。）北潭詩：「竹陰松影玉蔥蘢，十里平堤一徑通。」初，始。猶言初旬。

③村女……采　村女提著竹筐，邊走邊唱，歌聲優揚悅耳。村女，指鄉村女子。唐 李端（？—？，至德、貞元間人。）送路司諫侍從叔赴洪州詩：「村女解收魚，津童能用檝。」水滸傳第九回回首：「白髮田翁親滌器，紅顏村女笑當罏。」攜筐，提著竹筐。攜，ㄒㄧㄝˊ。亦作「携」、「擕」。提著。詩 大雅 板：「天之牖民，如壎如篪，如璋如圭，如取如攜。」唐 王維偶然作詩之四：「白衣攜壺觴，果來遺老叟。」筐，ㄎㄨㄤ。方形的盛物竹器。後用柳條或荊條等編成者亦稱筐。詩 召南 采蘋：「于以盛之？為筐及筥。」毛傳：「方曰

採　茶

茶園（南投松柏坑）

筐，圓曰筥（ㄐㄩˇ）。」歌采采，歌聲優揚悅耳。歌，唱歌。采采，形容聲音美妙。三國魏嵇康琴賦：「英聲越發，采采粲粲。」唐孟郊清東曲：「采采清東曲，明眸豔珪玉。」

④曉煙……裾　兩袖盡是晨霧，雙襟浸潤露水。煙，亦作「烟」。指雲、霧等煙狀物。北宋周邦彥（一〇五六—一一二一）蘭陵王柳詞：「柳陰直，煙裏絲絲弄碧。」清魏源天臺山梁雨後觀瀑歌：「雁湫之瀑煙蒼蒼，中條之瀑雷硠硠。」曉煙，晨霧。霑，ㄓㄢ。浸潤。詩小雅信南山：「既霑既足，生我百穀。」南朝梁江淹別賦：「掩金觴而誰御，橫玉柱而霑軾。」裾，ㄐㄩ。衣的前後襟。說文：「裾，衣褎（ㄆㄠˊ）也。」

一八六、美人影

蔡振豐

娉婷活現柳花陰①，泡影人生感慨深②。振觸春波橋下綠③，驚鴻曾照總傷心④。

【析韻】

陰、深、心，下平、十二侵。

【釋題】

容貌姣好、姿態婀娜者，曰美人。多指女子。六韜文伐：「厚賂珠玉，娛以美人。」唐顧況（七二七？—八一六？）悲歌：「美人二八顏如花，泣向春風畏花落。」清袁枚隨園詩話卷三：「女寵雖為患，過終在男子。范同叔云：『吳國若教丞相在，越王空送美人來！』」影，光線為人（或物）體遮擋所形成之陰暗、可視之形象，泛稱影。如：人影、身影、月影……。雜譬喻經卷下：「婦往開甕，自見身影在此甕中。」唐薛能（？—八八〇）秋日將離滑臺酬所知詩之二：「燈澀秋光靜不眠，葉聲身影客窗前。」

【注解】

①娉婷……陰　麗人，活生生地出現在柳花的背面。娉婷，參卷一、六、注①。活現，活生生地出現。元楊梓（？—一三二七）霍光鬼諫第二折：「夢中兒子眼前活現。」清洪昇長生殿彈詞：「聽這老翁說的楊娘娘標致，恁般活現，倒像是親眼見的，敢則謊也。」柳花，呈鵝黃色。成子後，上有白絨毛，隨風飄落為柳絮；惟古人詩篇，往往「絮」、「花」不分。唐杜甫曲江陪鄭八丈南史飲詩：「雀啄江頭黃柳花，鵁鶄鸂鶒滿晴沙。」背陽曰陰，引申作物的背面。在此，指柳花的背面。

②泡影……深　虛幻的人生，令人感觸深刻。泡影，喻虛幻或無望的事。金剛經：「一切有為法，如夢幻泡影。」唐賈島寄令狐綯相公詩：「夢幻將泡影，浮生事只如。」人生，指人的一生。左傳襄公卅一年：「人生幾何，誰能無偷，朝不及夕，將安用樹？」唐韓愈合江亭詩：「人生試無幾，事往悲豈那。」感慨，心有所感觸而生慨歎。三國魏阮籍詠懷詩之六：「感慨懷辛酸，怨毒常苦多。」深，指程度言。與「淺」相對。

③振觸……綠　接觸到橋下春水，波濤碧綠。振，ㄓㄣˋ。觸。碰撞。廣韻：「振，振觸。」

振觸，猶碰觸。接觸。春波，春水的波濤。唐 杜牧 送張判官歸兼謁鄂州大夫詩：「江雨春波闊，園林客夢催。」冷廬雜識 瑪華妹引清 陸瑪華 過蠡澤詩：「橋邊煙影淡無痕，橋下春波綠到門。」

④驚鴻……心　畢竟已經看到美人，心裏老是感到悲痛。驚鴻，指稱美人。南宋 陸游 沈園詩之一：「傷心橋下春波綠，曾是驚鴻照影來。」照，看。紅樓夢第五三回：「賈母歪在榻上，和眾人說笑一回，又取眼鏡向戲臺上照一回。」總，老是。傷心，形容極其悲痛。禮記 問喪：「女子哭泣悲哀，擊胸傷心。」西漢 司馬遷 報任安書：「悲，莫痛於傷心。」

一八七、美人影　陳朝龍

空階花影印深深①，容易珊珊玉趾臨②。我欲寫真無一面③，畫圖只向月中尋④。

【析韻】

深、臨、尋，下平、十二侵。

【釋題】

同前首。

【注解】

①空階……深　廣濶的臺階，花影的痕迹特別濃密。空，ㄎㄨㄥ。廣濶的。詩 小雅 白駒：「皎

皎白駒，在彼空谷。」毛傳：「空，大也。」西晉左思詠史之四：「寥寥空宇中，所講在玄虛。」李善注：「空，廓也。」階，謂臺階。用磚、石等砌成的階梯。書大禹謨：「帝乃誕敷文德，舞干羽于兩階。」唐李白菩薩蠻詞：「玉階空佇立，宿鳥歸飛急。」影，人或物因遮住光線而投下的暗像。印，痕迹。唐段成式酉陽雜俎諾臯記上：「手染鬱金柘於線上，千萬重手印悉透。丈夫衣之，手印當背；婦人衣之，手印當乳。」深深，濃密貌。張說（六六七—七三一）贈別楊炯箴：「杳杳深谷，深深喬木。」崔櫓（八五〇？—？）華清宮詩之一：「草遮回磴絕鳴鑾，雲樹深深碧殿寒。」近人林學衡（？—？）春日遊三貝子公園詩：「過雨杏林紅稍稍，藏春蘭徑綠深深。」

②容易……臨　說遲那快、一忽拉，你已經高潔飄逸地來到眼前。容易，謂事物（或事情）的發展變化進程快。北宋司馬光又寄聶之美詩：「心目悠悠逐去鴻，別來容易四秋風。」南宋陸游宴西樓詩：「萬里因循成久客，一年容易又秋風。」珊珊，參考卷六、一一三、注①。玉趾，對人腳步的雅稱。左傳僖公二十六年：「寡君聞君親舉玉趾，將辱於敝邑。」司馬光奉同范景仁宋次道太常致齋韓廷評維見過為詩謝之：「如何枉玉趾，及門失相迎。」臨，來到。到達。東漢曹操（一五五—二二〇）步出夏門詩：「東臨碣石，以觀滄海。」

③我欲……面　我想寫下你的真容；沒有自主的餘地。寫真，寫人的真容。顏氏家訓雜藝：「武烈太子偏能寫真，坐上賓客，隨宜點染，即成數人，以問童儒，皆知姓名矣。」清姚鼐（一七三二—一八一五）題句容學博馮墨香小照詩：「寫真自古難，神藝有深造。」一

面，自主。南宋岳飛奏措置虔賊狀：「山寨賊首羅誠等二百餘人，見拘管在寨。未審令臣一面處置，惟復申解朝廷，伏望聖慈速賜指揮。」

④畫圖……尋　所畫的圖像，唯有朝著月宮覓求靈感了。只，唯有。月中，指月宮。尋，求。

一八八、老　婢

鄭神寶

薄命如花不自愁①，泥中逢怒幾春秋②。添香掃地無多事③，且伴經神到白頭④。

【析韻】

愁、秋、頭，下平、十一尤。

【釋題】

老婢，年長、資深之使女。婢，ㄅㄧˋ。漢書刑法志：「妾願沒入為官婢，以贖父罪，使得自新。」世說新語德行：「祖光祿少孤貧，……王平北聞其佳名，以兩婢餉之，因取為中郎。有人戲之曰：『奴價倍婢。』」唐韓愈寄盧仝詩：「一奴長鬚不裹頭，一婢赤腳老無齒。」北史盧景裕傳：「（景裕）居拒馬河，將一老婢作食，妻子不自隨從。」

【注解】

①薄命……愁　像花一般福份不高，（我）並不擔心。薄命，參考卷九、一七一、注②。憂慮曰愁。唐李白謝公亭詩：「謝亭離別處，風景每生愁。」唐賈至（七一八—七七二）

春思詩：「東風不為吹愁去，春日偏能惹恨長。」

②泥中……秋　譏嘲我說話愛用文言，已經有多少年了。泥中逢怒，參考卷六、一〇五、注④。幾，若干。猶言多少。春秋，歲月。漢書 鼂錯傳：「刻於玉版，藏於金匱，歷之春秋，紀之後世，為帝者祖宗，與天地相終。」

③添香……事　增補柱香、清除地面的塵土。此外，沒有更多的家事可做。添，增補。香，案上燃香。

④且伴……白頭　就陪侍老爺直到年老吧！且，就。伴，相隨。在此，作「陪侍」解。經神，原稱東漢 鄭玄。拾遺記 前漢下云：鄭玄為當時經學大師，求學者不遠千里而來，京師（人）謂康成為「經神」。作者姓鄭，沈潛經史，借老婢之口自喻為經神也。白頭，猶白髮。形容年老。戰國策 韓策三：「中國白頭游敖之士，皆積智欲離秦 韓之交。」三國 魏 曹丕與吳質書：「意志何時，復類昔日？已成老翁，但未白頭耳。」清 龔自珍 已亥雜詩之二八五：「白頭相見山東路，誰惜荷衣兩少年。」

作者遺照

一八九、尼姑看月

鄭兆璜

月映禪房夜色幽①，塵心偶觸不勝愁②。團圓願向他生懺③，莫再空門誤白頭④。

【析韻】

幽、愁、頭，下平、十一尤。

【釋題】

梵語 Bhikṣuṇī 音譯曰比丘尼，佛教出家「五眾」之一，指已受具足戒之女性，簡稱尼，俗稱尼姑。唐李商隱祭徐姊夫文：「尼姑居宗老之地，騶奴揔家相之權。」看，ㄎㄢˋ。視。觀察。月即月球。舊稱太陰。與地球平均距離三八四、四〇一公里。本身不能發光，將反射太陽光，得為吾人肉眼看見。直徑三、四七六公里，約為地球的四分之一，質量為地球的八一・三分之一，密度為水的三・三倍，重力約為地球的六分之一。磁場屬偶極場，強度約為地球的 $0.5X10^{-5}$ 倍。自轉週期與繞地球轉動的週期相等，均為二七・三日，故恆以同一面對著地球。月球上無水，基本上沒有大氣。月表面溫度變化急劇，赤道處正午攝氏一二七度、夜最低溫達攝氏零下一八三度。月面凹凸不平，有海、環形山、月面輻射紋與山系等結構。一九六九年，美國太空人首次登陸月球，攜回月球土壤、岩石等樣品，並於月球上安置探測儀器。自遠古以來，我國有甚多與月相關的神話故事，茲從略。

【注解】

①月映……幽　月光射入寺院，夜的景色竟是那麼地暗淡。月，指月光。映，照。猶云射入。東晉郭璞江賦：「青綸競糺，縟組爭映。」北宋王安石金山寺詩：「誰言張處士，雄筆映千古。」禪房，佛徒習靜之所。泛指寺院。北魏楊衒之洛陽伽藍記景林寺：「中有禪房一所，內置祇洹精舍，形制雖小，巧構難比。」唐常建（？—？，開元、天寶間人。）題破山寺後禪院詩：「曲徑通幽處，禪房花木深。」夜色，猶言夜景。幽，暗淡。東晉葛洪抱朴子嘉遯：「猶震雷骸則聲鼓堙，朝日出則螢燭幽也。」

②塵心……愁　一旦起了凡心，卻受不住悲哀、憂慮的折磨。佛家主張超脫現實，遂將關心社會現實的心情謂之塵心。塵心，猶凡心。凡俗之心、名利之念。唐白居易馮閣老處見與嚴郎中酬和詩因戲贈絕句：「縱有舊游君莫憶，塵心起即墮人間！」北宋梅堯臣送曇穎上人往廬山詩：「塵心古難洗，瀑布垂秋虹。」偶，碰上。白居易賀雲生不見日蝕表：「蓋天地大統，不能無災，皇王至誠，可以銷慝。嘗聞此說，今偶其時。」觸，猶言動（起）。不勝，受不住。愁，悲哀、憂慮。

③團圓……懺　願意朝著下一輩子禮禱相聚相依。團圓，親屬團聚。多指夫妻而言。唐杜甫又示兩兒詩：「團圓思弟妹，行坐白頭吟。」清洪昇長生殿補恨：「團圓等待中秋節，管教你情償意愜。」願，願意。向，朝著。他生，來生。下一世。唐李商隱馬嵬詩之一：「海外徒聞更九州，他生未卜此生休。」北宋王安石文師神松詩：「磊砢拂天吾

所愛，他生來此聽樓鐘。」懺，ㄔㄢˋ。僧尼為人或為己表示悔過的禮禱。

④莫再……頭　不再遁處寺院，徒令年華老去。莫，不要。佛教謂色相世界，皆是虛無，能破除偏執，由空而得涅盤，以「空」為入道之「門」，故稱空門。大智度論卷一八：「空門者，生空法空。」釋氏要覽上稱謂　空門子：「何者空門？謂觀諸法者無我無所，諸法從因緣生，無作者受者，是名空。」因泛稱佛家為空門。唐 白居易 閑吟詞：「自從苦學空門法，銷盡平生種種心。」在此，宜作「寺院」解。誤，錯失。白頭猶云年華老去。白頭本義，詳本卷、一八八、注④。

一九○、紅　友

陳　朝　龍

聞名心醉早平生①，知己相逢酌巨觥②。只惜交深多負債③，酬君也要孔方兄④。

【析韻】

生、觥、兄，下平、八庚。

【釋題】

酒，別稱紅友。南宋 羅大經（？—？，嘉定、寶慶間人）。鶴林玉露卷八：「常州 宜興縣 黃土村，東坡南遷北歸，嘗與單秀才步田至其地。地主攜酒來餉，曰：『此紅友也。』」明 王世貞 三月三日屋後桃花下與兒子小酌紅酒詩：「偶然兒子致紅友，聊為桃花飛白波。」

清朱彝尊（一六二九—一七〇九）邁陂塘答沈融谷即送其游皖口詞：「留君且住，喚紅友傳杯，青猨翦燭，伴我夜深語。」

【注解】

①聞名……生　有生以來，一聽到你的大名，內心就已茫然。聞名心醉，猶云聞汝名，我心醉。聞，聽到。醉，心神茫茫。早，在一定時間以前。平生，有生以來。此生。陳書徐陵傳：「歲月如流，平生幾何？晨看旅雁，心赴江淮；昏望牽牛，情馳揚越。」唐韓愈孟郊遣興聯句：「平生無百歲，歧路有四方。」

②知己……觥　知己聚在一起，總是大杯、大杯的牛飲。知己，彼此相知且情誼深厚的人。三國魏曹植贈徐幹詩：「彈冠俟知己，知己誰不然。」唐王勃送杜少府之任蜀州詩：「海內存知己，天涯若比鄰。」相逢，相遇。猶云聚在一起。酌，ㄓㄨㄛˊ。飲酒。喝酒。三國魏吳質答東阿王書：「對青酤而不酌，抑嘉肴而不享。」二刻拍案驚奇卷三七：「程宰素不善酌，竭力推辭不飲。」觥，ㄍㄨㄥ。亦作「觵」。盛酒或飲酒器。古代用獸角製，後亦用木或青銅製。腹橢圓或方形，底為圈足或四足。有流，有把手。蓋呈帶角獸首形或長鼻象頭形。亦有整體為獸形者。如用以盛酒，觥內則附有酌酒用勺。盛行於殷商及西周前期。詩周南卷耳：「我姑酌彼兕觥，維以不永傷。」在此，借指酒杯。巨觥，猶言巨杯。

③只惜……債　所遺憾的只是交情越深、負債相對地也越多。惜，猶今語遺憾。交，謂交情。

負債，錢財不敷支配，告貸於人。

④酬君……兄　償付你的，還是要雪花花的銀兩啊！酬君，指沽酒而言。酬，ㄔㄡ。亦作「酎」、「醻」。償付。北史 陽休之傳：「監臨之官出行，不得過百姓飲食。有者，即數錢酬之。」孔方兄，即孔方。古諺稱錢曰孔方。舊時，銅錢外圓、中有方孔，故名。孔方兄語出西晉 魯褒（？—？，泰始、光熙間人）錢神論。北宋 黃庭堅 戲呈孔毅父詩：「管城子無食肉相，孔方兄有絕交書。」

一九一、酸儒　陳濬芝

豈真酸態不堪聞①，儒素自安未出羣②。一吐當年寒士氣③，鹽梅調鼎味平分④。

【析韻】

聞、羣、分，上平、十二文。

【釋題】

儒有多義；信奉儒家學說、思想者曰儒。後遂用以泛稱讀書人。文人迂腐或寒酸，均得稱酸儒。明 袁宏道 與龔惟長先生書：「遠文唐 宋酸儒之陋，近完一代未竟之篇。」近人梁啟超 中國專制政治進化史論：「今歲華門一酸儒，來歲可以金馬玉堂矣。」

【注解】

①豈真……聞　難道真的寒酸、迂腐到不能讓人接受？豈，表疑問或反詰。相當于「難道」。詩 王風 大車：「豈不爾思，畏子不奔。」酸態，寒酸迂腐的狀態。狀態兼表程度。不堪，忍受不了。孟子 離婁下：「顏子當亂世，居於陋巷，一簞食，一瓢飲，人不堪其憂，顏子不改其樂。」聞，接受。

②儒素……羣　他往常只自謀安樂，並未與眾不同。儒，指儒生言。素，往常。史記 項羽本紀：「居鄛人范增年七十，素家居，好奇計。」自安，自謀安樂。國語 魯語下：「吾冀而朝夕修我曰：『先無廢先人』，爾今曰『胡不自安』，以是承君之官，余懼穆伯之絕嗣也。」出羣，（超羣）出眾。意謂與眾不同或超出常人。尹文子 大道上：「今世之人，行欲獨賢，事欲獨能，辯欲出羣，勇欲絕眾。」唐 杜甫 海棕行：「自是眾木亂紛紛，海棕焉知身出羣。」

③一吐……氣　盡量傾吐出往年貧士不平的情緒。一吐，盡量傾吐，猶盡可能說出。唐 韓愈 代張籍與李浙東書：「今去李中丞五千里，何由致其身於其人之側，開口一吐出胸中之奇乎？」兒女英雄傳第十二回：「莫若直捷痛快的盡情一吐，便是有干嚴怒，也合一場教訓。」當年，往年。昔年。晉書 文苑傳 序：「翰林總其菁華，典論詳其藻絢，彬蔚之美，競爽當年。」寒士，貧士。家境清貧的讀書人。唐 杜甫 茅屋為秋風所破歌：「安得廣廈千萬間，大庇天下寒士俱歡顏。」氣，指情緒。精神狀態。莊子 庚桑楚：「欲靜則

平氣。」

④鹽梅……分　鹽和梅同時放入鼎鼐醯醢，味道就會適中。鹽，味鹹。梅，味酸。調鼎，烹煮食物。南宋 吳曾 能改齋漫錄 事始一：「左傳：晏子曰：『水火醯醢鹽梅，以烹魚肉。』是古人調鼎用梅醢也。」明 徐光啟（一五六二—一六三三）農政全書卷二八：「農桑通訣曰：『又一種澤蒜，可以香食。吳人調鼎，率多用此。』」味，味道。平分，對半分。唐 白居易 元微之除浙東觀察使喜得杭越鄰州先贈長句：「郡樓對翫千峯月，江界平分兩岸春。」清 李漁 憐香伴 謐發：「行來漸漸和他遠，平分得相思一半。」

一九二、酸　儒

鄭兆璜

枉將儒士說超羣①，氣習寒酸自古聞②。惟有昌黎能免俗③，除年只寫送窮文④。

【析韻】

羣、聞、文，上平、十二文。

【釋題】

同前首。

【注解】

①枉將……羣　錯誤地把區區一個書生，說成他超越同儕、高人一等。枉，ㄨㄤˇ。錯誤。唐 柳

宗元封建論：「漢有天下，矯秦之枉，循周之制，剖海內而立宗子、封功臣。」將，ㄐㄧㄤ。猶今語「把」。儒士，亦稱儒者。本指崇奉孔孟學說的人，後遂泛稱讀書人、書生。墨子非儒下：「今孔某之行如此，儒士則可以疑矣。」東晉葛洪抱朴子審舉：「兵興之世，武貴文寢，俗人視儒士如僕虜，見經誥如芥壤。」南宋陳亮上孝宗皇帝第一書：「始悟今世之儒士自以為得正心誠意之學者，皆風痺不知痛癢之人也。」說，說成。描述成。超羣，超過眾人之上。猶出類拔萃。淮南子繆稱訓：「同師而超羣者，必其樂之者也。」抱朴子尚博：「雖有超羣之人，猶謂之不及竹帛之所載也。」唐張喬（？—？，咸通十哲之一，廣明後隱居九華山）。送龐百篇之任青陽縣尉詩：「都堂公試日，詞翰獨超羣。」

②氣習……聞　古來就聽說他們的氣質、習性貧窘、不體面。氣息，氣質習性。朱子語類卷一一九：「如此則雖愚必明，雖柔必強，氣習不期變而變矣。」南宋葉適將士郎稽君墓記：「事親純孝，處已儉約，有乃父風，無子弟氣息。」明劉東星（？—？，嘉靖、萬曆間人。）史閣款語：「余雖曰仕宦，而清素未脫寒酸氣息。」寒酸，貧窘、不體面。唐杜荀鶴秋日懷九華舊居詩：「燭共寒酸影，蛩添苦楚吟。」自古，古來。從古以來。聞，聽（說）。聽（見）。唐杜甫贈花卿詩：「此曲祇應天上有，人間能得幾回聞？」

③惟有……俗　只有韓昌黎能夠不同於世俗。古籍「惟」、「唯」、「維」通用。書多作「惟」、詩作「維」，左傳作「唯」。惟有，只有。昌黎，韓愈（七六八—八二四）郡望昌黎，世稱韓昌黎。免俗，行為不同於世俗。世說新語任誕：「仲容（按阮咸字仲容）以竿挂大

布犢鼻幝於中庭。人或怪之。答曰：『未能免俗，聊復爾耳。』」唐 杜甫 孟倉曹步趾領新酒醬二物滿器見遺老夫詩：「理生那免俗，方法報山妻。」

④除年……文 舊歲將盡，他單單撰作一篇送窮文。（全文詳所附書影）

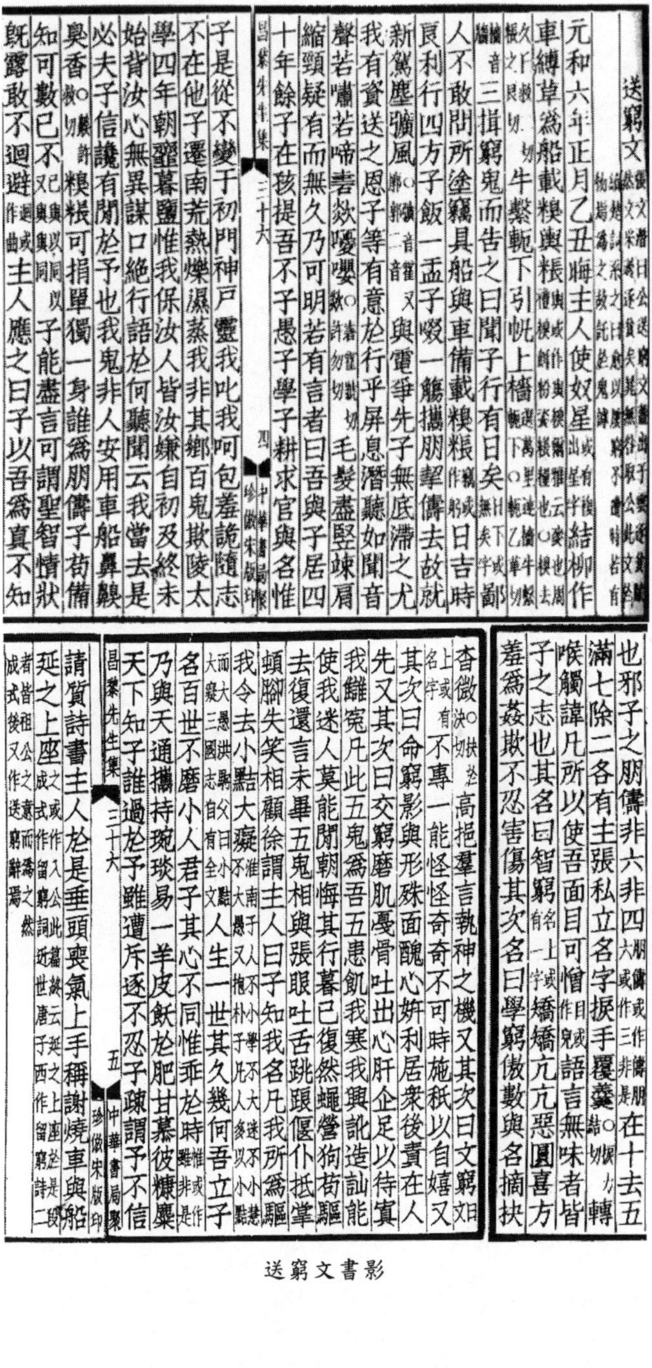
送窮文

元和六年正月乙丑晦主人使奴星結柳作車縛草爲船載糗與粻牛繫軛下引帆上檣三揖窮鬼而告之曰聞子行有日矣鄙人不敢問所塗竊具船與車備載糗粻日吉時良利行四方子飯一盂子啜一觴攜朋挈儔去故就新駕塵彍風與電爭先子無底滯之尤我有資送之恩子等有意於行乎屏息潛聽如聞音聲若嘯若啼砉欻嚘嚶毛髮盡豎竦肩縮頸疑有而無久乃可明若有言者曰吾與子居四十年餘子在孩提吾不子愚子學子耕求官與名惟

昌黎先生集 三十六 四 中華書局聚 珍倣宋版印

子是從不變于初門神戶靈我叱我呵包羞詭隨志不在他子遷南荒熱爍濕蒸我非其鄉百鬼欺陵太學四年朝虀暮鹽惟我保汝人皆汝嫌自初及終未始背汝心無異謀口絕行語於何聽聞云我當去是必夫子信讒有間於予也我鬼非人安用車船鼻齅臭香糗粻可捐單獨一身誰爲朋儔子苟備知可數已不子能盡言可謂聖智情狀既露敢不迴避主人應之曰子以吾爲眞不知

也邪子之朋儔非六非四在十去五滿七除二各有主張私立名字捩手覆羹轉喉觸諱凡所以使吾面目可憎語言無味者皆子之志也其名曰智窮矯矯亢亢惡圓喜方羞爲姦欺不忍害傷其次名曰學窮傲數與名摘抉

杳微高挹羣言執神之機又其次曰文窮不專一能怪怪奇奇不可時施秖以自嬉又其次曰命窮影與形殊面醜心妍利居衆後責在人先又其次曰交窮磨肌戛骨吐出心肝企足以待寘我讎冤凡此五鬼爲吾五患飢我寒我興訛造訕能使我迷人莫能間朝悔其行暮已復然蠅營狗苟驅去復還言未畢五鬼相與張眼吐舌跳踉偃仆抵掌頓腳失笑相顧徐謂主人曰子知我名凡我所爲驅我令去小黠大癡人生一世其久幾何吾立子名百世不磨小人君子其心不同惟乖於時乃與天通攜持琬琰易一羊皮飫於肥甘慕彼糠糜天下知子誰過於予雖遭斥逐不忍子疏謂予不信

昌黎先生集 三十六 五 中華書局聚 珍倣宋版印

請質詩書主人於是垂頭喪氣上手稱謝燒車與船延之上座

送窮文書影

一九三、吟壇老將

陳朝龍

佳句縱橫翰墨場①，千軍掃盡筆生芒②。吟壇倘作凌煙閣③，添寫詩人兩鬢霜④。

【析韻】

場、芒、霜，下平、七陽。

【釋題】

樂於參加詩友聚會，經驗老練、作品質量均受肯定者稱吟壇老將。吟壇，詩人結會。元 歐陽玄（一二八三—一三五八）祭祖墓詩之一：「白髮甘泉忝從官，歸來曳履上吟壇。」老將，原指久經戰陣之將領。史記 吳王濞列傳：「吳王問諸老將，老將曰：『此少年推鋒之計可耳，安知大慮乎！』」唐 元稹 月三十韻詩：「老將占天陣，幽人釣石磯。」後遂亦指從事某一行較久，且有相當經驗者。如：球壇老將、歌壇老將……等是。

【注解】

①佳句……場　精彩的語句在文壇上雄健奔放。佳句，詩文精彩的語句。世說新語 文學：「孫興公（按：孫綽字興公）作天臺賦成，以示范榮期（按：范啟字榮期）……每至佳句，輒云：應是我輩語。」唐 杜甫 秋日夔府詠懷奉寄鄭監李賓客一百韻：「遠遊凌絕境，佳句染華箋。」南宋 陸游 老學庵筆記卷四：「劉長卿詩曰：『千峰共夕陽』，佳句也。」

縱橫，ㄗㄨㄥˋ ㄏㄥˊ。雄健奔放。東漢劉楨（？—二一七）贈五官中郎將詩之四：「君侯多壯思，文雅縱橫飛。」杜甫戲為六絕句之一：「庾信文章老更成，凌雲健筆意縱橫。」翰墨場，猶言翰墨林。謂筆墨之林，以喻文章彙集之處。亦猶文壇也。南朝宋謝瞻（三八三？—四二一）張子房詩：「濟濟屬車士，粲粲翰墨場。」杜甫壯遊詩：「往昔十四五，出遊翰墨場。」南宋張孝祥鷓鴣天上元設醮詞之三：「憶昔追遊翰墨場，武夷仙伯較文章。」

②千軍……芒　多少人為之折服，他的筆端呈現光芒。千軍，形容人數眾多。盡，竭。完。掃盡，清除完畢，引申作「僉為之折服」解。筆，指筆端。生芒，呈現光芒或發出光芒。

③吟壇……閣　如果詩壇構建凌煙閣。吟壇，詳釋題。倘作，假設性字詞。倘若興建。假如興建。作，興建。建，建造。逸周書作雒：「（周公）及將致政，乃作大邑成周于土中。」北宋王安石讀秦漢間事詩：「秦徵天下材，入作阿房宮。」凌煙閣，亦作「凌烟閣」。我國帝制時代為表彰功臣而建有繪製功臣圖像的高閣。其中以貞觀十七年唐太宗敕繪功臣於凌煙閣為最著名。唐劉肅（？—？，建中開成間人。）大唐新語褒錫：「貞觀十七年，太宗圖畫太原倡義及秦府功臣趙公長孫無忌、河間王孝恭、蔡公杜如晦、鄭公魏徵、梁公房玄齡、申公高士廉、鄂公尉遲敬德、鄖公張亮、陳公侯君集、盧公程知節、永興公虞世南、渝公劉政會、莒公唐儉、英公李勣、胡公秦叔寶等二十四人於凌煙閣，太宗親為之贊，褚遂良題閣，閻本立畫。」

④添寫……霜　所補畫上去的詩人，他的鬢髮也已經變白了。添，增補。寫，作畫。鬢，ㄅㄧㄣˋ。（雙）耳邊的頭髮。霜，喻白色。

一九四、劍俠入道

蔡振豐

之一

殺機欲靜學頭陀①，劍術其如道術何②？一笑俠腸從此洗③，匣鳴無復不平多④。

之二

束身入道意如何⑤？似悔從前入太阿⑥。一樣屠刀纔放下⑦，此中尚帶殺機多⑧。

【析韻】

陀、何、多，下平、五歌。（之一）

何、阿、多，下平、五歌。（之二）

【釋題】

劍俠，精於擊劍技藝之俠士。如唐人傳奇中紅拂、聶隱娘、虬髯客……等是。北宋朱彧（？—？，元豐、紹聖間人）萍州可談：「古傳劍俠甚著，近世寂不聞。」舊時，稱有武藝、能見義勇為、肯捨己助人者曰俠。俠，ㄒㄧㄚˊ。唐李德裕（七八七—八五〇）豪俠論：「夫俠者，蓋非常之人也。雖以然諾許人，必以節氣為本。」俠士，行俠仗義之士。李白少年行詩之三：「驕矜自言不可有，俠士堂中養來久。」入道，合於聖賢之道。明黃綰（？—？，嘉靖、萬曆間人）明道篇卷一：「或在同類，偶有一言非及良知，其人本雖君子，亦共排斥，必欲抑之使無所容，皆自以為衛道之力如此，而不知此實好勝矜傲之病，不可入道。」

【注解】

①殺機……陀　想把殺害之心滌盡，就要學一學行腳僧。殺機，欲加殺害之心。唐司空圖歌者詩之六：「胸中免被風波撓，肯為螳螂動殺機。」淨，淨盡，無餘。南朝梁武帝淨業賦：「患累已除，障礙亦淨。」元曹之謙（？—？，金末元初人）秋夜聞笛詩：「雲淨寒空月滿樓，何人橫玉叶清秋。」在此，作「滌淨」解。頭陀，亦作「頭陁」。梵文 dhūta 的音譯。因用以稱僧人。亦專指行腳乞食的僧人。此處從後解。南朝齊王屮（？—五〇五）頭陀寺碑文：「以法師景行大迦葉，故以頭陀為稱首。」法苑珠林卷一〇一：「西云頭陀，此云抖擻，能行此法，即能抖擻煩惱，支離貪著，如衣抖擻，能去塵垢，是故從喻為名。」抖擻。即去掉塵垢煩惱。

②劍術……何　擊劍的技藝怎麼對待道德學問呢？劍術語出史記刺客列傳：「魯句踐已聞荊軻之刺秦王，私曰：『嗟乎！惜哉！其不講於刺劍之術也。』」謂擊劍的技藝。東晉陶潛詠荊軻：「惜哉劍術疏，奇功遂不成。」唐錢起送馬員外拜官覲省詩：「筆精已許

臺中妙，劍術還令世上聞。」其，指代稱詞。指稱劍術。如……何，怎麼對待。拿……怎樣辦。論語 八佾：「子曰：『人而不仁，如禮何？人而不仁，如樂何？』」道術，道德學問。文章道德。墨子 非命下：「今賢良之人，尊賢而好功道術，故上得其王公大人之賞，下得其萬民之譽。」韓詩外傳卷二：「夫治氣養心之術，血氣剛強則務之以調和，智慧潛深則一之以易諒，勇毅強果則輔之以道術，齊給便捷則安之以靜退。」

③一笑……洗　獨笑此後沒有見義勇為、捨己助人的心腸了。一笑，獨笑。參考卷一、三、注①。俠腸，見義勇為、捨己助人的心腸。醒世恆言 盧太學詩酒傲王侯：「天生就一副俠腸傲骨，視功名如敝屣，等富貴猶浮雲。」清 惲敬（一七五七－一八一七）與廖聽橋書：「大姪有俠腸、有豪氣、有勝情、有遠志，……」兒女英雄傳第八回：「如今幸而不死，又把姑娘你一片俠腸埋沒得曖昧不明，我安龍媒真真的愧悔無地！」從此，猶云此後。洗，免去。除去。清 李漁 憐香伴 議遷：「就復了衣巾，也洗不得這場羞辱。」

④匣鳴……多　即使劍匣發出聲響，也不再有那麼多的不平。匣，ㄒㄧㄚˊ。指劍匣。又稱劍函。鳴，發出聲響。墨子 非儒下：「君子若鐘，擊之則鳴，弗擊不鳴。」唐 李白 贈范金鄉詩之二：「百里雞犬靜，千廬機杼鳴。」不平，不公正、不公平的事。

⑤束身……何　約束自己（使）合於聖賢之道，怎麼樣？束身，約束自己，謂不放縱。東晉 袁宏 後漢紀 和帝紀下：「臣暢知大貸不可再得，束身不敢復出。」北宋 王禹偁 右衛將軍秦公墓誌銘：「諸郡守長，於蒼黃中侵取官財，用以封植，後皆自敗，並伏其辜；惟公

束身而歸，毫釐無取。」入道，詳釋題。意，意願。意思。

⑥似悔……阿　好像惱恨過去被寶劍所迷惑。悔，ㄏㄨㄟˇ。懊恨。後悔。從前，猶云昔日。謂過去（的日子）。誤，詳參卷九、一七七、注③。太阿，ㄊㄞˋ ㄜ。古寶劍。相傳春秋　歐冶子、干將所鑄。戰國策　韓策一：「韓卒之劍戟……龍淵、太阿，皆陸斷馬牛，水擊鵠雁，當敵即斬堅。」秦　李斯（？—前二〇八）上秦王書：「垂明月之珠，服太阿之劍。」李善注：「越絕書曰：『楚王召歐冶子、干將作鐵劍二枚，二曰太阿。』」明　沈采（？—？，成化、弘治間人）千金記　會宴：「太阿初出匣，光射斗牛寒。」

⑦一樣……下　同樣，屠刀剛剛離手入鞘。一樣，參卷二、二九、注④。屠刀　宰殺畜牲的刀。東晉　葛洪　抱朴子　詰鮑：「或投屠刀而排金門，或釋版築而躡玉堂。」北宋　歐陽修　歸田錄卷二：「余嘗見其廟像甚勇，手持屠刀尖銳，按膝而坐。」纔，ㄘㄞˊ。甫。始。猶剛剛。唐　魚玄機（八四四—八六八）閨怨詩：「別日南雁纔北去，今朝北雁又南飛。」北宋　李清照　一剪梅詞：「花自飄零水自流，一種相思，兩處閒愁；此情無計可消除，纔下眉頭，又上心頭。」放下，指劍已入鞘，不在手上。

⑧此中……多　這當中還帶著不少的殺機。此中，這當中。這個過程裏。晉書　周顗傳：「王導枕周顗膝，指顗腹曰：『卿此中何所有？』顗答曰：『此中空洞無物，但足容卿輩數百人。』」殺機，詳注①。

一九五、野和尚

林維丞

不翻貝葉混塵凡①，無限情根尚未芟②。博得當門彌勒笑③，酒香花氣滿僧衫④。

【析韻】

凡、芟、衫，下平、十五咸。

【釋題】

野和尚，不受戒律約束之寺僧也。和尚，佛教男僧之通稱。梵語 upabhyaya 意譯。亦即法師。南海寄歸傳卷三：「言和尚者，非也。西方汎喚博士，皆名烏社，斯非典語。若依梵本經律之文，咸云鄔波馱耶，譯為親教師。北方諸國皆喚和社，致令傳譯習彼訛音。」百一羯磨卷一：「鄔波馱耶譯為親教師。言和上者，乃是西方時俗語，非是典語。」書言字考節用集卷四人倫：「和尚又作『和上』，梵語。」

【注解】

①不翻……凡　不好好披覽佛經；卻成天在街坊、里巷托鉢廝混。翻，參考卷十、一八〇、注③。貝葉，古印度用以寫經的樹葉。在此，借指佛經。唐玄奘（六〇〇？—六六四）謝敕賚經序啟：「遂使給園精舍，並入提封；貝葉靈文，咸歸冊府。」清陳文述（一七七一—一八四三）柳如是初訪半野堂小像詩：「金甌十行繙貝葉，烏絲百幅寫羅裙。」混，ㄏㄨㄣˋ。

苟且度日。唐 呂巖（？—？，太和、光啟間人。）七言之三七：「未去瑤臺猶混世，不妨杯酒喜閒飲。」塵凡，人間。俗世。北宋 蘇軾 風水洞二首和李節推之二：「山前雨水隔塵凡，山上仙風舞檜杉。」明 劉基 仙人洞詩之一：「五雲隔斷塵凡路，說著人間總不知。」

②無限……芟 沒完沒了的愛情根子還沒有斬除。情根，愛情的根子。清 孔尚任 桃花扇 棲真：「一絲幽恨嵌心縫，山高水遠會相逢；拿住情根死不鬆，賺他也做遊仙夢。」李漁 奈何天 調美：「提把絕命刀，斬斷情根在這遭。」芟，ㄕㄢ。斬除。清除。東漢 陳琳（一五六—二一七）檄吳將校部曲文：「折衝討難，芟敵搴旗。」唐 曹唐 奉送嚴大夫再領容府詩之一：「劍澄黑水曾芟虎，箭劈黃雲慣射鵰。」

③博得……笑 換來對著門的彌勒粲然大笑。博得，換來。取得。南宋 陸游 春雨詩之一：「長貧博得身強健，久矣無心咎化工。」明 袁宏道 答友人：「到處努眼張牙，浩浩談說，博得學道之名，招得泥犁之實，則何益矣。」當門，對著門。陸游 漁翁詩：「江頭漁家結茅廬，青山當門畫不如。」彌勒，梵語 **maitreya** 音譯。意譯慈氏。著名的未來佛。我國的彌勒塑像胸腹袒露，面帶笑容。傳說：五代時，布袋和尚為其化身。彌勒下生經：「將來久遠，彌勒出現，至真等正覺。」北宋 黃庭堅 病起荊江亭即事詩之九：「形模彌勒一布袋，文字江河萬古流。」清 陳世慶（一七九六—一八五四）醉歌：「彌勒開口作憨笑，金剛怒目將譙訶。」

④酒香……衫 僧衣上上下下都是酒的香味、花的香氣。花氣，花的香氣。唐 賈至（七二

八—七七二）對酒曲之一：「曲水浮花氣，流風散舞衣。」北宋王安石見遠亭詩：「圃畦花氣合，田徑燒痕斑。」清唐孫華（一六三四—一七二三）同年王拙園太史招陪同里諸公飲大定庵花下詩：「四面屋圍花氣聚，一庭陰合酒樽涼。」滿，遍布。僧衫，僧衣。

一九六、村夫子祝壽

鄭兆璜

菜花香送鯉魚肥①，斗酒稱觴未忍歸②。幾輩村童初放學③，壽詞連日想非非④。

【析韻】

肥、歸、非，上平、五微。

【釋題】

為村夫子祝壽省作「村夫子祝壽」。村夫子，謔稱村學究。鄉村塾師也。祝壽，祝願人長命百歲；亦即祝賀生辰也。北宋劉攽（一〇二三—一〇八九）貢父詩話：「楊大年不喜杜工部詩，謂為村夫子。」南宋陸游入蜀記：「泊沱滬，皆聚落，竹樹鬱然，民居相望，亦有村夫子聚徒教授。」又，春日雜興詩之五：「今朝偶遇村夫子，借得齊民一卷書。」唐杜牧春日言懷寄虢州李常侍十韻詩：「無計披清裁，唯持祝壽觴。」北宋范仲淹竇諫議錄：「父子圖禹鈞像，日夕供養，晨興祝壽。」

【注解】

①菜花……肥 肴饌、鮮花、香燭外加肥美的鯉魚，一併饋贈祝福。菜，餚饌的總稱。儒林外史第四二回：「都是些燕窩、鴨子、雞、魚……那菜一碗一碗的捧上來。」香，香料或其製成品。三國 魏 曹操 內誡令：「昔天下初定，吾便禁家內不得香熏。」南宋 陳亮乙巳秋與朱元晦書：「千里之遠，不能捧一觴為千百之壽，小詞一闋，香兩片，川筆十支……薄致區區贊祝之意。」在此，指香燭之屬。送，饋贈。史記 酈生陸賈列傳：「（南越王）賜陸生橐中裝直千金，他送亦千金。」唐 韓愈 與鄭相公書：「今裴押衙所送二百七十千，足以益業，為遺孀永久之賴。」儒林外史第四四回：「雷太守送了代席四兩銀子，叫湯衙庖人備了酒席。」

②斗酒……歸 以斗置酒，舉觴祝飲，捨不得回家。斗，古酒器名。詩 大雅 行葦：「酌以大斗，以祈黃耇。」稱觴，舉杯祝酒。南朝 齊 謝朓三日侍華光殿曲水宴代人應詔詩之九：「降席連綏，稱觴接武。」唐 馬懷素（六五九—七一八）餞唐永昌詩：「聞君出宰洛陽隅，賓友稱觴餞路衢。」北宋 王安石 次韻王禹玉平戎慶捷：「稱觴別殿傳新曲，銜璧寧王按舊儀。」觴，ㄕㄤ。酒器。禮記 投壺：「命酌，曰：『請行觴。』」忍，捨得。願意。王安石 崑山慧聚寺次孟郊韻：「久游不忍還，迫迮冠蓋場。」

③幾輩……學 村莊裡三三兩兩個兒童，剛剛下課。幾「輩」，ㄅㄟˋ。作量詞用。猶個。指「人」言。清 吳兆騫（一六三一—一六八四）同陳子長做氈帳中話吳門舊游愴然作歌：「就

中少年三五輩，徐郎顧子稱風流。」初放學，始放學。今語剛下課。

④壽詞……非　一連幾天，為一篇賀壽祝詞，搜盡枯腸不覺已步入玄妙之境。壽詞，祝壽的吉祥語、詩詞。楞嚴經卷九：「於無盡中發宣盡性，如存不存，若盡非盡，如是一類，名為非想非非想處。」非想非非想處（ㄔㄨˋ），指無色界四空天之一。後以想入非非，指意念步入玄妙境界。

祝壽圖

卷十一

一九七、憶妓

林資修

贏得相思亦宿因①，更無寶檻與移春②。二分明月揚州路③，小杜真成薄倖人④。

【析韻】

因、春、人，上平、十一真。

【釋題】

想念某一娼妓，思及曾與之邂逅、相遇。明 袁宏道 冬菊詩：「忽憶東籬叟，狂歌試舉杯。」妓，ㄐㄧˋ。从女、支聲。原通稱以歌舞娛人之女藝者。唐 韓愈 順宗實錄卷二：「癸酉，出後宮并教坊女妓六百人。」南宋 張邦基（？—？，政和至紹興間人。）侍兒小名錄 拾遺：「真娘，吳中樂妓，墓在虎丘山路傍。」後漸狹義為以賣淫為業者之泛稱。古今小說 眾名姬春風吊柳七：「自恨身為妓，遭汙不敢言。」清 李漁 玉搔頭 訊玉：「豈有做妓女的人，十六七歲還不破瓜的道理！」

煙花霧 侯翠杏民90 現代抽象畫

【注解】

①贏得……因　博得彼此想念，也是前世的因緣。贏得，博得。南宋　辛棄疾　破陣子　為陳同甫賦壯詞以寄之詞：「了卻君王天下事，贏得生前身後名。」相思，彼此想念。在此，指男女相悅，無法接近，所引起的想念。西漢　蘇武　留別妻詩：「生當復來歸，死當長相思。」南朝　宋　鮑照　代春日行：「兩相思，兩不知。」南宋　劉過　賀新郎　贈張彥功詞：「客裏歸驀須早發，怕天寒，風急相思苦。」宿因，佛教語。謂前世的因緣。華嚴經卷七五：「宿因無失壞，今受此果報。」南宋　陸游　苦貧詩：「此窮正坐清狂爾，莫向瞿雲問宿因。」明　林鴻（？—？，至元、建文間人）宿黃梅五祖寺詩：「登攀訪靈異，禮謁知宿因。」

②更無……春　又沒有移春寶檻。更，ㄍㄥˋ。又。左傳　僖公五年：「晉不更舉矣。」寶檻與移春典出五代　王仁裕　開元天寶遺事卷上：「楊國忠子弟每春至之時，求名花異木，植於檻中，以板為底，以木為輪，使人牽之自轉，所至之處檻在目前，而便即觀賞，目之為移春檻。」移春檻，特製的活動花檻。

③二分……路　揚州明月皎潔，風光醉人。唐　徐凝（？—？，元和、長慶間人）憶揚州詩：「天下三分明月夜，二分無賴是揚州。」清　吳偉業　壽座師李太虛先生詩：「一斗濁醪還太白，二分明月屬揚州。」唐　杜牧　贈別二首之一：「春風十里揚州路，捲上珠簾總不如。」

④小杜……人　小杜啊！你確實是個負心人。小杜，杜牧。牧（八〇三—八五二），唐　京

兆萬年人。字牧之，杜佑孫。詩長於近體，絕句清新峻邁，尤為後人所推崇。文奇警縱橫，皆有為而發。為別於杜甫，人稱小杜。薄倖人，負心的人。杜牧遣懷詩：「十年一覺揚州夢，贏得青樓薄倖名。」

一九八、憶　妓

陳叔寶

幾度花邊與酒邊①，那知隔別已經年②。秦淮隄水揚州月③，回首當時一惘然④。

【析韻】

邊、年、然，下平、一先。

【釋題】

同前首。

【注解】

①幾度……邊　多少次，既品醇酒，又擁美人。幾，若干。度，量詞。次。回。花，隱指美人。邊，側。旁。

②那知……年　想不到分開、離別已經有段很長的日子。那，ㄋㄨㄛˇ。今讀ㄋㄚˇ。怎麼。玉臺新詠古詩為焦仲卿妻作：「處分適兄意，那得自任專？」隔別，分開離別。北宋張耒少年游詞：「相見時稀隔別多。又春盡，奈愁何？」二刻拍案驚奇卷三：「恐他年隔別無憑，

有紫金鈿盒各分一半，執此相尋為照。」經年，形容經歷的時間長久。明 孫鍾齡（？—？，萬曆、天啟間人。）東郭記 為衣服：「幸有章子前去，可以無虞，叫俺不須記掛，但雖則如此，千山萬水，經年累月，好是懸懸。」

③秦淮……月　秦淮河潺潺流水、揚州明月皎潔。秦淮，秦淮河的省詞。流經南京，為南京名勝之一。相傳秦始皇南巡至龍藏浦，發現有王氣，於是鑿方山，斷長壟為瀆入于江，以泄王氣，故名秦淮。唐 杜牧 泊秦淮詩：「煙籠寒水月籠沙，夜泊秦淮近酒家。」南唐 李煜 浪淘沙詞：「想得玉樓瑤殿影，空照秦淮。」元 傅若金（一三〇三—一三四二）金陵晚眺詩：「城下秦淮水，年年自落潮。」隄，ㄊㄧ。橋樑。爾雅 釋宮：「隄謂之梁。」郭璞注：「隄，即水橋也。」揚州月，參考前首注③。

④回首……然　回顧過去，一股失意的樣子，湧現眼前。回首，參考卷五、九二、注⑧。當時，昔時。往時。惘然，失意貌。南朝 梁 江淹 無錫縣歷山集詩：「酒至情蕭瑟，憑樽還惘然。」亦作「罔然」。惘，ㄨㄤˇ。

一九九、**妬妓**　　蔡振豐

野宿鴛鴦可幾時①，十分妬意又何為②？傷心歌舞繁華地③，不是河東也有獅④。

【析韻】

時、為、獅，上平、四支。

【釋題】

妬，ㄉㄨˋ。本作「妒」。婦女因別人比自己好而生忌恨，且表現於情緒或肢體等動作。詩召南 小星 序：「夫人無妬忌之行。」鄭玄箋：「以色曰妬，……。」妬妓，慣以色與人較量之妓女也。妓，詳前首，略。

【注解】

①野宿……時 大約什麼時候？我倆在外幽會投宿。野宿，在外過夜。明 范汭（？—？；年四十四卒。）琴川夜泊懷孫齊之詩：「野宿次鳧鷖，青青荻笋齊。」近人許地山（一八九三—一九四一）集外 狐仙：「她們到後邊去整理帳幕，今晚要在這裡野宿咧。」鴛鴦，在此用以指稱作者與妬妓兩人。餘參卷五、九三、注③。可，副詞。大約。韓非子 外儲說左上：「御可數百步，以馬為不進，盡釋車而走。」東晉 法顯（？—四二二？）佛國記：「其國王奉法，可有四千餘僧，悉小乘學。」幾時，什麼時候。唐 杜甫天末懷李白詩：「鴻雁幾時到，江湖秋水多。」北宋 蘇軾 儋州詩：「荔枝幾時熟，花頭今已繁。」西遊記第八回：「大仙道：『取經人幾時方到？』」

②十分……為 妒忌的意念非常強烈，又是什麼緣故？十分，非常。表程度。妒意，妒忌的意念。餘參釋題。何為，何故。顏氏家訓 歸心：「江河百谷，從何處生？東流到海，何

為不溢。」為，ㄨㄟˋ。

③傷心……地　歌臺舞榭林立，萬分興旺熱鬧的地方。傷心，極甚之詞。猶言萬分。唐 李白 菩薩蠻詞：「平林漠漠煙如織，寒山一帶傷心碧。」杜甫 滕王亭子詩之一：「渚江錦石傷心麗，嫩蕊濃花滿目斑。」歌舞，歌臺舞榭。繁華，本謂花盛開，喻人之盛年。在此，引申作熱鬧解。白居易 遊平泉宴浥澗宿香山石樓贈座客詩：「金谷太繁華，蘭亭闕絲竹。」北宋 柳永 望海潮詞：「東南形勝，三吳都會，錢塘自古繁華。」

④不是……獅　即使這裡不是河東，也一樣有獅子怒吼。北宋 蘇軾 寄吳德仁兼簡陳季常詩：「忽聞河東獅子吼，拄杖落手心茫然。」按：軾以詩戲慥之作。陳慥，字季常。妻柳氏，悍妬。河東乃柳氏郡望；獅子吼，佛家以喻威嚴（景德傳燈錄卷一）。陳好談佛，故軾借佛家語為戲。

二〇〇、病　妓　　蔡　振　豐

連宵有夢誤陽臺①，一病雙眉懶掃開②。儂命如絲郎薄倖③，門前車馬不重來④。

【析韻】

臺、開、來，上平、十灰。

【釋題】病妓，精神萎靡、元氣不順的娼女。病，個體心理或生理不適，感覺傷痛難耐等狀態。輕者曰疾，重者曰病。妓，詳本卷一九七、憶妓釋題。

【注解】

①連宵……臺　整夜頻頻夢囈，都是被這秦樓楚館所害的啊！連宵，通宵。宵，夜晚。北宋蘇轍次韻王鞏見寄：「君家有酒能無事，客醉連宵遣不迴。」有夢，頻頻夢囈。誤，（妨）害。陽臺，出戰國楚宋玉高唐賦序：「昔者先王嘗遊高唐，怠而晝寢，夢見一婦人，曰：『妾巫山之女也，為高唐之客，聞君遊高唐，願薦枕席。』王因幸之。去而辭曰：『妾在巫山之陽，高丘之岨，旦為朝雲，暮為行雨，朝朝暮暮，陽臺之下。』」後遂以之指男女歡會之所。南唐嚴續姬（？—？）贈別詩：「風柳搖搖無定枝，陽臺雲雨夢中歸。」南宋曾覿（一一〇九—一一八〇）菩薩蠻詞：「陽臺雲易散，往事尋思懶。」明梁辰魚浣紗記演舞：「青簇簇花籠蟬鬢，軟迷離似陽臺一片雲。」在此，指秦樓楚館等聲色場所。

②一病……開　一旦生病，連眉頭也沒心思全部舒展開來。懶，沒興趣。不願意。水滸傳第七回：「林沖連日悶悶不已，懶上街去。」二十年目睹之怪現狀第六〇回：「世上那些濶少爺想做官，州縣太煩劇，他懶做；再小的，他又不願意做。」掃開，全部舒展開來。

③儂命……倖　你嗎！一息奄奄；情郎嗎！負心忘義。儂，你。元楊維楨（一二九六—一三七〇）西湖竹枝詞：「勸郎莫上南高峯，勸儂莫上北高峯。」命如絲，猶云一息奄奄。

郎，舊時婦人對其配偶或情人的稱謂詞。薄倖，詳參本卷、一九七、注④。
④門前……來　他的車和馬，不再出現門前。車馬，車和馬，古，陸上交通工具。重，ㄔㄨㄥˊ。再。

二〇一、詩　妓

鄭兆璜

有妓能吟亦足娛①，風流自賞句如珠②。枇杷門巷桃花老③，第一詩名擅得無④？

【折韻】
娛、珠、無，上平、七虞。

【釋題】
青樓女子曉音律、能作詩且擅吟唱者，曰詩妓。故舊時對妓女雅稱（女）校書。唐胡曾（？—？，會昌、文德間人。）贈薛濤詩：「萬里橋邊女校書，枇杷花下閉門居。」

【注解】
①有妓……娛　有娼女會作詩填詞，也值得高興。吟，吟詠。意謂作詩填詞。莊子德充符：「倚樹而吟。」成玄英疏：「行則倚樹而吟詠。」足，值得。東晉陶潛桃花源記：「此中人語云：『不足為外人道也。』」娛，歡樂。詩鄭風出其東門：「縞衣茹藘，聊可與娛。」毛傳：「娛，樂也。」在此，引申作「高興」解。

②風流……珠　自詡傑出不凡，警句妙語可還不少。風流，傑出不凡。北宋 蘇軾 與江惇禮秀才書之一：「僕雖晚生，猶及見君之王父也。追思一時風流賢達，豈可復夢見哉！」自賞，自我激賞。猶自詡。句如珠，警句妙語很多。蘇軾 次韻答子由詩：「好語似珠穿一一，妄心如膜退重重。」

③枇杷……老　秦樓楚館裏的你，容貌枯黃、老態畢現。枇杷門巷，參考卷六、一〇七、注⑨。桃花，形容女子的容貌。唐 溫庭筠 照影曲：「桃花百媚如欲語，曾為無雙今兩身。」清 徐士鑾（？—？）宋豔 駁辨：「詩云：一從蕙死蘭枯後，剛道桃花好面皮。」

④第一……無　最會作詩的美名，占得住嗎？詩名，擅長作詩的名聲。唐 馮贄（？—？，天祐初猶在世。）雲仙雜記 石斧欲砍斷詩手：「杜甫子宗武，以詩示院兵曹，兵曹答以石斧一具，隨使并詩還之。宗武曰：『斧，父斤也。兵曹使我呈父加斤削也。』俄而聞之，曰：『悞矣。欲子砍斷其手。此手若存，天下詩名又在杜家矣。』」金 元好問 黃金行：「人間不買詩名用，一片青衫衡霍重。」清 龔自珍 已亥雜詩之一七八：「賴是搖鞭吟好句，流傳鄉裏只詩名。」擅，ㄕㄢˋ。占。據。莊子 秋水：「且夫擅一壑之水，而跨跱井之樂，此亦至矣。」北宋 王安石 度支副使廳壁題名記：「有財而莫理，則阡陌閭巷之賤人，皆能私取予之勢，擅萬物之利。」無，詳卷一、二、注⑥。

二〇二、詩　妓

張　貞

也嫺格律筆頻濡①，難得青樓有此姝②。好是酒闌歌舞歇③，相思一幅寫蘼蕪④。

【析韻】

濡、姝、蕪，上平、七虞。

【釋題】

詳前首，略。

【注解】

①也嫺……濡　筆毫不停地蘸墨，也熟習平仄、押韻、對仗的格式、規律。嫺，ㄒㄧㄢˊ。熟習。史記屈原賈生列傳：「博聞彊志，明於治亂，嫺於辭令。」清卓爾堪（？—？；崇禎、順治間之人。）昆陽王烈女擬焦仲卿妻古詩體：「阿母無教訓，阿翁不嫺禮。」格律，詩詞曲關於對仗、平仄、押韻等的格式與規律。唐白居易因題卷末戲贈元九李二十詩：「每被老元偷格律，苦教短李伏歌行。」頻，屢次。猶云不停地。濡，ㄖㄨˊ。浸漬。以筆蘸墨曰濡毫。

②難得……姝　妓院有這樣的美女是不容易的。難得，不容易。北魏酈道元水經注泒水：「然不經見，難得而詳。」兒女英雄傳第三三回：「便是你倆個也難得患難裏結成姻緣，

彼此一同侍奉二位老人家。」青樓，有多義。在此，指妓院。南朝梁劉邈（？—？）萬山見採桑人詩：「倡妾不勝愁，結束下青樓。」，另參本卷一九七、注④引詩。姝，ㄕㄨ。美女。戰國楚宋玉登徒子好色賦：「此郊之姝，華色含光。」玉臺新詠古樂府陌上桑：「使君遣吏往，問是誰家姝。」唐駱賓王（六二七？—六八四？）疇昔篇：「尋姝入酒肆，訪客上琴臺。」

③好是……歇　正好酒快要喝完，歌舞也告一段落。好是，正好；正是；恰是。唐白居易吳中好風景詩之二：「吳中好風景，風景無朝暮，……況當豐熟歲，好是歡遊處。」王建江樓對雨寄杜書記詩：「竹煙花雨細相合，看著閑書睡更多，好是主人無事日，應持小酒按新歌。」闌，ㄌㄢˊ。將盡。將完。史記高祖本紀：「酒闌，呂公因目固留高祖。」三國魏嵇康琴賦：「於是曲引向闌，眾音將歇。」前蜀毛文錫（？—？，晚唐迄咸康間人。）更漏子詞：「春夜闌，春恨切，花外子規啼月。」歇，ㄒㄧㄝ。停止。休息。南朝宋謝莊（四二一—四六六）月賦：「美人邁兮音塵闕，隔千里兮共明月。臨風歎兮將馬歇，川路長兮不可越。」前蜀韋莊（八三六？—九一〇）秦婦吟：「路旁忽見如花人，獨向綠楊陰下歇。」

④相思……蕪　彼此想念，隨意畫了一張薰草圖。相思，參考本卷、一九七、注①。幅，ㄈㄨˊ。計算書畫的量詞，猶今語「張」。寫，繪畫。蘼蕪，ㄇㄧˊㄨˊ。草名。芎藭的苗，葉有香氣。又稱薰草。

二〇三、俠妓

陳濬芝

慷慨真能勝丈夫①，青樓意氣有誰俱②？五陵年少誇遊俠③，肯舍千金買笑無④？

【析韻】

夫、俱、無，上平、七虞。

【釋題】

雖為環境所偪、身在青樓，然處汙泥而不染，重然諾、有情義，肯舍己助人者曰俠妓。民初，袁世凱（一八五九—一九一六）帝制自為，蔡鍔（一八八二—一九一六）秘密策動反袁，義助渠順利離京轉津渡日返滇者，乃其紅粉知己小鳳仙。鳳仙，北地臙脂，豐容白皙，眼神尤媚。時淪落舊京八大胡同娼門—雲仙班為妓，因助蔡而有俠妓之稱。民五、十一月八日松坡病逝，鳳仙輓以：「不料周郎竟短命；早知李靖是英雄。」

【注解】

①慷慨……夫　意氣風發、情緒激昂，實實在在賽過堂堂男子。慷慨，ㄎㄤ ㄎㄞˇ。亦作「忼慨」。詳卷二、二八注①。真，實。勝，ㄕㄥˋ。賽過。丈夫，成年男子的通稱。穀梁傳文公十二年：「男子二十而冠，冠而列丈夫。」晏子春秋諫下：「今齊國丈夫耕，女子織，夜以接日，不足以奉上。」

②青樓……俱　娼戶講情誼、重恩義，有那個人是這個樣子？青樓，詳本卷、二○二注②。義氣，情誼、恩義。西漢司馬遷報任安書：「曩者辱賜書，教以慎於接物，推賢進士為務，義氣勤勤懇懇。」玉臺新詠皚如山上雪：「男兒重義氣，何用錢刀為！」俱，ㄐㄩˋ。一樣。等同。素問三部九候論：「所謂後者，應不俱也。」王冰注：「俱，猶同也，一也。」唐韓愈示兒詩：「嗟我不修飾，事與傭人俱；安能坐如此，比肩於朝儒？」

③五陵……俠　豪門權貴的子弟，高聲地說遊俠。西漢皇帝每立陵墓，都將四方富家豪族與外戚遷至陵墓附近居住。其最著者為五陵。東漢班固西都賦：「則南望杜霸，北眺五陵。」注：「高帝葬長陵，惠帝葬安陵，景帝葬陽陵，武帝葬茂陵，昭帝葬平陵。」而後詩文恆以五陵為豪門貴族聚居之地。唐李白少年行：「五陵年少金市東，銀鞍白馬度春風。」杜甫秋興詩之三：「同學少年多不賤，五陵衣馬自輕肥。」年少，猶云弟子。誇，大言。遊俠，亦作「游俠」。敢於反抗，不顧社會秩序，救人急難的人。史記游俠列傳序：「今游俠，其行雖不軌於正義，然其言必信，其行必果。已諾必誠，不愛其軀，赴士之阸困，……蓋亦有足多者焉。」

④肯舍……無　（你們）樂意施捨千金買得一笑嗎？肯，樂意。願意。詩魏風碩鼠：「碩鼠碩鼠，無食我黍！三歲貫女，莫我肯顧。」文心雕龍總術：「凡精慮造文，各競新麗，各欲練辭，莫肯研術。」儒林外史第四一回：「尊府大家，園亭花木甲于江北，為什麼肯搬在這裡？」舍，ㄕㄜˇ。施捨。千金買笑，花費千金，買得一笑。猶謂不惜代價，博取美

人歡心。語本南朝宋鮑照代白紵曲之二：「齊謳秦吹盧女絃，千金顧笑買芳年。」唐盧肇（？—？，貞元、廣明間人）戲宜春李令求廳前杜鵑詩：「杜家有女小名鵑，生在陶公吏案前。百里望風驚調態，千金買笑愜當筵。」東周列國志第二回：「褒妃在樓上，憑欄望見諸侯忙去忙回，並無一事，不覺撫掌大笑。幽王曰：『愛卿一笑，百媚俱生，此虢石父之力也！』遂以千金賞之。」至今俗語傳『千金買笑』，蓋本於此。無，參卷一、二、注⑥。

二〇四、俠　妓

蔡振豐

滿腔熱血勝眉鬚①，洗盡煙花氣習無②。羨煞香車松柏路③，搴簾一笑識窮途④。

【析韻】

鬚、無、途，上平、七虞。

【釋題】

同前首。

【注解】

①滿腔……鬚　內心充滿激情，不輸堂堂男子漢。滿腔，充滿胸腔。充滿心中。二刻拍案驚奇卷一三：「直叫小膽驚欲死，任是英雄也汗流。只為滿腔怨抑事，一宵鬼話報心仇。」

熱血，猶云激情。清 吳偉業 賀新郎 病中有感詞：「吾病難將醫藥治，耿耿胸中熱血，待灑向西風殘月。」眉鬚，猶鬚眉。恆借指男子。近人康有為（一八五八——一九二七）自題三十影像：「犀項龜文何肯相，雷光泡影認眉鬚。」

②洗盡……無　滌淨了娼妓的劣性，已經沒有青樓的氣習。洗盡，猶言滌淨。盡，完。竭。煙花，亦作「烟花」。指妓女。唐 黃滔閨怨詩：「塞上無煙花，寧思妾顏色。」元無名氏貨郎旦第四折：「只教那媒人往來……早將一個潑賤的煙花娶過來。」警世通言 玉堂春落難逢夫：「奶奶是名門宦家之子，奴是煙花出身微賤。」氣習，參考卷一〇、一九二、注②。無，沒有。

③羨煞……路　羨慕極了蘇小小香車漫遊西泠松柏路。羨，ㄒㄧㄢˋ。亦作「羡」。因喜愛而期盼擁有。今語「羨慕」。詩 大雅 皇矣：「無然歆羨，無然畔援。」煞，ㄕㄚˋ。助詞。用在動詞之後，表示程度深。唐 李咸用喻道詩：「長生客待仙桃餌，月裏嬋娟笑煞人。」比宋 柳永迎春樂詞：「近來憔悴人驚怪，為別後，相思煞。」西湖佳話 西泠韻迹：「蘇小小……遂叫人去製造一駕小小的香車來乘坐，四圍有幔幕垂垂，遂命名為油壁車。這油壁車怎生形狀？有臨江仙詞一首為證……氈裏綠雲四壁，幔垂白月當門。……朝朝松下路，夜夜水邊村。」

④搴簾……途　撩起車簾淡淡一笑，就看出他是個正處於困境的窮書生啊！搴，ㄑㄧㄢ。撩起。識，ㄕˋ。知道。瞭解。窮途，指處於困境的人。東漢 趙曄吳越春秋 王僚使公子光傳：「子

胥默然，遂行至吳，疾於中道，乞食溧陽……曰：『夫人賑窮途少飯，亦何嫌哉！』」近人蔣光慈（一九〇一－一九三一）少年漂泊者十二：「只因柔意憐窮途，遂將恩情把我許。」

按：前引書西湖佳話　西泠韻跡：「……忽見對面冷寺前，有一壯年書生，落落漠漠，在那裡閑踱，……便有個要上前相問訊的意思，走不上三四步，忽又退立不前。蘇小小見了，知他進退趑趄者，定為寒素之故，因下了車，輕移金蓮，迎將上去……『……及今睹先生之手儀，必大魁天下，欲借先生之功名，為妾一驗。』」小小既識鮑生蕭然一身，饑寒尚且不能自主，功名二字，又從何說起？遂百金聊佐行旌。

二〇五、醉　妓

陳　編

幽情脈脈酒盈壺①，饒有風流靜自娛②。我愛醉時嬌體態③，傳杯偏讓一拳輸④。

【析韻】

壺、娛、輸，上平、七虞。

【釋題】

娼女飲酒逾量、精神恍惚稱醉妓。醉，ㄗㄨㄟˋ。飲酒過量，神志不清。詩　小雅　賓之初筵：「賓既醉止，載號載呶，亂我籩豆，屢舞僛僛。」西晉　劉伶　酒德頌：「無思無慮，其樂陶陶。兀然而醉，豁爾而醒。」唐　韓愈　感春詩之四：「數杯澆腸雖暫醉，皎皎萬慮醒還新。」

【注解】

①幽情……壺　醇酒滿壺、深情脈脈。幽情，隱作的感情。唐 白居易 琵琶行：「別有幽情暗恨生，此時無聲勝有聲。」按：情，一本作「愁」。附誌之。清 李漁 意中緣 沉奸：「待要把幽情相訴，怎耐面重難擡。」脈脈，亦作「脉脉」。同「眽眽」。形容藏在內心的思想感情，用眼睛默默地表達。唐 杜牧 桃花夫人廟詩：「細腰宮裏露桃新，脈脈無言幾度春。」南宋 辛棄疾 摸魚兒詞：「千金縱買相如賦，脈脈此情誰訴？」酒盈壺，醇酒滿壺。盈，ㄧㄥˊ。滿。詩 周南 卷耳：「采采卷耳，不盈頃筐。」

②饒有……娛　何其灑脫、多麼放逸，默不作聲、自得其樂。饒有，猶云富有。饒，ㄖㄠˊ。富（裕）。左傳成公六年：「夫山、澤、林、鹽，國之寶也。國饒則民驕佚。」風流，灑脫放逸。唐 牟融 送友人詩：「衣冠重文物，詩酒足風流。」聊齋志異 林四娘：「（林四娘）又再與公評　詩詞，瑕則疵之；至好句，則曼聲嬌吟。意緒風流，使人忘倦。」靜，默不作聲。禮記 玉藻：「君子之容舒遲，見所尊者齊遬。足容重，手容恭，目容端，口容止，聲容靜。」國語 晉語一：「雖不識義，亦不阿惑，吾其靜也。」韋昭注：「靜，默也。」娛，樂。

③我愛……態　我喜歡她酩酊時，那嫵媚可愛的樣子。愛，好。喜歡。國語 周語：「聖人保樂而愛財。」明 張邦奇（一四八四—一五四四）題畫詩：「鳩性愛雨花愛情，同倚東風不勝情。」嬌，嫵媚可愛。唐 杜甫 宿昔詩：「花嬌迎雜樹，龍喜出平池。」清平山堂

話本刎頸鴛鴦會：「比紅兒，態度應更嬌。他生的諸般齊妙，縱司空見慣也魂消。」體態，人體的姿態。猶言樣子。模樣。北宋張先西江月詞：「體態看來隱約，梳妝好是家常。」醒世恆言灌園叟晚逢仙女：「玄微趨出相見。舉目看十八姨，體態飄逸，言詞泠泠有林下風氣。」

④傳杯……輸　彼此勸飲當中，竟使我負了一拳。傳杯，亦作「傳盃」。宴飲中傳遞酒杯勸酒。古又稱「傳巵」。唐杜甫九日詩之二：「舊日重陽日，傳杯不放杯。」仇兆鰲注引王嗣奭杜臆：「『傳杯不放杯』，見古人只用一杯，請客傳飲。」明文徵明（一四七〇—一五五九）馬上口占謝諸送客：「諸君送我帝城東，五馬傳杯犯朔風。」偏，副詞。表示事實與希望相反。偏偏，猶竟然。漢書外戚傳上孝武李夫人：「是耶？非耶？立而望之，偏何姍姍其未遲！」醒世恆言錢秀才錯占鳳凰儔：「別家相媳婦，他偏要相女壻。」讓，作介詞用。猶「被」。近人許地山空山靈雨笑：「我從遠地冒著雨回來，因為我妻子心愛的一樣東西讓我找著了。」

二〇六、老　妓

林　鵬　霄

空餘白髮對粧樓①，一曲琵琶一曲愁②。回首五陵年少客③，而今誰與數纏頭④？

【析韻】

樓、愁、頭，下平、十一尤。

【釋題】

青樓女子，年歲已長，猶操舊業者，通稱老妓。舊時，年逾三十，尚未從良者，概以老妓視之也。

【注解】

①空餘……樓　只剩一頭白髮和那幢舊樓。空餘白髮，只剩下一頭雪白的長髮。空，ㄎㄨㄥ。只。僅。唐李白江上吟：「屈平詞賦懸日月，楚王臺榭空山丘。」元王實甫西廂記第一本第一折：「似神仙歸洞天，空餘下楊柳煙，只聞得鳥雀喧。」餘，剩。對，共。同。猶「跟」。粧樓，舊稱婦女居住的樓房。唐沈佺期侍宴安樂公主新宅應制詩：「粧樓翠幌教春住，舞閣金鋪借日懸。」白居易春詞：「低花樹映小粧樓，春入眉心兩點愁。」清張宸（？—一六七八）送張翼西駙馬還京詩：「粧樓翠幙春無數，憔悴人間孫子荊。」

②一曲……愁　每彈一曲琵琶，就有一曲幽怨。曲，ㄑㄩˇ。計算樂曲的單位。琵琶，參考卷四、六二、注③。後「一曲」，形容愁之多且長，有如樂曲一首般。愁，ㄔㄡˊ。怨尤、怨恨。清王韜春日滬上感事詩：「海上潮聲日夜流，浮雲廢壘古今愁。」

③回首……客　回顧過去那些紈袴恩客。回首，參考卷五、九二、注④。五陵年少，詳參本卷、二〇三、注③。客，恩客。

④而今……頭　現在，誰給了你幾許纏頭？與，ㄩˇ。給予。數，ㄕㄨˋ。猶「幾」。表示不定的少數。古，歌舞藝人表演完畢，客以羅錦為贈，稱纏頭。太平御覽卷八一五引唐書：「舊俗，賞歌舞人，以錦綵置之頭上，謂之纏頭。」後又作為贈送妓女財貨的通稱。南宋陸游梅花絕句：「濯錦江邊憶舊遊，纏頭百萬醉青樓。」在此，從後解。

二〇七、老　妓

劉廷壁

琵琶學就幾春秋①，司馬船頭夜訴愁②。敢說儂身多薄命③，同時歌舞幾人留④？

【析韻】

秋、愁、留，下平、十一尤。

【釋題】

同前首。

【注解】

①琵琶……秋　學會撥彈琵琶，已經過了多少年頭？琵琶，參考卷四、六二、注③。學就，學成。今語學會了。幾春秋，多少年（了）。幾，ㄐㄧˇ。多少。若干。春秋，謂年數。在此，猶言「年頭」。

②司馬……愁　夜幕低垂，在船頭，向司馬泣訴怨恨。典出白居易琵琶行序：「元和十年

（按：西元八一五年），予左遷九江郡司馬。明年秋，送客湓浦口，聞舟中夜彈琵琶者，聽其音，錚錚然有京都聲。問其人，本長安倡女。嘗學琵琶於穆、曹二善才，年長色衰，委身為賈人婦。遂命酒使快彈數曲。曲罷，憫然。……」

③敢說……命　冒昧地說：你自個兒福分太差了！敢，謙詞。猶冒昧。儀禮 士虞禮：「敢用絜牲剛鬣。」鄭玄注：「敢，昧冒之辭。」儂，詳本卷、二〇〇、注③。身，自己。穀梁傳 昭公十九年：「就師學問無方，心志不通，身之罪也。」南唐 李煜 浪淘沙詞：「夢裏不知身是客，一晌貪歡。」薄命，參考卷九、一七一、注②。

④同時……留　即使又歌又舞，會有多少人願意駐足觀賞？

二〇八、啞　妓

蔡　振　豐

未聞珠玉放歌喉①，嘗盡黃連識苦不②？薄倖任郎無一語③，不驚鸚鵡在前頭④。

【析韻】

喉、不、頭，下平、十一尤。

【釋題】

啞，ㄧㄚˇ。口不能言。失聲猶賣身者曰啞妓。

【注解】

①未聞……喉　沒聽（說）過能言善道、妙語如珠的人；竟失去她美好的歌聲。聞，聽說。珠玉，喻妙語。晉書　夏侯湛傳：「（湛）作抵疑以自廣，其辭曰：『……咳唾成珠玉，揮袂出風雲。』」放，喪失。水滸傳第五二回：「（柴皇城）言罷，便放了命。柴進痛哭了一場。」歌喉，唱歌者的嗓子。多借指歌聲。唐　白居易　寄明州于駙馬使君詩：「何郎小妓歌喉好，嚴老呼為一串珠。」南宋　劉過水調頭歌　壽王汝良詞：「此曲為君壽，為我喚歌喉。」清　袁枚　隨園詩話卷一三引（清）李嘯村　夜泛紅橋詩：「一串歌喉風動水，輕舟圍住畫橋西。」

②嘗盡……不　吃遍了黃連，知道味苦嗎？嘗盡，猶言嘗遍。嘗，ㄔㄤˊ。亦作「甞」。食。吃。詩　唐風　鴇羽：「王事靡盬，不能蓺稻粱，父母何嘗？」朱熹　集傳：「嘗，食也。」盡，完。竭。引申作「遍」解。黃連，多年生草本植物。根莖味苦，入藥，性寒，功能瀉心火、化濕熱，主治溼熱瀉痢、目赤、口瘡等症。太平御覽卷九九一引三國　魏　吳普　本草經：「黃蓮，一名王連，味苦寒，生川谷，治熱氣、目痛、眥（眥）傷、泣出，明目。生巫陽。」識，知道。不，ㄈㄡˇ。同「否」。

③薄倖……語　聽憑情人負心，卻沒有一言半語。薄倖，參考卷一〇、一九七、注④。任，參考卷一、一、注①。郎，參考本卷、二〇〇、注③。無一語，沒有一言半語。

④不驚……頭　不擔心愛學話的鳥兒就在眼前。鸚鵡，參考卷五、九一、注①。前頭，眼前。

唐寒山詩之一三二：「前頭失卻桅，後頭又無柁。」元蘇彥文（？—？）鬪鵪鶉冬景套曲：「最怕的是簷前頭倒把冰錐掛。」

二〇九、啞 妓

陳濬芝

盈盈秋水寫風流①，相對如何意更投②。好借琴心通一語③，知音只在不言求④。

【析韻】

流、投、求，下平、十一尤。

【釋題】

同前首。

【注解】

①盈盈……流　明澈晶瑩的眼波，傾吐著一股灑脫、放逸。盈盈，清澈貌。晶瑩貌。古詩十九首迢迢牽牛星：「盈盈一水間，脈脈不得語。」北宋張先臨江仙詞：「況與佳人兮鳳侶，盈盈粉淚難收。」清吳甡（？—？）感懷詩：「盈盈星與漢，咫尺猶相望，況復萬里遠，音書歲月長。」秋水，喻明澈的眼波。唐白居易宴桃源詞：「凝了一雙秋水。」元趙雍（一二九〇—？）人月圓詞：「別時猶記，眸盈秋水，淚溼春羅。」寫，傾吐。發抒。詩邶風泉水：「駕言出遊，以寫我憂。」毛傳：「寫，除也。」唐李白於五松

山贈南陵常贊府詩：「遠客投名賢，真堪寫懷抱。」明唐寅（一四七〇—一五二三）題畫詩：「促席坐鳴琴，寫我平生心。」風流，參考本卷、二〇五、注②。

②相對……投　彼此面對面，為什麼感情就益發投合呢？相對，彼此面對面。如何，為什麼。意，感情。北宋王安石舟夜即事詩：「山泉如有意，枕上送潺湲。」投，合。投合。楚辭大招：「二八接舞，投詩賦只。」王安石得書知二弟附陳師道舟上汴詩：「兒童聞太丘，邂逅兩心投。」

③好借……語　借重琴聲傳達了一言半語的情意。好，當用於動詞（或形容詞）前，多表示程度深。金瓶梅詞話第九一回：「惹的後邊奶奶知道，一頓好打。」南宋石孝友（？—？，紹興、慶元間人。）西地錦詞：「風兒又起，雨兒又煞，好愁人天色。」琴心，琴聲所表達的情意。史記司馬相如列傳：「是時，卓王孫有女文君新寡，好音，故相如謬與令相重，而以琴心挑之。」北宋晏幾道采桑子詞：「試拂么絃，卻恐琴心可暗傳？」清魏原別陳筠心詩：「琴心既不存，操縵復安會。」通，傳達。南宋王讜（？—？，宋末元初人）唐語林補遺三：「太尉歸戒閽者，此人來不要通。」一語，猶一言半語。

④知音……求　知己也只能在默默不語中尋找啊！知音，知己。列子湯問略以：伯牙善鼓琴，鍾子期善聽琴。伯牙琴音志在高山，子期謂：峩峩兮若泰山；琴音意在流水，子期謂：洋洋兮若江河。伯牙所念，子期必得之。後遂以知音喻知己。不言，默默不語。求，尋找。詩小雅伐木：「嚶其鳴矣，求其友聲。」

二一〇、無情妓

林維丞

轉眼無情只管嬌①，生成一種太輕佻②；桃花顏色楊花性③，記否殷勤話昨宵④？

【析韻】

嬌、佻、宵，下平、二蕭。

【釋題】

無情，沒有情義；沒有感情。漢書公孫弘傳：「齊人多詐而無情，始為與臣等建此議，今皆背之，不忠。」唐崔塗（八五〇？—？）春夕詩：「水流花謝兩無情，送盡東風過楚城。」清查慎行（一六五〇—一七二七）鄴下雜詠：「濁漳最是無情物，送盡繁華只此聲。」妓，參考前各首，略。

【注解】

①轉眼……嬌　儘管嫵媚可人；不多時竟然毫無感情。轉眼，形容時間短促。猶不多時。南宋周密齊天樂蟬詞：「轉眼西風，一襟幽恨向誰說？」二刻拍案驚奇卷二〇：「果然光陰似箭，日月如梭，轉眼二十年。」無情，詳釋題。只管，儘管。二刻拍案驚奇卷三六：「有好酒，只管拿出來，我每不虧你。」西遊記第一五回：「（三藏）吩咐行者仔細。行者道：『只管寬心。』」紅樓夢第二六回：「你明兒閑了只管來。」嬌，參考本卷、二〇

五、注③。

②生成……佻　天生就是同樣的不穩重了。生成，生就。參考卷一、四、注①。一種，同樣。唐元稹酬樂天得微之詩知通州事因成詩之四：「定覺身將囚一種，未知生共死何如。」北宋李清照一剪梅詞：「花自飄零水自流，一種相思，兩處閒愁。」輕佻，亦作「輕窕」。謂行為舉止不穩重、不沉著。左傳襄公二六年：「楚師輕窕，易震蕩也。」唐谷神子（？—？，建中、會昌間人。）博異志崔玄微：「至十八姨持盞，性輕佻，翻酒汙醋醋衣裳。」

③桃花……性　雖有姣好的姿色；卻用情不專。桃花，參考本卷、二〇一、注③。顏色，姿色。墨子尚賢中：「不論貴富，不變顏色。」前蜀貫休（八三二—九一二）偶作詩之五：「君不見西施綠珠顏色可傾國，樂極悲來留不得。」儒林外史第二六回：「因他有幾分顏色，從十七歲上就賣與北門橋來家做小。」楊花性，楊花水性。柳絮飄揚，水性流動，因以楊花水性喻女子輕薄用情不專。清李玉（一五九一？—一六七一？）一捧雪誅奸：「楊花水性隨風折，怎顧得生離死別。」再生緣第六〇回：「咳！這個呢，世上貞節的原有一半，那裏就個個楊花水性，人人敗俗傷風？」

④記否……宵　還記得昨天晚上細語款款、情意深厚嗎？殷勤，情意深厚。孝經援神契：「母之於子也，鞠養殷勤，推燥居濕，絕少分甘。」

二一一、妓女出家

陳叔寶

莫道今生懺已遲①，袈裟一著念慈悲②；上方月朗鐘聲動③，猶誤纏頭起舞時④。

【析韻】

遲、悲、時，上平、四支。

【釋題】

妓，又稱妓女，餘參考前各首，略。身處秦樓楚館，燈紅酒綠、紙醉金迷，居然能看透紅塵，決心於寺廟道觀習佛為尼，洵屬難得之至。近人郁達夫（一八九六—一九四五）自述詩之二：「前身縱不是如來，謫下紅塵也可哀。」

【注解】

①莫道……遲　不要說這一生禮禱、祈求已經嫌晚了。莫，副詞。不（能）。不要。詩邶風終風：「莫往莫來，悠悠我思。」史記陳丞相世家：「高帝既出，其計祕，世莫得聞。」唐李白蜀道難詩：「一夫當關，萬夫莫開。」道，說。講述。詩鄘風牆有茨：「中冓之言，不可道也。」劉禹錫竹枝詞之一：「東邊日出西邊雨，道是無情還有晴。」懺，參考卷一〇、一八九、注③。遲，ㄔˊ。晚。戰國策楚策四：「見兔而顧犬，未為晚也；亡羊而補牢，未為遲也。」西晉陸機燕歌行：「非君之念思為誰，別日何早會何遲？」清魏

源太湖夜月吟：「出世曾參月落遲，入世翻嫌月出早。」

②袈裟……悲　僧衣一穿，不時誦讀：「大悲與一切眾生樂，大悲拔一切眾生苦。……」袈裟，ㄐㄧㄚ ㄕㄚ。梵文 **Kasāya** 的音譯。原意「不正色」。佛教僧尼的法衣。佛制：僧人必須避免用青、黃、赤、白、黑五正色，而用似黑之色，故稱。本譯作「毠毟」。字苑改从衣作袈裟。南朝梁慧皎（四九七—五五四）高僧傳竺僧度答楊苕華書：「且披袈裟，振錫杖，飲清流，詠波若，雖王公之服，八珍之膳，鏗鏘之聲，曄曄之色，不與易也。」唐玄奘大唐西域記婆羅痆斯國：「浣衣池側大方石上，有如來袈裟之跡；其文明徹，煥如雕鏤。」著，ㄓㄨㄛˊ。穿。唐王維西施詠：「邀人傅脂粉，不自著羅衣。」元馬彥良（？—？）一枝花春雨套曲：「穿一領布衣，著一對草履。」念，ㄋㄧㄢˋ。誦讀。漢書張禹傳：「初，禹為師，以上難數對己問經，為論語章句獻之，……諸儒為之語曰：『欲為論，念張文。』」唐寒山詩之七四：「背後噇魚肉，人前念佛陀。」慈悲，佛教語。謂給人快樂，將人從苦難中拔救出來，亦泛指慈愛與悲憫。

③上方……動　夜空月色明澈皎潔，佛寺梵鐘清脆作響。上方，天上。上界。雲笈七籤卷二二：「上方九天之上，清陽空虛之內，無色無象，無形無影。」月朗，月色明澈皎潔。朗，明亮。清澈。詩大雅既醉：「昭明有融，高朗令終。」毛傳：「朗，明也。」朗，亦作「朖」。說文：「朖，明也。」段玉裁注：「今字作『朗』。」南朝宋鮑照與謝莊三聯句詩：「霞暉兮澗朗，日靜兮川澄。」鐘聲，梵鐘之聲。動，發。猶云作響。唐胡曾詠

史詩秦庭：「包胥不動咸陽哭，爭得秦兵出武關。」

④猶誤……時　還迷惑在（或誤以為）淪為娼妓起身舞蹈娛人營生的那一段時日呢！猶，還。尚。誤，詳參卷九、一七七、注⑤。纏頭，參考本卷、二〇六、注⑥。起舞，亦作「起儛」。起身舞蹈。國語晉語二：「驪姬許諾，乃具，使優施引里克酒。中飲，優施起舞。」隋書五行志上：「武帝講於重雲殿，沙門誌公忽然起舞歌樂，須臾悲泣。」北宋王安石後元豐行：「吳兒蹈歌女起舞，但道快樂無所苦。」時，指為娼的那段時日言。

二一二、妓女出家　　曾逢時

憤剪青青七尺絲①，雙眉不展學低眉②。相逢笑殺纏頭客③，掩口低聲喚佈施④。

【析韻】

絲、眉、施，上平、四支。

【釋題】

同前首。

【注解】

①憤剪……絲　內心積滿怨恨，狠狠地剪去又濃又黑的長髮。憤，鬱結於心的怨恨。南朝齊孔稚圭北山移文：「風雲悽其帶憤，石泉咽而下愴。」唐陳子昂國殤文：「徒手奮呼誰

救哉，含憤沉怒志未迴。」青青，濃黑貌。南朝宋何長瑜（？—四四六？）嘲府僚詩：「陸展染白髮，欲以媚側室。青青不解久，星星行復出。」南宋辛棄疾臨江仙簪花屢墮戲作詞：「青青頭上髮，還作柳絲長。」七尺絲，形容長髮及地。人體身長約當古尺七尺；在此，用以形容髮長及地。絲，髮絲，喻髮細如絲。

②雙眉……眉　一對眉毛不舒展、不自主；努力仿效低頭謙遜。不展，不舒展。形容緊張且不自主。低眉，低著頭。表謙卑順服貌。唐白居易琵琶行：「低眉信手續續彈，說盡心中無限事。」太平廣記卷一七四引隋陽玠松談藪薛道衡：「金剛努目，所以降伏四魔；菩薩低眉，所以慈悲六道。」

③相逢……客　彼此遇上，笑壞了昔日恩客。笑殺，猶言笑壞了。殺，ㄕㄚ。表示動作、行為的程度之深。古詩十九首去者日以疏：「白楊多悲風，蕭蕭愁殺人。」清吳偉業臧舊詩：「羨殺江州白司馬，月明亭畔聽琵琶。」纏頭客，（昔日的）恩客。另參本卷、二〇六、注❹。

④掩口……施　摀著小嘴，輕聲地、請求施捨。掩口，以雙手摀住嘴巴。禮記曲禮上：「負劍辟咡詔之，則掩口而對。」孔穎達疏：「掩口，恐氣觸人。」低聲，聲量降低。猶小聲。喚，呼叫。在此，引申作「請求」解。佈施，把財物等施捨給別人。初刻拍案驚奇卷三五：「老僧是五臺山僧人……今要往別處去走走，討這些佈施。」清李漁奈何天逃禪：「就你大捨慈悲，把書房佈施與我。」

肆、懷古

卷一二

二一三、斷橋

林朝崧

舊安瀾處忽橫流①，叔寶臨江始欲愁②。誰把龍身分一劍③，譜將哀怨入箜篌④。

【析韻】

流、愁、篌，下平、十一尤。

【釋題】

西湖北側有堤，曰白堤（白公堤），自東北貫通西南，為杭州市區與孤山風景點之紐帶。堤長約一公里，堤面平整，兩側遍植桃、柳，綠草如茵，憩亭、石凳、涼椅點綴其間。白堤有石拱橋二，其一稱斷橋。斷橋原名寶祐橋，又名段家橋。以孤山之路，至此而斷，故自唐以來皆呼為斷橋。唐張祜杭州孤山寺詩：「斷橋荒蘚澁，空院落花深。」斷橋殘雪乃西湖十景之一。

【注解】

①舊安……流　過去波平如靜的地方；突然水流不順著河道奔馳、四處氾濫。舊，過去。瀾，指水波。忽，突然。意料之外。橫流，水不按原道而氾濫。孟子 滕文公上：「當堯之時，天下猶未平，洪水橫流，泛濫於天下。」

②叔寶……愁　在岸上，陳後主往下觀看錢塘（江）潮，才感到憂心。叔寶，參考卷五、八五、注①。臨江，往下觀看錢塘江潮。臨，自上往下看。居高面低。荀子 勸學：「不臨深谿，不知地之厚也。」唐 杜甫 題鄭縣亭子詩：「雲斷岳蓮臨大路，天晴宮柳暗長春。」愁，憂慮。西晉 張協 七命之一：「愁洽百年，苦溢千歲。」

③誰把……劍　那個人？持劍在真龍天子的身上劃了一刀。分，割。裂。史記 項羽本紀：「分軍為三。」

④譜將……篌　（只好）將悲傷怨恨一

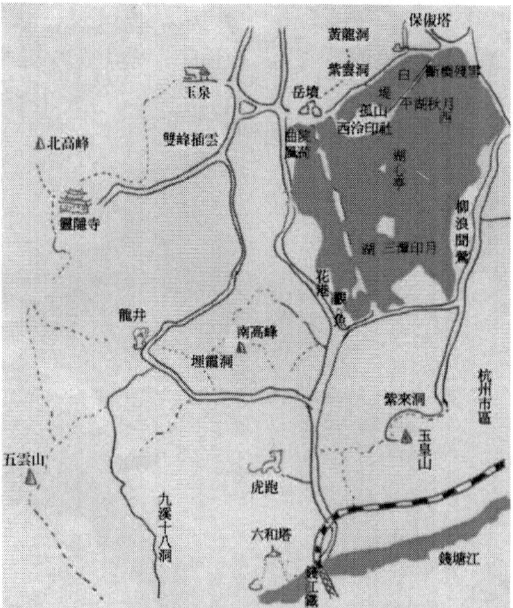

「斷橋殘雪」（圖右上角落）西湖十景之一

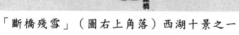

併譜入樂曲。譜，作曲。哀怨，悲傷怨恨。西晉石崇（二四九—三〇〇）王明君辭序：「其造新曲，多哀怨之聲。」唐魏璀（？—？，開元、至德間人）湘靈鼓瑟詩：「瑤瑟多哀怨，朱弦且莫聽。」清陳維崧水龍吟江行望秣陵作詞：「何處迴飆撾鼓，更玉笛數聲哀怨。」箜篌，ㄎㄨㄥ ㄏㄡˊ。古撥弦樂器名。有豎、臥二式。一說，西漢武帝時，自西域傳入。武帝令樂人侯調始造。

二一四、斷橋

林資修

寶筏迷津不易求①，茫茫徒涉總堪愁②。造梁元凱無消息③，誰作橫流砥柱謀④。

【析韻】

求、愁、謀，下平、十一尤。

【釋題】

同前首。

【注解】

①寶筏……求　引領（我們）渡過這片苦海，順利到達彼岸的工具，可不容易找得到啊！寶筏，佛教語。喻引導眾生渡過苦海到達彼岸的佛法。唐李白春日歸山寄孟浩然詩：「金繩開覺路，寶筏渡迷川。」明孫柚（？—？，萬曆間人）琴心記錦江曉發：「恆沙渺，

彼岸平，從教寶筏濟眾生。」清趙翼題王摩詰渡水羅漢圖詩：「我聞釋氏妙變化，寶筏能引迷津斷。」迷津，佛教語。謂迷妄的世界。唐敬播（？—六六三；貞觀初進士。）大唐西域記序：「廓羣疑於性海，啟妙覺於迷津。」醒世恆言黃秀才徼靈玉馬墜：「望羅漢指示迷津，救拔苦海。」在此，寶筏迷津，猶言引領渡過苦海，順利到達彼岸的工具。求，參考卷一一、二〇九、注④。

②茫茫……愁　汪洋廣大遼闊，涉水而過，畢竟令人憂慮。茫茫，形容廣大而遼闊。北宋王安石化城閣詩：「俯視大江奔，茫茫與天平。」清沈復浮生六記浪遊記快：「今年且四十有六矣，茫茫滄海，不知此生再遇知己如鴻幹者否？」徒步，無舟而渡水。唐白居易新豐折臂翁詩：「大軍徒涉水如湯，未過十人二三死。」宋史河渠志五：「深不可以舟行，淺不可以徒涉。」總，畢竟。二十年目睹之怪現狀第四回：「你年紀輕輕的，出來處世，這些曖昧話，總不宜上嘴。」堪，能。引申作「令人」解。愁，詳前首注②。

③造梁……息　沒有造橋良才的信息。梁，橋。唐劉長卿京口懷洛陽舊居兼寄廣陵二三知己詩：「川闊悲無梁，藹然滄波夕。」北宋王安石招約之職方並示正甫書記詩：「欲往無舟梁，長年寄心目。」「八元八凱」省詞作「元凱」，亦作「元愷」。詳載左傳文公一八年，略謂：高辛氏有才子八人—伯奮、仲堪、叔獻、季仲、伯虎、仲熊、叔豹、季貍，忠肅共懿，宣慈惠和，天下之民稱之「八元」。高陽氏有才子八人—蒼舒、隤敳、檮戭、大臨、尨降、庭堅、仲容、叔達，齊聖廣淵，明允篤誠，天下之民，名之「八愷」。後人

恆以「元凱」喻良才、良佐。消息，參考卷一〇、一八四、注②。

④誰作……謀　那個人來策劃並承擔這一項重責巨任？作，充當。書　舜典：「僉曰：『伯禹作司空。』」橫流，參前首注①。砥柱，亦作砥砫，ㄉㄧˇ ㄓㄨˋ。本山名，又稱底柱山、三門山，在今河南　三門峽市，當黃河中流。在此，用以喻能負重任、支大局的人。明　徐渭　季先生入祠祭文：「當其仕也，為砥柱於風波之中，有舉世所難言者而獨言之，舉世所難行而獨行之。」謀，策劃。

二一五、斷橋　　莊龍

斷虹一曲雨初收①，斜日輕煙古渡頭②。扶我杖藜過不得③，柳陰深處喚漁舟④。

【析韻】

收、頭、舟，下平、十一尤。

【釋題】

詳本卷、二一三、釋題；略。

【注解】

①斷虹……收　殘虹一縷、驟雨剛歇。斷虹，殘虹。一段彩虹。北宋　歐陽修　臨江仙詞：「柳外輕雷池上雨，雨聲滴碎荷聲，小樓西角斷虹明。」元　傅若金　送篤御史之南臺詩：「明

朝挾策秦淮道，惆悵燕雲隔斷虹。」清 納蘭性德 金人捧露盤 淨業寺觀蓮有懷蓀友詞：「藕風輕蓮，露冷斷虹收。」曲，猶一縷。五代 張泌（？—？，仕南唐，開寶間猶健在。）題華嚴寺木塔詩：「一曲晚煙浮渭水，半橋斜日照咸陽。」收，止息。結束。禮記 月令 仲秋之月：「雷始收聲。」三國 魏 應璩 與廣川長岑文瑜書：「今者，雲重積而復散，雨垂落而復收。」

②斜日……頭　老津口，黃昏夕陽、淡淡霧氣。斜日，傍晚西斜的太陽。南朝 梁 簡文帝 納涼詩：「斜日晚駸駸，池塘生半陰。」北宋 王安石 杏花詩：「獨有杏花如喚客，倚牆斜日數枝紅。」清 納蘭性德 南鄉子詞：「飛絮晚悠颺，斜日波紋映畫梁。」輕煙，淡淡的霧（或水）氣。渡頭，渡口；津口。乘船過河的地方。簡文帝 烏棲曲之一：「採蓮渡頭擬黃河，郎今欲渡畏風波。」張泌 河瀆神詞：「回首隔江煙火，渡頭三兩人家。」

③扶我……得　雖然我有支撐身子的枴杖，也一樣過不了啊！扶，持。支撐。杖藜，同「藜杖」。即拐杖。唐 護國（？—？，詩僧，大曆前後人）贈張駙馬斑竹柱杖詩：「此君與我在雲溪，勁節奇文勝杖藜。」北宋 秦觀 寧浦書事詩之五：「身與杖藜為二，對月和影成三。」過不得，過不去。過不了。

④柳陰……舟　垂柳蔭下，招呼漁船。柳陰，亦作柳蔭。柳下陰影。古人於詩文中，多借指為遊憩佳處。北周 庾信 忝在司水看治渭橋詩：「平隄石岸直，高堰柳陰長。」唐 康駢（？—？，晚唐人）劇談錄 曲江：「入夏則菰蒲蔥翠，柳陰四合，碧波紅蕖，湛然可愛。」

北宋蘇軾三月二十日開園詩之二：「西園社篇夜沈沈，尚有遊人臥柳陰。」深處，可以隱藏的地方。喚，猶云招呼。謂欲買舟渡水。

二一六、蘇小墓

陳 朝 龍

美人何礙溷青樓①，勝跡名山千古留②。芳草西湖寒食路③，招魂兒女亦風流④。

【析韻】

樓、留、流，下平、十一尤。

【釋題】

蘇小小，亦作蘇小。我國古代文學故事人物。六朝南齊（一說東晉）錢塘西泠橋（今浙江杭州市）人。出生娼家，父不詳、母早逝，門戶冷落。生母姊妹淘賈姨娘視同己出，撫育成人。小小性慧天成，姿容如畫。雖未從師受學，惟聰明精靈，信口吐辭，皆稱佳句。十四五已才色絕倫。為遊西湖，嘗覓工匠造車，車身圍以幔幕，命名油壁車。著人徐推，傍山沿湖嬉遊，自由自在。昔人曾作臨江仙詞一闋為證：「毡裹綠雲四壁，幔垂白月當門。雕蘭鑿桂以為輪，舟行非槳力，馬走沒蹄痕。望影花嬌柳媚，聞聲玉軟香溫。不須窺見已消魂。朝朝松下路，夜夜水邊村。」小小初邂逅宰相阮道之子阮郁，賈姨娘居間撮合，二人情投意合，緣訂終身。未幾，阮父威逼郁速返家園，兩人無計可留，只好叮嚀後約，匆匆相別。郁既去西泠，小小情意難忘，杜門不出。其後，於遊石屋山，結識壯年書生鮑仁，慷慨贈予百金，力促書生應試，以搏功名。上江觀察使孟浪仗勢強喚侑酒，小小片言婉拒；應命口占賞梅五絕一首，浪敬畏有加，且為之心折。某秋，外遊歸來，忽罹風寒，醫石罔效，遽然辭世。臨終，囑：「物化形消，於豐儉何有？悉聽人情可也。但生於西泠，死於西泠，埋骨於西泠，庶不負我蘇小小山水之癖。」停柩期間，鮑仁已中舉且授滑州刺史。某日，差人來告擬即刻面拜，賈姨泣道：「蘇姑娘是在家，只可恨死了，……。」事聞於仁，火速易服，素衣白冠，棄轎乘馬，馳赴西泠，步至柩前，撫棺痛哭，道：「蘇芳卿耶！你是個千秋具慧眼，有血性的奇女子。……慨然贈我百金去求功名，怎不待我鮑仁功成名就，來謝知己，竟辭世而去？……豈不痛哉！」仁遵小小遺願，於西泠橋側擇一吉地，鳩工造墳，具名訃告，合郡鄉紳士大夫皆來弔祭。下葬之日，夾道而觀者，人山人海。鮑仁素衣白冠，親自執紼。碑曰：「錢塘蘇小小之墓」。另置祭田數百畝，供賈姨守墓之資。故事詳四部刊要西湖佳話卷六西泠韻迹。話本錢塘佳夢亦寫其事。方輿勝覽：「蘇小小墓在嘉興縣西南六十步。乃晉之歌妓，今有片石在通判廳，題曰：『蘇小小墓』。」唐李賀蘇小小墓詩：「幽蘭露，如啼眼。無物結同心，煙花不堪剪。草如茵，松如蓋。風為裳，水為珮。油壁車，夕相待。冷翠燭，勞光彩。西陵下，風吹雨。」清李坤（？—？）真娘墓詩序：「嘉興縣前有吳妓人蘇小小墓，風雨之夕，或聞其上歌吹之音。」

【注解】

①美人……樓　美麗的俏佳人，不在乎曾混跡秦樓楚館。美人，詳卷一、四、注②。何，怎麼。礙，亦作「碍」。阻礙。何礙，猶言怎麼在乎。屬反詰語。意謂不在乎。溷，ㄏㄨㄣˋ。同「混」。溷跡。亦作「混跡」。混雜在……。南宋陸游好事近詞：「混迹寄人間，夜夜畫樓銀燭。」青樓，參考卷一一、二〇二、注②。

②勝跡……留　名山古跡，長長久久地被保存下來。勝跡，本作「勝迹」、亦作「勝蹟」。有名的古跡、遺蹟。南朝齊謝朓遊山詩：「求志昔所欽，勝迹今能選。」名山，有名的大山。古恆指五嶽。禮記禮器：「是故因天事天，因地事地，因名山升中于天，因吉土以饗帝于郊。」唐李白秋下荊門詩：「此行不為鱸魚鱠，自愛名山入剡中。」清葉廷琯鷗陂漁話劉書樵晉遊詩選：「晉國名山不可數，恆岳居尊太岳附。」千古留，長長久久地（被）保存下來。千古，本指久遠的年代，引申作具有長遠存在的價值。清趙翼甌北詩話杜少陵詩：「自此以後，北宋諸公皆奉杜為正宗，而杜之名遂獨有千古。」陳廷焯（一八五三—一八九二）白雨齋詞話卷八：「南宋諸名家，大旨亦不悖於溫韋，而各立門戶，別有千古。」留，保存。遺留。墨子非儒下：「厚其禮，留其封，敬見而不問其道。」東晉葛洪抱朴子至理：「譬之於堤，堤壞則水不留矣。」唐杜甫三絕句之一：「羣盜相隨劇虎狼，食人更肯留妻子？」

③芳草……路　西湖畔的一株香草；寒食憑弔、不曾中斷。芳草，香草。用以比喻忠貞或賢

德之人。楚辭離騷：「何昔日之芳草兮，今直為此蕭艾也。」王逸注：「以言往日明智之士，今皆佯愚，狂惑不顧。」北宋劉敞泰州玩芳亭記：「楚辭曰：『昔吾不及古人兮，吾誰與玩此芳草？』自詩人比興，皆以芳草嘉卉為君子美德。」西湖，在今浙江杭州市西。漢時稱明聖湖。唐以後始稱今名，為我國著名遊覽勝地。有蘇堤春曉、曲院風荷、平湖秋月、斷橋殘雪、柳浪聞鶯、花港觀魚、雷峰夕照、雙峰插雲、南屏晚鐘、三潭印月等十處勝景。北宋歐陽修采桑子詞：「輕舟短棹西湖好，綠水逶迤。」寒食路，寒食憑弔，未曾稍斷。寒食，節日名。周禮秋官司烜氏：「中春以木鐸修火禁於國中。」是禁火乃周舊制，西漢劉向別錄記寒食蹋蹴，與介之推死事無關。東晉陸翽鄴中記、後漢書周舉傳等始附會介之推事。寒食日有在春、在夏、在冬諸說；其中在春之說為後世所沿襲。南朝梁宗懍（五〇一—五六五？）荊楚歲時記：「去冬節一百五日，即有疾風甚雨，謂之寒食，禁火三日，造餳大麥粥。」唐韓翃（？—？，開元、貞元間人。）寒食詩：「春城無處不飛花，寒食東風御柳斜。」元仙村人（？—？）春日田園雜興詩：「村村寒食近，插柳遍檐牙。」清吳蘭修（？—？，乾隆、道光間人。）黃竹子傳：「臨行，（竹子）執生手曰：『此歸又罹虎口！若得了儂業債，則寒食梨花，求麥飯一盂、紙錢一束，上真孃墓一吊；薄命人死無憾耳。』」路，行為的軌範。孟子離婁上：「義，人之正路也。……舍正路而不由，哀哉！」又，盡心上：「路惡在？義是也。」南朝梁沈約瑞石像銘：「心路照通，有感斯順。」寒食路，每逢寒食、憑弔未斷，已成軌範。

④招魂……風流　前來招呼悼念的青年男女也算灑脫放逸的一羣。招魂，亦作「招𩲡」。招死者之魂。儀禮　士喪禮：「復者一人。」東漢　鄭玄注：「復者，有司招魂復魄也。」楚辭　招魂東漢　王逸題解：「招者召也，以手曰招，以言曰召。」明　唐順之　吳江三忠祠詩：「廟枕洞庭波，招魂薦楚歌。」兒女，指青年男女。唐　王勃　送杜少府之任蜀州詩：「無為在歧路，兒女共沾巾。」南宋　辛棄疾　滿江紅　送李正之提刑入蜀詞：「兒女淚，君休滴。」風流，詳卷一一、二〇五、注②。

西湖十景之一，三潭印月

蘇小小「慕才亭」

二一七、眞娘墓

蔡　振　豐

虎丘山上草離離①，孤寺荒烟萬古悲②。爭似西泠松柏路③，一樽共薦踏青時④。

【析韻】

離、悲、時，上平、四支。

【釋題】

唐有吳妓真娘，姓氏籍里與生卒年月均不可考。時人比之蘇小小，死後葬於吳宮之側。今江蘇 蘇州 虎丘山有真娘墓。唐 白居易長慶集卷十二真娘墓詩：「真娘墓，虎丘道。不識真娘鏡中面，唯見真娘墓頭草。」昔文人好事者過吳，多有真娘墓憑弔之作。雲谿友議 譚生刺：「行客感其華麗，競為詩題於墓樹，櫛比鱗臻。有舉子譚銖者，吳門秀逸之士也。因書絕句以貽，後之來者，覩其題處，經遊之者，稍息筆矣。詩曰：『虎丘山下塚纍纍，松柏蕭條盡可悲。何事世人偏重色，真娘墓上獨題詩。』」

【注解】

①虎丘……離　虎丘山，青草又濃又密。虎丘，山名。在今江蘇 蘇州市西北，亦名海湧山。唐時因避諱曾改稱武丘、獸丘，後復舊稱，間亦有避孔子諱，亦作「虎邱」。相傳吳王闔閭葬於此處。越絕書外傳記吳地傳：「闔廬冢在閶門外，名虎丘……築三日而白虎居上，

故號為虎丘。」其上有虎丘塔、雲巖寺、劍池、千人石等名勝古跡。離離，濃密貌。三國魏 曹操 塘上行：「蒲生我池中，其葉何離離。」唐 陳昌言（？—？）白日麗江皐詩：「鬱鬱長堤上，離離淺渚毛。」清 陳夢雷（一六四〇—一七二二）青青河畔草詩：「離離萬丈松，青青河畔草。」

②孤寺……悲 獨立無所依傍的佛寺，荒野中、一片煙霧，令人頓生死亡的哀痛。孤寺，孤立無鄰的佛寺。唐 張喬（？—？，大中、龍紀間人。）送人歸江南詩：「島煙孤寺磬，江月遠船箏。思苦秋迴日，多應吟更清。」北宋 蘇軾 過淮三首贈景山兼寄子由詩之二：「過淮山漸好，松檜亦蒼然。藹藹藏孤寺，泠泠出細泉。」荒烟，本作荒煙。荒野的煙霧。恆指荒涼的地方。唐 陳子昂晚次樂鄉縣詩：「野戍荒煙斷，深山古木平。」北宋 歐陽修祭石曼卿文：「荒烟野蔓，荊棘縱橫，風淒露下，走磷飛螢。」明 高攀龍（一五六二—一六二六）華藏寺重修佛像引：「今俊墓已在荒煙敗草中，為野狐牧羝之穴。」萬古，死亡的婉辭。唐 裴羽仙（？—？，世次不詳）哭夫詩之二：「從此不歸成萬古，空留賤妾怨黃昏。」

③爭似……路 怎麼比得上西泠橋側、松柏路邊蘇小小的墳冢？爭似，怎似。猶言怎麼比得上。唐 劉禹錫楊柳枝詞：「城中桃李須臾盡，爭似垂楊無限詩。」北宋 柳永 慢卷紬詞：「又爭似從前，淡淡相看，免恁牽繫。」元 關漢卿 金線池楔子：「雖然故友情能密，爭似新歡興更濃。」西泠，亦稱西陵橋、西林橋。橋名。在今杭州 孤山西北盡頭處，是由

孤山入北山的必經處。南宋周密武林舊事湖山勝概：「西陵橋，又名西林橋，又名西泠。」元陳旅（一二八七—一三四二）題扇面詩：「一段寒香吹不盡，西泠殘月角聲中。」按：西泠橋側、松柏路邊有蘇小小墓。

虎丘劍池

④一樽……時　春日郊遊，順便獻上一盃水酒。樽，ㄗㄨㄣ。盛酒器。唐李白前有樽酒行之一：「春風東來忽相遇，金樽淥酒生微波。」清黃鷟來（？—？）十三夜碧山堂宴集作詩：「迢迢紫蘭花，掩映綠樽深。」一樽，猶云一盃水酒。薦，獻上。進獻。儀禮鄉射禮：「主人阼階上拜送爵，賓少退，薦脯醢。」又，祭祀時獻牲亦曰薦。踏青，亦作「蹋青」。清明前後至郊外遊覽。唐孟浩然大堤行：「歲歲春草生，踏青二三月。」元楊允孚（？—？）灤京雜詠：「高柳豈堪供過客，好花留待蹋青人。」

二一八、古戰場

鄭以庠

平沙一望息兵爭①，不見當年戰士行②。畫角譙樓蟲弔月③，無人知是受降城④。

【析韻】

爭、行、城，下平、八庚。

【釋題】

古，與「今」相對，謂年代久遠也。戰場，兩軍交鋒之地。戰國策 秦策一：「於是，乃廢文任武，厚養死士，綴甲厲兵，效勝於戰場。」唐 盧綸 與從弟同下第出關詩：「出關愁暮一沾裳，滿野蓬生古戰場。」清 孫枝蔚（一六二〇—一六八七）臨高臺詩：「戰場塵起處，白骨化成灰。」昔時，要津、關隘，每成兵家必爭之地；兩軍對壘、激戰，屍填溝壑、血流成渠，骨暴沙礫、鳥聲寂寂，傷心慘目，不忍卒睹。唐 李華（七一五—七六六）弔古戰場文云：「浩浩乎！平沙無垠，敻不見人，河水縈帶，羣山糾紛。黯兮慘悴，風悲日曛。蓬斷草枯，凜若霜晨。鳥飛不下，獸鋌亡羣。亭長告余曰：『此古戰場也，常覆三軍，往往鬼哭，天陰則聞。』傷心哉！……。」吾臺 屏東 車城、石門間有石門古戰場一處，附記之。

【注解】

①平沙……爭　一眼眺望過去，廣闊的沙原早就停止爭戰。平沙，廣闊的沙原。南朝 梁 何遜 慈姥磯詩：「野雁平沙合，連山遠霧浮。」唐 張仲素（七六九？—八一九）塞下曲：「朔雪飄飄開雁門，平沙歷亂轉蓬根。」南宋 張孝祥 水調歌頭 桂林集句詞：「平沙細浪欲盡，陡起忽千尋。」息，停止。易 乾：「天行健，君子以自強不息。」兵爭，以兵爭戰。猶云戰爭。左傳 宣公十一年：「十一年春，楚子伐鄭。及櫟。子良曰：『晉 楚不

務德而兵爭，與其來者可也。』」明胡應麟（一五五一——一六〇二）詩藪遺逸下：「蓋是時姚興都關中，頗饒樂，寡兵爭，此歌必其時作。」

②不見……行　沒看到當年士兵們行進的蹤跡。

③晝角……月　畫角依然掛在牆上，寄息瞭望樓上的蟲兒正在憑弔明月。晝角，古管樂器。自西羌傳入。形如竹筒，本細末粗，以竹木或皮革製成，表面彩繪，故稱。其聲哀厲高亢，古時軍中多用以警昏曉、振士氣、肅軍容。帝王出巡，亦用以報警戒嚴。南朝梁簡文帝折楊柳詩：「城高短簫發，林空畫角悲。」唐陳子昂和陸明府贈將軍重出塞：「晚風吹畫角，春色耀飛旌。」譙樓，城門上的瞭望樓。三國志吳書吳主傳：「詔諸郡縣治城郭，起譙樓，穿塹發渠，以備盜賊。」唐唐彥謙敘別詩：「譙樓夜促蓮花漏，樹陰搖月蛟螭走。」

屏東牡丹鄉石門古戰場先住民抗日紀念碑

④無人……城　竟沒有人知道，那就是受降城啊！受降城。城名。漢、唐築以接受敵人投降，故名。漢故城在今內蒙烏拉特旗北；唐築三城，東城在勝州、中城在朔州，西城在靈州。史記匈奴列傳：「漢使貳師將軍廣利西伐大宛，而令因杅將軍敖築受降城。」新唐書張仁願傳：「時默啜悉兵西擊突騎施，仁願請乘虛取漠南地，於河北築三受降城，絕虜南寇路。」明敖英（？—？，弘治、隆慶間人。）塞上曲：「受降城上月，暮色隱悲笳。」

二一九、古戰場　王國材

憑弔關河息戰爭①，莽蒼蒼處受降城②。平沙白草餘兵氣③，夜半秋螢鬼擁行④。

【析韻】

爭、城、行，下平、八庚。

【釋題】

同前首。

【注解】

①憑弔……爭　遠眺函谷、黃河，追憶已終止的興戎征伐。憑弔，亦作「憑吊」。對著遺跡、遺物感慨往古的人與事。清徐夜（一六一一—一六八三）富春山中弔謝皋羽詩：「疑向西臺猶慟哭，思當南宋合酸辛。我來憑弔荒山曲，朱鳥魂歸若有神。」李漁玉搔頭訊玉：

「手澤猶存，音容何在？好教我空對遺簪憑吊。」關河，函谷等關隘與黃河。史記蘇秦列傳：「秦四塞之國，被山帶渭，東有關河，西有漢中。」張守節正義：「東有黃河，有函谷、蒲津、龍門、合河等關。」亦指關山河川。北宋陳師道送內詩：「關河萬里道，子去何當歸。」清張際亮（一七九九—一八四三）送雲麓觀察督糧粵東詩：「空山冰雪臥懶出，征旆關河送敢負？」息，參考前首注①。戰爭，部落、族羣、國家……之間，武裝衝突。亦泛指戰鬥。史記秦始皇本紀：「以諸侯為郡縣，人人自安樂，無戰爭之患，傳之萬世。」唐呂巖（？—？咸通前後之人。）漁父活得詩：「龍飛躋，虎狂獰，吐箇神珠各戰爭。」

②莽蒼……城　草叢茂盛的地方正就是受降城。莽，ㄇㄤˇ，草叢。左傳哀公元年：「吳日敝於兵，暴骨如莽，而未見德焉。」西晉陸機赴洛道中作詩：「振策陟崇丘，案轡遵平莽。」蒼蒼，茂盛。眾多。詩秦風蒹葭：「蒹葭蒼蒼，白露為霜。」毛傳：「蒼蒼，盛也。」三國魏曹植贈白馬王彪詩之二：「太谷何寥廓，山樹鬱蒼蒼。」受降城，詳參前首注④。

③平沙……氣　廣闊的沙原、乾熟的牧草，還殘存著爭戰的氣氛。平沙，詳參前首注①。白草，乾熟時呈白色的牧草。漢書西域傳上鄯善國：「地沙鹵，少田，寄田仰穀旁國。國出玉，多葭葦、檉柳、胡桐、白草。」顏師古注：「白草似莠而細，無芒，其乾熟時正白色，牛馬所嗜也。」唐岑參過燕支寄杜位詩：「燕支山西酒泉道，北風吹沙卷白草。」餘，剩下。兵氣，戎事的氣氛。唐王昌齡宿灞上寄侍御王與弟詩：「昨聞羽書飛，兵氣

連朔塞。」明李東陽風雨嘆詩：「潼關以西兵氣多，蘆笳吹塵塵滿河。」清曹寅（一六五八—一七一二）十三夜南樓看月詩：「直北再瞻兵氣勁，龍沙早雪是今年。」

④夜半……行　午夜，精靈裹挾秋螢，四處飛竄。夜半，半夜。猶午夜。左傳哀公十六年：「醉而送之，夜半而遣之。」史記孟嘗君列傳：「孟嘗君得出，即馳去，更封傳，變名姓以出關。夜半至函谷關。」唐白居易長恨歌：「七月七日長生殿，夜半無人私語時，在天願作比翼鳥，在地願為連理枝。」秋螢，秋季（初旬）的螢火蟲。鬼，萬物的精靈。詩小雅何人斯：「為鬼為蜮，則不可得。有靦面目，視人罔極。」擁行，裹挾飛竄。擁，裹挾。宋史忠義傳一李若水：「粘罕令擁之去，反顧罵益甚。」

二二〇、二月十五日參觀延平郡王祭典

鄭登瀛

滄桑幾變七鯤身①，廟貌巍峩俎豆新②。珍重梅花香一樹③，靈旂常護海天春④。

【析韻】

身、新、春，上平、十一真。

【釋題】

鄭成功（一六二四—一六六二）。明福建南安（今仍稱南安縣）人。初名森，字大木。南明唐王賜姓朱，改名成功。父芝龍，明季入海，從顏思齊為盜，思齊卒，代領其眾。崇

禎初，因巡撫熊文燦招撫，授海防遊擊，以軍功累擢總兵。擁福王由崧即位南京，弘光受俘，續擁唐王聿鍵就帝位於福州。隆武二年（清順治三年、一六四六）降清。母日女田川氏（後易漢姓翁），生成功及弟七左衛門於平戶。成功髫齡隨叔返南安，入學為諸生。初，芝龍挾二心，成功諫不聽，遂移孝作忠，領眾抗清，遁入海島，據南澳。桂王由榔立，勅封成功為延平郡王，招討大將軍。永曆十三年（清順治十六年）引大軍自崇明入江，直撲南京，東南大振，旋為清將梁化鳳所敗，退守廈門。十五年（順治十八年、一六六一）金廈局勢稍定，命大修舟船，以備征臺。三月初十渡海，翌日，師次澎湖。四月初一黎明，抵臺灣外沙線，十二月十三日（公曆一六六二年二月一日）荷督遣使乞降。廿四日，成功率師入安平鎮城。永曆十六年（清康熙元年、一六六二）五月初八未時，成功病薨於東都承天府（今台南赤嵌樓），年卅九。長子經立。經卒，經次子克塽嗣位。康熙廿二年（一六八三）六月，清傾水師征臺，七月，克塽請降，八月十八日上降表，明鄭亡。光緒初，德宗允船政大臣沈葆楨疏請，為成功立祠臺灣。（清史稿列傳十一，從征實錄）。延平郡王祠，本名開山王廟，又名鄭成功廟，永曆二十年（康熙五年、一六七三）原立於今臺南市崇安街。同治十三年（一八七四）欽差大臣沈葆楨奏請准於臺灣建鄭成功祠，翌年（光緒元年、一八七五）一月十日清廷追諡鄭成功忠節，建明延平郡王祠於府城，以明季諸臣一一四人配祀，祠址擇定於原開臺聖王廟（今臺南市開山路一段、建業、樹林兩街之間）。朱門紅牆，琉璃碧瓦，氣勢雄偉。正殿供奉鄭成功泥身坐像；後殿及東西兩廡祀成功生母翁氏、明季諸臣、殉難將士與鄭氏子孫。殿後庭園有古梅一株，移自原承天府府衙，傳係鄭成功手植。延平郡王祠，歲有三祭：一、年祭（春祭）陰曆二月十五，是日為岳武穆冥誕，取其精忠若武穆也。二、忌辰祭，陰曆五月初八日。三、冥誕祭，陰曆七月廿四日。附錄延平郡王祠楹聯二首：

開萬古得未曾有之奇，洪荒留此山川，作遺民世界；極一生無可如何之遇，缺憾還諸天地，是創格完人。　沈葆楨（一八二〇—一八七九）

賜國姓，家破君亡，永矢孤忠，創基業在山窮水盡；復父書，詞嚴正義，千秋大節，享俎豆于舜日堯天。　劉銘傳（一八三六—一八九六）

鄭氏原籍光州 固始（今河南 固始縣）人，唐僖宗 光啟年間（八八五—八八八）避亂南遷。宋欽宗 靖康年間（一一二六—一一二七）五郎公隱石一支自福建 侯官徙泉州 武榮，再徙楊子山下石井鄉定居，遂為南安人。

鄭氏先世簡表

南安開基祖	二世	三世	四世	五世	六世	七世	八世	九世	十世	十一世
隱石	肖隱									
	隱泉	砥石	純玉	亮（井居）						
				豪（威魚）	？	樂齋	于野	西庭	紹祖	芝龍
				崇（居英）						
			麗玉	瑻（奮西）						
		古石								

【注解】

①滄桑……身　多少次改觀，滄海已變成沙州渡口。滄桑，「滄海桑田」的略語。東晉葛洪神仙傳王遠：「麻姑自說云：『接侍以來，已見東海三為桑田。』」明湯顯祖牡丹亭繕備：「乍想起瓊花當年吹暗香，幾點新亭，無限滄桑。」清唐孫華偕夏重至國學觀古槐詩：「刼火燒殘變陵谷，浮雲閱盡經滄桑。」幾變，多少次的改觀。形容變化之大。七鯤身，省作「鯤身」，亦作「鯤鯓」。在今臺灣西南鹿耳門溪下游以南二仁溪口以北，屬臺南市轄。海水淤積而成的沙洲渡口。清魏源聖武記卷八：「眾軍齊集兩港，悉數我軍旂幟，遂揚帆直渡鯤身。鯤身者，海沙也，膠淺不能行大舟。」丘逢甲夏夜追話舊事

詩：「如聞鹿耳鯤身畔，毅魄三更哭義旗。」

②廟貌……新　廟宇的風貌高大雄偉，俎、豆重新擺設。廟，供祀神、佛、先賢的屋宇。在此，指延平郡王祠。餘詳釋題。貌，謂風貌。巍峩，本作「巍峨」。高大雄偉。東漢 張衡 西京賦：「疏龍首以抗殿，狀巍峨以岌嶪。」張銑注：「巍峨岌嶪，高壯貌。」東晉 葛洪 抱朴子 博喻：「五嶽巍峨，不以藏疾傷其極天之高。」唐 孟郊 自嘆詩：「太行聳巍峨，是天產不平。」俎豆，俎和豆。古代祭祀、宴饗時盛放牲禮、食物的禮器。亦泛指各種禮器。俎，ㄗㄨˇ。新，意指重加擺設陳列。

③珍重……樹　要愛惜那一株老梅所散發的淡淡花香。珍重，愛惜。榮按：延平郡王祠後庭有老梅一株，相傳為鄭成功驅荷復臺未幾，手植於鴻指園（舊承天府署），迄今已愈三百二十餘年。光緒元年建祠之時，乃移至現址。一樹，猶云一株。

④靈旂……春　神靈的旗幟，永遠護佑臺疆風調雨順、四季平安。靈旂，本作「靈旗」。神靈的旗子。唐 劉禹錫 七夕詩之一：「河鼓靈旗動，嫦娥破鏡斜。」南宋 文天祥 代酹解星文：「靡靈旗兮風翩翩，舉天瓢兮酌天泉。」清 譚嗣同（一八六五—一八九八）桃花夫人廟 神弦曲之一：「帝子靈旗千里遙，渚宮玉露蘋花泣。」長護，恆祐。海天春，海與天生機盎然。猶云風調雨順、四季平安。唐 杜牧 聞角詩：「城角為秋悲更遠，護霜雲破海天遙。」元 趙偕（？—一三六六）送葉伯奇入官詩：「朔風冽冽，海天茫茫，良朋告別，我心皇皇。」春，喻生機。劉禹錫酬樂天揚州初逢席上見贈詩：「沉舟側畔千帆過，

病樹前頭萬木春。」南宋范成大雨後東郭梅開詩：「司花好事相邀勤，不著笙歌不肯春。」清王士禛馬嵬懷古詩：「巴山夜雨卻歸秦，金粟堆邊草不春。」

鄭成功手植老梅（鐵質護欄內）

延平郡王鄭成功畫像

鄭成功墓（福建南安）

二三一、洛陽銅駝

蔡振豐

洛陽風景日凋零①，荊棘門墻兆早形②。亦是鞭長難及處③，五胡戎馬已宮庭④。

【析韻】

零、形、庭，下平、九青。

【釋題】

洛陽位於黃河中游以南，伊洛盆地上。羣山環繞、氣候溫和，土地肥沃、物產豐富。東有虎牢險壑、西有函谷要塞，北依邙山、南對龍門：伊、洛、瀍、澗，蜿蜒其間。自古夙有「河山拱戴，形勢甲於天下」之說。東周、東漢、曹魏、西晉、隋、唐（東京）、後梁、後唐等先後建都於此，有九朝故都之稱。洛陽與長安、北京、南京同享我國四大古都之盛名。今洛陽故城，道旁曾有漢鑄銅駝兩尊相對而名銅駝街，亦稱銅駝巷、銅駝陌。太平御覽卷一五八引西晉陸機洛陽記：「洛陽有銅駝街，漢鑄銅駝兩枚，在宮南四會道相對。俗語曰：『金馬門外集眾賢，銅駝陌上集少年。』」南朝陳徐陵洛陽道詩之一：「東門向金馬，南陌接銅駝。」金元好問送張君美往南中詩：「陽平城邊握君手，不似銅駝洛陽陌。」清顧炎武洛陽詩：「金谷荒煙合，銅駝蔓草縈。」昔人亦以銅駝借指京城、宮庭。明許潮（？—？）龍山宴詩：「洛陽禾黍西風亂，銅駝王氣朝雲散。」

【注解】

①洛陽……零　洛陽的風光景色一天天地衰頹、沒落。洛陽，詳釋題。風景，風光景色。南朝宋鮑照紹古辭之七：「怨咽對風景，悶瞀守閨闥。」唐張籍送李司空赴鎮襄陽詩：「襄陽由來風景好，重與江山作主人。」清李漁比目魚肥遯：「一路行來，山青水綠，鳥語花香，真箇好風景也。」日，一天（一）天地。北宋王安石上運使孫司諫書：「公家日以窘，而民日以窮而怨。」清顧炎武與人書一：「人之為學，不日進則日退。」凋零，形容事物衰敗。北宋歐陽修相度併縣牒：「地居僻遠，戶口凋零。」

②荊棘……形　雖然，大宅子的門庭、院落，遍地雜草、灌木叢生，依然顯現出當年宏偉的模樣。荊棘，多刺的灌木叢生。老子：「師之所處，荊棘生焉。」東漢班昭（三六—？）東征賦：「睹蒲城之丘墟兮，生荊棘之榛榛。」西晉張載（二五〇？—三〇八）七哀詩：「蒙籠荊棘生，蹊逕登童豎。」門墻，本作「門牆」。指大宅院的門與圍牆。亦指連接大門處的院牆言。唐唐彥謙夏日訪友詩：「童子立門牆，問我向何處。」借指門庭。北宋蘇舜欽送黃莘還家詩：「顧亦念所親，歸心劇風檣。想當舍檝初，喜氣充門牆。」兆，顯現。顯示。國語吳語：「天占既兆，人事又見，我蔑卜筮矣。」西晉左思魏都賦：「蓋亦明靈之所酬酢，休徵之所偉兆。」張銑注：「仁德休徵大示於天下。」唐柳宗元亡姊裴君夫人墓誌：「忿懥之色，不兆於容貌。」清許纘曾（一六二七—一七〇〇）睢陽行：「禹鼎銷沉老魅驕，野火遊光兆形魄。」早形，當年的模樣。早，在一定時間之前。

形，模樣。

③亦是……處　國事如麻；也是整治的力量，還不容顧及的地方。鞭長難及，語出左傳　宣公十五年：「古人有言曰：『雖鞭之長，不及馬腹。』」杜預注：「言非所擊。」意謂鞭雖甚長，但不應擊及馬腹。後因以喻力不能及；多省作「鞭長不及」、「鞭長莫及」。比宋　李之儀　雷塘行：「鞭長不能及馬腹，有限生涯時苦促。」

④五胡……庭　五胡的軍馬已經佔有皇宮內廷。西晉　惠帝時，內亂頻仍，北方少數民族匈奴族劉淵、沮渠氏、赫連氏、羯族　石氏，鮮卑族慕容氏、禿髮氏、乞伏氏，氐族苻氏、呂氏，羌族姚氏，相繼於中原稱帝，史稱五胡。晉書　元帝紀　論：「晉氏不虞，自中流外，五胡扛鼎，七廟隳尊。」明　劉元卿（？—？，嘉靖、萬曆間人。）賢奕編　仙釋：「譬之典午之祚，甘心偏安江左，而中原一片田土，反為五胡占據，豈不悲哉！」戎馬，軍馬。吳子　料敵：「然則一軍之中必有虎賁之士，力輕扛鼎，足輕戎馬，搴旗取將，必有能者。」亦借指軍隊。宋書　武帝紀中：「承親率戎馬，遠履西畿，闔境士庶，莫不恇駭。」宮庭，皇宮、內庭。皇帝的居所、理政之處。

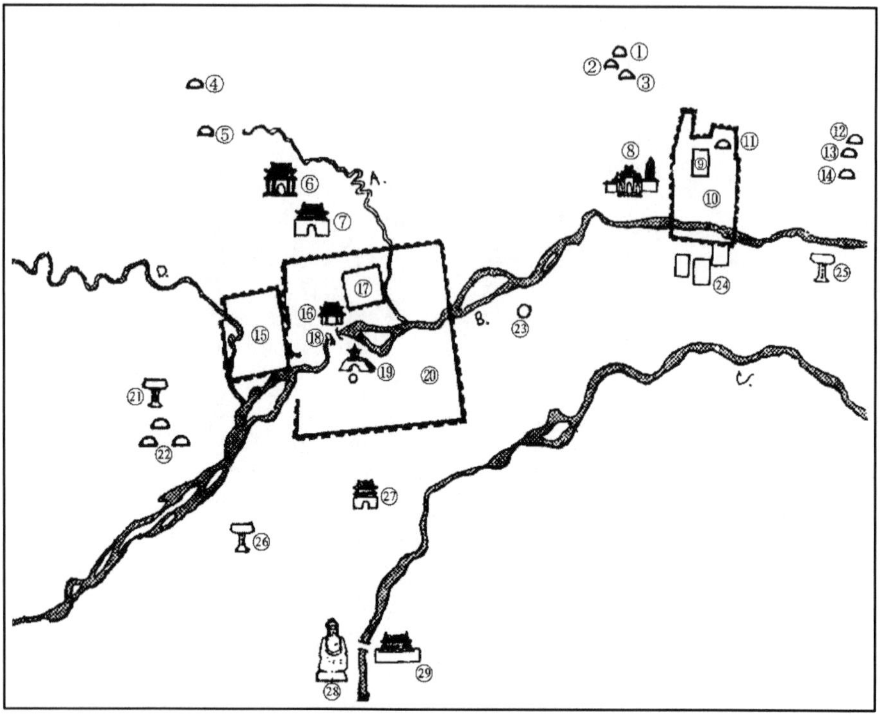

洛陽及其附近古跡分布圖

圖說：

①漢顯節陵　②漢敬陵　③漢慎陵　④北魏長陵
⑤北魏景陵　⑥上清官　⑦下清宮　⑧白馬寺
⑨宮城　⑩漢魏故城　⑪周景王陵　⑫晉高原陵
⑬晉崇陽陵　⑭晉峻陽陵　⑮周王城　⑯周公廟
⑰老城　⑱天津橋　⑲安樂窩　⑳隋唐故城
㉑孫旗屯遺址　㉒周王三陵　㉓蘇秦故里
㉔漢魏太學（左 1 靈臺左 2 辟雍）㉕夏二里頭遺址
㉖矬李遺址　㉗關林　㉘龍門石窟　㉙香山寺
A.瀍水　B.洛水　C.伊水　D.澗水

二二三、東坡赤壁後遊

蔡　振　豐

前遊赤壁景全非①，後約重來願不遲②。添得先生詩思好③，一壺佳釀短鱸肥④。

【析韻】

非、遲（支韻，古通微）、肥，上平、五微。

【釋題】

蘇東坡二度遊赤壁；後遊者，再度遊也。北宋元豐二年（一〇七九）軾謫貶為黃州（今湖北黃崗）團練副使。五年，秋七月首度遊赤壁，同年初冬（十月）重遊，留有赤壁賦二篇在世。前後二賦固皆以赤壁為題，惟各自特點鮮明。第一次主客泛舟，彼此狂飲；第二次捨舟登岸，行歌相答。前篇寫秋光月白而風清，字字秋色。後篇敘「霜露既降、木葉盡脫」，句句冬景。前篇周遭恬靜明朗。後篇氣氛冷落寂寥，前篇談玄說理。後篇敘事抒景。前篇曠達樂天、胸懷開朗。後篇虛無飄渺、絕世超塵。蘇軾（一〇三六—一一〇一）。字子瞻，號東坡。眉山（今四川眉山人）人。廿二歲舉進士。歷仕仁、英、神、哲、徽五朝。仕宦四十年，屢遭貶謫，建中靖國元年卒於常州（今江蘇常州），享年六十五歲。南宋孝宗朝追謚文忠。軾文章縱橫奔放、詩飄逸不羣、詞豪放爽暢，開風氣之先，書畫亦自成一家，現存詩作二千七百餘首、散文四千餘篇。著有易傳、書傳、論語說、仇池筆記、東坡志林等書。

後人輯其詩、詞、文、奏章為東坡七集一一〇卷（中華、四部備要本）。軾名列唐宋八大家；與父洵、弟轍合稱三蘇。宋史有傳。

【注解】

①前遊……非（和）上一次的赤壁攬勝，景色竟全然不一樣。遊，遊覽。猶云攬勝。詩唐風有杕之杜：「彼君子兮，噬肯來遊。」毛傳：「遊。觀也。」南朝宋鮑照擬古詩：「朝遊雁門上，暮還樓煩宿。」唐王維觀別者詩：「愛子遊燕趙，高堂有老親。」赤壁，原名赤鼻磯。在今湖北黃州城西北江濱，因山形截然如壁而呈赤色，亦稱赤壁。南宋薛季宣（一一三四—一一七三）晚渡東坡詩：「赤鼻磯頭橫曙煙，吳王城下浪連天。」清顧祖禹（一六二四—一六八〇，一說一六三一—一六九二）讀史方輿紀要湖廣二黃州府：「赤鼻山在府城西北漢川門外，屹立江濱，土石皆帶赤色。下有赤鼻磯，今亦名赤壁山，蘇軾以為周瑜敗曹公處，非也。」亦作「赤壁磯」。元宋方壺（？—？）梧葉兒懷古曲：「黃州地，赤壁磯，衰草接天涯。周公瑾、曹孟德，果何為？都打入漁樵話裏。」按：東漢獻帝建安十三年（二〇八）孫權、劉備聯軍大破曹魏南征師旅處，係在今湖北武昌西赤磯山，與漢陽南紗帽山隔江相對。北魏酈道元水經注江水三：「江水左逕百人山（今紗帽山）南，右逕赤壁山北，昔周瑜與黃蓋詐魏武大軍處所也。」北宋黃庭堅次韻文潛：「武昌赤壁弔周郎，寒溪西山尋漫浪。」另一說，在今湖南蒲圻西之赤壁山。唐李吉甫（七五八—八一四）元和郡縣圖志江南道三鄂州：「赤壁山在縣（指蒲圻）西

一百二十里，北臨大江，其北岸即烏林，與赤壁相對。即周瑜用黃蓋計，焚曹公舟船敗走處。故諸葛亮論曹公危於烏林是也。」

②後約……遲　相約再度重遊，希望不要晚了。榮按：相隔約僅三個月，即作舊地重遊。

③添得……好　加上您作詩的思路、情緻美妙無比。添得，猶言加上。先生，對蘇東坡的尊稱。詩思，詳卷六、一〇二、注②。好，美妙。

④一壺……肥　雖有一壺好酒；卻少了鮮肥的鱸魚。謂有佳釀無水鮮可佐飲也。佳釀，好酒。醇酒。短，少。西晉張華（二三二—三〇〇）答何劭詩：「道長苦智短，責重困才輕。」

石塔

二賦堂（黃岡赤壁）

放龜亭側影

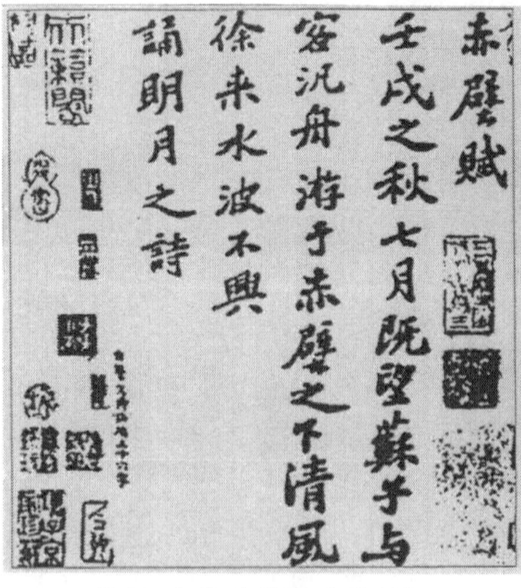

蘇軾 赤壁賦墨跡（局部）

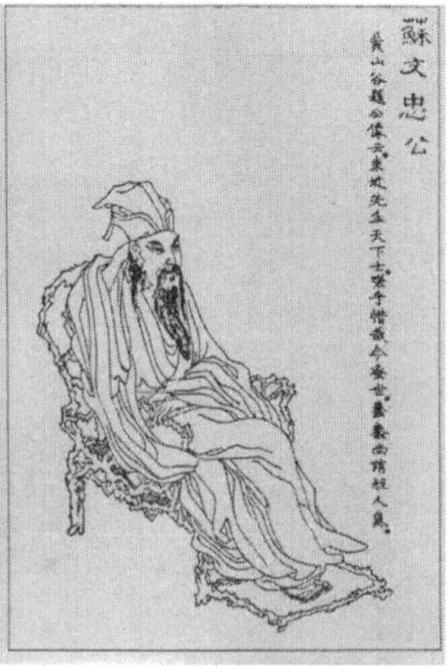

蘇軾畫像

二二三、鸚鵡洲懷古

鄭兆璜

鸚鵡洲邊剩古碑①，生平才抱未曾施②。萋萋芳草漢陽道③，多少英雄下馬時④。

【析韻】

碑、施、時，上平、四支。

【釋題】

鸚鵡洲懷古，思念古昔鸚鵡洲故實也。鸚鵡洲，在今湖北漢陽西南江中。後漢末，黃祖（？—二〇八）署江夏太守，祖長子射，大會賓客，有人獻鸚鵡，禰衡（一七三—一九八）即席作賦，「鏘鏘夏金玉，句句欲飛鳴」鸚鵡洲之名遂遐邇聞。衡，少有才辯，氣剛傲物。鸚鵡賦固絕世之作；惟渠終為祖所殺，卒葬洲上。水中之陸塊曰洲。詩周南關雎：「關關雎鳩，在河之洲。」唐崔顥（？—七五四）黃鶴樓詩：「昔人已乘黃鶴去，此地空餘黃鶴樓。黃鶴一去不復返，白雲千載空悠悠。晴川歷歷漢陽樹，芳草萋萋鸚鵡洲。日暮鄉關何處是？煙波江上使人愁。」洲，明季已為江水沖沒。今之漢陽鸚鵡洲，係乾隆年間所新淤，初名補得洲，嘉慶間復改鸚鵡洲。光緒廿六年（一九〇〇）重修禰衡墓於新洲北側。墓為石建、呈方形，墓前立有碑。

【注解】

①鸚鵡……碑　鸚鵡洲的附近，留下一方年代久遠的碑石。鸚鵡洲，詳釋題。邊，附近。東晉陶潛五柳先生傳：「先生不知何許人也，亦不詳其姓字，宅邊有五柳樹，固以為號焉。」唐韓愈祖席詩：「祖席洛橋邊，親交共黯然。」剩，ㄕㄥˋ。餘。引申作「遺留」解。古碑，刻製年代已相當久遠的碑石。

②生平……施　您的才具抱負，一生不曾好好發揮。作者追懷禰衡有感而發，餘參考釋題。生平，一生。終身。南朝梁何遜入西塞示南府同僚詩：「年事以蹉跎，生平任浩蕩。」明沈德符（一五七八—一六四二）野獲編言事一人先忠後佞：「此兩人先以迕中官廢，後以附中官用，所得幾何，而生平掃地矣。」才抱，才具抱負。未曾，猶不曾。施，發揮。顏氏家訓勉學：「求諸身而無所得，施之世而無所用。」唐韓愈與孟尚書書：「孟子雖賢聖，不得位，空言無施，雖切何補。」

③萋萋……道　（在）往來漢陽的路途，香草何其茂盛。萋萋，草木茂盛貌。詩周南葛覃：「葛之覃兮，施于中谷，維葉萋萋。」毛傳：「萋萋，茂盛貌。」唐崔顥黃鶴樓詩：「晴川歷歷漢陽樹，芳草萋萋鸚鵡洲。」明何景明（一四八四—一五二二）平夷詩之一：「滇南八月中，綠林何萋萋。」芳草，香草。東漢班固西都賦：「竹林果園，芳草甘木。郊野之富，號為近蜀。」後蜀毛熙震（？—？）浣溪沙詞：「花謝香紅煙景迷，滿庭芳草綠萋萋。」明沈鯨雙珠記家門始終：「萬古千愁人自老，春來依舊生芳草。」漢陽，

位於漢水之北，今與武昌、漢口合併為武漢市。道，路途。

④多少……時　古往今來，有數不清的非凡之人，路經此地，總要駐足憑弔呢！多少，表不知其精確數量。猶今語「數不清」。英雄，參考卷二、二九、注⑦。下馬，從馬上下來。猶云駐足。史記留侯世家：「至下邑，漢王下馬踞鞍而問。」唐賈島張郎中過原東居詩：「高人餐藥後，下馬此林間。」北宋蘇軾湯村開運鹽河雨中督役詩：「下馬荒堤上，四顧但湖泓。」

鸚鵡賦書影（昭明文選）

二二四、戲馬臺弔古

蔡振豐

我上荒臺訪舊聞①，中原走馬欲平分②。如何一劍烏騅逝③，秋草西風慘暮雲④。

【析韻】

聞、分、雲，上平、十二文。

【釋題】

思念古跡，感懷舊事曰弔古。弔，亦作「吊」；讀作ㄉㄧㄠˋ。戲馬臺，在江蘇銅山縣南，項羽（前二三二—前二〇二）掠馬臺也。東晉義熙中（四〇五—四一八）劉裕曾屢大會賓客僚屬賦詩於此。（嘉慶一統志卷一〇一）另，河北臨漳縣西閱馬臺，江蘇江都吳公臺，亦均稱戲馬臺。

【注解】

①我上……聞　我循階步上已荒蕪棄置的高臺，搜尋往昔的傳聞。上，升起。即由低處到達高處。易需：「雲上於天。」陸德明釋文引干寶曰：「上，升也。」紅樓夢第七〇回：「韶華休笑本無根，好風頻借力，送我上青雲。」荒臺，荒蕪棄置的高臺。臺，高且上平的方形建物。供觀察、眺望、表演等使用。國語楚語上：「故先王之為臺榭也，榭不過講軍實，臺不過望氛祥。故榭度於大卒之居，臺度於臨觀之高。」韋昭注：「積土為臺。」

西漢司馬相如子虛賦：「於是楚王乃登雲陽之臺。」唐杜甫登高詩：「萬裏悲秋常作客，百年多病獨登臺。」訪，搜尋。舊聞，往昔的傳聞。史記太史公自序：「罔羅天下放失舊聞。」北宋秦觀韓愈論：「考同異，次舊聞，不虛美，不隱惡。」

②中原……分　馳逐中原，為了要贏得半個天下。史記項羽本紀：「項王乃與漢約，中分天下。割鴻溝以西者為漢，鴻溝而東者為楚。」黃河流域泛稱中原（廣義）；亦指今河南一帶地方言（狹義）。國語晉語三：「恥大國之士於中原，又殺其君以重之……雖微秦國，天下孰弗患？」三國蜀諸葛亮出師表：「當獎帥三軍，北定中原。」東晉謝靈運述祖德詩：「中原昔喪亂，表亂豈解已。」南宋陸游示兒詩：「王師北定中原日，家祭無忘告乃翁。」走馬，馳逐。詩大雅緜：「古公亶父，來朝走馬。」唐杜甫去秋行：「去秋涪江木落時，臂槍走馬誰家兒？」欲，想要。平分，中分為二。餘詳參前引項羽本紀。

③為何……逝　狠心一刀，使愛駒斃命。怎麼樣？史記項羽本紀：「……駿馬名騅，長騎之。於是項王乃悲歌　慨，自為詩曰：『力拔山兮氣蓋世，時不利兮騅不逝。騅不逝兮可奈何？虞兮！虞兮！奈若何？』……乃謂亭長曰：『吾知公長者，吾騎此馬五歲，所當無敵，嘗一日行千里，不忍殺之，以賜公。』」如何，參考卷一、一、注③。一劍，猶言一刀。烏騅，青（蒼）白色駿馬。騅，ㄓㄨㄟ。逝，ㄕˋ。死。漢書司馬遷傳：「是僕終已不得舒憤懣，以曉左右，則長逝者魂魄私恨無窮。」唐韓愈祭石君文：「自君之逝，相遇

輒哀。」近人孫犁（一九一三－？）澹定集 大星殞落：「哲人雖逝，猶存典型。」

④秋草……雲　野草遍地、寒風刺骨，頻添英雄美人生離死別的悲苦悽慘。秋草，指野草。西晉 孫楚（？－二九三）征西官屬送於陟陽侯作詩：「晨風飄歧路，零雨被秋草。」文心雕龍 隱秀：「涼風動秋草，邊馬有歸心。」唐 杜甫秦州雜詩：「所居秋草靜，正閉小蓬門。」許渾 咸陽懷古詩：「渭水故都秦二世，咸陽秋草漢諸陵。」西風，西面吹來的風。清 陳維崧 百家令 送周求卓之任滎陽詞：「西風夕照，老鴉啼上枯樹。」在此，作者以秋草西風隱指生離死別。慘，悲苦悽慘。詩 陳風 月出：「月出照兮，佼人燎兮，舒夭紹兮，勞心慘兮。」楚辭 九章 哀郢：「慘鬱鬱而不通兮，蹇侘傺而含慼。」唐 杜甫 後出塞詩之二：「悲笳數聲動，壯士慘不驕。」「暮雨朝雲」省作「暮雲」原指男女間情愛。在此引申作英雄美人的生離死別解。按：漢高帝五年、己亥（西元前二〇二年）十二月，項羽至垓下（今安徽 靈壁東南），兵寡食盡，韓信以大軍乘之，羽敗入壁，漢及諸侯兵圍之數重。項羽夜聞漢軍四面皆楚歌，乃大驚曰：「漢皆以得

戲馬台（在江蘇銅山縣南）

楚乎，是何楚人之多也！」起飲帳中。有美人名虞，常幸從；駿馬名騅，常騎之。於是，項羽乃悲歌慷慨，自為詩曰：「力拔山兮氣蓋世，……虞兮！虞兮！奈若何！」歌數闋，美人和之。項羽泣數行下，左右皆泣，莫能仰視。於是，項羽乃乘烏騅，率八百餘騎，當夜潰圍南走。餘前注。

卷一三

二三五、燕子樓懷古

陳濬芝

其人與節兩堪嘉①，往事傷心問落花②。燕子不來樓已古③，空餘一角夕陽斜④。

【析韻】

嘉、花、斜，下平、六麻。

【釋題】

追思燕子樓故實，曰燕子樓懷古。燕子樓，故址在今江蘇徐州舊城外雲龍山山麓。唐貞元年間，張尚書鎮徐州，築斯樓以居家妓關盼盼（七八七—八一九？）。張病逝歸葬洛陽邙山，府中姬妾雲散，獨盼盼篤念故誼，矢志守節，一僕一樓，與世隔絕，十年如一日。白居易感故張僕射諸妓一詩，寓意咄咄逼人，用語尖苛。盼盼反覆誦讀，強抑悲痛，並依韻奉和七絕一首云：「自守空樓斂恨眉，形同春後牡丹枝；舍人不會人深意，訝道泉臺不相隨。」旬日後，一代麗人絕食而亡。舊傳張尚書係張建封（七三五—八〇〇），清汪立名（？—？，順治、康熙間人。）撰白香山年譜，考訂為建封子愔（？—八〇六）事。附誌之。

【注解】

①其人……嘉　她：言行舉止和氣節操守都值得贊美稱許。其，指稱關盼盼，餘詳釋題及所附書影。人，指人的品性行為，猶云言行舉止。孟子萬章下：「頌其詩，讀其書，不知其人可乎？」北宋王安石祭歐陽文忠公：「世之學者，無問乎識與不識，而讀其文，則其人可知。」節，氣節操守。論語泰伯：「曾子曰：『可以託六尺之孤，可以寄百里之命，臨大節而不可奪也—君子人與？君子人也！』」韓詩外傳卷八：「今臣智不能存國，節不能死君，勇不能待寇，然見之，非國法也。」兩堪嘉，兩方面（或都）值得嘉許。堪，能夠。可以。引申作「值得」解。嘉，讚美稱許。書文侯之命：「汝多修，扞我于艱，若汝予嘉。」唐韓愈師說：「余嘉其能行古道，作師說以貽之。」

②往事……花　過去的種種，勾起內心的悲痛，只好責問冰人月老。按，關盼盼出身良家，幼承庭訓，嫺熟詩文，擅長舞蹈，恬盈婀娜，秀美絕倫。以家道中落而量珠聘入帥府。往事，過去的事情。荀子成相：「觀往事，以自戒，治亂是非亦可識。」史記太史公自序：

「此人皆意有所鬱結，不得通其道也，故述往事，思來者。」唐 劉長卿 南楚懷古詩：「往事那堪問，此心徒自勞。」明 劉基滿江紅詞：「懷往事，空淒切。思不斷，腸千結。」傷心，內心受傷。形容極其悲痛。書 酒誥：「民罔不盡傷心。」孔傳：「民不□痛傷其心。」南宋 陸游 重過沈園作詩之一：「傷心橋下春波綠，曾是驚鴻照影來。」元 薩都剌 百字令 登石頭城詞：「傷心千古，秦淮一片明月。」問，詰問。漢書爰盎傳：「刺者至關中，問盎，稱之皆不容口」。唐 韓愈 奉和虢州劉給事使君三堂新題二十一詠 方橋：「君欲問方橋，方橋如此作。」落花媒人省詞作落花。為婚姻關係即將確定或已經確定者說媒，稱之為落花媒人。元 關漢卿 望江亭第三折：「李稍，我央及妳，你替我做個落花媒人。」

③燕子……古　燕子不再來營巢、棲息；燕子樓也已老舊不堪。「樓」已「古」，樓，指燕子樓。餘詳釋題。古，年代久遠。引申作老舊解。

④空餘……斜　只有一隅，黃昏的餘暉正斜照著。空，只。僅。空餘。猶云只有。僅有。角，一隅。斜，謂斜照。

二二六、燕子樓懷古

蔡　振　豐

二十年來誤歲華①，垂楊簾外夕陽斜②。墜樓更有身如燕③，千古愁情問落花④。

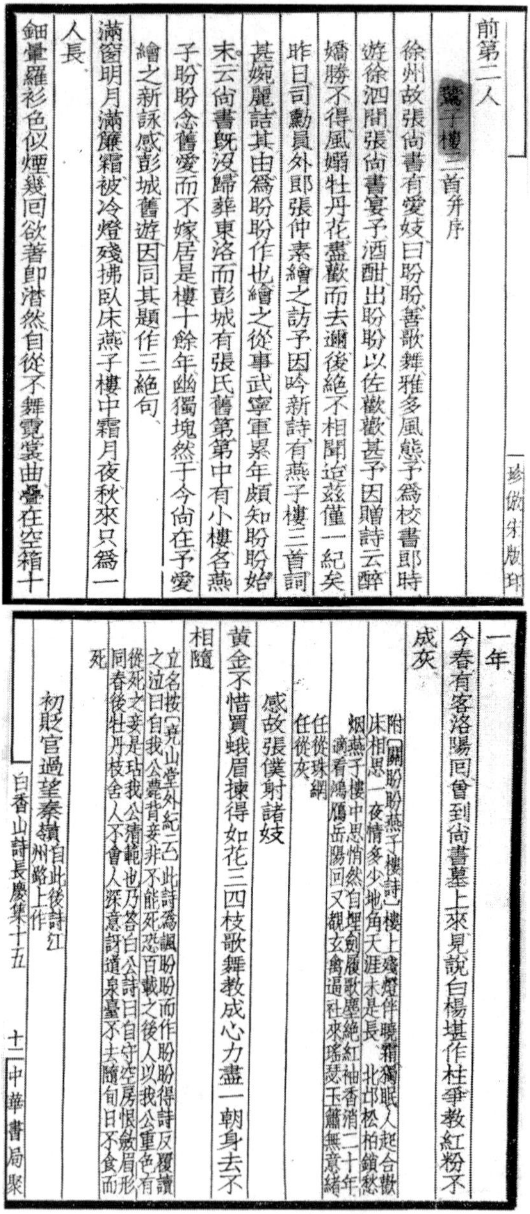
前第二人

燕子樓三首并序

徐州故張尚書有愛妓曰盼盼善歌舞雅多風態予爲校書郎時遊徐泗間張尚書宴予酒酣出盼盼以佐歡歡甚予因贈詩云醉嬌勝不得風嫋牡丹花盡歡而去邇後絕不相聞迨茲僅一紀矣昨日司勳員外郎張仲素繪之訪予因吟新詩有燕子樓三首詞甚婉麗詰其由爲盼盼作也繪之從事武寧軍累年頗知盼盼始末云尚書既沒歸葬東洛而彭城有張氏舊第第中有小樓名燕子盼盼念舊愛而不嫁居是樓十餘年幽獨塊然于今尚在予愛繪之新詠感彭城舊遊因同其題作三絕句

滿窗明月滿簾霜被冷燈殘拂臥床燕子樓中霜月夜秋來只爲一人長

鈿暈羅衫色似煙幾回欲著即潸然自從不舞霓裳曲疊在空箱十一年

今春有客洛陽回曾到尚書墓上來見說白楊堪作柱爭教紅粉不成灰

附〔關盼盼燕子樓詩〕樓上殘燈伴曉霜獨眠人起合歡床相思一夜情多少地角天涯未是長　北邙松柏鎖愁烟燕子樓中思悄然自埋劍履歌塵絕紅袖香消二十年　適看鴻雁岳陽回又覩玄禽逼社來瑤瑟玉簫無意緒任從蛛網任從灰

感故張僕射諸妓

黃金不惜買蛾眉揀得如花三四枝歌舞教成心力盡一朝身去不相隨

立名按〔兗山堂外紀〕云此詩爲諷盼盼而作盼盼得詩反覆讀之泣曰自我公薨背妾非不能死恐百載之後人以我公重色有從死之妾是玷我公清範也乃答白公詩曰自守空房恨斂眉形同春後牡丹枝舍人不會人深意訝道泉臺不去隨旬日不食而死

初貶官過望秦嶺自此後詩江州路上作

珍倣宋版印　白香山詩長慶集十五　十二　中華書局聚

燕子樓三首并序書影

【析韻】

華、斜、花，下平、六麻。

【釋題】

同前首。

【注解】

①二十……華　耽擱了整整二十年的歲月、年華。誤歲華，耽擱歲月年華。誤，耽誤。猶言耽擱。歲華，時光、年華。南朝 梁 沈約卻東西門行：「歲華委徂貌，年霜移暮髮。」後蜀 毛熙震 何滿子詞：「寂寞芳菲暗度，歲華如箭堪驚。」北宋 梅堯臣 次韻任屯田感予飛內翰舊詩：「歲華荏苒都如昨，世事升沈亦苦多。」

②垂楊……斜　珠簾外，黃昏的餘暉正斜照著垂柳。垂楊，即垂柳。古詩文楊、柳恆通用。南朝 齊 謝朓 隋王鼓吹曲 人朝曲：「飛甍夾馳道，垂楊蔭御溝。」唐 萬齊融（？—？，儀鳳、開元間人。）送陳七還廣陵詩：「落花馥河道，垂楊拂水窗。」老殘遊記第二回：「到了濟南府，進得城來，家家泉水，戶戶垂楊。」夕陽斜，詳前首注④。

③墜樓……燕　跳樓明志另有身輕如燕的綠珠啊！墜樓，詳卷五、八一、釋題。更，ㄍㄥ。副詞。另外。楚辭 九辯：「國有驥而不知棄兮，焉皇皇而更索？」後漢書 班超傳：「吏如班超，何故不遣而更選乎？」清 獨逸窩退士（？—？）笑笑錄 逆風不張帆：「杭州參軍獨孤守恩，領租船赴都，夜半急追集船人，更無他語，乃曰：『逆風不得張帆。』眾大

哂焉。」身如燕，體輕如燕。形容身材輕盈、苗條。餘參卷五、八一、注①。

④千古……花　既久又遠的那股悲哀情思，只有請教冰人才能明白。千古，久遠的年代。北魏酈道元水經注睢水：「追芳昔娛，神遊千古，故亦一時之盛事。」唐李白丁都護歌：「君看石芒碭，掩淚悲千古。」北宋王安石金山寺詩：「誰言張處士，雄筆映千古。」清昭槤嘯亭續錄王西莊之貪：「貪鄙不過一時之嘲，學問乃千古之業。」悲情，悲哀的情思。納蘭性德紅窗月詞：「是一般心事，兩樣愁情。」問，詢。猶云請教。落花，詳參前首注②。

二二七、過樊樓故址今爲茶肆，樓上題「樊樓古蹟」四字　　鄭燦南

酒鑪寂寞起茶煙①，一醉難賒酒幾千②。悵觸棲頭題額字③，不堪燈火憶當年④。

【析韻】

煙、千、年，下平、一先。

【釋題】

樊樓，北宋京師汴京（今河南開封）名酒樓。本為商賈賣白礬之所，因名白礬樓，省作礬樓。或謂樓主姓樊，故稱樊樓；後曾改名豐樂樓。宋詩鈔劉子翬（一一〇一－一一四

七）屏山集鈔 汴京紀事之十七：「憶得少年多樂事，夜深燈火到樊樓。」過，謂經過；猶道經。故址，舊址。茶肆，茶坊、茶館。

【注解】

①酒鑪……煙 酒肆的鑪灶，孤零零地散發一陣陣的茶水煙靄。酒鑪，酒肆的鑪灶，用以溫酒、燒水。亦借指酒店。鑪，ㄌㄨˊ。同「鑪」、「壚」。世說新語 傷逝：「王濬沖（戎）為尚書令，著公服，乘軺車，經黃公酒壚下過。」寂寞，孤單。冷清。三國 魏 曹植 雜詩之四：「閑房何寂寞，綠草被階庭。」唐 李朝威（？—？）柳毅傳：「山家寂寞兮難久留，欲將辭去兮悲綢繆。」起，發生。引申作「散發」解。茶煙，茶水沸騰時所出現的水氣。

②一醉……千 一旦醉了，那好開口說要積欠幾吊錢的酒帳。一，一旦。醉，酩酊狀。難，不容易。謂不好啟齒。賒，ㄕㄜ。亦作「賖」。買物延期交款。周禮 地官 泉府：「凡賒者，祭祀無過旬日。」孫詒讓正義：「賒者，先貰物而後償直。」唐 王建 寄劉蕡問疾詩：「賒來半夏重煎盡，投著山中舊主人。」元 任昱（？—？，大德、至元間人。）沈醉東風 隱居曲：「近日鄰家酒易賒，三徑黃花放也。」千，量詞。指千錢。我國帝制時代，錢中間有孔，以繩線貫穿成串，一千錢為一貫，又稱一吊。三國 魏 曹植 名都篇：「我歸宴平樂，美酒斗十千。」唐 李肇（？—？，永泰、開成間人）翰林志：「貞元四年敕：晦日、上巳、重九節，百寮宴樂，翰林學士每節賜錢一百千。」清 鄭燮 板橋潤格：「畫

竹多於買竹錢，紙高六尺價三千。」

③振觸……字　樓頭正好瞧見樓上一方匾額，寫著斗大的四個字—伯倫不歸。振觸，ㄔㄥˊ ㄔㄨˋ。引申作「瞧見」。餘參卷一〇、一八六、注③。樓頭，樓上。唐王昌齡青樓曲之一：「樓頭小婦鳴箏坐，遙見飛塵入建章。」南宋辛棄疾水龍吟登建康賞心亭詞：「落日樓頭，斷鴻聲裏，江南遊子。」題額字，匾額上的題字。清袁枚新齊諧長鬼被縛：「（沈厚餘）入門悄然，將升堂，見堂上先有一長人端坐，仰面視堂上題額。沈疑非人，戲解腰帶潛縛其兩腿。」

④不堪……年　無法忍受那刺眼的火光；思念著往昔種種。不堪，不能忍受。忍受不了。孟子離婁下：「顏子當亂世，居於陋巷，一簞食、一瓢飲，人不堪其憂，顏子不改其樂。」東晉干寶搜神記卷二〇：「自言其遠祖，不知幾何世也，坐事繫獄，而非其罪，不堪拷掠，自誣服之。」清嚴有禧漱華隨筆僧大汕：「一日向吳自述，酬應雜遝，不堪其苦。」燈火，指火光言。北宋蘇軾水調歌頭詞：「昵昵兒女語，燈火夜徹明。」憶，思念。關尹子六匕：「心憶者猶忘饑，心忿者猶忘寒。」樂府詩集古詩飲馬長城窟行：「上言加餐食，下言長相憶。」唐韓愈次鄧州界詩：「潮陽南去倍長沙，戀闕那堪更憶家。」明袁宏道冬菊詩：「忽憶東籬叟，狂歌試舉杯。」當年，詳卷一、九、注②。

二二八、若耶溪懷古

陳世昌

春紗細浣若耶邊①，人自傾城水自妍②。一入吳宮長不返③，滿溪空鎖苧蘿【煙】④。

【析韻】

邊、妍、煙，下平、一先。

【釋題】

耶，本作「邪」，音ㄧㄝˊ。若耶溪又名五雲溪。源出浙江紹興若邪山（若耶山）下，北流入運河。相傳：西施曾浣紗於此，故又名浣紗溪。唐李白採蓮曲詩：「若耶溪傍採蓮女，笑隔荷花共人語。」北宋宋祁（九九八—一〇六一）送僧遊越詩：「越絕天長曉霧低，若耶雲樹蔽春暉。」亦相傳春秋時歐冶子鑄劍之所。道書稱為福地。（雲笈七籤卷廿七）。

【注解】

①春紗……邊　在若耶溪的水濱，她正用心地洗滌薄紗。春紗，生絲織成的薄紗。唐萬楚（？—？，開元、天寶間人。）五日觀妓詩：「西施謾道浣春紗，碧玉今時鬬麗華。」紗，輕細的絹。古作「沙」。東漢王充論衡程材：「白紗入緇，不染自黑。」唐白居易寄生衣與微之詩：「淺色縠衫輕似霧，紡花沙袴薄於雲。」南唐張泌柳枝詞：「膩粉瓊妝透碧紗。」紅樓夢第四〇回：「我記得咱們先有四五樣顏色糊窗的紗呢。」細浣，仔細地

洗濯。猶云用心地洗滌。浣，ㄏㄨㄢˋ。亦作「澣」。洗滌。詩周南葛覃：「薄汙我私，薄澣我衣。」鄭玄箋：「澣，濯之耳。」陸德明釋文：「澣，本又作『浣』。」公羊傳莊公卅一年：「何以書？譏。何譏爾？臨民之所漱浣也。」何休注：「去垢曰浣。」若耶，若耶溪。詳釋題。邊，指水濱。

②人自……妍　她，麗質天生、國色絕倫；水，本就清澈、美好迷人。自，謂本身。傾城，詳卷一、一六、注②。妍，ㄧㄢˊ。美好。美麗。方言第一：「娥嬴，好也……自關而西，秦晉之故都曰妍。」西晉陸機吳王郎中時從梁陳作詩：「玄冕無醜士，冶服使我妍。」

③一入……返　一旦被獻入吳宮，好久都不能回鄉。一，一旦。入，指獻入言。吳宮，春秋時吳國的宮室。長，久。返，歸。指回鄉言。

④滿溪……煙　整條溪流的上空，徒然束縛在苧蘿村飄過來的裊裊輕煙當中。滿，全。空鎖，徒然束縛在……。苧蘿，詳卷一、一八、注③。煙，炊飯時爐灶經由煙囪所散發的白色煙氣。

二三九、意溪訪陸處士故居 陸丞相衣冠冢旁即處士竄所

丘逢甲

孤忠異代挹清芬①，落托生涯號隱君②。半畝墓田孫傍祖③，菜花黃上相公墳④。

【析韻】

芬、君、墳，上平、十二文。

【釋題】

意溪，地名。在今廣東省潮州市東北。潮州府志卷十四：「意溪屬海陽縣轄，原名意溪墟，在縣城東廂六里，蔡家圍竹木交易之所，逐日市。」訪，探望也。唐韓翃（？—？；天寶進士，約卒于貞元初。）送丹陽劉太真詩：「相訪不辭千里遠，西風好借木蘭橈」處士，不宦於朝而居家者。陸處士，南宋左丞相陸秀夫（一二三六—一二七九）之後裔。秀夫字君實，江蘇鹽城人，寶祐四年（一二五六）進士，與文天祥同榜。元軍破臨安，渠與張世傑於福州擁立端宗，繼續抗元。端宗崩。擁趙昺（衛王）為帝，任左丞相。祥興二年（元至元十六年、西元一二七九年）二月兵潰厓山（又稱厓門山，位廣東新會南大海中。），負帝赴海同溺。宋史卷四五一有傳。故居，舊居。舊宅。楚辭屈原遠遊：「春秋忽其不淹兮，奚久留此故居。」墓穴中並無屍骨，僅埋葬亡者生前所穿著之衣冠者稱衣冠塚。冢，ㄓㄨㄥˇ。墳墓。說文：「冢，高墳也。」又作「塚」。竁，ㄘㄨㄟˋ。穿地為墓穴。竁所，墓穴所在之處。

【注解】

①孤忠……芬　忠心耿耿，孑然自持的高尚節操。不同的世代依然推崇德馨不朽。孤忠，參考卷四、六七、注①。異代，不同世（時）代。三國曹植辨道論：「桀紂殊世而齊惡，姦人異代而等偽。」五代王定保（八七〇—九四一？）唐摭言無名子謗議：「夫聖人用

心，異代同體。」清姚瑩（一七八五—一八五三）論詩絕句之十二：「力振衰淫伯玉功，盧王宋沈未為功；考亭異代真知己，特識曾推感遇工。」挹，一。推崇。北史裴文舉傳：「為州里所推挹。」近人梁啟超（一八七三—一九二九）近代學風之地理的分佈：「亭林屢遊山左，此邦人士挹其風，慕學者甚眾。」清芬，喻高潔的德性。西晉陸機文賦：「詠世德之駿烈，誦先人之清芬。」唐黃滔書懷寄友人詩：「常思揚子雲，五藏曾離身，寂寞一生中，千載空清芬。」北宋梅堯臣讀範桐廬述嚴先生祠堂碑詩：「至今存清芬，烜赫耀圖史。」元周德清（？—？）滿庭芳韓世忠曲：「閑評論，中興宰臣，萬古揖清芳。」

②落托……君　貧困失意、景況淒涼；安然過著隱士的生活。落托，本作「落拓」。貧困失意、景況淒涼。唐李郢（大中前後人。）即目詩：「落拓無生計，伶俜戀酒鄉。」南宋陸游醉道士詩：「落托在人間，經旬不火食。」生涯，語本莊子養生主：「吾生也有涯，而知也無涯。」原謂生命有其限度。後泛指人生、生命。南朝陳沈炯（五〇二—五六〇）獨酌謠：「生涯本漫漫，神理暫超超。」唐劉禹錫代裴相公讓官第三表：「聖日艱逢，生涯漸短。體羸無拜舞之望，心在有涕戀之悲。」號，稱謂。隱君，隱君子的省詞。即隱士。

③半畝……祖　半畝大小的墳地，裔孫緊靠著祖墳而居。畝，我國地積單位。周制：六尺為步（或曰六尺四寸或八尺），百步為畝。歷代迭有損益，前清以五方尺為步。二四〇步為

畝。今一畝等於六十平方丈。墓田，墳地。明徐渭春日過宋諸陵詩：「過客悲山鳥，王孫種墓田。」孫，裔孫。傍，旁邊。引申作緊靠（或依）著解。祖，指祖墳言。

④菜花……墳　黃色的油菜花長滿了陸丞相的塋塚。菜花，油菜的花。唐劉禹錫再遊玄都觀詩：「百畝庭中半是苔，桃花淨盡菜花開。」溫庭筠宿灃田僧舍詩：「沃田桑景晚，平野菜花春。」黃上，黃到了。按：油菜花呈黃色。相公，當時對宰相的敬稱。丞相稱相公，始自魏。按日知錄：前代拜相必封公，故稱之曰相公。在此，用以敬稱陸秀夫。墳，塋塚。

二三〇、過龍山寺有感

陳朝龍

楚館秦樓列兩行①，龍山寺後盡新妝②。如何我佛慈悲地③，翻作人間歡喜場④。

【析韻】

行、妝、場，下平、七陽。

【釋題】

作者經過龍山寺，對其周遭環境有所瞭解後，慨嘆之餘，賦詩以誌之。雍正年間（一七二三—一七三五）閩南移民，自晉江、安海龍山寺分靈割香。其香火袋暫寄掛於今老松國小附近老樹梢上。黑夜中，香火袋曾多次顯靈發光，由是而有建寺之議。乾隆二年（一七三七）艋舺三邑人（泉州府晉江、惠安、南安）發動募款，郊商黃典謨獻地，翌年動工，五年（一七四〇）落成。龍山寺之中軸線略偏東南，屬近南北向（坐北朝南方位），其部局為完整「回」字型（詳附圖），正殿臺基較高，四周殿、廳、樓、室，離中心越遠，屋脊越低垂。正、後殿，東西護室，鐘、鼓樓與前殿、龍虎二廳，其屋頂分別採四垂頂、一條龍、盔頂、斷簷升箭口、三川脊等五種型式營構。寺內彩繪、吊筒、豎材、斗栱、木（石）雕，俱有可觀。三川門前二龍柱採銅鑄成，全臺獨一無二，由名匠李錄星、洪坤福合作施工；龍身朝下作奮力扭身昂首狀、一柱單龍，底部雕海浪、水族，造型活潑、栩栩如生。寺前大廣場鋪長條花崗石，原係當年壓艙石，前殿壁面石材，分別採泉州白石、惠安青斗石，部分酌用臺灣觀音山石。主祀觀世音菩薩，配祀文殊、普賢二菩薩，韋馱、伽藍二護法與十八羅漢。左右翼後殿、左右龕分別供奉媽祖、帝君等諸神，既佛又道，亦寺亦廟。嘉慶二十年（一八一五）地震，僅存佛座。楊士朝黃朝陽等捐建。士朝子孫助續成之。同治六年（一八六七）郊商重修。民國九年（日治大正九年）白蟻腐蝕嚴重，由原磚木建築改築而成今之木石造結構。二戰末期，美軍襲臺，正殿幾遭全燬。民國四十二年依原規模重建，並增建廟埕前方牌樓。龍山寺立寺迄今，香火鼎盛，為全臺第一名剎，政府已核列為國家第二級古蹟。與大龍峒保安宮、艋舺清水巖合稱北市三大寺廟。昔，堪輿家張察元謂：「寺址屬美人穴。」為美人照鏡所需，當年曾於寺前鑿有寺池以為佛祖專用鏡面。光復後，攤販聚集。池面竟為渠等填平而成商場，近已改建為龍山公園，其下有地下商場；從此「美人」已無鏡可鑑矣。臺北捷運設有龍山寺站，各路公車亦極便捷。寺左右二側，一前（今和平西路與西昌街交會處）、一後（今華西街與貴陽街交會處，舊稱蕃薯市街或歡慈市街），昔日遊廊、娼戶林立。

【注解】

①楚館……行　妓院櫛比鱗次，開設在街道的兩側。楚館秦樓，本作秦樓楚館。在此作妓院解。榮按：秦樓，原指古神話傳說中秦穆公愛女弄玉與夫壻蕭史吹簫引鳳的鳳樓，出西漢劉向列仙傳。楚館，原指楚王夢與巫山神女相會的仙館，出戰國宋玉高唐賦。後人多用以指稱妓院。明梁辰魚浣紗記送餞：「惆悵，你休還認在秦樓楚館。休還認在香閨秀帳。」清潘榮陛（？—？）帝京歲時紀盛琉璃廠店：「更有秦樓楚館徧笙歌，寶馬香車遊士女。」列兩行，排成兩行。意謂沿街道兩側櫛比鱗次而設之。

②龍山……妝　龍山寺的後面，全都是打扮入時、修飾別緻的鶯鶯燕燕。龍山寺，詳釋題。盡，皆。悉。左傳昭公二年：「周禮盡在魯矣。」新妝，參卷八、一五四、注④。

③如何……地　這裡是佛陀與一切眾生樂、拔一切眾生苦的淨土，怎麼辦啊！如何，怎麼辦。唐白居易上陽白髮人詩：「上陽人，苦最多。少亦苦，老亦苦，少苦老苦兩如何？」我佛，指佛陀言。慈悲，大智度論卷二七釋初品大慈大悲義：「大慈與一切眾生樂，大悲拔一切眾生苦。」地，淨土聖地。

④翻作……場　反而淪為塵世的歡場。翻，反而。作，為。引申作淪為。人間，塵世。歡喜場，即歡場。歡樂的場所。清黃景仁春夜雜詠之十二：「落月歸幽齋，歡場一思遍。」

鳥瞰龍山寺，呈回字形佈局

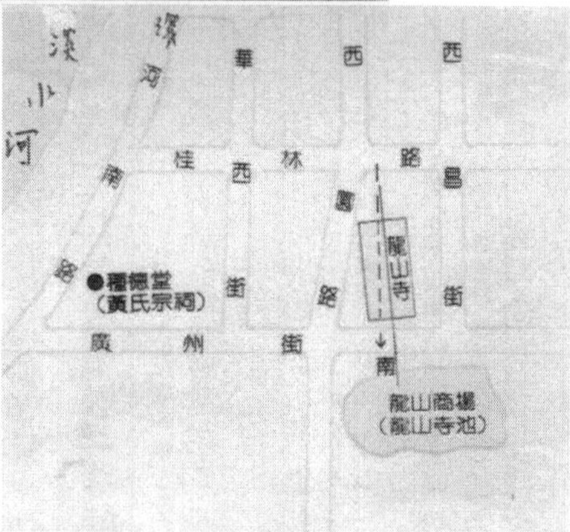

龍山寺位置示意圖

龍山寺慶典盛況

二三一、鎮南山臨濟寺創成寄憶藤園將軍

子　滄

昔年故帥扣禪關①，消得公餘半日閒②。一帶青蒼松柏路③，斜陽碑碣壯圓山④。

【析韻】

關、閒、山，上平、十五刪。

【釋題】

光緒廿四年（一八九八、明治卅一年，日領臺第四年）總督兒玉源太郎（一八五二－一九〇六）敦請大和尚梅山玄秀率徒來臺弘法，並擇圓山西麓營建禪寺。明治四十五年（民元、一九一二）大殿竣工，屬仿唐木結構宮殿式建築，坐北朝南。緣於梅山削髮為僧後，曾赴福州臨濟宗著名叢林－湧泉寺鼓山、烏石山修持有年。寺成，遂命名鎮南山臨濟護國禪寺。創成，謂始建竣工。思想、感情，置諸某人、某事，曰寄。憶，回想。兒玉源太郎，號藤園。日、周（諏）訪人。早年投身獻功隊倒幕，參與戡平佐賀之亂、神風連之亂與西南之役，曾任陸軍大學校長、陸軍省次官、軍務局局長、臺灣總督等職，日俄戰爭期間晉升陸軍大將，出任滿洲軍總參謀長。鎮南山臨濟護國禪寺於光復後改稱臨濟寺亦稱圓山臨濟護國禪寺，民國七十三年（一九八四）酒泉街道路拓寬工程執行期間，住持明田長老，特委移屋工匠，將原坐北朝南之大殿，移成背枕圓山，呈坐東朝西，原建物遂得以繼續保存完好。目前，大

雄寶殿背面山丘，尚留有開山和尚、開基居士等石塔。參附圖。

【注解】

①昔年……關　當年，您來參拜禪門。昔年，當年。餘參卷一、九、注②。故帥，往生的將領。帥，ㄕㄨㄞˋ。統領軍隊的將領。左傳宣公一二年：「命為軍帥，而卒以非天，唯羣子能，我弗為也。」唐韓愈劉公墓誌銘：「公不好音聲，不大為居宅，於諸帥中獨然。」在此，故帥，係用以指稱藤園將軍。叩，（參）拜。儒林外史第一一回：「前日十二，我在婁府叩節。」清昭槤嘯亭雜錄滿洲跳神儀：「主人叩畢，巫以繫馬吉帛進。」禪關，禪門。在此，用以指稱臨濟寺。唐李白化城寺大鐘銘：「方入於禪關，覩天宮崢嶸，聞鐘聲瑣屑。」北宋梅堯臣會善寺詩：「琉璃開淨界，薜荔啟禪關。」紅樓夢第八七回：「（寶玉）說著，一面與妙玉施禮，一面又笑問道：『妙公輕易不出禪關，今日何緣下凡一走？』」

②消得……閒　享受了政務之餘大半天的悠然自在。消得亦作「消的」。享受。南宋趙長卿（？—？）念奴嬌席上即事詞：「高唐雲雨，甚人有分消得？」元高文秀（？—？，至元間人。）澠池會第三折：「怎消的加官進位，怎消的廕妻封子，上卿之位何極。」公餘，政務餘暇。北宋韓琦（一〇〇八—一〇七五）登廣教院閣詩：「岑寂禪扉啟畫關，公餘為會一開顏。」明袁宗道（一五六〇—一六〇〇）送別謝在杭司理東昌詩之二：「公餘尋古蹟，先上魯連臺。」紅樓夢第七八回：「這恆王最喜女色，且公餘好武，因選了許

多美女，日習武事。」半日，半天。閒，ㄒㄧㄢ。空隙。引申作悠然自在地休憩解。

③一帶……路　禪寺附近，林木蔥蘢，道路兩旁，松柏深青、蓊蔚可觀。一帶，泛指某一地區或其附近。北宋 張載 涇原路經略司論邊事狀：「竊見古渭州一帶，生熟蕃戶，據地數百里，兵數十萬，土壤肥沃，本漢 唐名郡。」元史 世祖紀一：「率蒙古、漢軍駐燕京近郊、太行一帶，東至平灤，西控關 陝。」儒林外史第一回：「小哥，你只在這一帶頑耍，不必遠去。」青蒼，深青。恆用以形容樹色、山色、天色、水色等。清 吳敏樹（一八〇五—一八七三）新修呂仙亭記：「由亭中以望，凡岳陽樓所見，無弗同者，而青蒼秀映之狀，幽賞者又宜之。」松柏路，描述進入禪寺的道路兩旁遍植松柏。

④斜陽……山　夕陽斜照著碑石，愈發增加圓山的氣勢。斜陽，謂夕陽斜照。餘參卷一三、二二五、注④。碑碣，泛指碑石，碑刻。石碑方首者曰碑、圓首者曰碣。壯，增加……（的氣勢）。唐 李白 答族姪僧中孚贈玉泉仙人掌茶詩 序：「所以能還童振枯，壯人壽也。」舊唐書 汝陽王璡傳：「臣以三斗（酒）壯膽，不覺至此。」圓山，在今臺北市西北郊，其形如覆釜，故稱。主峯劍潭山海拔一五二．八〇公尺；將基隆河分割為二。臨濟寺、中山兒童樂園、臺北市立美術館等均在其南段。圓山大飯店等在其主峯南麓。

山門

大雄寶殿

開山大和尚紀念石

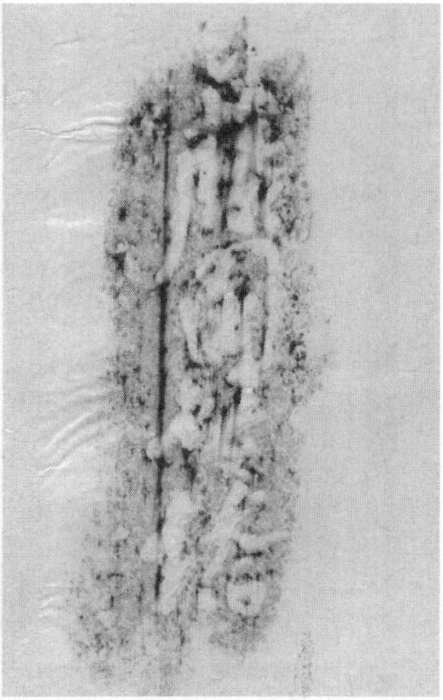

刻石局部拓本，其全文：「明治三十九歲七月二十四日薨去。前臺灣總督陸軍大將伯爵兒玉源太郎藤園髮塔。」

二三二、鎭南山臨濟寺創成寄憶藤園將軍

鄭鵬雲

護國禪林鎮一方①，有人憑弔感滄桑②。高風大樹堪千古③，留與空門話夕陽④。

【析韻】

方、桑、陽，下平、七陽。

【釋題】

同前首。

【注解】

①護國……方　保佑邦國的寶剎，屹立在一處聖地。護，庇護。保佑。國，邦國。禪林，寺院。僧徒聚居之處。猶言寶剎。北周庾信陝州弘農郡五張寺經藏碑：「春園柳路，變入禪林；鷲月桑津，迴成定水。」唐陳子昂暉上人房餞齊少府使入京序：「入禪林而避暑，肅風景於中林。」清趙翼題九蓮菩薩畫像詩：「要令人識清修業，特賜禪林法相尊。」鎮，守護。三國蜀諸葛亮彈李平表：「臣當北出。欲得平兵以鎮漢中。」唐韓愈送溫處士赴河陽軍序：「大夫烏公以鈇鉞鎮河陽之三月，以石生為才，以禮為羅，羅而致之幕下。」一在此，引申作「屹立」解。一方，一處。指守護（屹立）的地方言。詩小雅角弓：「民之無良，相怨一方，受爵不讓，至於己斯亡。」

②有人……桑　有人追思悼念，慨嘆世事變化何其無常。憑弔，參考卷一二、二一九、注①。感，心有思而生慨嘆。滄桑，參考卷一二、二二〇、注①。

③高風……千古　您那高尚的風操，足以不朽。高風，高尚的風操。西晉夏侯湛（二四三—二九一）東方朔畫贊序：「觀先生之縣邑，想先生之高風。」北史王羆王思政等傳論：「運窮事蹙，城陷身囚，壯志高風，亦足奮於百世矣。」清申涵光（一六一九—一六七七）奉寄孫鍾元先生時居蘇門九十二歲詩：「邵許高風遠尚存，傳經一代又蘇門。」大樹，將軍的異稱。後漢書馮異傳：「馮異，字公孫。為人謙退不伐，諸將論功，異獨屏樹下，軍中號為大樹將軍。及破邯鄲，乃更部分諸將多有配隸，軍士皆言：『願屬大樹將軍』。」職原抄：「諸衛、大將，唐名羽林大將軍、常云幕府、又云大樹，總以將軍之稱也。」堪千古，足以不朽。千古。死的婉辭；在此，用以表示不朽之意。

④留與……陽　保存給佛寺僧侶談論您的晚景吧！留與，猶言保存給。空門，本泛稱佛法；在此，係指佛寺。明華察（一四九七—一五七四）遊善卷碧山巖詩：「落日下空門，齋鍾出林莽。」話，談論。夕陽，喻晚年。東晉劉琨重贈盧諶詩：「功業未及建，夕陽忽西流。」李周翰注：「夕陽，謂晚景，喻己之老也。」唐杜甫上白帝城詩：「老去聞悲角，人扶報夕陽。」白居易秦中吟：「朝露貪名利，夕陽憂子孫。」

二三三、北港進香

連日春

救盡蒼生履坦途①，慈雲長覆海東隅②。人間平地風波惡③，幸負婆心一片無④？

【析韻】

途、隅、無，上平、七虞。

【釋題】

北港，指北港朝天宮。進香，焚香敬禮。北宋趙升（？—？世次不詳）朝野類要卷一：「北宮聖節及生辰，必前十日車駕詣殿進香。」康熙卅二年（一六九四）僧樹璧自湄州奉請媽祖神尊渡臺，登陸笨港北岸（現宮址），神旨欲永駐之以保佑境民，漳泉移民本虔誠之心，築祠奉祀，並敦請樹璧住持。康熙卅九年（一七〇〇），信士陳立勳獻地，九外莊住民與笨港紳商聚款，改建之，號天妃廟。雍正八年（一七三〇）醵工重建，規模漸具，並改名笨港天后宮。乾隆十六年（一七五一）酌予整修。卅六年（一七七一）笨港縣丞薛肇熿率先捐獻鉅款，貢生陳瑞玉、監生蔡大成等響應之，於乾隆卅八年動工，越二年竣事，計完成神殿兩棟，正殿祀媽祖、後殿祀觀世音菩薩。東室六幢為僧齋。道光年間改稱朝天宮。咸豐四年（一八五四）擴建拜庭，前後殿增為四進。增東、西廡，光緒卅四年再度重修，民元竣工。民四八至五二復大加修葺。朝天宮香火鼎盛，與北市大稻埕城隍廟、艋舺龍山寺，合稱全臺香火最盛之三大寺廟。每年上元及天后聖誕，善男信女，尤不絕於塗。

【注解】

①救盡……途　救遍了芸芸眾生，使大家過著順利平安的日子。救，援助。使解脫。詩邶風谷風：「凡民有喪，匍匐救之。」漢書鮑宣傳：「欲救鮑司隸者會此下。」水滸傳第五一回：「哥哥救得孩兒，卻是重生父母。」盡，皆。悉。引申作「遍」解。蒼生，百姓。餘參卷四、六三、注②。履，ㄌㄩˇ。行走。易履：「跛能履，不足以與行也。」北宋蘇軾薦朱長文劄子：「昔苦足疾，今亦能履。」坦途，本作「坦塗」。平坦的道路。莊子秋水：「明乎坦塗，故生而不說，死而不禍，知終始之不可故也。」唐韓愈寄盧仝詩：「往年弄筆嘲同異，怪辭驚眾謗不已。近來自說尋坦塗，猶上虛空跨綠駬。」蘇軾劉壯輿長官是是堂詩：「作堂名是是，自說行坦途。」履坦途，猶云過順利平安的日子（或生活）。

②慈雲……隅　慈悲心懷，長久庇護臺疆。慈雲，慈悲心懷如雲，廣被世界、眾生。南朝梁簡文帝大法頌：「慈雲吐澤，法雨垂涼。」唐太宗（五九九—六四九）三藏聖教序：「引慈雲於西極，注法雨於東陲。」明崔子忠（？—？）送僧歸滇南詩：「兵戈前路息，萬裏憶慈雲。」長覆，久覆。長久地庇護。詩大雅卷阿：「爾受命長矣，茀祿爾康矣。」魏書甄琛傳：「故周詩稱：『教之誨之，飲之食之』，皆所以撫覆導養，為之求利者也。」海東隅，海峽東面邊遠的地方，謂臺澎地區。海，指臺灣海峽。隅，邊遠的地方。書益稷：「帝光天之下，至於海隅蒼生。」唐白居易與希朝詔：「卿邊隅寄重，閫外事繁。」

北港朝天宮進香盛況

神明出巡行陣

③人間……惡　塵世突發的事故更加兇險。人間，詳參本卷、二三〇、注④。平地風波，本作「風波平地」。喻突如其來的事故、變化。明 許三階（？—？）節俠記 開宗：「因輻輳舊日姻盟，潛歸去，風波平地，夫婦各飄寒。」惡，ㄜˋ。凶險。史記 扁鵲倉公列傳：「君之病惡，不可言也。」南宋 范成大 孫黃渡詩：「茶山盜藪路程惡，麥壟人家懷抱寬。」

④辜負……無　對不住您的一片仁慈之心吧？辜負，對不住。詳參卷九、一六一、注④。婆心，仁慈之心。語本景德傳燈錄 臨濟義玄禪師：「黃蘗問云：『汝迴太速生。』師云：『只為老婆心切。』」清 李漁 閒情偶寄 飲饌 肉食：「以生物多時之痛楚，易我片刻之甘甜，忍人弗為，況稍具婆心者乎！」一片，屬數量詞。在此，用於指媽祖的心情、心地、心意。無，參考卷一、二、注④。

二三四、題得仁堂（在東京 後樂園）

鄭鵬雲

亮節高風說首陽①，古祠遺像感淒涼②。夕陽荒草橋邊路③，消受騷人一瓣香④。

【析韻】

陽、涼、香，下平、七陽。

【釋題】

將所撰寫詩、詞、聯、文直接書寫（或刊刻）於建物楹柱或內外壁者，均曰題。西晉衛恆（？—二九一）四體書勢：「誕善楷書，魏宮觀多誕所題。」誕，韋誕（一七九—二五三）字仲將，三國魏京兆人。得仁堂，位於後樂園西北西隅，其東南有小廬山造景，其西經通天橋，與清水小觀音堂緊鄰。得仁堂內供奉伯夷、叔齊木雕坐（立）像各一尊（參附圖），以是命名得仁。論語述而：「……（冉有）入曰：『伯夷、叔齊，何人也？』曰：『古之賢人也。』曰：『怨乎？』曰：『求仁而得仁又何怨？』……。」三國魏阮籍詠懷詩之六：「求仁自得仁，豈復歎咨嗟。」後樂園，位於江戶（今東京都）城外環護城河北岸西北隅，原稱偕樂園，為德川二代將軍秀忠之弟賴房所始造。偕樂，同樂也。語出孟子梁惠王上：「古之人與民偕樂，故能樂也。」賴房世子德川光圀（一六二八—一七〇〇）復精心規劃，繼續營造，於寬文四年（一六六四年）竣工；改從范仲淹「先憂後樂」之說（詳參岳陽樓記），定名為後樂園。榮按：水戶黃門特崇儒學。時漢學泰斗林羅山（字道春，一五八三—一六五七）恆為座上客，有小廬山記一文存世。明季諸生朱舜水（本名之瑜，一六〇〇—一六八二）為光圀師，曾受邀遊園，有遊園賦並序遺世，該文詳記園景幽雅與人物酬酢之盛。（詳本首附錄）後樂園空間寬廣，總面積近三十萬平方公尺。明治維新後，開放為公園。太平洋戰爭爆發前，一度改為陸軍軍火廠，以其隱蔽、易於偽裝。園一變而為槍砲武器之生產場所。戰後，經整建，並重新開放，稱小石川後樂園歸首都公園綠地部管理、經營。現址東

京都 文京區 小石川。地鐵丸之內線、都營大江戶線均可抵達。

【注解】

①亮節……陽 談及堅貞的節操、高尚的風度，就數夷、齊二賢。亮節，堅貞的節操。藝文類聚卷五〇引南朝 宋 傅亮 故安成太守傅府君銘：「爰自漢季，以及晉朝，高名遠德，係軌于時，貞風亮節，流聲累葉。」唐 白居易 與仕明詔：「褒德念功，故進封以示寵；忠誠亮節，宜因實而錫名。」清 惲敬 朱贊府殉節錄書後：「諸君子忠謀亮節，照耀寰宇。」高風，參本卷、二三二、注③。說，談到。論及。首陽，山名。用以隱指伯夷、叔齊。一稱雷首山，相傳為夷 齊採薇隱居處。詩 唐風 采苓：「采苓采苓，首陽之巔。」論語 季氏：「伯夷、叔齊，餓于首陽之下，民到于今稱之。」史記 伯夷列傳：「武王以平殷亂，天下宗周，而伯夷、叔齊恥之，義不食周粟。隱於首陽山，采薇食之。」按：首陽山在今何地，舊說不一。論語 何晏集解引東漢 馬融曰：「首陽山在河東 蒲阪，華山之北、河曲之中。」蒲阪故城在今山西 永濟縣南。

②古祠……涼 年久老舊的祠堂、逝者的雕像，在在令人心生悲涼。古，年代久遠。祠，祠堂。舊時祭祀祖宗或先賢的廟堂。越絕書 德序外傳記：「越王 句踐既得平吳，春祭三江、秋祭五湖，因以其時為之立祠，垂之來世，傳之萬載。」漢書 循吏傳：「文翁終於蜀，吏民為立祠堂，歲時祭祀不絕。」唐 杜甫 蜀相詩：「丞相祠堂何處尋，錦官城外柏森森。」遺像，亦作「遺象」。逝者的畫像、塑像或照片。三國志 魏書 倉慈傳：「數年卒官，吏

民悲慼如喪親戚，圖畫其形，思其遺像。」西晉潘岳懷舊賦：「上瞻兮遺象，下臨兮泉壤。」北宋蘇軾楊惠之塑維摩像詩：「誰人好道塑遺像，鮐皮束骨筋扶咽。」感，心生慨嘆。凄涼，悲涼。唐李白留別曹南羣官之江南詩：「懷歸路緜邈，覽古情凄涼。」北宋司馬光詠史之三：「玉樹庭花曲，凄涼不可聞。」

③夕陽……路　黃昏斜陽；橋邊亂草叢生、小徑布滿荊棘。夕陽。參考卷七、一二九、注④。荒草，亂草叢生，荊棘滿地。東晉陶潛挽歌詩：「荒草何茫茫，白楊亦蕭蕭。」唐王昌齡弔軹道賦：「長林之墟，荒草無垠。躊躇訪古，隱嶙如存。」竇牟（？—八二二）奉誠園聞笛詩：「曾絕朱纓吐錦茵，欲披荒草訪遺塵。」吳融（？—九〇三）廢宅詩：「幾樹好華閑白晝，滿庭荒草易黃昏。」路，指園中的小徑。

④消受……香　請受我虔誠地敬禮、衷心地仰慕。消受，享用。受用。元尚仲賢氣英布第四折：「也則為薦賢人當上賞，消受的紫綬金章。」儒林外史第二回：「受了十方的錢鈔，也要消受。」騷人，詩人。文人。南朝梁蕭統（五〇一—五三一）文選序：「騷人之文，自茲而作。」宣和畫譜李公麟：「吾為畫如詩人賦詩吟詠情性而已。」清沈復浮生六記浪遊記快：「上立一碑，大書曰：錢塘蘇小小之墓。從此弔古騷人，不須徘徊探訪矣。」一瓣香，佛教禪宗長老開堂講道，燒至第三炷香時，長老即云這一瓣香敬獻傳授道法的某某法師。後遂以一瓣香指師承或仰慕某人。北宋陳師道觀兗文忠公六一堂圖書詩：「向來一瓣香，敬為曾南豐。」按：曾鞏（南豐）為陳師道的老師。米芾（一〇五一—一一〇

七）畫史　唐畫：「蘇軾　子瞻作墨竹……運思清拔出於文同　與可，自謂與文拈一瓣香。」

小盧山記

林羅山

洛東有山曰音羽、有寺曰清水、有瀧，故世稱曰小盧山，蓋仙釋之所窟宅也。一旦移之武野之邸庭，不盆而木山，不簣而　仞，不竺而飛來，不蓬壺而分左股乎？銀河三千尺，大士觀瀑於此。草庵二百年，老翁留履于今。蓮社之橋，雖無俗客之過，杏林之陰自有真仙之趣。遠而近者，望中千里，海山之佳景。朝而暮者，台上四時，風雲之變態。北嶺饕花，指梅以為伯仲，即是補陀之堅坐也。東關草木望風而知威名，可謂君子之成德歟。嗚呼偉哉！與其潔也，與其進也，濔乎近此山色也。夫惟是清身無垢界者乎！寬永十七年應水戶黃門君之求，書「小盧山」三大字，又作此記。

得仁堂

伯夷坐像（木雕）像高 64.9 公分　基座高 11.9 公分
材質　櫻樹

叔齊立像（木雕）
像高 119.1 公分
基座高 8.5 公分
材質　櫻樹
以上二尊雕像仍
供奉於得仁堂。

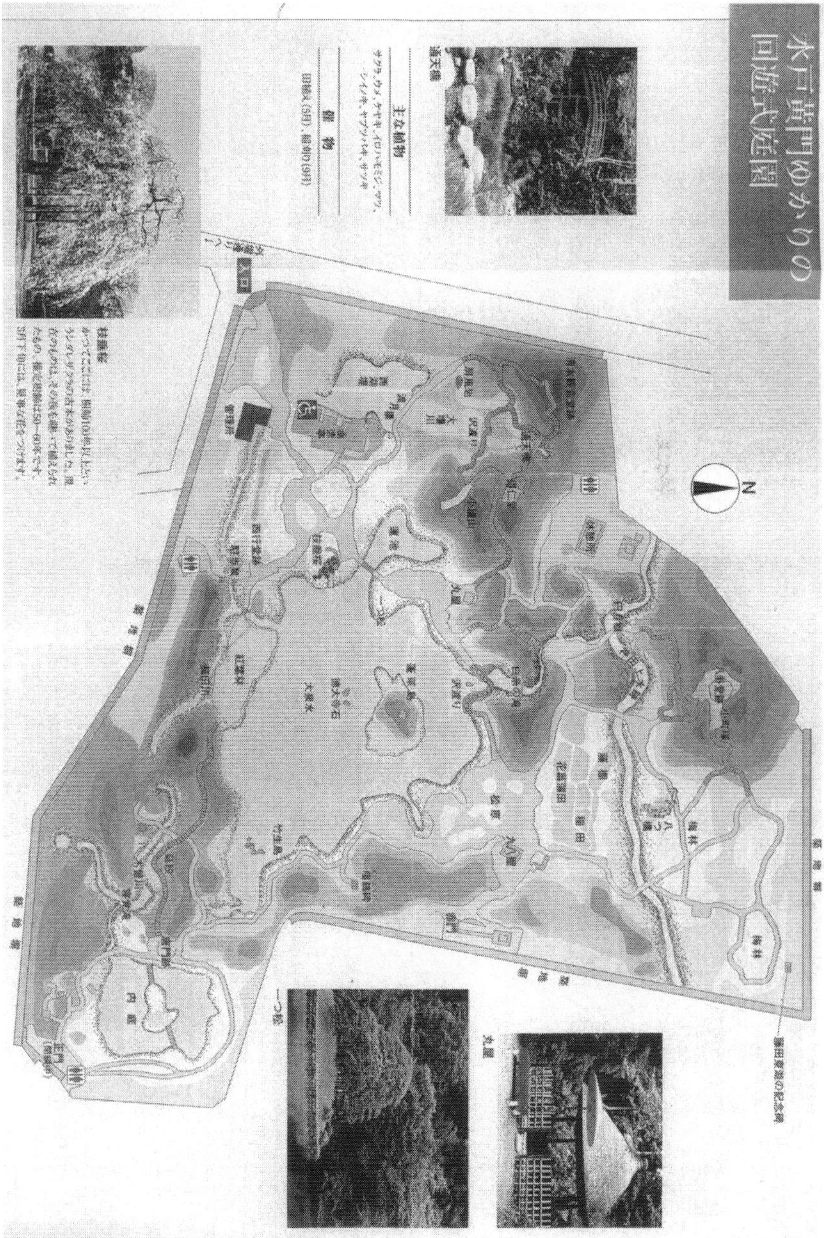
水戸黄門ゆかりの
回遊式庭園
通天橋
主な植物
サクラ、ウメ、ケヤキ、イロハモミジ、マツ、シイノキ、ヤブツバキ、サツキ
催物
田植え(5月)、稲刈り(9月)
枝垂桜
かつてここには、樹齢100年以上というシダレザクラの古木がありました。現在のものは、その孫を継いで植えられたもの。推定樹齢は50～60年です。3月下旬には、見事な花をつけます。
丸屋
一つ松
藤田東湖の記念碑
N
入口
管理所
梅林
八つ橋
花菖蒲田
稲田
九八屋
白糸の滝
沢渡り
小廬山
得仁堂
通天橋
大堰川
蓬莱島
徳大寺石
大泉水
竹生島
紅葉林
西行堂跡
唐門跡
木曽川
寝覚滝
内庭
正門
築地塀

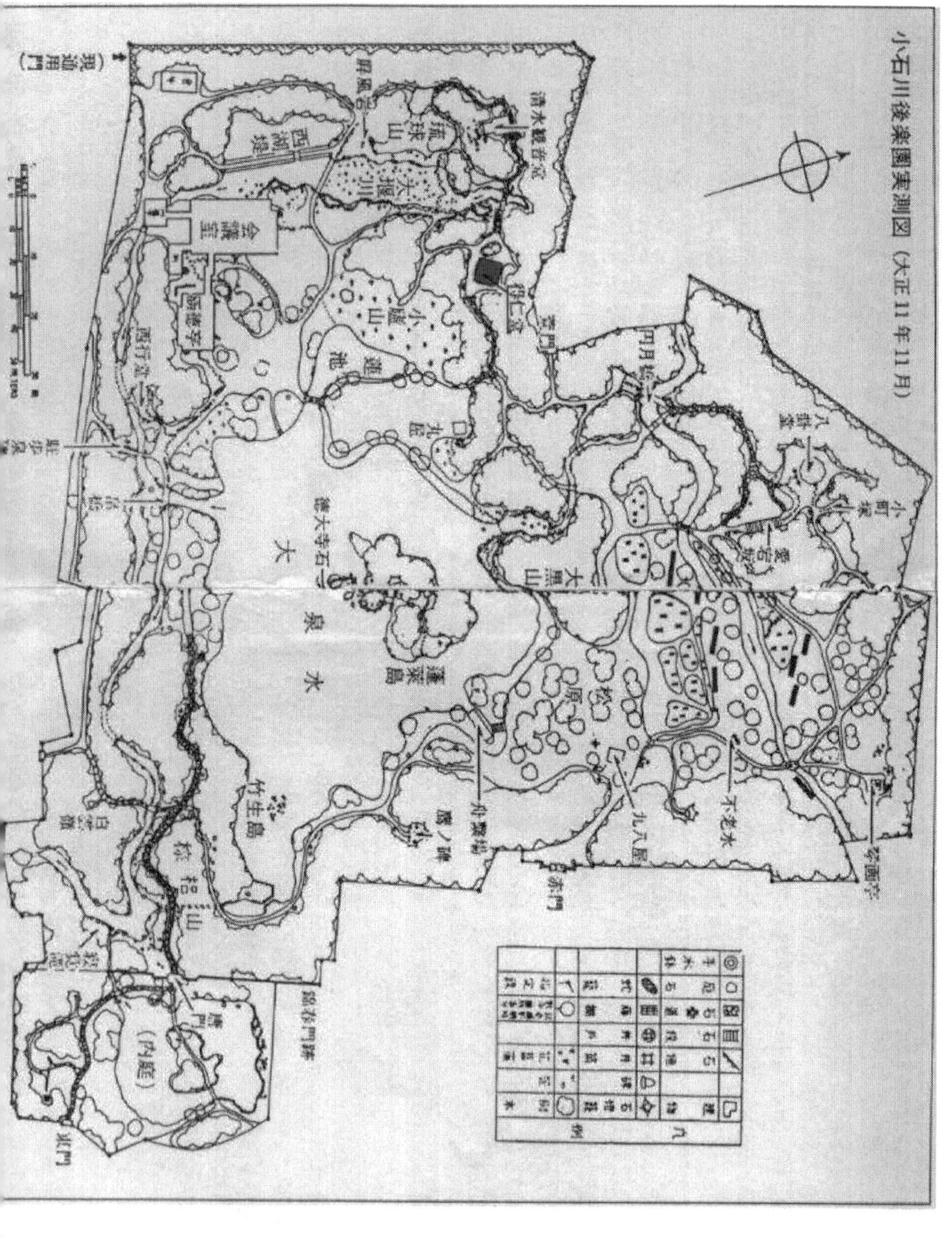
小石川後楽園実測図（大正11年11月）
会議室
西湖堤
円月橋
八卦堂
得仁堂
大黒山
蓬莱島
竹生島
不老水
九八屋
（内庭）

遊後樂園賦并序

水戶侯宰相公。以苑中櫻花盛開。集史館諸臣以賞之。因特使相招。況前已夙戒。余即時趨往。先後諸賢徘徊瞻眺。悅目娛心。留連無已。執事近臣。親司飲饌。亭臺邸閣。在在供張。辟公而崇折節。高貴而處下人。事皆出於誠然。意不倚乎虛飾。吾未見其有至於斯者也。惜也瑜德薄學荒。狷人馬骨耳。使眞得賢人而用之。其德業所至。必當輝煌千古。豈徒令遊覽者有感於斯文。賦曰。

己酉春。三月十九日。櫻花爛發。繁麗偏反。萬卉咸奮。數紺綠以乘暄。上公乃召儒臣以燕樂。特開邸第之芳園。余以異邦樗朽。倚蒹葭於玉樹之藩。轉落英之曲逕。經臥波之長橋。爭姸競豔。目炫心招。韻翠櫻以作廻廊。蹊蹊芬芳聯數里。結蟠蘿而成廈屋。旖旎組紃列三千。縈廻爲道。瞥見平田。羊腸屈曲。足音跫然。一叟出若耶之谷。千人阻關隘之前。目欲暇於應接。後者擁而推遷。卉木之叢。淵澄之際。有瓢一亭兀然。名曰圓瓢。草履者爲草圓瓢如掌。中置古騷人。西行無冬無夏。露月雲風。倚杖戴笠。端居深念。沉思自得。未見推敲。一丘一壑。此子宜置是中。吾聞山中。舊祠泰伯。夷齊。龍門以冠世家。列傳。元侯之志也。吾未得過而禮焉。於心不能無歎歎矣。於是暫休召伯之堂。容與蘇公之陂。涉平涉。聽飛瀑。懸危石。觀回泗。手弄流泉。鬚眉昭澈。掬以漱齒。清冷如雪。解冠濯纓。璧然淨潔。筠筦方來。驚弦已往。靈不停流。夜亦不爽。兀焉展僄。使我慌恍。感聖人於川上。汨英雄於逝波。有混混而如是。嗟掄胥兮幾何。於是盤躋道。臨幽壑。度鶴橋。登飛閣。攀拂帽之垂條。躡微苔而履錯。豁然孜觀。意氣軒軒。飛雙鳧敦木末。寄笑傲兮乾坤。重響響答。下瞰千門。其爲樂也融融。豈復有加於此者哉。既而俯憑檻際。嬉爾驚疑。吾聞君子不欲多上人。跬步之不謹。不其折而難存乎。乃瞻衡宇。越郊圻。歷町疃。啓柴扉。出投樵風之徑。長蟠釣月之磯。髣髴田家之樂矣。登其堂。賦秩蕣常。亘道玹珉。陸離鋪茵。五色成文而不亂。小大品第以均勻。則閭閻既稀瑛奪目矣。覽池如帶。琢石爲杓。一潰開鏡。雲雯昭焯。吾低徊久之。歎曰。余覽天下之名園多矣。兩都帝王之居。今姑舍是。其他多傷於富貴。富貴則易俗。不者病於寒儉。寒儉則易枯。其有不肥不瘠。亦精亦雅。淺近合宜。天然高下。耕稼知勤。雜作田野。水流山峙。茅店簾瀧。小橋仄徑。紆廻容洽。則未有若斯之勝者也。就吾遊覽之所至。斯園殆甲於天下矣。或進之曰。審如是。則吾君優焉游焉。匪朝伊夕。息亭榭而休焉。魚在於沼。鶴鳴九臯。樂其樂而忘其憂焉。聊以卒歲。亦又何求焉。余應之曰。吾子殆未之知也。大夫無夙退之委蛇。則君侯無燕寢之暇逸。燕寢且不得退意。況得逍遙杖屨。歌飄風乎。因摘前賢之句。輯合而詠之曰。園欲涉以成趣。門雖設而常關。奏南風乎几席。來爽氣於西山。虞萬幾之叢脞。爭得效十畝之閑閑。少焉羅珍饌錯。水陸畢陳。桂液瓊漿。愈出愈醇。旣溫溫以有禮。復命戒以諄諄。飛兕觥於桑扈。進旅酬而鱗鱗。頹然竟醉。起坐申申。舟子艤船橋畔。扶掖而登。睇望丹丘。嫋細三匝。曰。余異人也。我歌子和。歲唱吳歈以相譴可乎。僉曰可哉。因爲棹歌行曰。泉源悠悠桂楫松桴。水安流兮。橈檣輕揉。天生民而立之君。天生水而作之舟。堯與禹。憂勞天下。到于今。到于今。戴明德也。悠悠。舟中之人。撫掌大笑。爰指壘巘。謂是人爲。又爲之歌曰。天作高山。人之力。可以擬之。已百已千。維其審之。巍巍其有成功。夫誰止之。已而日在高春。上林丞尉。喬夫倉皇前導。欲窮一園之騁。甚者欲秉燭夜遊。余酒力不勝。舉足蹣跚。雖欲盡園林而一覽。特慮夫進退之廸邅。

（朱舜水全集による。）

遊後樂園賦并序書影

伍、形容

卷一四

二三五、桃臉　　陳世昌

美人斜倚玉樓東①，人面桃花一樣紅②。最愛曉窗新睡覺③，盈盈無語倚春風④。

【析韻】

東、紅、風，上平、一東。

【釋題】

女子面龐美如桃花，謂之桃花臉，省作「桃臉」。唐韓偓（八四二—九一四？）復偶見三絕詩之二：「桃花臉薄難藏淚，柳葉眉長易覺愁。」賈至贈薛瑤英詩：「舞怯銖衣重，笑疑桃臉開。」南宋蔡仲（一〇八八—一一五六）水調頭歌詞：「為問桃花臉，一笑為誰容。」金元散曲塞兒令失題：「桃臉豔，柳腰纖，窄弓弓，半彎羅襪尖。」

【注解】

①美人……東　麗人側身憑靠在華夏的東窗。美人，詳卷一、四、注④。斜倚，傾側著身軀憑靠在……。倚，ㄧˇ。憑靠。論語 衛靈公：「立則見其參於前也。在輿則見其倚於衡也。」唐 杜甫 佳人詩：「天寒翠袖薄，日暮倚修竹。」玉樓，華麗的樓宇，猶言華夏。唐 宗楚客（？—七一〇）奉和幸安樂公主山莊應制詩：「玉樓銀榜枕嚴城，翠蓋紅旂列禁營。」南宋 辛棄疾 蘇武慢雪詞：「歌竹傳觴，探梅得句，人在玉樓。」清 納蘭性德 菩薩蠻詞：「春雲吹散湘簾雨，絮黏蝴蝶飛還住，人在玉樓中，樓高四面風。」東，指東面的花窗。

②人面……紅　臉龐和桃花竟然一樣地粉紅可人。唐 孟棨（？—？，元和、長慶間人。）本事詩 情感：「（唐）崔護清明日，獨遊都城南，見莊後桃花繞宅，叩門求漿，有女子開門，以盂水飲護，四目注視，屬意甚殷。來歲清明，護復往，則門已扃鎖。因題其上曰：『去年今日此門中，人面桃花相映紅。人面只今何處去？桃花依舊笑春風。』」榮按：以上引文與卷二四、三九五注②所引部分字句稍異，附誌之。

③最愛……覺　最喜歡剛醒來時的拂曉窗景。曉，天明。曉窗，參考卷四、七三、注①。覺，ㄐㄩㄝˊ。

④盈盈……風　默默無語，儀態萬千，偎依在春風中。盈盈，儀態美好貌。盈通「嬴」。玉臺新詠 古樂府 日出東南隅行：「盈盈公府步，冉冉府中趨。」古詩 青青河畔草：「盈盈樓上女，皎皎當窗牖。」唐 牟融 題陳侯竹亭詩：「漠漠明陰籠砌月，盈盈寒翠動湘雲。」北宋 周邦彥 瑞龍吟詞：「障風映袖，盈盈笑語。」倚，偎依。貼近。呂氏春秋 先識：

「中山之俗，以晝為夜，以夜繼日，男女切倚，固無休息。」高誘注：「切，磨。倚，近也。」唐韓愈奉和錢七兄曹長盆池所植詩：「露涵兩鮮翠，風蕩相磨倚。」春風，春天的風。戰國楚宋玉登徒子好色賦：「寤春風兮發鮮榮，絜齋俟兮惠音聲。」

二三六、臉霞

蔡振豐

霞光兩頰十分嬌①，修到神仙福始消②。恰我饑時餐汝好③，偎肩無事遠山描④。

【析韻】

嬌、消、描，下平、二蕭。

【釋題】

臉霞，泛在臉上的紅暈。北宋周邦彥醉桃源詞：「燒蜜炬，引蓮娃，酒香薰臉霞。」

【注解】

①霞光……嬌　粉腮透露朵朵紅暈，無比豔麗。就像晨曦含輝、芳烈如蘭。霞光，太陽初升、將落時，從雲罅、雲層中透射出來的日光。東晉庾闡採藥詩：「霞光煥藿靡，虹景照參差。」元尚仲賢柳毅傳書第二折：「滿目霞光籠宇宙，潑天波浪滲人魂。」頰，ㄐㄧㄚˊ。臉的兩側，從眼到下頷的部分。易咸：「上六：咸其輔、頰、舌。」北宋蘇軾紅梅詩之三：「丹鼎奪胎那是寶，玉人瓶頰更多姿。」清湯燕生（？—？，崇禎、順治間人。）

夏閏晚景瑣說：「麗人薄醉未醒，頰暈微赬。」十分，無比。非常。嬌，參考卷一、九、注②。

②修到……消　修成正果、名列仙班，才享有這個福分。修，指學道（佛）而言。行善積德。唐寒山詩之二六八：「今日懇懇修，願與佛相遇。」古今小說閒雲菴阮三償冤債：「今生恁般富貴，也是前世布施上修來的。如今再修去時，那一世還你榮華受用。」神仙，參考卷八、一五〇、注④。福，參考卷六、一一四、注③。始，才。左傳昭公二八年：「昔賈大夫惡，娶妻而美，三年不言不笑。御以如皋，射雉獲之，其妻始笑而言。」消，享有。享用。元喬吉（？—一三四五）金錢記第一折：「　福消軒車駟馬，大纛高牙。」清孔尚任桃花扇卻奩：「世兄有福，消此尤物。」

③恰我……好　（我）飢腸轆轆，正好拿妳佐餐。意謂秀色可餐。餐，ㄘㄢ。亦作「湌」、「飱」。吃。吞食。詩鄭風狡童：「維子之故，使我不能餐兮。」楚辭離騷：「朝飲木蘭之墜露兮，夕餐秋菊之落英。」

④偎肩……描　緊靠香肩，無所事事，輕描妳秀麗的雙眉為樂。偎，緊靠著。緊貼著。唐溫庭筠南湖詩：「野船著岸偎春草，水鳥帶波飛夕陽。」元陳以仁（？—？，大德、天曆間人。）存孝打虎第二折：「我則見八面威的猛獸偎深澗，他可早一跳身番飛過淺山。」無事，無所事事。孟子滕文公下：「士無事而食，不可也。」史記張儀列傳：「陳軫曰：『公何好飲？』犀首曰：『無事也。』」唐韓愈秋懷詩之三：「學堂日無事，驅馬適所

願。」南宋辛棄疾醜奴兒近博山道中詞：「只消山水光中，無事過這一夏。」遠山描，畫眉。描，畫。餘參卷三、四八、注⑦。

二三七、臉霞

蔡汝修

霞光臉際映朝朝①，不必胭脂抹更嬌②。別有照人顏色處③，檳榔薄醉上紅潮④。

【析韻】

朝、嬌、潮，下平、二蕭。

【釋題】

同前首。

【注解】

①霞光……朝　每天臉蛋兒總似晨曦含輝、芳烈如蘭。霞光，詳前首注①。臉際，臉邊。猶云臉蛋（兒）。映，照耀。東晉郭璞江賦：「青綸競糾，縟組爭映。」北宋王安石金山寺詩：「誰言張處士，雄筆映千古。」朝朝，ㄓㄠ ㄓㄠ。每天。天天。列子仲尼：「子列子亦微焉，朝朝相與辯。」東晉干寶搜神記卷一三：「始皇時童謠曰：『城門有血，城當陷沒為湖。』有嫗聞之，朝朝往窺。」

②不必……嬌　不須塗敷胭脂，還益發豔麗。胭脂，亦作「臙脂」。用以化妝的顏料。敦煌

曲子詞　柳青娘：「故着胭脂輕輕染，淡施檀色注歌唇。」明　張景（？—？）飛丸記　堅持雅操：「我情願甘勞役，思量忍命窮，拚得胭脂委落如雲鬢。」清　孫枝蔚　後冶春次阮亭韻：「梨花獨自洗胭脂，虢國夫人別樣姿。」抹，ㄇㄛˇ。塗敷。唐　杜甫　北征詩：「學母無不為，曉粧隨手抹。」北宋　蘇軾　飲湖上初晴後雨詩：「欲把西湖比西子，淡粧濃抹總相宜。」更，益發。嬌，詳參卷一、九、注②。

③別有……處　另有一番耀眼的姿色。別有，另（外）有。照人，照，亮。照人，亮人眼目猶言耀眼。顏色，姿色。墨子　尚賢中：「不論貴富，不變顏色。」前蜀　貫休　偶作詩之五：「君不見西施、綠珠顏色可傾國，樂極悲來留不得。」

④檳榔……潮　口嚼檳榔、稍有醉意，雙頰竟浮現紅暈。檳榔，屬棕櫚科常綠植物，產於熱帶。羽狀複葉。果實可供藥用，有消食、驅蟲諸效。西晉　嵇含　南方草木狀　檳榔：「檳榔樹，高十餘丈，皮似青桐，節如桂竹……實大如桃李。」清　吳偉業　滇池鐃吹詩之一：「誰唱太平滇海曲，檳榔花發去年紅。」紅樓夢第六四回：「妹妹有檳榔賞我一口吃。」薄醉，稍醉。略醉。上，升。引申作「浮現」解。紅潮，因害羞、醉（酒）、或感情激動而兩頰泛起的紅暈。明　楊慎　小春紅梅效徐庾體詩：「鮮粧呈粉豔，醉頰湧紅潮。」紅樓夢第一〇九回：「那五兒早已羞得兩頰紅潮。」

二三八、香　腮　　蔡　振　豐

羞登兩頰背銀釭①，薌澤時時近綺窗②。紅是桃花香更好③，捧來笑為畫眉雙④。

【析韻】

釭、窗、雙，上平、三江。

【釋題】

香腮，美女的腮頰。腮，ㄙㄞ。同「顋」。兩頰的下半部。臉面兩旁曰頰。讀ㄐㄧㄚˊ。唐溫庭筠菩薩蠻詞：「小山重疊金明滅，鬢雲欲度香腮雪。」金董解元西廂記諸宮調卷一：「低矮矮的冠兒偏宜戴，笑吟吟地喜滿香腮。」元白樸牆頭馬上第一折：「休道是轉星眸上下窺，恨不的（得）倚香腮左右偎。」

【注解】

①羞登……釭　背對著銀色燭臺，兩頰浮現難為情。羞，難為情。西漢班倢伃擣素賦：「弱態含羞，妖風靡麗。」南宋辛棄疾水龍吟登建康賞心亭詞：「求田問舍，怕應羞見，劉郎才氣。」明劉兌（？—？；洪武初猶健在。）嬌紅記：「為甚麼見人羞，斜蔽過芙蓉面？」登，升。上。易明夷：「初登于天，後入于地。」南朝宋鮑照傷逝賦：「晨登南山，望彼中阿。」唐韓愈送惠師詩：「遂登天台望，眾壑皆憐恂。」餘參本卷、二三

七、注④。頰，詳本卷、二三六、注①。背，ㄅㄟˋ。猶云背部對著；後面靠著。周禮 秋官司儀：「不正其主面，亦不背客。」國語 吳語：「王背屏而立，夫人向屏。」北魏 酈道元 水經注 汾水：「水南有長阜，背汾帶河。」銀釭，即銀釭。銀（白）色燭臺。南朝 梁元帝 草名詩：「金錢買含笑，銀釭影梳頭。」北宋 晏幾道 鷓鴣天詞：「今宵剩把銀釭照，猶恐相逢是夢中。」清 錢謙益 嫁女詞之一：「中堂何喧闐，明燭耀銀釭。」

②薌澤……窗　花窗附近，常常有一陣陣香氣撲鼻。薌澤，亦作「香澤」。香氣。薌通「香」。史記 滑稽列傳：「羅襦襟解，微聞薌澤。」南宋 張元幹（一〇九一—一一六一）好事近詞：「斗帳炷爐熏，花露裛成薌澤。」元 虞集（一二七二—一三四八）畫馬詩之二：「春風十里聞薌澤，新賜金鞍不受騎。」時時，常常。漢書 袁盎鼂錯列傳：「袁盎雖家居，景帝時時使人問籌策。」唐 李咸用 題劉處士居詩：「溪鳥時時窺戶牖，山雲往往宿庭除。」近，接近。引申作「附近」解。綺窗，雕鏤（或繪飾）極精美的花窗。綺，ㄑㄧˇ。西晉 左思 蜀都賦：「開高軒以臨山，列綺窗而瞰江。」唐 李商隱 瑤池詩：「瑤池阿母綺窗開，黃竹歌聲動地哀。」南宋 劉子翬（一一〇一—一一四七）聞箏作詩：「月高夜鳴箏，聲從綺窗來。」清 黃景仁 減蘭 中秋夜感舊詞之二：「綺窗人靜，露寒今夜無人問。」

③紅是……好　淡紅的容顏，那香澤尤其誘人。紅，淺赤之色。唐 杜牧 江南春詩：「十里鶯啼綠映紅，水村山郭酒旗風。」桃花，形容女子容貌。溫庭筠 照影曲：「桃花百媚如欲語，曾為無雙今兩身。」清 徐士鑾（？—？）宋豔 駁辯：「詩云：一從蕙死蘭枯後，

剛道桃花好面皮。」香，香澤。更，尤其。好，美妙；引申作「誘人」解。

④捧來……雙　奉承啊！高高興興地說替她描畫雙眉。捧，ㄆㄥˇ。奉承。紅樓夢第二六回：「仗著寶玉疼她們，眾人就都捧著他們。」來，句中助語氣。莊子 大宗師：「子桑戶死，孟子反、子琴張相和而歌曰：『嗟來、桑戶乎！嗟來、桑戶乎！』」笑，作「高興」解。為，ㄨㄟˋ。替。

二三九、柳眼　　陳錫金

不分青白閱風塵①，二月鶯花轉眼新②。第一邀君真賞識③，指彈我憶染衣人④。

【析韻】

塵、新、人，上平、十一真。

【釋題】

睡眼初展，如早春甫生的柳葉，因以為稱。唐 元稹 生春詩之九：「何處生春早，春生柳眼中。」北宋 周邦彥 蝶戀花 柳詞：「愛日輕明新雪後，柳眼星星，漸欲穿窗牖。」南宮詞紀 皂羅袍 閨怨套曲：「柳眼新青浮動，漸千絲萬縷，染畫春工。」紅樓夢第七八回：「驚柳眼之貪眠，釋蓮心之味苦。」近人陳三立（一八五三—一九三七）寓園春集 和伯純詩：「栟根釋雪痕，柳眼碎煙纈。」

【注解】

①不分……塵　睡眼朦朧、不認真分辨是非、曲直，經歷著紛擾的現實生活。不分，不分辨。青白，喻是非、曲直。封神演義第一六回：「若放了女子，妖精一去，青白難分。」閱，經歷。史記 孝文本紀：「楚王，季父也，春秋高，閱天下之義理多矣，明於國家之大體。」裴駰集解引如淳曰：「閱，猶言多所更歷也。」風塵，紛擾的現實生活。唐 皇甫冉（七一七—七七〇）送朱逸人詩：「雖在風塵裏，陶潛身自閒。」清 王原（一六四六—一七二九）劉處士墓表：「落落攝蔽衣冠，躑躅風塵中。」

②二月……新　一眨眼，二月鶯啼花開氣象新。二月，農曆二月初旬驚蟄，已入暖春。鶯花，鶯啼花開。泛指春日景色。唐 杜甫陪李梓州等四使君登惠義寺詩：「鶯花隨世界，樓閣依山巔。」清 孫枝蔚 寒食對酒有懷兄弟詩：「兄弟多年別，鶯花故國思。」按鶯花亦作「鸎花」。南宋 楊萬里丙申歲朝詩：「仙家風土閒中是，歲後鸎花報早無。」轉眼，形容時間短促。敦煌變文集 無常經講經文：「轉眼艱難聲喚頻，由不悟无常拋暗號。」南宋 周密 齊天樂 蟬詞：「轉眼西風，一襟幽恨向誰說？」二刻拍案驚奇卷二〇：「果然光陰似箭，日月如梭，轉眼二十年。」新，氣象煥然一新。

③第一……識　首先敦請您蒞臨欣賞、見識。第一，最優先。表極誠摯；猶言「首先」。邀，招（請）。君，猶今語「您」。真，實實在在。賞識，欣賞見識。

④指彈……人　一剎那，我回想起當年那個僧人。指彈，指一彈，形容時間極短，謂一彈指

的工夫。南宋柳克莊無題詩：「已過光陰指一彈。」翻譯名義集：「二十念為一瞬，二十瞬為一彈指。」唐白居易禽蟲詩：「何異浮生臨老日，一彈指頃報恩讎。」北宋蘇軾過永樂文長老已卒詩：「三過門閒老病死，一彈指頃去來今。」僧人恆著染成淺黑色的緇衣，因以「染衣（人）」指出家為僧者。唐玄奘大唐西域記磔迦國：「是時，王家舊僮，染衣已久，辭論清雅，言談贍敏。」明劉基妙果禪詩塔銘：「師常厲學徒云：『凡薙髮染衣，當洞明諸佛，心宗行解……方不被生死陰魔所惑。』」

二四〇、秋　波

陳　濬　芝

一轉秋波畫不如①，美人我欲贈瓊琚②。別憐眼界寬於海③，識得英雄未遇初④？

【析韻】

如、琚、初，上平、六魚。

【釋題】

秋波，比喻美女的目光，形容其清澈明亮。南唐李煜菩薩蠻詞：「眼色暗相鉤，秋波橫欲流。」北宋蘇軾百步洪詩：「佳人未肯回秋波，幼輿欲語防飛梭。」警世通言白娘子永鎮雷峯塔：「那娘子和丫鬟艙中坐定了，娘子把秋波頻轉，瞧著許宣。」

【注解】

①一轉……如　一旦移動你的目光，畫像就失去神似、不能逼真。轉，移動。詩小雅祈父：「胡轉予于恤？靡所止居。」鄭玄箋：「轉，移也。」唐張喬送友人遊湖南詩：「春生南嶽早，日轉大荒遲。」秋波，詳釋題。畫，畫像。不如，不像。後漢書逸民傳周黨：「不如臣言，伏虛妄之罪。」明葉盛（一四二〇—一四七四）水東日記司馬歐陽兩公薦士：「呂惠卿未達時，歐陽公以學者罕能及，告之於朋友，以瑞雅之士薦於朝廷，且云：『後有不如，甘與同罪。』」

②美人……琚　佳人啊！我想送你一塊精美的玉珮。美人，詳卷一、四、注②。詩衛風木瓜：「投我以木瓜，報之以瓊琚。」毛傳：「瓊，玉之美者。琚，佩玉名。」孔穎達疏：「瓊琚，琚是玉名，則瓊非玉名，故云瓊。玉之美者，言瓊是玉之美名，非玉名也。」琚，ㄐㄩ。玉佩，亦作「玉珮」。

③別憐……海　不要洋洋得意自己的見識多麼地宏大。別，不要。莫。表禁止或勸阻。紅樓夢第九四回：「這是那裡的話，玩是玩，笑是笑，這個事非同兒戲，你可別混說。」憐，愛。愛惜。在此，引申作「洋洋得意」解。眼界，猶言見識。唐王維青龍寺曇壁上人兄院集詩：「眼界今無染，心空安可述。」南宋汪莘（一一五五—？）乳燕飛感秋采楚辭賦此詞：「雲中眼界窮高厚，覽山川，冀州還在，陶唐何有！」儒林外史第一六回：「鄉下眼界淺，見匡超人取了案首，縣裏老爺又傳進去見過，也就在莊上，大家約著送過賀分

到他家來。」寬於海，喻宏大。

④識得……初　往昔，他還沒發迹，（你）已經看出是個英雄？識得，已經看出。識，認識。識別。史記 刺客列傳：「（豫讓）行乞於市，其妻不識也。」唐 李白 與韓荊州書：「生不用封萬戶侯，但願一識韓荊州。」在此，引申作「看出來」解。英雄，參考卷二、二九、注③。未遇，未發迹。即未受賞識、重用。二刻拍案驚奇卷一一：「宋時有個鴻臚少卿，姓滿，因他做事沒下稍，諱了名字不傳，只叫他做滿少卿；未遇時節只叫他滿生。」初，往昔。從前。左傳 隱公元年：「遂為母子如初。」西漢 揚雄 太玄 養：「星如歲如，復繼之初。」范望注：「初為故也。」北宋 晁沖之（？—？，約卒于宋室南渡時。）臨江仙詞：「尋常相見了，猶道不如初。」

二四一、秋　波

蔡振豐

纔把春山兩道舒①，眼波又轉映霞初②。獨憐近日枯於井③，望斷飛鴻一紙書④。

【析韻】

舒、初、書，上平、六魚。

【釋題】

同前首

【注解】

①纔把……舒　剛剛把一對姣好的細眉緩緩地展開。纔，參考卷六、一〇九、注①。春山，春日山色黛青，因用以喻婦人眉毛姣好。唐 李商隱 代董秀才卻扇詩：「莫將畫扇出帷來，遮掩春山滯上才。」元 吳昌齡（？—？，至元間人。）端正好 美妓套曲：「秋波兩點真，春山八家分。」近人洪棟園（一八四八—一九一八）後南柯 釋酗：「問何時消除芥蒂，終不免愁鎖春山未展開。」兩道，猶言「一對」。舒，ㄕㄨ。伸。伸展。展開。東漢 張衡 思玄賦：「舒訬婧之纖腰兮，揚雜錯之袿徽。」東晉 干寶 搜神記卷二：「菊花舒時，并採莖葉，雜黍米饟之。」唐 王昌齡 趙十四兄見訪詩：「客來舒長簟，開閣延清風。」

②眼波……初　一瞬間，目光又移向往日彩霞出現的地方。眼波，多用以形容女子流動如水波的目光。唐 韓偓 偶見背面是夕兼夢詩：「眼波向我無端豔，心火因君特地燃。」北宋 周邦彥 慶春宮詞：「眼波傳意，恨密約悤悤未成。」清 湯燕王 夏閏晚景瑣說：「麗人薄醉未醒，頰暈微頳，眼波半溜，似有倦態。」轉，詳參本卷、二四〇、注①。映霞，猶云彩霞。初，詳參前首注④。

③獨憐……井　只同情她連日來以淚洗面、哭乾了雙眼。近日，最近這段日子。枯於井，以井喻眼；枯，乾涸。

④望斷……書　直視在天之方，企盼隻字片語的音信。望斷，向遠處望直至看不見。南齊書 蘇侃傳：「青關望斷，向日西斜。」北宋 秦觀 踏莎行 郴州旅舍詞：「霧失樓臺，月迷

津渡，桃源望斷無尋處。」李清照點絳唇詞：「連天衰草，望斷歸來路。」飛鴻，指音信。唐韓愈寄竇司業文：「自視鶵鷇，望君飛鴻，四十餘年，事如夢中。」二十年目睹之怪現狀第二二回：「無端天外飛鴻到，傳得家庭噩耗來。」一紙書，一張書信。

二四二、秋　波

鄭　兆　璜

眼角傳來媚有餘①，丰神流轉總關渠②。垂青我最憐嬌小③，一笑紅潮上頰初④。

【析韻】

餘、渠、初，上平、六魚。

【釋題】

詳本卷、二四〇，略。

【注解】

①眼角……餘　眼角傳達出充滿豔麗的情韻。眼角，上下眼皮的接合處。接近鼻子的地方稱大眼角，接近兩鬢的地方稱小眼角。宋史五行志三：「理宗朝，宮妃……粉點眼角，名曰『淚妝』。」元王實甫西廂記第一本第一折：「且休題眼角兒留情處，則這腳蹤兒將心事傳。」紅樓夢第三回：「天然一段風韻，全在眉梢；平生萬種情思，悉堆眼角。」傳來，傳達出。媚，ㄇㄟˋ。豔麗。唐薛昭蘊（？—？，晚唐、五代間人。）離別難詞：「羅帷乍

別情難，那堪春景媚。」元高明（一三〇七？—一三五九？）琵琶記乞丐尋夫：「當初蔡郎未別時節，你青春正媚。」有餘，猶云充滿。

②丰神……渠　她時時牽繫著流暢圓轉的風貌和神情。丰神，風貌神情。南朝陳徐陵晉陵太守王勵德政碑：「丰神雅淡，識量寬和。」南宋韓玉（？—？，紹興、慶元間人。）水調歌頭上辛幼安生日詞：「丰神英毅，端是天上謫仙人。」清吳騫（一七三三—一八一三）扶風傳信錄：「翠雲偕姐妹十人來，皆麗色豔粧，丰神冶逸。」流轉，流暢圓轉。南史王筠傳：「好詩圓美流轉如彈丸。」清沈德潛說詩晬語卷下：「何景明明月篇序，大意謂：子美七言詩，詩固沈着，而調失流轉，不如唐初四子音節可歌。」總，時時。關，牽繫。東漢陳琳飲馬長城窟行詩：「結髮行事君，慊慊心意關。」前蜀貫休題友人山居詩：「卜居鄰塢寺，魂夢又相關。」南宋盧祖皋（？—？，淳熙、寶慶間人。）魚游春水詞：「軟紅塵裏鳴鞭鐙，拾翠叢中勾伴侶。都負歲時，暗關情緒。」渠，她。

③垂青……小　我最重視、愛惜她的窈窕小巧。垂青，以青眼相看，表示重視、見愛。按：古人稱黑眼珠為青眼。元谷子敬（？—？，至順、洪武間人）城南柳第一折：「為甚麼桃臉破紅顏，柳眼垂青顧，認得俺東君是主。」清李漁玉搔頭締盟：「多蒙令愛垂青，已把終身相許。下官具有些須聘禮，求媽媽笑納。」憐，愛。愛惜。嬌小，窈窕小巧。唐李白江夏行：「憶昔嬌小姿，春心亦自持。」清王又曾（一七〇六—一七六二）掃花游詞：「鷺身嬌小，記萬花遶閣，那回尋列。」

④一笑……初 只要輕輕一笑，淡淡的紅暈即刻浮現在她的粉腮。紅潮，參考本卷、二三七、注④。上、同前注。頰，參本卷、二三六注①。初，始。引申作「即刻」解。

二四三、香 唾

林維丞

別傳香唾亦奇談①，侍女猶誇氣味甘②。持比名花新破萼③，露珠點點口輕含④。

【析韻】

談、甘、含，下平、十三覃。

【釋題】

香，本義指穀物成熟後之氣味；引申為一切好聞的氣味，即芳馨、芳香。詩 大雅 生民：「卬盛于豆，于豆于登，其香始升，上帝居歆。」又，周頌 載芟：「有飶其香，邦家之光。」西漢 司馬相如 上林賦：「郁郁菲菲，眾香發越。」唐 韓愈 春雪間早梅詩：「誰令香滿座，獨使淨無塵。」清 孫星衍（一七五三—一八一八）清明詩：「酒香百滴持勸君，漠漠土花澆不入。」唾，ㄊㄨㄛˋ。口液也（說文）。古有妄人，以侍女之口為唾壺者。明 詹詹外史撰、馮夢龍（一五七四—一六七六）編情史類略卷廿六：「嚴世蕃吐唾，皆美婢以口承之。方發聲，婢口已巧就，謂之香唾壺。」

【注解】

①別傳……談　不要流布香唾；也是非常特別的見解。別，參考本卷、二四〇、注③。傳，流布。北宋 蘇軾 石鐘山記：「士大夫終不肯以小舟夜泊絕壁之下，故莫能知；而漁工水師，雖知而不能言。此世所以不傳也。」香唾，詳釋題。奇談，亦作「奇譚」。特別的見解或（言論）。明 袁宏道 答江進之別詩：「密意臭蘭旃，奇談飛金屑。」花月痕第五一回：「並非做書的人畫蛇添足，為此奇談。」冷眼觀第二二回：「那些草野奇譚，倒很把我嚇了一跳。」

②侍女……甘　僕婢還矜誇炫耀那氣味多麼甜美可口。侍女，婢女。女僕。唐 谷神子（？—？，建中、會昌間人。）博異志 崔玄微：「有綠裳者前曰：『某姓陽。』指一人曰：『李氏……各有侍女輩。』」清 吳騫 扶風傳信錄：「晨起，仲仙率侍女至和橋觀音堂 聖王廟燒香。」誇，誇耀。矜誇炫耀。唐 韓愈 送陳秀才彤序：「讀書以為學，纘言以為文，非以誇多而鬬靡也。蓋學所以為道，文所以為理耳。」清平山堂話本 快嘴李翠蓮記：「女兒不是誇伶俐，從小生得有志氣。」甘，甜美可口。詩 邶風 谷風：「誰謂荼苦？其甘如薺。」說文：「甘，美也。」段玉裁注：「五味之可口皆曰甘。」

③持比……荂　拿來比擬名妓剛被恩客梳攏。持，拿。比，謂比擬。名花，名妓。西湖佳話 西泠韻跡：「既係妓家，便不妨往而求見，縱不能攀折，對此名花，留連半嚮，亦人生之樂事也。」近十年之怪現狀第一一回：「正是坐對名花，足不出戶，連自己公館也不回去。」

新，猶言剛剛。破萼，本義破蕾。在此，用以隱指梳攏。昔青樓處女皆梳辮，接客後改梳髻，稱梳攏。

④露珠……含 像露珠般又小又多，用嘴巴輕輕地接著。露滴如珠，謂露珠。在此，用以隱指「香唾」。點點，小且多。北周 庾信 晚秋詩：「可憐數行雁，點點遠空排。」唐 皮日休（八三四？—八八三？）種魚詩：「池中得春雨，點點活如蟻。」明 唐寅（一四七〇—一五二三）步步嬌 冬景曲：「落木哀風江城曉，點點寒鴉小。」含，置物於口中，既不嚥下，也不吐出。韓非子 備內：「醫善吮人之傷，含人之血。」北宋 蘇軾 格物麤談 飲饌：「食韮口臭，含沙糖解之。」

二四四、天然足

鄭鵬雲

之一

雙弓羅襪宗西式①，女界年來脫苦辛②。睡國何曾封故步③，自由花現自由身④。

之二

女界文明局一新⑤，羞將束縛損天真⑥。潘家蓮瓣楊家襪⑦，今日何人肯效顰⑧。

【析韻】

卒、身，上平、十一真。（之一）

新、真、顰，上平、十一真。（之二）

【釋題】

十世紀（一說五世紀）我國婦女即有纏足陋習。清末始禁之。因謂自然而未纏之足曰天足。清 黃遵憲（一八四八—一九〇五）寄女詩：「邇聞西方人，設會同禁煙；意欲保天足，未忍傷人權。」文明小史第四〇回：「孩兒之志，要娶個天足的媳婦。」所謂纏足，係以布帛緊束女子雙足，使足骨變形，腳形尖小成弓狀，以此為美。實於婦女身心健康有害而無益。相傳南唐 李後主令宮嬪窅娘以帛繞腳，令纖小作新月狀，由是人皆效之。一說始於南朝 齊東昏侯時。太平天國曾明令禁止纏足。辛亥革命後，此一陋習方逐漸廢絕。明 胡應麟 少室山房筆叢 丹鉛新錄卷八雙行纏：「自墨莊漫錄以纏足始五代，諸小說所見皆同，余舊頗疑之。」近人嚴復（一八五四—一九二一）原強：「至于纏足，本非天下女子之所樂為也。拘于習俗，而無敢畔其範圍而已。」

【注解】

①雙弓……式　效法西洋的方式，在一雙小腳穿上絲羅的足衣。雙弓，舊時婦女纏足後，兩腳變形，縮成弓狀，故稱。花月痕第七回：「留與天遊尋舊夢，銷魂真個是雙弓。」又，第二一回：「自周以後，美人南威、西子已是裹足，但古風淳樸，必不是如今雙弓。」羅

襪，亦作羅韈。絲羅織製的襪子。襪雅稱足衣。東漢 張衡 南都賦：「脩袖繚繞而滿庭，羅襪躡蹀而容與。」三國 魏 曹植 洛神賦：「凌波微步，羅襪生塵。」北宋 蘇軾 洞庭春色賦：「驚羅襪之塵飛，失舞袖之弓彎。」宗，推尊而效法之。唐 盧綸 雪謗後書事上皇甫大夫詩：「閱古宗文舉，推才慕正平。」南宋 趙彥衛 雲麓漫鈔卷一〇：「夫列禦寇之書與莊子皆宗老氏，多寓言。」續資治通鑑 元仁宗 皇慶元年：「燧少學於許衡，其為文宗韓愈。」西式，西洋的方式。西洋泛指歐 美各國。

②女界……辛　（這）一年以來，婦女們已經擺脫纏足的痛苦和無奈。女界，對婦女的總稱。近人郭孝成（？—？）民國各團體之組織 女子軍之躍起：「數年以來，教育益溥，女界雖漸放光明，而擴張職權，尚無端倪。」年來，這一年以來。唐 戴叔倫 越溪村居詩：「年來橈客寄禪扉，多話貧居在翠微。」清 劉瀛（？—？）珠江奇遇記：「適媒媼求，以賤價售去，年來音耗遂絕。」近人魯迅 書信集 致臺靜農：「收集畫像事，擬暫作一結束，因年來精神體力，大不如前。」脫，擺脫。離開。老子：「魚不可脫於淵，國之利器不可以示人。」史記 老子韓非列傳：「然韓非知說之難，為說難書甚具，終死於秦，不能自脫。」明 馬中錫（一四四六—一五一二？）中山狼傳：「彼將躬耕，我托輻衡，走郊坰以辟榛荊。」苦辛，猶辛苦。痛苦無奈。勞苦艱辛。古詩十九首今日良宴會：「無為守窮賤，轗軻長苦辛。」元 羅志仁（？—？，寶祐、至元間人）絕句：「嚙雪蘇郎受苦辛，庾公老作北朝臣。」清 顧炎武 吳興行贈歸高士祚明詩：「出營甘旨入奉母，崎嶇州里良

苦辛。」

③睡國……步　酣睡之國不曾故步自封。「睡國」典出列子 周穆王：「西極之南隅有國焉……其民不食不衣而多眠，五旬一覺，以夢中所為者實，覺之所見者妄。」在此，用以隱指清季時的我國言，何曾，何嘗。意謂不曾。採反問的語氣表示未曾或並不。三國 魏 曹丕 與吳質書：「昔日遊處，行則連輿，止則接席，何曾須臾相失？」唐 王昌齡 九日登高詩：「謾說陶潛籬下醉，何曾得見此風流？」北宋 蘇軾 和奇無選長官：「自古山林人，何曾識機巧？」封固步，即故步自封。喻因循守舊，不圖進取。近人梁啟超 愛國論：「婦人纏足十載，解其縛而猶不能行，故步自封，少見多怪，曾不知天地間有所謂『民權』二字。」

④自由……身　自由的女性已經不再受無謂的約束而擁有自在的軀體了。自由，不受無謂的約（拘）束，行動自在。玉臺新詠古詩為焦仲卿妻作：「吾意久懷念，汝豈得自由。」唐 劉商（？—？，廣德、元和間人。）胡笳十八拍之七：「寸步東西豈自由，偷生乞死非情願。」聊齋志異 翟仙：「野人之性，視宮殿為藩籬，不如秀才家得自由也。」花，隱指女性。現，顯露。出現。在此，引申作「擁有」解。

⑤女界……新　婦女同胞優雅、開化的情景，煥然一新。女界，詳注②。文明，社會發展水準較高，有文化的狀態。清 李漁 閒情偶寄 詞曲下格局：「若因好句不來，遂以俚詞塞責，則走入荒蕪一路，求闢草昧而致文明，不可得也。」秋瑾 憤時疊前韻：「文明種子已萌芽，好振精神愛歲華。」局，局面。謂情景、形勢。清 王韜 書日人隔鞾論後：「今

者泰西通商之局，亦大啟乎東瀛。」一李斗揚州畫舫錄草河錄上：「迎恩河至此，水局益大。」一新，猶云全新。新，性質上改變得更好、更進步。與「舊」相對。唐韓愈與鳳翔邢尚書書：「赫赫乎，洸洸乎，功業逐日以新，名聲隨風而流。」

⑥羞將……真　讓無謂的束縛，傷害雙足本來的面目，很是難為情啊！羞，詳參本卷、二三八、注①。將，讓。束縛，約束。限制。呂氏春秋論人：「意氣宣通，無所束縛，不可收也。」唐元稹投吳端公崔院長詩：「臺官相束縛，不許放情志。」明李贄覆焦弱侯書：「世間功名富貴，與夫道德性命，何曾束縛人，人自束縛耳。」損，ㄙㄨㄣˇ。傷害。莊子駢拇：「伯夷死名於首陽之下，盜跖死利於東陵之上……若其殘生損性，則盜跖亦伯夷已。」三國魏曹植求自試表：「生無益於事，死無損於數。」唐韓愈寒食日出遊詩：「自然憂氣損天和，安得康強保天性。」天真，事物的天然性質或本來面目。南唐馮延巳憶江南詞之一：「玉人貪睡墜釵雲，粉消妝薄見天真。」南宋楊萬里寒食雨中同舍約遊天竺得十六絕句呈陸務觀之十五：「萬頃湖光一片春，何須割破損天真。」清李漁閒情偶寄飲饌肉食：「更有製魚良法，能使鮮肥迸出，不失天真。」

⑦潘家……襪　潘玉兒步步蓮華，楊太真足著羅襪。分詳卷五、八三、九〇等二首。

⑧今日……顰　當今那個人樂意仿效啊？肯，表樂意、願意。詩魏風碩鼠：「碩鼠碩鼠，無食我黍！三歲貫女，莫我肯顧。」儒林外史第四一回：「尊府大家，園亭花木甲于江北，為甚麼肯搬在這裡？」一效顰，亦作「効顰」。即效矉。莊子天運：「故西施病心而矉其

里，其里之醜人見之而美之，歸亦捧心而矉其里。其里之富人見之，堅閉門而不出，貧人見之，挈妻子而走。彼之矉美，而不知矉之所以美。」唐李白古風詩之卅五：「醜女來効顰，還家驚四鄰。」清納蘭性德靈巖山賦：「有目空懸，無心效顰。」

三寸金蓮（清末、日治初期臺灣貴婦合影）

天然足（樹蔭下正聚精會神使用手機通話者，臺灣大學圖書總館前庭園）

二四五、天然足

蔡惠如

步趨自在女兒身①，阿母偏虞俗了人②。不羨歐西尚腰細③，豈容蓮瓣失天真④？

【析韻】

身、人、真，上平、十一真。

【釋題】

詳前首。

【注解】

①步趨……身　愛女走起路來，安閑舒適、毫無拘束。步趨，亦作「步趍」。行走。說文：「行，人之步趨也。」段玉裁注：「步，行也；趨，走也。二者一徐一疾皆謂之行，統言之也。」唐 元稹 贈太保嚴公行狀：「王師步趍，不曾嵌嶮，泝水行舟，進寸退里。」聊齋志異 封三娘：「方隨喜間，一女子步趨相從，屢望顏色。」自在，安閑舒暢而無拘無束。唐 杜甫 江畔獨步尋花詩之六：「留連戲蝶時時舞，自在嬌鶯恰恰啼。」李咸用 遊寺詩：「無家身自在，時得到蓮宮。」明 陶宗儀 輟耕錄 大軍渡河：「富與貴悉非所願，但得自在足矣。」女兒身，愛女的軀體。

②阿母……人　媽媽卻擔心她庸俗沒有氣質。阿母，母親。玉臺新詠古詩為焦仲卿妻作：「府

吏得聞之，堂上啟阿母。」晉書潘岳傳：「岳將詣市，與母別曰：『負阿母！』」元揭傒斯臨川女詩：「阿母送我出，阿兄抱我行。」偏，偏偏。表示事實恰巧與主觀願望相反。猶今語「卻」。虞，憂慮。意即擔心。俗，庸俗無氣質。

③不羨……細　不喜愛歐美盛行身腰纖細。羨，參考卷二一、二五、注③。歐西，歐美西方（洋）。尚，盛行。唐陳鴻長恨歌傳：「秋七月，牽牛織女相見之夕，秦人風俗，是夜張錦繡，陳飲食，樹瓜華，焚香於庭，號為乞巧，宮掖間尤尚之。」

④豈容……真　難道可以讓雙腳不再具有本來完好的面目？容，可以。蓮瓣，綉鞋。在此，用以隱指雙腳。失，失掉。亦即不再具有……。天真，詳參前首注⑥。

二四六、衣香

林次湘

偎肩無語自盈盈①，一領香羅疊雪輕②。雙袖臨風珠汗下③，滿身花露不分明④。

【析韻】

盈、輕、明，下平、八庚。

【釋題】

所穿的服裝，散發出令人好聞的氣味。北周庾信春賦：「池中水影懸勝鏡，屋裡衣香不如花。」昔文人恆以「衣香」、「鬢影」等隱指婦女。後並連用以形容婦女儀態閑雅、服飾豔麗。唐 李賀 詠懷詩之一：「彈琴看文君，春風吹鬢影。」清 王士禛 冶春絕句：「日午畫船橋下過，衣香人影太匆匆。」清 楊米人（？—？）都門竹枝詞：「鳳帔珠冠天上人，紅氈拖地映箍輪。衣香人影匆匆過，四面玻璃望不真。」

【注解】

①偎肩……盈　緊挨香肩，默默不語，儀態姣好，風情萬千。偎肩，參考卷一四、二三六、注④。自，自然不做作，盈盈，詳參本卷、二三五注④。

②一領……輕　一件精美輕柔的綾羅套裝。領，計算衣裳的量詞。猶今語「件」。香羅，綾羅的美稱。唐 杜甫 端午日賜衣詩：「細葛含風軟，香羅疊雪輕。」明 黃子澄（？—一四〇一）豔曲詩：「學織九張機，香羅疊舞衣。」疊雪輕，形容輕柔。詳前引端午詩；又，杜詩仇兆鰲注引邵傅曰：「含風形其軟，疊雪形其輕。」附誌之。

③雙袖……下　一雙衣袖迎風吹拂，香汗依然淋漓滿身。臨風，迎風。楚辭 九歌 少司命：「望美人兮未來，臨風怳兮浩歌。」南朝 宋 謝莊（四二一—四六六）月賦：「臨風歎兮將焉歇，川路長兮不可越。」唐 杜甫 與嚴二郎奉禮別詩：「出涕同斜日，臨風看去塵。」北宋 范仲淹 岳陽樓記：「登斯樓也，則有心曠神怡、寵辱皆忘，把酒臨風，其喜洋洋者矣。」珠汗，汗珠。南朝 梁 簡文帝 初秋詩：「羽翣晨猶動，珠汗晝恆揮。」西晉 傅玄（二一七—二七八）無題詩：「珠汗洽玉體，呼吸氣鬱蒸。」唐 李頎 夏宴張兵曹東堂詩：「羽扇搖風卻珠汗，玉盆貯水割甘瓜。」下，落。

④滿身……明　和遍體的花露水，益發不易辨識啊！滿身，遍體。花露，花露水。稀釋後的酒精加香料所製成的化妝品。清　姚衡（？—？）寒秀草堂筆記卷三：「頂好玻璃罇花露水十二個。」

陸、生活點滴

卷一五

二四七、曉　起

蔡振豐

玉牀扶起強梳頭①，花露金釵鬢上收②。恰借天邊殘月影③，為儂眉樣畫雙鉤④。

【析韻】

頭、收、鉤，下平、十一尤。

【釋題】

曉起，猶言晨起。曉，ㄒㄧㄠˇ。天明也。世說新語文學：「真長（劉惔）延之上坐，清言彌日，因留宿至曉。」起，謂起牀。孟子盡心上：「雞鳴而起。」

【注解】

①玉牀……頭　從玉牀牽挽扶持起牀，才勉強打起精神整理秀髮。玉牀，玉製或飾玉的牀。

尸子卷下：「桀為璇室瑤臺，象廊玉牀。」淮南子本經訓：「帝有桀紂，為琁室、瑤臺、象廊、玉牀。」高誘注：「以玉為牀。」樂府詩集清商曲辭一子夜四時歌夏歌之十五：「珍簟鑲玉牀，繾綣任懷適。」元岑安卿（一二八六—一三五五）題太真春睡圖詩：「玉牀膩滑芙蓉展，水沈烟裊金屏暖。」扶起，攙扶起來。攙扶，牽挽扶持。左傳襄公二五年：「（賈）獲與其妻扶其母以奔墓，亦免。」史記伯夷列傳：「太公曰『此義人也。』扶而去之。」南宋辛棄疾西江月遣興詞：「昨夜松邊醉倒，問松『我醉何如？』只疑松動要來扶，以手推松曰『去！』」強，勉強。

②花露……收　花露水和髮髻的金飾都在兩鬢的上端聚集。花露，詳參前卷、二四六、注④。金釵，婦女插在髮髻的金製飾物，由兩股合成。南朝宋鮑照擬行路難詩之九：「還君金釵玳瑁　，不忍見之益愁思。」唐溫庭筠懊惱曲：「兩股金釵已相許，不令獨作空成塵。」清黃遵憲九姓漁船曲：「金釵敲斷都由我，團扇遮羞怕見郎。」鬢，ㄅㄧㄣˋ。亦作「鬢」、「髩」、「鬂」。臉的兩側近耳的頭髮。唐杜牧郡齋獨酌詩：「前年鬢生雪，今年鬚帶霜。」元尚仲賢柳毅傳書楔子：「蓬蟬鬢，蹙蛾眉。」收，聚集。詩周頌維天之命：「假以溢我，我其收之。」毛傳：「收，聚也。」

③恰借……影　正好運用遠處即將消失的玉輪光影。恰，正好。借，運用。利用。西晉陸機演連珠：「臣聞良宰謀朝，不必借威；貞臣衛主，脩身則足。」天邊，天空與地平線交會的遠處。南朝梁何遜曉發詩：「水底見行雲，天邊看遠樹。」唐孟浩然秋登萬

山奇張五詩：「天邊樹若齊，江畔洲如月。」殘月影，即將消失的玉輪光影。殘月，將落的月。唐 白居易 客中月詩：「曉隨殘月行，夕與新月宿。」北宋 柳永 雨霖鈴詞：「今宵酒醒何處？楊柳岸、曉風殘月。」

④為儂……鉤　替你雙眉本來的模樣，勾勒出清晰的線條。為，替。儂，你。餘參卷一一、二〇〇、注③。眉樣，指雙眉的式樣。雙鉤，原指用線條鉤出所摹的字，構成空心筆畫的字體。南宋 姜夔 續書譜 臨：「雙鉤之法，須得筆暈不出字外，其郭填其內，或朱其背，正得肥瘦之本體。」在此，引申作勾勒雙眉周遭的線條。

二四八、曉粧

林維丞

輕移蓮步倚粧樓①，十二珠簾乍上鈎②。洗卻昨宵舊脂粉③，簪花無力倩丫頭④。

【析韻】

樓、鉤、頭，下平、十一尤。

【釋題】

天明曰曉。晨起打扮謂之曉粧。粧屬異體字，本作「妝」。意謂打扮。修飾。

【注解】

①輕移……樓　輕輕地步上閣樓的內室，懶洋洋地斜靠著窗臺。移，移動。謂行進而改變原

來的位置。莊子秋水：「物之生也，若驟若馳。無動而不變，無時而不移。」蓮步，舊謂美女的腳步。語本南史齊紀下廢帝東昏侯：「又鑿金為蓮華以帖地，令潘妃行其上，曰：『此步步生蓮華也。』」北宋孔平仲觀舞詩：「雲鬟應節低，蓮步隨歌舞。」明王錂春蕪記感嘆：「藥欄花擁，盈盈蓮步塵動。」倚，ㄧˇ。憑靠。論語衛靈公：「立則見其參於前也。在輿則見其倚於衡也。」唐杜甫佳人詩：「天寒翠袖薄，日暮倚修竹。」粧樓，婦女的居室。唐沈佺期侍宴安樂公主新宅應制詩：「粧樓翠幌教春住，舞閣金鋪借日懸。」北宋柳永少年遊詞：「日高花謝懶梳頭，無語倚妝樓。」明陳汝遠金蓮記就逮：「妝樓曉看荷香十里，猊爐烟燼。」粧，本作「妝」，詳釋題。

②十二……鈎　突然，好多幅珠簾，同時捲收妥當。十二，形容數量多。南朝齊王融（四六七—四九三）望成行：「金城十二重，雲氣出表裏。」珠簾，珍珠綴成的簾子。西京雜記卷二：「昭陽殿織珠為簾，風至則鳴，為珩珮之聲。」唐李白怨憐詩：「美人捲珠簾，深坐顰蛾眉。但見淚痕溼，不知心恨誰。」元王實甫西廂記第五本第一折：「看時節同上妝樓，手捲珠簾上玉鉤。」乍，ㄓㄚˋ。突然。忽然。孟子公孫丑上：「今人乍見孺子將入於井，皆有怵惕惻隱之心。」唐王建失釵怨詩：「鏡中乍無失髻樣，初起猶疑在牀上。」南唐馮延巳謁金門詞：「風乍起，吹縐一池春水。」明李東陽早朝露坐詩：「城頭急雨時來去，雲際疎星乍有無。」上鈎，詳參本注西廂記第五本第一折引文。鈎，亦作「鉤」。

③洗卻……粉　洗淨昨夜塗敷的胭脂、香粉。卻，除。除去。洗卻，猶云洗淨。昨宵，昨夜。

脂粉，胭脂、香粉。淮南子 脩務訓：「曼頰皓齒，形夸骨佳，不待脂粉芳澤而性可說者，西施、陽文也。」唐 王維 西施詠：「邀人傅脂粉，不自着羅衣。」

④簪花……頭 乏力插戴頭花，只好請丫鬟代勞。簪，ㄗㄢ。插戴。宋史 司馬光傳：「中進士甲科，年甫冠，性不喜華靡，聞喜宴獨不戴花，同列語之曰：『君賜不可違。』乃簪一花。」北宋 蘇軾 答陳述古二首詩：「城西亦有紅千葉，人老簪花卻自羞。」花，頭花。無力，疲憊乏力。倩，ㄑㄧㄢˋ。請。南宋 姜夔 月下笛詞：「多情須倩梁間燕，問吟袖、弓腰在否？」清 沈復 浮生六記 坎坷記愁：「啟堂弟曾向鄰婦借貸，倩芸作保，現追索甚急。」近人蘇曼殊 燕子龕隨筆：「余嘗託晦聞倩如如居士刊石印一方。」丫頭，在此，指婢女。南宋 王洋（一〇八七－一一五三）弋陽道中題丫頭巖詩，注云：「吳 楚之人。謂婢子為丫頭。」亦即丫鬟。丫嬛。

二四九、午 夢

鄭燦南

寶鴨香薰繞篆煙①，桃笙似水日如年②。蕉陰滿地拋書倦③，十二闌干敞綠天④。

【析韻】

煙、年、天，下平、一先。

【釋題】

日中時辰，飯後小憩，於睡眠狀態所產生虛幻、混亂等內容，此一現象謂之午夢。夢（Dream）是個體睡眠過程中可能出現的生理現象。生理學上對夢的產生，迄今尚無法完全瞭解。一般認為睡眠時，如大腦皮層某些部位有一定的興奮活動，外界與體內的弱刺激到達中樞與這些部位發生某種聯繫時，就可以產生夢。其內容與清醒時意識中保留的印象有關。

【注解】

①寶鴨……煙　寶鴨裏的盤香，燒灼出盤旋的煙縷。寶鴨，鴨形的香爐。唐 孫魴（？—？，唐末五代時人）夜坐詩：「劃多灰雜蒼虯跡，坐久煙消寶鴨香。」南宋 范成大 減字木蘭花詞：「寶鴨金寒，香滿圍屏宛轉山。」清 趙翼 蝦鬚簾詩：「晝靜香常籠寶鴨，夜明光欲奪銀蟾。」香，指環狀燃香言。薰，ㄒㄩㄣ。燒灼。詩 大雅 雲漢：「我心憚暑，憂心如薰。」毛傳：「薰，灼也。」唐 楊炯 為梓州官屬祭陸鄴縣文：「夫萬里之別，猶使飲淚成血，思德音之斷絕；況百年之分，能不憂心如薰，想公子兮氛氳。」繞，迴環盤旋。山海經 海外西經：「（窮山）其丘方，四蛇相繞。」東漢 繁欽（？—二一八）定情詩：「何以致契闊，繞腕雙跳脫。」唐 韓愈 庭楸詩：「各有藤繞之，上各相鈎聯。」篆煙，盤香的煙縷。南宋 高觀國（？—？，隆興、寶慶間人。）御街行 賦簾詞：「鶯聲似隔，篆烟微度，愛橫影參差滿。」元 王實甫 西廂記第二本第一折：「風裊篆烟不捲簾，雨打梨花深閉門。」清 納蘭性德 浣溪紗詞之二八：「但是有情皆滿願，更從何處著思量，篆烟殘

燭並回腸。」煙，亦作「烟」。

②桃笙……年　桃枝竹的席墊清涼如水；我卻度日如年。桃笙，用桃枝竹編製的竹蓆。西晉左思 吳都賦：「桃笙象簟。」劉逵注：「桃笙，桃枝簟也，吳人謂簟謂笙。」清 唐孫華夏日雜詩之七：「竹榻當牕置，桃笙就地鋪。」桃枝竹，亦作「桃支竹」。書 顧命：「敷重蔑席」孔傳：「篾，桃枝竹。」南朝 宋 戴凱之（？－四六六）竹譜：「余所見之桃枝竹，節短者不兼寸，長者或踰尺，豫章徧有之。」又云：「桃枝皮赤，編之滑動，可以為蓆。」似水，猶云清涼怡人如水。日如年，度日如年。過一天好像過一年一般。形容日子難過。北宋 柳永 戚氏詞：「孤館度日如年，風露漸變，悄悄至更闌。」榮按：草堂詩餘 題作秋夜，附記之。

③蕉陰……倦　地面遍布蕉葉的陰影；精神頓感不繼，隨手把書本棄置。蕉陰，芭蕉葉的陰影。滿地，猶云遍佈地面。拋，棄置。倦，精神不繼。

④十二……天　芭蕉交錯雜亂，懷素的故居多麼地寬廣。十二，詳參本卷、二四八、注②。闌干，交錯雜亂貌。唐 岑參

香　蕉

白雪歌送武判官歸京：「瀚海闌干百丈冰，愁雲慘澹萬里凝。」清錢謙益答新安方望子投詩枉訪詩：「繭穴雞窠正怯寒，清晨剝啄響闌干。」敞，寬闊。北宋陶穀清異錄綠天：「懷素居零陵東郊，治芭蕉，亘帶幾數萬，取葉代紙而書，號其所曰綠天。」明王志堅（？—？，萬曆、天啟間人。）表異錄花果：「懷素貧無紙學書，常種芭蕉萬餘，以供揮灑，名曰綠天。」故址在今湖南永州東門外。

二五〇、午　夢

蔡振豐

席供芭蕉枕借肱①，拋書有夢倦難勝②。熱雲忽捲西山雨③，喧到荷池醒未曾④。

【析韻】

肱、勝、曾，下平、十蒸。

【釋題】

同前首。

【注解】

①席借……肱　蕉葉充席墊、手臂當枕頭。芭蕉，指芭蕉葉言。借，引用。運用。詳參本卷、二四七、注③。肱，ㄍㄨㄥ。手臂。詩小雅無羊：「麾之以肱，畢來既升。」毛傳：「肱，臂也。」論語述而：「飲疏食飲水，曲肱而枕之，樂亦在其中矣。」

②拋書……勝　朦朧中，疲憊不堪，丟下手上的書本，還頻頻做夢。拋書、倦，均詳參前首注③。難勝，猶云不堪。勝，ㄕㄥ。能夠承受。禁得起。詩 商頌 玄鳥：「武丁孫子，武王靡不勝。」韓非子 揚權：「枝大本小，將不勝春風。」唐 溫庭筠 懊惱曲：「藕絲作線難勝針，蘂粉染黃那得深。」

③熱雲……雨　帶著熱氣的烏雲忽然裹挾西山的驟雨傾盆而來。熱雲，含熱氣的烏雲。唐 杜甫 湘公宴錢裴二端公赴道州詩：「熱雲集曛黑，缺月未升天。」忽，忽然。捲，裹挾。西山，指西面的山。雨，驟雨。

④喧到……曾　荷池已經嘩啦！嘩啦！作響不止，還沒有醒過來。喧，嘈雜吵鬧。東晉 陶潛 飲酒詩之五：「結廬在人間，而無車馬喧。」北周 庾信 同州還詩：「上林催獵響，河橋爭渡喧。」北宋 王安石 金山寺詩：「夜風一何喧，大舶夾雙櫓。」醒，睡眠狀態結束。唐 杜甫 早發詩：「頹倚睡未醒，僕夫問盥櫛。」明 王韋（一四七三—一五二八？）閣試春陰詩：「檐影頻移暝雲動，曲枕悠然醒午夢。」未曾，參考卷一四、二四四、注③。猶何曾。

二五一、晚粧

陳濬芝

粧成月色入簾無①，對鏡新將眉樣摹②。恰好晚香簪茉莉③，薰人花氣透羅襦④。

【析韻】

無、摹、糯、上平、七虞。

【釋題】

晚粧，日暮後之打扮、修飾。猶云晚飾。粧，ㄓㄨㄤ。本作「妝」；亦作「糚」、「妝」。北周庾信七夕賦：「嫌朝牀之半故，憐晚飾之全新。」

【注解】

①粧成……無　打扮妥當的時候，月光照進簾子裡了嗎？月色，月光。唐李華弔古戰場文：「日光寒兮草短，月色苦兮霜白。」北宋陳師道（一〇五三—一一〇一）寒夜有懷晁無斁詩：「燈花頻作喜，月色正可步。」近人朱自清（一八九八—一九四八）荷塘月色：「塘中的月色並不均勻。」入，由外至內。簾，指簾子。無，參考卷一、二、注⑥。

②對鏡……摹　臉龐朝著鏡子，剛剛才把雙眉的模樣描了一遍。眉樣，參考本卷、二四七、注④。摹，描。

③恰好……莉　剛好黃昏點燃柱香的那一刻，鬢角插著茉莉。晚香，傍晚時分點燃的香。唐鄭谷贈圓昉公詩：「晚香延宿火，寒磬度高枝。」西遊記第三六回：「只見一個燒晚香的道人，點了幾枝香，來佛前爐裡插。」茉莉，常綠灌木，木犀科。夏季開白花，有濃香。花可燻製茶葉，亦可提煉芳香油。

④薰人……糯　花香撲鼻，更穿透過綢製的短衣。薰，揚溢薰人花氣。猶謂花香撲鼻。透，

穿過。羅襦，綢製短衣。史記滑稽列傳：「羅襦襟解，微聞薌澤。」唐溫庭筠菩薩蠻詞：「新貼綉羅襦，雙雙金鷓鴣。」清黃遵憲拜曾祖母墓詩：「頭上盤雲髻，耳後明月璫，紅裙絳羅襦，事事女兒妝。」

二五二、晚妝

鄭肇基

步上妝臺日正斜①，一雙雲鬢鬥雛鴉②。自家學得新興髻③，笑倩郎簪夜合花④。

【析韻】

斜、鴉、花，下平、六麻。

【釋題】

同前首。

【注解】

①步上……斜　走進內室，太陽正好斜照著她。步，行走。上，登。妝臺，指女子的住處言，唐韓溉（？—？）鵲詩：「幾度送風臨玉戶，一時傳喜到妝臺。」明湯顯祖牡丹亭幽媾：「俺因此上弄鶯簧走柳衙。若問俺妝臺何處也，不遠哩，剛則在宋玉東鄰第幾家。」

②一雙……鴉　一對濃黑柔美的鬢髮賽過仔鴉的羽色。一雙，猶云一對。雲鬢，亦作「雲髩」。指婦女濃黑柔美的鬢髮。樂府詩集橫吹曲辭五古辭木蘭詩：「當窗理雲鬢，挂鏡貼花黃。」

唐李商隱無題詩：「曉鏡但愁雲鬢改，夜吟應覺月光寒。」元無名氏舉案齊眉第二折：「依著我寧可亂鋪著雲鬟為貧婦，怎肯巧畫娥眉別嫁人。」鬥，ㄉㄡˋ。比賽。爭勝。唐陸龜蒙祕色越器詩：「好向中宵盛沆瀣，共嵇中散鬥遺杯。」敦煌變文集維摩詰經講經文：「項臂垂瓔珞，珍珠鬥寶冠。」北宋宋祁送孫皋詩：「江邊瑤草鬥袍青，所樂從軍得四明。」雛鴉，仔鴉。幼鴉。其羽毛柔細濃密，深黑而有光澤。

③自家……髻　自個兒學會梳理時髦的髮髻。自家，自己。自個兒。唐施肩吾望夫辭：『「自家夫婿無消息，卻恨橋頭賣卜人。」元關漢卿竇娥冤第三折：「自家張驢兒，無奈那竇娥百般不肯隨順我。」紅樓夢第四回：「一面使人打掃出自家的房屋，再移居過去。」學得，學會梳理。新興髻，時髦型的髮髻。髻，ㄐㄧˋ。在頭頂或腦後盤成各種形狀的髮式。

④笑倩……花　面色和悅地請他插上合歡花。笑，形容面色和悅的狀態。倩、簪均詳參本卷、二四八、注④。郎，指配偶言。夜合花，合歡花。全唐詩卷七八五雜詩：「捲簾相待無消息，夜合花前日又西。」北宋蘇軾過高郵寄孫君孚詩：「可憐夜合花，春枝散紅茸。」

二五三、晚粧

鄭燦南

一簾茉莉透濃香①，埽鬢羞為時世妝②。委地青絲慵不挽③，燈前拖辮學男裝④。

【析韻】

香、妝、裝，下平、七陽。

【釋題】

同前首。

【注解】

①一簾……香　一室之內，茉莉散發著濃郁的芳香。簾，以竹、布等編織、製作，用以遮蔽門窗的家用品。一簾，一幅簾帷，引申作一室之內。茉莉，詳參本卷、二五一、注③。透，顯露。南宋韓玉（？—？乾道初猶健在。）感皇恩詞：「遠柳綠含煙，土膏才透，雲海微茫露晴岫。」

②埽鬟……妝　羞答答地梳理鬢髮，並做時髦的裝扮。埽鬟，猶云梳髮。埽，ㄙㄠˋ。羞，難為情；今語羞答答。為，表動作。做。時世妝，時髦（或入時）的裝飾打扮。唐白居易時世妝詩：「時世妝，時世妝，出自城中傳四方。」妝，亦作「粧」，詳本卷、二五一、釋題。又，上陽白髮人詩：「小頭鞋履窄衣裳，青黛點眉眉細長；外人不見見應笑，天寶末年時世粧。」南宋范成大古風送南卿詩：「不能時世粧，蕭然古冠服。」清黃遵憲潘客篇：「蕃身與漢身，均學時世妝。」

③委地……挽　拖垂及地的烏黑秀髮，竟懶得捲起。委地，拖垂于地。形容「長」。世說新語賢媛：「湛（陶侃母）頭髮委地，下為二髲，賣得數斛米。」青絲，喻指黑髮。唐李

白將進酒詩：「君不見高堂明鏡悲白髮，朝如青絲暮成雪。」明陳汝元金蓮記捷報：「殢紅顏淒楚風塵，挽青絲齠齔年華。」近人蘇曼殊為調箏人繪像詩之二：「淡掃蛾眉朝畫師，同心華髻結青絲。」慵，ㄩㄥ。懶惰。懶散。唐杜甫王十七侍御掄許攜酒至草堂奉寄此詩便請邀高三十五使君同到：「老夫臥隱朝慵起，白屋寒多暖始開。」北宋王禹偁寒食詩：「使君慵不出，愁坐讀離騷。」挽，捲起。疊起。唐韓愈芍藥歌：「嬌癡婢子無靈性，競挽春衫來比並。」

④燈前……裝　在燈燭的前端，後腦勺垂著一條長辮，大模大樣地學起男人的打扮。按：前清，男人留辮。

二五四、晚　粧

蔡　振　豐

低鬟雙插夜來香①，細剔銀燈繡鏡旁②。濃抹新紅唇一點③，待郎今夕枕邊嘗④。

【析韻】

香、旁、嘗，下平、七陽。

【釋題】

詳本卷、二五一、釋題。

【注解】

①低鬟……香　後腦勺的環形髮髻，插著兩朵夜來香。鬟，ㄏㄨㄢˊ。婦女環形髮髻。雙插，分左右插戴。夜來香，多年生纏繞藤本。葉對生，卵圓狀心臟形。夏秋開花，花冠呈高腳碟狀，黃綠色，香氣濃，夜間尤盛，故稱。分布於亞洲熱帶區。我國華東、華南常見栽培。除供觀賞外，花可燻製茶葉，亦可做饌；根、花均入菜，能平肝明目。

②細剔……旁　坐在繡鏡附近，小心翼翼地撥動銀燈的燈蕊。剔，ㄊㄧˋ。撥動。老殘遊記第一〇回：「初起不過輕挑慢剔，聲響悠柔。」銀燈，銀製燈具。繡鏡，精美的明鏡。旁，附近。

③濃抹……點　臉龐敷上濃郁芳香的面霜、雙唇塗上淡紅誘人的胭脂。抹，敷。點，塗。

④待郎……嘗　等候郎君今夜在枕邊親身領受。待，等候。郎，指配偶，謂郎君。今夕，猶云今夜。嘗，親身領受。

二五五、美人聲　蔡振豐

佩環未響玉琤瑽①，隔膜偷聞笑話雙②。好是買花喉一囀③，隨風軟曳出晴窗④。

【析韻】

瑽、雙、窗，上平、三江。

【釋題】

美人聲，美女言語之悅耳音波也。美人，容貌姣好者，多指女子。六韜 文伐：「厚賂珠玉，娛以美人。」唐 顧況 悲歌詩：「美人二八顏如花，泣向春風畏花落。」聲（sound），喉之兩側膜狀韌帶，因呼吸而空氣流通，使其左右靠攏並振動披裂軟骨與小角軟骨，由是發出音波。老子：「五色令人目盲，五音令人耳聾。」美人聲，聲色兼有，可不慎哉？

【注解】

①佩環……瑽　玉珮並沒有發出清脆的碰撞聲響。佩環，玉質佩飾物。猶言玉飾。多指婦女的佩飾物。唐 柳宗元 小石潭記：「隔篁竹聞水聲，如鳴佩環，心樂之。」北宋 柳永 柳腰輕詞：「顧香砌、絲管初調，倚輕風，佩環微顫。」清 龔自珍 夢玉人引詞：「奏記簾前，佩環聽處依稀。」未響，沒有發出聲響。玉琤瑽，玉石碰撞聲。琤瑽，ㄔㄥ ㄘㄨㄥ。象聲詞。唐 劉禹錫 牛相公見示新什依韻抒情：「玉柱琤瑽韻，金觥雹凸稜。」南宋 陳造（一一三〇—一二〇三）不寐詩：「寒更何與衰翁事，數到琤瑽殺點餘。」清 納蘭性德 玉泉十二韻：「隱見瑤光曳，琤瑽珮響傳。」

②隔膜……雙　隱約中、暗地裏聽到兩人有說有笑，對語成雙。隔膜，看不清實質。引申作「隱約」解。「偷」聞，暗地裏。莊子 漁父：「不擇善否，兩容頰適，偷拔其所欲，謂之險。」王先謙集解引宣穎注：「偷拔，謂潛引人心中之欲。」南宋 史達祖（？—？，淳熙、嘉定間人）綺羅香 詠春雨詞：「做冷欺花，將煙困柳，千里偷催春暮。」

③好是……囀　妙在花魁女竟唱起歌來。好是，妙在。唐司空圖楊柳枝壽杯詞之十七：「好是梨花相映處，更勝松雪日初晴。」南宋吳琚（？—？，紹興中至慶元間人）江月詞：「此景天下應無，東南形勝，偉觀真奇絕。好是吳兒飛彩幟，蹴起一江秋雪。」買花，指花魁女。喉一囀，竟唱起歌來。喉囀，亦作「喉轉」，指歌唱。南宋吳曾能改齋漫錄樂府一：「澶淵營妓，有一二擅喉之技者，唯以『此花開後更無花』為酒鄉之資耳。」明謝肇淛（一五六七—一六二四）五雜俎人部二：「晉會稽夏仲御能作水戲……以足扣船，引聲喉囀，清激慷慨。」

④隨風……窗　順著風，柔和地牽引到明亮的窗外。「隨」風，順著。沿著。書禹貢：「禹敷土，隨山刊木。」孫星衍疏：「淮南子脩務訓：『隨山栞木。』高誘注：『隨，循也。』循義近行。」漢書西域傳序：「自車師前王廷隨北山，波河西行至疏勒，為北道。」清鄭世之（一六七一—一七二八）賣婦行：「饑人隨路死，白骨滿渠填。」軟曳，柔和地牽引。曳，ㄧㄝˋ。出，由內往外。晴窗，亦作「晴牕」。明亮的窗戶。唐杜牧閨情詩：「暗砌匀檀粉，晴窗畫夾衣。」南宋陸游臨安春雨初霽詩：「矮紙斜行閑作草，晴窗細乳戲分茶。」

二五六、賣花聲

林維丞

曉倚香匳畫翠眉①，新粧愛插好花枝②。一聲忽漏春消息③，忙捲珠簾促侍兒④。

【析韻】

眉、枝、兒，上平、四支。

【釋題】

少女或老嫗手提花籃，沿街兜售鮮花時的叫賣聲。聲，詳前首。

【注解】

①曉倚……眉　天一亮，就緊挨妝具，對鏡畫眉。曉，參考卷四、七三、注①。倚，ㄧˇ。參考卷一四、二三五、注①。香匳，本作「香奩」。婦女妝具。盛放脂彩、鏡、梳等物的匣子。南朝陳徐陵玉臺新詠序：「猗歟彤管，麗矣香奩。」南唐李煜挽辭：「玉筍猶殘藥，香匳已染塵。」匳，ㄌㄧㄢˊ。北宋賀鑄琴調相思引詞：「賴白玉香匳供粉澤。」清陳維崧虞美人詠鏡詞：「香奩涼鑑蟠金獸，背壓蛟螭鈕。」翠眉，舊時婦女以青黛畫眉，故稱。西晉崔豹古今注雜注：「魏宮人好畫長眉，今多作翠眉警鶴髻。」南朝梁江淹麗色賦：「夫絕世而獨立者，信東方之佳人，既翠眉而瑤質，亦盧瞳而赬脣。」唐盧綸宴席賦得姚美人拍箏歌：「徵收皓腕纏紅袖，深遏朱弦低翠眉。」

②新粧……枝　新的裝扮，喜歡插戴美麗的花朵。插，指插戴的動作。好，美妙。引申作「美麗」解。花枝，開有花的枝條。明 謝讜（一五二二—？）四喜記 花亭佳偶：「淺印花鞋小，斜插花枝鬢欲燒。」

③一聲……息　叫賣聲意外透露出百花齊綻的信息。一聲，指叫賣聲。忽漏，意外地透露出。春，草木生長，百花齊綻。南宋 范成大 雨後東郭梅開詩：「司花好事相邀勸，不著笙歌不肯春。」清 王世禛 馬嵬懷古詩：「巴山夜雨卻歸秦，金粟堆邊草不春。」消息，參卷二、二八、注③，卷一〇、一八四、注②。

④忙捲……侍兒　趕緊收拾起珠簾，並頻催婢女快點兒去選購。忙，趕緊。捲，收拾成捲筒狀。珠簾，參考卷一五、二四八、注②。促，催促。侍兒，使女，婢女。餘參卷五、九三、注④。

二五七、愁魔　　陳朝龍

豈因別恨鎖雙眉①，鎮日無言強自支②。我亦詩魔降不得③，聳肩擱筆幾沉思④。

【析韻】

眉、支、思，上平、四支。

【釋題】

愁魔，憂慮的思緒，如魔纏身。北宋蘇軾子玉家宴用前韻見寄復答之詩：「詩病逢春轉深痼，愁魔得酒暫奔忙。」明唐寅好姐姐秋景曲：「精神少，愁魔總賴香醪掃，心病能憑妙藥消。」

【注解】

①豈因……眉　難道為了離別的憂愁，不自覺地皺起眉頭？豈因，參考卷七、一二六、注④。唐高適送柴司戶充劉卿判官之嶺南詩：「別恨隨流水，交情脫寶刀。」北宋舒亶（一〇四〇—一一〇三）散天花詞：「驪歌齊唱罷，淚爭流。悠悠別恨幾時休。」清李景福（生卒年里均待考）與宋懌先同舟至廣陵即返白下口占贈別：「聚歡良不易，別恨復相仍。」鎖，皺（眉）。元王逢（一三一九—一三八八）江邊竹枝詞之二：「楚江風浪吳煙雨，翠鎖修眉八字山。」西遊補第六回：「美人說那裏話來，我見你愁眉一鎖，心肺都已碎了。」

②鎮日……支　從早到晚不說一句話，自個兒勉強地撐著。鎮日，從早到晚。整天。南宋朱熹邵武道中詩：「不惜容鬢凋，鎮日長空饑。」明陸采（一四九七—一五三七）懷香記醉誤佳期：「幽窗鎮日聞鶯燕，倚欄干愁腸千轉。」儒林外史第三四回：「鎮日同一個三十多歲的老嫂子看花飲酒，也覺得掃興。」無言，不言。強，勉強。自支，自個兒撐著。

③我亦……得　我也是個酷愛作詩如已著魔的人，並且不輕易順服的。詩魔，酷愛作詩好像著了魔的人。唐劉禹錫春日書懷寄東洛白二十二楊八二庶子詩：「心知洛下閑才子，不

作詩魔即酒顛。」清趙翼上元後三日芷堂過訪草堂次日夢樓亦至皆未有夙約也喜而有作後二首專簡芷堂詩：「草堂詩魔歷甘苦，書生結習故多憨。」降不得，順服不得。意謂不輕易順服。降，ㄒㄧㄤˊ。使馴服。

④聳肩……思　高擡雙肩、放下筆桿，多多少少深思一下吧！聳肩，高擡肩膀。唐韓愈石鼎聯句序：「道士啞然笑曰：『子詩如是而已乎？』即袖手聳肩，倚北墻坐。」擱，ㄍㄜ。放。放置。紅樓夢第一六回：「我又年輕，不壓人，怨不得不把我擱在眼裏。」兒女英雄傳第七回：「（姑娘）順手開了那櫃門，見裏面擱著一頂舊僧帽。」幾，ㄐㄧˇ。若干。多少。唐江為（？—？，晚唐之人。）江行詩：「越信隔年稀，孤舟幾夢歸？」南宋楊萬里送張倅詩：「山西勁氣何曾歇，秦漢迄今幾奇傑！」沉思，本作「沈思」。東漢趙曄吳越春秋越王無余外傳：「禹傷父功不成……七年聞樂不聽，過門不入，冠挂不顧，履遺不躡，動未及成，愁然沈思。」三國魏劉劭（？—？）人物志材理：「浮沈之人，不能沈思。」明王世貞石羊生傳：「元瑞性孤介，時時苦吟沈思，不甚與客相當。」

二五八、愁魔

劉廷壁

閒來底事蹙雙眉①，似有勾纏費所思②。我卻酒兵連日備③，愁城大破已多時④。

【析韻】

眉、思、時，上平、四支。

【釋題】

詳前首。

【注解】

①閒來……眉　平常何事老縮著眉頭。閒來，亦作「閑來」。平時。宋無名氏張協狀元戲文第十九齣：「奴家見婆說多時，閑來割捨不得，而今剪一捻頭髮在此，怕婆要做頭髢。」底事，何事。唐劉肅大唐新語酷忍：「天子富有四海，立皇后有何不可，關汝諸人底事，而生異議！」南宋張元幹（一〇九一—一一六一）賀新郎送胡邦衡待制赴新州詞：「底事崑崙傾砥柱，九地黃流亂注？」清趙翼陔餘叢考底：「江南俗語，問何物曰底物，何事曰底事。唐以來，已入詩詞中。」蹙，詳卷一、一五注①。雙眉，指眉頭言。

②似有……思　好像有糾結，煩著他思慮、盤算。勾纏，猶言糾結。費，ㄈㄟˋ。煩勞。北宋賀鑄減字浣溪沙詞：「易失舊歡勞蝶夢，難禁新恨費鸞腸。」明湯顯祖牡丹亭訣謁：「俺喫盡了黃淡酸甜，費你老人家澆培接植。」所思，指思慮、盤算的人或事言。詩鄘風載馳：「百爾所思，不如我所之。」楚辭九歌山鬼：「被石蘭兮帶杜衡，折芳馨兮遺所思。」

③我卻……備　我倒持續好幾天備酒待客。卻，反而。倒。唐司空圖漫書詩之一：「逢人漸覺鄉音異，卻恨鶯聲似故山。」水滸傳第二九回：「武松道：『我卻不是說嘴，憑著我

胸中本事，平生只要打天下硬漢，不明道德的人。』」南史 陳暄傳：「故江諮議有言：『酒猶兵也，兵可千日而不用，不可一日而不備，酒可千日而不飲，不可一飲而不醉。』」後因謂酒為「酒兵」。唐 唐彥謙無題詩：「憶別悠悠歲月長，酒兵無計敵愁腸。」金 元好問 追錄洛中舊作詩：「酒兵易壓悲城破，花影長隨日腳流。」連日，持續多日。備，準備。書 說命中：「惟事事乃其有備，有備無患。」唐 杜甫 石壕吏詩：「急應河陽役，猶得備晨炊。」水滸傳第二回：「王進自去備了馬，牽去後槽，……」

④愁城……時 大大地解除痛苦憂煩的心境，已經有段日子了。愁城，喻愁苦難消的心境。北周 庾信 愁賦：「攻許愁城終不破，蕩許愁門終不開。」北宋 周邦彥 滿路花 思情詞：「簾烘淚雨乾，酒壓愁城破。」明 王錂 春蕪記 秋閨：「他那裏宦海沉淪，我這裏愁城遙遠。」大，表程度言。破，解除。唐 杜甫 諸將詩：「多少材官守涇 渭。將軍且莫破愁顏。」唐 權德輿（七六一—八一八）送宇文文府赴行在詩：「送君當歲暮，斗酒破離顏。」北宋 歐陽澈（？—一一二七）虞美人詞：「那人音信全無箇，幽恨誰憑破？」多時，很長的時間。杜甫 宣政殿退朝晚出左掖詩：「雲近蓬萊常五色，雪殘鳷鵲亦多時。」前蜀 韋莊 女冠子詞：「昨夜夜半，枕上分明夢見，語多時，依舊桃花面。」北宋 秦觀 春日偶題呈錢尚書詩：「日典春衣忙為酒，家貧食粥已多時。」

二五九、醋海

鄭兆璜

千古爭談醋海寃①，美人對此暗銷魂②。傷心妒婦津頭險③，一樣風波不可言④。

【析韻】

寃、魂、言，上平、十三元。

【釋題】

醋海，喻妒忌之心極重。醋，ㄘㄨˋ。酸性液體調料。多以穀物經發酵釀製而成。北魏賈思勰齊民要術作酢法：「酢，今醋也。」引申作忌妒解。西遊補第六回：「項王失色道：『美人，想是你日間驚偏了心哩！為何極醋一個人說出極不醋一句話？』」紅樓夢第二一回：「平兒道：『他防你使得，你醋他使不得，他不籠絡着人，怎麼使喚呢？』」聊齋志異馬介甫：「酸風凜烈，吹殘綺閣之春；醋海汪洋，淹斷藍橋之月。」

【注解】

①千古……寃　久遠以來，人們搶著說妒忌所帶來的怨恨。千古，參考卷一三、二二六注④。爭，參考卷四、七九注①。談，說。談話議論。詩小雅節南山：「憂心如惔，不敢戲談。」西漢劉向九歎憂苦：「偓促談於廊廟兮，律魁放乎山間。」明歸有光（一五〇六—一五七一）五嶽山人前集序：「每與玉叔抵掌而談，相視而笑。」醋海，詳釋題。寃，ㄩㄢ。

本作「冤」。怨恨。墨子天志中：「若國家治，財用足……外有以為環璧珠玉，以聘撓四鄰，諸侯之冤不興矣。」唐韓愈謝自然詩：「往者不可悔，孤魂抱深冤。」

②美人……魂　佳人正面臨這種心境，偷偷地黯然飲泣、哀愁不已。美人，詳卷一、四、注②。對，面臨。暗，不公開。猶云偷偷地。銷魂，謂靈魂離開肉體。在此，用以形容極其哀愁。南朝梁江淹別賦：「黯然銷魂者，唯別而已矣。」唐錢起別張起居詩：「有別時留恨，銷魂況在今。」清龔自珍賀新郎長白定圃公子奎耀示重陽憶菊詞依韻奉和詞：「性懶情多兼骨傲，直得銷魂如此。」

③傷心……險　痛心妒婦津那渡口非常不安全。傷心，詳參卷一〇、一八六注④。妒婦津，詳卷八、一五四、釋題。頭，指渡口。險，非常不安全。易蹇：「見險而能止，知矣哉。」三國魏劉劭人物志釋爭：「險而與之訟，是押兕而攖虎，其可乎？」唐殷堯藩（？—？，大曆、太和間人）關中喪亂後詩：「去歲干戈險，今年蝗旱憂。」

④一樣……言　相同的風浪不可以說啊！一樣，同樣。沒有差別。唐王建宮詞之十六：「新衫一樣殿頭黃，銀帶排方獺尾長。」明李唐賓（？—？，天曆、洪武間人）梧桐葉第一折：「可正是一樣相思而斷魂。」風波，詳卷八、一五五、注④。

二六〇、秋閨怨

鄭兆璜

一枕秋風夢未酣①，曉窗倦依更何堪②？自憐不及黃花好③，開遍東籬蒂並含④。

【析韻】

酣、堪、含，下平、十三覃。

【釋題】

秋閨，秋日的閨房。指易引秋思之所。秋思，秋日寂寞淒涼的思緒。南朝梁江洪（？—五一七？；齊、梁間人。）秋風曲之二：「孀婦悲四時，況在秋閨內。」況，俗作「况」。怨，悲傷。哀傷。呂氏春秋侈樂：「樂不樂者，其民必怨，其生必傷。」西晉陸機歎逝賦：「痛靈根之夙隕，怨具爾之多喪。」明劉基逝仙詩之二：「徘徊歲華晚，感激生愁怨。」

【注解】

①一枕……酣　一躺在牀上，就聽到陣陣蕭瑟、淒涼的風聲，總睡得不熟、不甜。一枕，猶言一臥。臥必以枕，故稱。唐丁仙芝（？—？長安、乾元間人。）和薦福寺英公新搆禪堂：「一枕西山外，虛舟常浩然。」南宋陸游感秋詩：「一枕淒涼眠不得，呼燈起作感秋詩。」元馬致遠夜行船秋思曲：「蛩吟罷一枕纔寧貼，雞鳴後萬事無休歇，算名利何年是徹！」秋風，詳參卷八、五〇、注④，五二、注④。夢，睡夢。謂睡眠的狀態。酣，ㄏㄢ。

睡眠甜濃。後蜀顧敻酒泉子詞之五：「淚浸山枕濕，銀燈背帳夢方酣，雁飛南。」南宋何薳春渚紀聞關氏伯仲詩深妙：「寺官官小未朝參，紅日半竿春睡酣。」

②曉窗……堪　憑靠著清晨的花窗，精神疲憊，益發不能忍受。曉窗，參考卷四、七三、注①。

③自憐……好　自個兒悲傷、同情，不如菊花的命來得好。憐，悲哀同情。黃花，指菊花。

④開遍……含　開滿了東邊的圍籬，而且還帶著並蒂呢！遍，全。猶滿。兩朵花或兩個果子共一蒂曰並蒂，亦作「並蔕」。古人恆用以喻男女合歡或夫婦恩愛。唐皇甫松（？—？，永貞、咸通間人）竹枝詞之三：「芙蓉並蔕一心連，花侵隔子眼應穿。」清李漁慎鸞交贈妓：「有話須陳，並蒂分房各有根。」含，帶著。顯現。文心雕龍詮賦：「延壽靈光，含飛動之勢。」唐韓愈自袁州還京寄隨州周員外詩：「面猶含瘴色，眼已見華風。」

二六一、秋宮怨

鄭兆璜

落葉空階幾度過①，禁門深鎖奈愁何②？西風狂自歌團扇③，隆替君恩自古多④。

【析韻】

過、何、多，下平、五歌。

【釋題】

秋宮，猶言西宮。后妃所居宮也，亦用以指后妃。南齊書皇后傳贊：「秋宮亦遽，軒景前虧。」怨，詳前首。

【注解】

①落葉……過　枯葉飄落在寬闊的臺階，不知道已經多少次了。落葉，脫落的樹葉。落，ㄌㄨㄛˋ。脫落。詩 衛風 氓：「桑之未落，其葉沃若。」空階，參卷一〇、一八七、注①。幾度，幾回。猶言多少次。唐 劉長卿 題靈祐上人法華院木蘭花詩：「庭種南中樹，年華幾度新。」過，經過。論語 憲問：「子擊磬於衛，有荷蕢而過孔氏門者。」

②禁門……何　宮門牢牢地栓著。憂慮、又怎麼辦？禁門，宮門。帝王宮殿曰禁。東漢 陳琳 為袁紹檄豫州：「及臻呂后季年，產 祿專政……決事省禁，下凌上替，海內寒心。」深鎖，牢固地拴住。奈愁何，憂慮、又如何？

③西風……扇　秋風徒然發出蕭瑟淒涼的音聲。西風，指秋風。唐 李白 長干行：「八月西風起，想君發揚州。」清 陳維崧 百字令 送周求卓之任滎陽詞：「西風夕照，老鴉啼上枯樹。」枉自，白白地。徒然。水滸傳第二四回：「如今枉自有三五七口人喫飯，都不管事。」清 李漁 慎鸞交 雪憤：「狂徒枉自把奸邪逞，一事無成只落得命早傾。」歌團扇，詳卷三、五〇、釋題所引班婕妤怨歌行。

④隆替……多　從古到今，君恩厚薄、消長的事，倒可不少啊！隆替，盛衰。西晉 潘岳 西征賦：「人之升降，與政隆替，杖信則莫不用情，無欲則賞之不竊。」宋書 武帝紀中：「故大道之行，選賢與能，隆替無常期，禪代非一族。」在此，指受寵的程度而言。君恩，

國君的寵愛。另參卷五、九〇、注③，九〇、注①。恩，寵愛；情愛。詩豳風鴟鴞：「恩斯勤斯，鬻子之閔斯。」朱熹集傳：「恩，情愛也。」自古，猶言從古到今。多，謂不少。

二六二、寄　外

林朝崧

欲拈班管淚漣漣①，家累驅人各一天②。細說米鹽郎亦厭③，迴文詩附浣花牋④。

【析韻】

漣、天、牋，下平、一先。

【釋題】

舊時，婦女稱夫為外。寄外，妻子寄信（或他物）與丈夫。玉臺新詠徐悱妻劉令嫻答外詩之一：「花庭麗景斜，蘭牖輕風度。落日更新粧，開簾對春樹。明鸝葉中響，戲蝶枝邊鶩。調瑟本要歡，心愁不成趣。良會誠非遠，佳期今不遇。欲知幽怨多，春閨深且暮。」元龍輔（生卒年、籍里待考）女紅餘志載有「製履寄外」與十一月初四日五鼓紀夢寄外詩。

【注解】

①欲拈……漣　想提起筆來，淚水卻流個不停。拈，ㄋㄧㄢ。用兩、三個手指頭夾、捏取物。說文：「拈，掫也。」段玉裁注：「篇韻皆云：『指取也。』」唐杜甫題壁上韋偃畫

馬歌：「戲拈禿筆掃驊騮，欻見麒麟出東壁。」南宋劉過賀新郎春思詞：「佳人無意拈針線，遶朱閣，六曲徘徊，為他留戀。」班管，用斑竹製成的筆管，多指毛筆。班通「斑」。元鄭廷玉看錢奴第二折：「想着俺子父的情呵，可着我班管難擡。」明文徵明閑興詩：「端溪古研紫瓊瑤，班管新裝赤兔毫」。清龔自珍能令公少年行：「一索鈿盒知心同，再索班管知才工。」漣漣，淚流不止貌。詩衞風氓：「不見復關，泣涕漣漣。」漢書韋賢傳：「我既此登，望我舊階，先後茲度，漣漣孔懷。」唐白居易和微之詩和晨興因報問龜兒：「因茲漣漣際，一吐心中悲。」

②家累……天　家庭生活的負擔，迫使我們各奔東西。家累，家計負擔。累，ㄌㄟˋ。驅，迫使。逼迫。東晉陶潛乞食詩：「饑來驅我去，不知竟何之。」北宋蘇轍上范公參政書：「惟是險姦凶殲之人，嫉閣下聲名出入，甚於讎寇。然驅于羣議，暗嗚伏毒，不敢開口。」各一天，猶云各奔東西。一天，一片（塊）天空。唐李洞（？—八九七？）送雲卿上人遊安南詩：「島嶼分諸國，星河共一天。」金元好問浩然師出圍城賦鶴詩為送：「明年也作江鷗去，水宿雲飛共一天。」

③細說……厭　仔仔細細地訴說些柴油米鹽的瑣事，諒你也會憎惡、膩煩。米鹽，指開門七件事—柴、米、油、鹽、醬、醋、茶等日常生活瑣事。厭，ㄧㄢˋ。憎惡、膩煩。論語憲問：「夫子時然後言，人不厭其言；樂然後笑，人不厭其笑；義然後取，人不厭其取。」

④迴文……牋　用浣花牋謄一首迴文詩捎給你吧！迴文詩，以一定的格式排列，迴環往復均

能成義可讀的詩。詳本頁舉例。附，捎。寄。唐杜甫前出塞詩九之四：「路逢相識人，附書與六親。」浣花牋，亦作「浣溪牋」。牋紙名。唐薛濤命匠人取浣花溪水造紙，為深紅彩箋，名薛濤牋。又名浣花牋。唐李商隱送崔珏往西川詩：「浣花牋紙桃花色，好好題詩詠玉鉤。」鄭谷郊野詩：「題詩滿紅葉，何必浣花牋？」

迴文詩舉例

例一：花心疊字

要　拿

覔

出　花　朵

來　戴　開

例二：

山山出花朵，
不見覔花開，
西女要花戴，

合手拿花來。

例三：十字七言四句讀（反復重疊迴文詩）

香蓮碧水動風涼夏日長。

香蓮碧水動風涼，
水動風涼夏日長，
長日夏涼風動水，
涼風動水碧蓮香。

例四：字字迴文詩

幽島豔華月淡星荒渡斜舟繞亂沙白岸晴芳樹椰

從任一字讀起，朝任一方向讀起，隔一字、二字、三字讀起，皆通。

二六三、寄外

蔡振豐

上計秦嘉又一年①，不須別緒寫纏綿②。高堂健飯兒能讀③，兩家平安報客邊④。

【析韻】

年、綿、邊，下平、一先。

【釋題】

參考前首。

【注解】

①上計……年　恩愛夫妻相別又是一年了。上計秦嘉，喻恩愛夫妻。藝文類聚卷三二引秦嘉重報妻書曰：「車還空反，甚失所望，兼敘遠別，恨恨之情，顧有恨然。閒得此鏡，既明且好，形觀文彩，世所稀有，意甚愛之，故以相與。」嘉妻又報嘉書曰：「既惠音令，兼賜諸物，厚顧殷勤，出於非望，鏡有文彩之麗，釵有殊異之觀。……覽鏡執釵，情想彷彿，操琴詠詩，思心成結。敕以芳香馥身，喻以明鏡鑒形，此言過笑，未獲我心也。……素琴之作，當須君歸；明鏡之鑒，當待君還。」玉臺新詠卷一秦嘉贈婦詩：「顧看空室中，彷佛想姿形，一別懷萬恨，起坐為不寧。何用敘我心，遺思致款誠。寶釵可耀首，明鏡可鑒形。……愧彼贈我厚，慚此往物輕。雖知未足極，遺用敘我情。」按：上計，上計掾的

省稱。古，佐理州郡上計事務的官吏。秦嘉字士會，東漢隴西人，在郡為掾，妻徐淑。

②不須……綿　沒必要在信裏頭寫一些離別後情濃意殷的話語。別緒，離別的情思。唐駱賓王餞駱四得鐘字詩：「曲終驚別緒，醉裏失愁容。」北宋梅堯臣送仲連詩：「別緒如亂絲，欲理還不可；卻悲嬌女詩，寧戀更效左。」纏綿，本作「纏緜」。情意深厚。西晉陸機文賦：「誄纏緜而悽愴，銘博約而溫潤。」唐張籍節婦吟：「感君纏綿意，繫在紅羅襦。」元丁鶴年（一三三五—一四二四）採蓮曲：「採蓮復採蓮，藕亦不可棄。中有不斷絲，似妾纏綿意。」

③高堂……讀　父母食慾好，兒子會讀書。高堂，指父母。唐韋應物送黎六郎赴陽翟少府詩：「秖應傳善政，日夕慰高堂。」明夏完淳（一五八一—一六四七）寄後張詩：「汝為高堂不得來，我為高堂不得行。」健飯，食欲好。飯量大。南宋袁甫（？—？，淳熙、淳祐間人。）壽馮德厚詩之三：「祝子長年能健飯，好書讀到夜沈沈。」清吳偉業得友人札詢近況詩以答之：「京洛故人聞健飯，黃塵騎馬夾城頭。」

④兩字……邊　用「平安」兩個字回復旅居他鄉的丈夫。「平安」，「報」，均詳參卷六、一二一、注⑥。客邊，猶客中。謂旅居他鄉。元吳昌齡東坡夢第二折：「（東坡云）小官今日薄酒一杯，特來還敬。（正末云）大人，客邊何勞如此。」明戴冠（？—？，世次不詳。）題姚少師畫竹詩：「客邊偶寫龍孫譜，忘卻江南有此君。」紅樓夢第二六回：「（黛玉）又回思一番：『雖說舅母家如同自己家一樣，到底是客邊。』」

二六四、調外　林次湘

一樹梨花獨挺姿①，驚風耐雨幾多時②。無情最是癡蝴蝶③，忙裏尋春過別枝④。

【析韻】

姿、時、枝，上平、四支。

【釋題】

調，ㄉㄧㄠˋ。本謂戲曲、歌曲之樂律，今語調子。莊子徐无鬼：「夫或改調一弦，於五音當也，鼓之，二十五弦皆動。」唐王昌齡段宥廳孤桐詩：「響發調尚苦，清商勞一彈。」此處，詩題「調外」，實隱指作者之配偶外遇，有婚外之情也。

【注解】

①一樹……姿　一株開滿花朵的梨樹，自個兒直立著身軀。一樹，猶言一株。獨，一人。左傳宣公一一年：「諸侯縣公皆慶寡人，女獨不慶寡人，何故？」孟子公孫丑下：「得之為有財，古之人皆用之；吾何為獨不然？」挺，直立。荀子勸學：「雖有槁暴，不復挺者，輮使之然也。」楊倞注：「挺，直也。」唐元結篋中集序：「獨挺於流俗之中，強攘於已溺之後。」兒女英雄傳第三一回：「挺着個腰板兒走。」姿，謂容貌體態。在此，猶云身軀。

②驚風……時　恐懼風吹、忍受雨淋，可有一段時間了。驚，恐懼。幾，若干。表不定數。

③無情……蝶　愚笨的蝴蝶總是沒有情意。無情，沒有情意。沒有感情。唐崔塗（八五〇？—？）春夕詩：「水流花謝兩無情，送盡東風過楚城。」清查慎行鄴下雜咏：「濁漳最是無情物，送盡繁華只此聲。」癡，ㄔ。亦作「痴」。愚笨。不聰慧。

④忙裏……枝　繁忙當中飛奔到別的樹枝去探賞春景啊。尋春，探賞春景。唐陳子昂晦日宴高氏林亭詩：「尋春遊上路，追宴入山家。」北宋惠洪（一〇七一—一一二八）意行入古寺詩：「清明雨過快晴天，古寺尋春亦偶然。」明梁辰魚浣紗記遊春：「下官就是越國上大夫范蠡，尋春到此。」清徐元文（一六三四—一六九一）廣陵懷古詩：「尋春易過佳風月，送老難忘好墓田。」

二六五、冬夜寄內

蔡振豐

腸斷他鄉半樹梅①，手緘欲寄轉徘徊②。閨中料亦寒呵筆③，一樣相思入句來④。

【析韻】

梅、徊、來，上平、十灰。

【釋題】

寒冬某夜，投遞書信予妻。農曆十至十二月（自立冬至立春前）稱冬季。為一年四季中最後一季。夜，與「晝」相對，指天黑至天明之時段也。詩 鄭風 女曰雞鳴：「子興視夜，明星有爛。」寄，投遞。古泛稱妻妾曰內，後專指妻。左傳 襄公廿八年：「齊 慶豐好田而耆酒，與慶舍政，則以其內實遷于盧蒲 嫳氏，易內而飲酒。」杜預注：「內實，寶物妻妾也，移而居嫳家。」楊伯峻注：「內，妻妾也。」南唐 劉崇遠（九四三？—？，昇元以後人。）金華子雜編卷上：「晦辭自飲筵散，不及換衣，便步歸舟中，以告其內。」古今小說 木棉菴鄭虎臣報冤：「原來唐氏為人妬悍，賈涉平昔有箇懼內的毛病。」

【注解】

①腸斷……梅　身在異鄉，心情非常悲痛，就像半個梅福一般。腸斷，形容極度悲傷。東晉 干寶 搜神記卷二〇：「臨川東興，有人入山，得猿子，便將歸。猿母自後逐至家。此人縛猿子於庭中樹上，以示之。其母便搏頰向人，欲乞哀狀，直謂口不能言耳。此人既不能放，竟擊殺之，猿母悲喚，自擲而死。此人破腸視之，寸寸斷裂。」唐 白居易 長恨歌：「行宮見月傷心色，夜雨聞鈴腸斷聲。」元 王實甫 西廂記第三本第四折：「異鄉易得離愁病，妙藥難醫斷腸人。」他鄉，異鄉。家鄉以外的地方。樂府詩集 相和歌辭十三飲馬長城窟行：「夢見在我旁，忽覺在他鄉。」唐 杜甫 江亭王閬州筵錢蕭遂州詩：「離亭非舊國，春色是他鄉。」半樹，半株。半樹梅，隱語。猶云半個梅福。漢書 梅福傳：「梅福字子真，九江 壽春人也。少學長安，明尚書、穀梁春秋，為郡文學，補南昌尉，後去官歸壽春，……王氏浸盛，災異數見。羣下莫敢正言。福復上書……至元始中，王莽顓政，

福一朝棄妻子，去九江，至今傳以為仙。……」

②手緘……徊　親筆寫好的書信想要投寄，卻反復不定、往返迴旋。手緘，親筆寫的書信。緘，ㄐㄧㄢ。緘札。欲寫，想要投寄。欲，想要。寄，傳。傳達。西晉 陸機 思親賦：「指南雲以寄款，望歸風而效誠。」唐 李白 古有所思詩：「西來青鳥東飛去，願寄一書謝麻姑。」轉，反復不定。後漢書 楊終傳：「自永平以來，仍連大獄，有司窮考，轉相牽引，掠考冤濫，家屬徙邊。」徘徊，參考卷七、一二七、注②。

③閨中……筆　天寒筆凍，忖度你在內室也是忙著噓氣解筆，急切作書。閨中，猶言內室。特指女子所住的地方。南朝 梁 江淹 別賦：「閨中風暖，陌上草薰。」清 紀昀 閱微草堂筆記 槐西雜志三：「遊士某，在廣陵納一妾，頗嫻文墨，意甚相得，時於閨中倡和。」料，忖度。估量。戰國 楚 宋玉 對楚王問：「天蕃籬之鷃，豈能與之料天地之高哉？」西晉 左思 吳都賦：「夫上圖景宿，辨於天文者也；下料物土，析於地理者也。」劉逵注：「料，度也。」金 董解元 西廂記 諸宮調卷三：「酒入愁腸醉顏酡，料自家沒分消他。」寒，冷。書 洪範：「庶徵：曰雨、曰暘、曰燠、曰寒，曰風，曰時。五者來備，多以其敘，庶草蕃蕪。一極備，凶；一極無，凶。」荀子 勸學：「青，取之於藍，而青於藍；冰，水為之，而寒於水。」唐 韓愈 琴操 履霜操：「兒寒何衣？兒飢何食？」呵筆，天寒筆凍，噓氣解筆。唐 羅隱 雪詩：「寒窗呵筆尋詩句，一片飛來紙上銷。」北宋 梅堯臣 次韻和王景彝十四日冒雪晚歸：「閉門吾作袁安睡，呵筆君為謝客謠。」清 曹寅 塔

灣舟中曉起詩：「羣峰正清峭，呵筆漫荒題。」

④一樣……來　同樣互相思念，都在彼此魚雁往返的字句裏啊！一樣，詳參卷一五、二五九、注④。相思，互想思念。西漢蘇武留別妻詩：「生當復來歸，死當長相思。」南朝宋鮑照代春日行：「兩相思，兩不知。」南宋劉過賀新郎贈張彥功詞：「客裏歸韉須早發，怕天寒，風急相思苦。」入句來，指相思的種種，都寫在彼此往返的書信裏頭。

柒、記事

卷一六

二六六、詩牌

林維丞

閒將擊鉢當消寒①，鎮日沈吟倚畫欄②。雅興騷壇添韻事③，旁人莫作手談看④。

【析韻】

寒、欄、看，上平、十四寒。

【釋題】

詩牌，原稱詩板。始於唐人以木板題詩。宋人改稱詩牌。全唐詩卷五一一張祜題靈徹上人舊房：「寂寞空門支道林，滿堂詩板舊知音。」北宋林逋孤山寺詩：「白公睡閣幽如畫，張祜詩牌妙入神。」

【注解】

①閒將……寒　悠閒從容地把擊鉢催詩當做去寒滋暖的聖品。閒，ㄒㄧㄢˊ。亦作「閑」。悠然從容。楚辭　九歌　湘君：「交不忠兮怨長，期不信兮余以不閒。」王逸注：「閒，暇也。」唐　韓愈　把酒詩：「擾擾馳名者，誰能一日閑。」金　董解元　西廂記　諸宮調卷七：「白日渾閒夜難熬，獨自兀誰倸？」擊鉢，謂擊鉢催詩。南朝　齊　竟陵王　蕭子良，常於夜間邀集才子、學士飲酒賦詩，刻燭限時，規定燭燃一寸，詩成四韻。蕭文琰認為此並非難事，乃與丘令楷、江洪二人改為擊銅鉢催詩，要求鉢聲一止，詩即吟成。（南史　王僧孺傳）。當，ㄉㄤ，當做。算是。孟子　離婁下：「養生者，不足以當大事；惟送死，可以當大事。」三國志　吳書　韋曜傳：「初見禮異時，常為裁減，或密賜茶荈以當酒。」消寒，去寒。寒，冷。餘參卷一五、二六五、注③。

②鎮日……欄　整天靠著華麗的欄杆，深思覓句、低聲吟唱。鎮日，參考卷一五、二五七、注②。沈吟，本作「沉吟」。深思。古詩十九首　東城高且長：「馳情整中帶，沈吟聊躑躅。」北宋　秦觀　滿園花詞：「一向沈吟久，淚珠盈襟袖。」又，低聲吟味。文心雕龍　風骨：「是以怊悵述情，仲始乎風；沉吟鋪辭，莫先乎骨。」唐　獨孤及（七二五—七七七）寒夜溪行舟中作詩：「沈吟登樓賦，中夜起三復。」倚，參考卷一五、二五六、注①。畫欄，亦作「畫闌」。有畫飾的欄杆。唐　李賀　金銅仙人辭漢歌：「畫欄桂樹懸秋香，三十六宮土花碧。」北宋　周邦彥　玲瓏四犯詞：「嘆畫欄玉砌都換，纔始有緣重見。」元　周

權（？—？，貞元、至正間人）莫春詩：「盤篆香銷空院寂，鞦韆影閣畫闌歌。」

③雅興……事 這種高尚有品味的興致，給詩界增加了風雅佳事。雅興，高尚有品味的興致。南朝 梁 蕭統 錦帶書十二月啟夾鐘二月：「尋五柳之先生，琴尊雅興；謁孤松之君子，鸞鳳騰翩。」唐 牟融 遊報本寺詩：「雅興共尋方外樂，新詩爭羨郢中才。」騷壇，詳卷五、九九、注③。添，增加。韻事，詳卷三、四八、注②，並參考九三、注②。

④旁人……看 旁邊的人不要看成是在下圍棋。旁人，旁邊的人。清 王世禛 池北偶談 談異四銀杏：「友人不應，問再三不已，旁人皆匿笑。」又，亦作他人、別人解。南朝 宋 鮑照 代別鶴操：「心自有所存，旁人那得知。」唐 杜甫 堂成詩：「旁人錯比揚雄宅，懶惰無心作解嘲。」明 高啟 效樂天詩：「旁人笑寂寞，寂寞吾所欲。」手談，下圍棋。世說新語 巧藝：「王中郎以圍棊是坐隱，支公以圍棊為手談。」南史 齊武陵昭王曄傳：「汝與司徒手談，故當小相推讓。」唐 薛戎（七四七—八二一）遊爛柯山詩：「不語寄手談，無心引樵子。」

二六七、遺事感賦

丘逢甲

贖宅何須費百千①，樓頭酒客正酣眠②。西州曾灑山邱淚③，零落羊曇更十年④。

【析韻】

千、眠、年，下平、一先。

【釋題】

對前人（或前代）留下之事跡，有所思而賦詩以誌之，曰遺事感賦。漢書 藝文志：「兵家者，蓋出古司馬之職，王官之武備也……。司馬法是其遺事也。」唐 張喬 送朴充侍御歸海東詩：「來往尋遺事，秦皇有斷橋。」賦，吟誦或創作詩（歌）。左傳 文公十三年：「鄭伯與公宴于棐，子家賦鴻雁。」漢書 藝文志：「傳曰：『不歌而誦謂之賦，登高能賦可以為大夫。』」

【注解】

①贖宅……千　何必花用成百上千的銀兩，去買回已抵押出去的住所。贖，ㄕㄨˊ。用錢或其他的代價換回人身或抵押物。詩 秦風 黃鳥：「如可贖兮，人百其身。」鄭玄箋：「如此奄息之死，可以他人贖之者，人皆百其身。」南朝 梁 任昉 奏彈劉整：「寅以私錢七千贖當伯，乃使上廣州去。」清 紀昀 閱微草堂筆記 灤陽消夏錄三：「因虎橋坊舊宅未贖，權住錢香樹先生空宅中。」宅，ㄓㄞˊ。指住宅。住所。詩 大雅 崧高：「于邑于謝，南國是式。王命召伯，定申伯之宅。」孟子 梁惠王上：「五畝之宅，樹之以桑，五十者可以衣帛矣。」何須，猶云何必；何用。三國 魏 曹植 野田黃鶴行：「利劍不在掌，結友何須多？」唐 封演（？—？，開元、貞元間人。）封氏見聞記 敏速：「宰相曰：『七千可為多矣，

何須萬？』」北宋賀鑄臨江仙詞：「何須繡被，來伴擁蓑眠？」費，花用。耗費。左傳定公一五年：「楚既定，胡子豹又不事楚，曰：『存亡有命，事楚何為？多取費焉。』」淮南子氾論訓：「古之善賞者，費少而勸眾；善罰者，刑省而姦禁。」百千，成百上千。喻（眾）多。唐白居易泛春池詩：「霜竹百千竿，烟波六七畝。」

②樓頭……眠　樓上買醉的客人正在熟睡呢！樓頭，樓上。唐王昌齡青樓曲之一：「樓頭小婦鳴箏坐，遙見飛塵入建章。」南宋辛棄疾水龍吟登建康賞心亭詞：「落日樓頭，斷鴻聲裏，江南遊子。」酒客，好飲酒的人。在此，猶云買醉的人。漢書遊俠傳陳遵：「先是黃門郎揚雄作酒箴以諷諫成帝，其文為酒客難法度士。」唐李白尋魯城北范居士見范置酒摘蒼耳作詩：「酒客愛秋蔬，山盤薦霜梨。」正，表現在進行式。酣眠，酣睡。即熟睡。唐袁郊（？—？，咸通前後人）甘澤謠紅線：「某發其左扉，抵其寢帳。見田親家翁正於帳內。鼓趺酣眠。」清貝青喬（一八一〇—一八六三）咄咄吟：「舵樓一覺酣眠起，釣個鮮魚上酒樓。」

③西州……淚　西州城門外，見景興悲，一度不禁揮灑悼亡的淚水。西州，指西州城門。東晉揚州刺史治所置於西州，故址在今南京市。唐溫庭筠經故翰林袁學士居詩：「西州城外花千樹，盡是羊曇醉後春。」北宋蘇軾日日出東門詩：「何事羊公子，不肯過西州。」南宋張炎（一二四八—一三二二？）甘州辛印歲沈堯道同余北歸詞：「短夢依然江表，老淚灑西州。」曾，表過去式。猶言一度。灑淚，揮淚。山邱，本作「山丘」。墳墓。三

國魏曹植箜篌引：「生存華屋處，零落歸山丘。」北宋曾鞏南軒詩：「聖賢雖山丘，相望心或庶。」金元好問醉後詩：「身後山丘幾春草，醉來日月兩秋螢。」

④零落……年　故人仙遊泉壤，一眨眼又過了十年。零落，喻死亡。管子輕重已：「宜穫而不穫，風雨將作，五穀以削，市民零落。不穫之害也。」馬百非新詮：「零落，殞也。言風雨大起，五穀因而削減。士，戰士。民，普通人民。謂戰士與人民皆將飢餓以死也。」東漢孔融（一五三—二〇八）論盛孝章書：「海內知識，零落殆盡。」張銑注：「零落，死也。」唐王昌齡代扶風主人答詩：「鄉親悉零落，塚墓亦摧殘。」晉書謝安傳：「羊曇者，太山人，知名士也，為安所愛重。安薨後，輟樂彌年，行不由西州路。嘗因石頭大醉，扶路唱樂，不覺至州門。左右白曰：『此西州門。』曇悲感不已，以馬策扣扉，誦曹子建詩曰：『生存華屋處，零落歸山丘。』慟哭而去。」唐司空曙哭苗員外呈張參軍詩：「季子生前別，羊曇醉後愁」清許庭鑅（？—？，康、乾間人。）重過東園別墅感舊作詩：「今日羊曇頭白盡，尚零哀淚過西州。」更，ㄍㄥˋ。又。再。左傳僖公五年：「在此行也，晉不更舉矣。」史記平準書：「於是為秦錢重難用，更令民鑄錢。」唐王昌齡別劉謂詩：「天地寒更雨，蒼茫楚城陰。」清孔尚任桃花扇迎駕：「拚餘生寒灰已休，喜今朝涸海更流。」十年，形容時間長久。左傳僖公四年：「一薰一蕕，十年尚猶有臭。」楊伯峻注：「十年，言其久也。」唐賈島劍客詩：「十年磨一劍，霜刃未曾試。」

二六八、題嬰戲圖

陳濬芝

兒戲分明筆底收①，戴高履厚任優游②。披圖我亦童心觸③，一樣天機自在流④。

【析韻】

收、游、流，下平、十一尤。

【釋題】

題嬰戲圖，於嬰戲圖上端適當處撰作詩文補白。以嬰孩（即幼兒）遊戲為主題之圖畫作品，稱嬰戲圖。列子天瑞：「人自生至終，大化有四：嬰孩也，少壯也，老耄也，死亡也。」

【注解】

①兒戲……收　幼兒嬉戲，清清楚楚地操控在您的筆下。兒戲，猶兒嬉。謂幼兒嬉戲、玩耍。分明，參考卷四、八〇、注④。筆底，筆下。唐劉禹錫答樂天見憶詩：「筆底心無毒，杯前膽不豩。」收，控制。約束。晏子春秋外篇下十六：「寡人猶且淫佚而不收，怨罪重積于百姓。」張純一校注：「收，斂也。」三國魏嵇康釋私論：「遂莫能收情以自反，棄名以任實。」紅樓夢第四三回：「我勸你收着些兒好，太滿了就要流出來了。」

②戴高……游　頭頂高帽、腳登厚靴，無拘無束地儘情嬉耍。戴高，頭上帶着高帽。履厚，腳上穿著厚靴。任，聽憑。三國魏嵇康琴賦：「齊萬物兮超自得，委性命兮任去留。」

唐韓愈請復國子監生徒狀：「緣今年舉期已近，伏請去都五百里內，特許非時收補，其五百里外，且任鄉貢，至來年春一時收補。」北宋歐陽修憶滁州幽谷詩：「當日辛勤皆手植，而今開落任春風。」優游，亦作「優遊」。嬉耍；游玩。唐元稹春餘遣興詩：「恭扶瑞藤杖，步屧恣優游。」北宋司馬光和子駿洛中書事：「西都自古繁華地，冠蓋優遊萃五方。」

③披圖……觸　展開這幅圖，用心地觀賞，又再度引發我的童心。披圖，展閱圖畫、圖籍等。近人沈宗畸（一八六五—一九二六）題高麗閔王妃遺像：「醲酒難招海國魂，披圖喜識春風面。」亦，又。童心，兒童般的心情。猶言孩子氣。左傳襄公卅一年：「於是昭公十九年矣，猶有童心。」南宋陸游園中作詩：「花前自笑童心在，更半羣兒竹馬嬉。」觸，ㄔㄨˋ。引起。觸動。東漢班固白虎通五行：「木在東方，東方者，陰陽氣始動，萬物始生。木之為言觸也，陽氣動躍。」文心雕龍章句：「妙才激揚，雖觸思利貞，曷若折之中和，庶保無咎。」

④一樣……流　一模一樣的天賦靈機，自自然然地表現出來。一樣，指相同的模樣。餘參卷一五、二五九、注④。天機，天賦靈機。莊子大宗師：「其耆欲深者，其天機淺。」顏氏家訓勉學：「及至冠婚，體性稍定，因此天機，倍須訓誘。」自在，猶自然。北宋蘇軾過溫泉詩：「石龍有口口無根，自在流泉誰吐吞。」金元好問三香亭雜詠：「官園深閉無人到，自在流鶯哭暮春。」元薩都剌題三氏小樓詩：「南來北去年年事，岸草汀

花自在春。」流，流露。顯露。即表現出來。南朝宋鮑照代出自薊州北門行：「簫鼓流漢思，旌甲被胡霜。」謝莊月賦：「菊散芳於山椒，雁流哀於江瀨。」文心雕龍體性：「安仁輕敏，故鋒發而韻流。」

秋庭嬰戲圖（宋蘇漢臣）

二六九、題嬰戲圖

鄭兆璜

嬰孩相逐共嬉遊①，妙趣都從筆底收②。寫得天機真活潑③，兒時光景上心頭④。

【析韻】

遊、收、頭，下平、十一尤。

【釋題】

同前首。

【注解】

①嬰孩……遊　幼兒彼此追趕、一同玩樂。嬰孩，幼兒。列子　天瑞：「人自生至終，大化有四：嬰孩也，少壯也，老耄也，死亡也。」唐　方干　送道人歸舊巖詩：「目覩嬰孩成老叟，手栽松柏有枯枝。」北宋　蘇軾　種松得徠字詩：「山僧老無子，養護如嬰孩。」相逐，彼此追趕。逐，ㄓㄨˊ。追趕。左傳　隱公十一年：「公孫閼與潁考叔爭車，潁考叔挾輈以走，子都拔棘以逐之。」漢書　李廣傳：「其先曰李信，秦時為將，逐得燕太子丹者也。」南朝宋　謝惠連（四〇七—四三三）七月七日夜詠牛女：「留情顧華寢，遙心逐奔龍。」新唐書　姚崇傳：「臣年二十，居廣成澤，以呼鷹逐獸為樂。」共，同。嬉遊，本作「嬉游」。游樂。游玩。史記　司馬相如列傳：「若此輩者，數千百處。嬉游往來，宮宿館舍，庖廚不徙，

後宮不移，百官備具。」宋書 江夏文獻王義恭傳：「聲樂嬉遊，不宜令過；蒱酒漁獵，一切勿為。」北宋 梅堯臣 野鴿詩：「一日偶出羣，盤空恣嬉游。」明 王守仁（一四七二—一五二八）傳習錄卷中：「大抵童子之情，樂嬉游而憚拘檢。」

②妙趣……收 美好的情趣，都來自您筆下的操控。南朝 梁 沈約 七賢論：「故於野澤銜杯舉樽之致，寰中妙趣，固冥然不覩矣。」清 鈕琇 觚賸 首尾限字體：「詩審博，惟博故冥搜廣引，妙趣紛披。」都從，全部來自……。筆底、收，均詳參前首注①。

③寫得……潑 摹畫出他們的天賦靈機，個個富有生氣、活力，栩栩如生。寫，摹畫。天機，參前首注④。活潑，富有生氣、活力。清 程麟（？—？，世次不詳）此中人語 祝少瀛：「活潑春光，唐 虞化日，真趣徐參。」

④兒時……頭 孩童階段的各種風光景象，又出現在我的胸臆。光景，風光景象。南朝 梁 簡文帝 艷歌篇十八韻：「凌晨光景麗，倡女鳳樓中。」唐 韓愈 酬裴十六功曹巡府西驛途中見寄詩：「是時山水秋，光景何鮮新。」上，到。引申作出現解。心頭，心上。心間。意謂胸臆。唐 白居易 思往喜今詩：「爭似

宋人嬰戲圖（佚名）

如今作賓客，都無一念到心頭。」南宋 朱淑真 秋夜聞雨詩之二：「獨宿廣寒多少恨，一時分付我心頭。」紅樓夢第二五回：「天不拘兮地不羈，心頭無喜亦無悲。」

二七〇、題嬰戲圖

張　貞

二三結伴共嬉遊①，活潑天機畫裏收②。添寫忘年老萊子③，斑衣戲舞解親憂④。

【析韻】

遊、收、憂，下平、十一尤。

【釋題】

詳本卷、二六八。

【注解】

①二三……遊　幾個小孩結成友伴，一同玩樂。二三，約數。表示較少的數目。猶言幾。國語 吳語：「（越王）曰：『勾踐用帥二三之老，親委重罪，頓顙於邊。』」西漢 王褒 僮約：「日暮以歸，當送乾薪二三束。」唐 皎然 詠小瀑布：「瀑布小更奇，潺湲二三尺。」結伴，結成友伴。東晉 葛洪 抱朴子 金丹：「合丹當於名山之中，無人之地。結伴不過二三人。」唐 顧況 洛陽陌詩之二：「珂珮逐鳴騶，王孫結伴遊。」清 李漁 閒情偶寄 頤養行樂：「有人亦出，無人亦出；結伴可行，無伴亦可行。」共嬉遊，詳參前首注①。

②活潑……收　富生氣、活力的天賦靈機，在畫作當中，操控得宜，栩栩如生。活潑、天機，均參前首注③。收，參前首注②。

③添寫……子　加畫忘記年月的老萊子。添，增。加。寫，指作畫。忘年，忘記年月。莊子齊物論：「忘年忘義，振於无竟。」成玄英疏：「夫年者，生之所稟也，既同於生死，所以忘年也。」唐 元結（七一九—七七二）無為洞口作詩：「洞旁山僧皆學禪，無求無欲亦忘年。」清 李世熊（一六〇二—一六八六）獨松詩：「上友不羈雲，下友忘年石。」老萊子亦省稱作老萊。史記 老子韓非列傳：「或曰老萊子亦楚人也，著書十五篇，言道家之用，與孔子同時云。」又，藝文類聚卷二〇引列女傳：「老萊子孝養二親，行年七十，嬰兒自娛，著五色彩衣。嘗取漿上堂，跌仆，因臥地為小兒啼，或弄烏鳥於親側。」

④斑衣……憂　身穿彩衣，又戲又舞，取悅父母，消除他們的憂慮煩惱。彩衣娛親、斑衣戲舞，典出斑衣戲彩。北堂書鈔卷一一九引孝子傳言老萊子年七十，父母尚在，因常服斑衣，為嬰兒戲以娛親。初學記卷一七引孝子傳曰：「老萊子至孝，奉二親，行年七十，着五彩褊襴衣，弄雛鳥於親側。」又，太平御覽卷四一二收師覺授 孝子傳曰：「老萊子，楚人。行年七十，父母俱存，至孝蒸蒸，常著斑闌之衣。為親取飲，上堂腳胅（跌），恐傷父母之心，因僵仆為嬰兒啼。」孔子曰：『父母老，常年不稱老，為其傷老也，若老萊子，可謂不失孺子之心也。』」解，ㄐㄧㄝˇ。免除。消除。易 繫辭下：「故惡積而不可揜，罪大而不可解。」漢書 孔光傳：「（淳于）長犯大逆時，迺始等見長妻，已有當坐之罪，與身

犯法無異。後乃棄去，於法無以解。」顏師古注：「解，免也。」東晉葛洪抱朴子安貧：「圖畫騏驥以代徒行之勞，遙指海水以解口焦之渴。」親，父母。詩豳風東山：「親結其縭，九十其儀。」孔穎達疏：「其母親自結其衣之縭。」孟子盡心上：「孩提之童，無不知愛其親者。」孔頤疏：「繈褓之童子無有不知愛其父母。」唐張喬送友人歸江南詩：「親安誠可喜，道在亦何嗟。」清吳偉業贈吳錦雯兼示同社諸子詩：「我因老親守窮巷，買山未得囊無錢。」憂，憂愁。謂憂愁煩惱。詩秦風晨風：「未見君子，憂心如醉。」論語述而：「其為人也，發憤忘食，樂以忘憂，不知老之將至云爾。」

宋人嬰戲圖（佚名）

三國魏嵇康贈兄秀才入軍詩之十二：「心之憂矣，永嘯長吟。」唐白居易賣炭翁詩：「可憐身上衣正單，心憂炭賤願天寒。」

二七一、索畫梅花　丘逢甲

江山跌宕臥中遊①，向暖南枝憶故邱②。憑仗春風一枝筆③，扶持鄉夢到羅浮④。

【析韻】

遊、邱、浮，下平、十一尤。

【釋題】

求友儕撥冗寫梅也。索，ㄙㄨㄛˇ。求取。討取。百喻經伎兒作樂喻：「譬如伎兒，王前作樂，王許千錢。後從王索，王不與之。」清孫枝蔚元夜索火不得作此自傷詩：「索燈嗔稚子，聽雨愛寒天。」

【注解】

①江山……遊　靜躺假寐當中，我飽覽了上下起伏、壯麗無比的河山。江山，詳卷二、三〇、注③。跌宕，上下起伏。清洪昇長生殿舞盤：「盤旋跌宕，花枝招颭柳枝楊，鳳影高騫鸞影翔。」陳維崧千秋歲咏紙鳶詞：「翩翩自喜，跌宕青天裏。」臥，躺。睡。荀子解蔽：「心臥則夢。」史記高祖本紀：「漢王病創臥，張良彊請漢王起行勞軍，以安士卒。」

後蜀毛熙震浣溪紗詞之七：「半醉凝情臥繡茵，睡容無力卸羅裙。」遊，雲遊。謂遊歷四方。引申作「飽覽」解。詩唐風有杕之杜：「彼君子兮，噬肯來遊。」毛傳：「遊，觀也。」南朝宋鮑照擬古詩：「朝遊雁門上，暮還樓煩宿。」唐王維觀別者詩：「愛子遊燕趙，高堂有老親。」

②向暖……邱　看見朝著陽光的南面枝椏已經長出新芽，不禁令人回想起故鄉。向，朝。臨。迎。暖，不冷不熱。在此引申作陽光解。南枝，南面的枝椏。古詩十九首之一行行重行行：「胡馬依北風，越鳥朝南枝。」南朝梁何遜送韋司馬別詩：「予起南枝怨，子結北風愁。」唐李嶠（六四五？—七一四？）鷓鴣詩：「可憐鷓鴣飛，飛向樹南枝。南枝日照暖，北枝雙露滋。」在此，指梅枝而言。憶，回想。故邱，本作「故丘」。家鄉的山丘，謂故鄉。唐杜甫解悶詩之二：「一辭故國十經秋，每見秋瓜憶故丘。」北宋蘇軾次韻子瞻和淵明擬古之八：「竿木常自隨，何必返故邱。」清錢謙益陸宣公墓道行：「人言藁葬在忠州，又云徵還返故邱。」「丘」作「邱」係避先聖諱也。（廣韻集成）。

③憑仗……筆　靠著溫馨、融合的一枝畫筆。憑仗，依靠。依賴。北周庾信周車騎大將軍賀婁公神道碑：「祖慶，少習邊將，憑仗智勇。」唐元稹蒼溪縣寄揚州兄弟詩：「憑仗鯉魚將遠信，雁回時節到揚州。」元張埜（？—？，世次不詳）小龍吟詞：「憑仗何人收取，付天孫雲綃機杼。」春風，喻溫馨、融合（的氣氛）。筆，指畫筆。

④扶持……浮　助我順利地抵達洞天福地，稍解思鄉之愁。扶持，幫助。管子形勢解：「道

者，扶持眾物，使得生育，而各終其性命者也。」後漢書 李固傳：「固受國厚恩，是以竭其股肱，不顧死亡，志欲扶持王室，比隆文宣。」唐 韓愈 上張僕射策二書：「雖豈弟君子，神明所扶持。」鄉夢，亦作「郷夢」。思鄉之夢。唐 宋之問 別之望後獨宿藍田山莊詩：「愁至願甘寢，其如鄉夢何？」岑參 送張直公歸南鄭拜省詩：「北堂應久待，鄉夢促征期。」元 侯正卿（？—？，中統、至正間人。）菩薩蠻 客中寄情

丘逢甲故居

在今廣東蕉嶺縣文福區。建於清光緒二十二年（一八九六年），總面積約一八〇〇平方米，坐西朝東，門前有一口池塘，屋後有十二株大荔枝樹，傳為丘逢甲手植。共四個門樓。正門懸「培遠堂」匾，兩側對聯「培栽後進，遠繼先芬」，為丘逢甲所撰。正廳匾額「積善餘慶」為臺灣巡撫唐景崧所書。內堂有丘逢甲自撰對聯：「西枕盧峯，東朝玉筆，山水本多情，耕讀漁樵具適意；南騰天馬，北渡仙橋，林泉皆勝境，用藏書處盡隨心。」

套曲：「家書端可駈邪祟，鄉夢真堪療客飢。」明陳鶴（？—？，嘉靖、萬曆間人。）夜坐寄朱仲開張甌江詩：「客愁初到鬢，鄉夢不離家。」到，抵達。羅浮，山名。在廣東省增城、博羅、河源等縣間，長達百餘公里，峯巒四百餘，風景秀麗，為粵中名山。相傳羅山之西有浮山，為蓬萊之一阜，浮海而至，與羅山並體，故名。傳稱東晉葛洪於此得仙術。山上有洞，道教列為第七洞天。按：作者祖籍廣東，附誌之。

二七二、題秘戲圖　劉廷璧

圖翻秘戲亦清閒①，卌六春宮一樣頒②。絕好偎肩燈下看③，春心一觸上眉彎④。

【析韻】

閒、頒、彎，上平、十五刪。

【釋題】

為秘戲圖冊撰作詩句也。男女交媾圖，現存文獻，可追溯至公元前五〇年左右。漢書卷五三景十三王傳（廣川王傳）：「……文……二年薨。子海陽嗣，十五年，坐畫屋為男女贏交接，置酒請諸父姐妹飲，令仰視畫；……。」所謂秘戲圖即春宮畫，又稱春畫，俗稱春意兒。裱成蝴蝶裝圖冊者，稱春冊，自明萬曆初年始盛行；又分畫卷與畫冊。荷蘭學者高羅佩（Robert H. van Gulik 1910-1967）於民國四十年前後。曾發表春畫研究專文：Erotic Colour

Prints of The Ming Period, with An Essay on the Chinese Sex Life from the Han to the Ch'ing Dynasty, B.C 206-A.D1644，中文暫譯：「明春宮彩色版畫——兼論兩漢迄清初中國人性生活（公元前二〇六—公元一六四四年）」。

【注解】

①圖翻……閒　想披覽秘戲圖，也是排遣無聊、消磨空閒時間的方法。圖，企圖。引申作「想」解。翻，披覽。舊唐書 李密傳：「仍將漢書一帙挂於角上，一手提牛靷，一手翻卷書讀之。」北宋 黃庭堅 放言詩之十：「欲付此中意，掃翻蟲蠹書。」清 趙翼五十初度詩：「閑翻青史覽窮塵，歷歷前聞觸緒頻。」秘戲，指秘戲圖。詳釋題。清閒，亦作「清閑」。消磨空閒的時間。明 湯式（？—？，至元、宣德間人。）一枝花 贈人套曲：「論文時芸窗下摘句尋章，論武時柳營內調絲弄竹，消閑時花陰外打馬藏鬮。」醒世恒言 灌園叟晚逢仙女：「雖不能得道成仙，亦可以消閑解悶。」清 洪昇 長生殿 驚變：「三杯兩盞，遺興消閒。」

②卅六……殞　很多很多的淫穢、煽情的畫面，毫無差別地呈現在圖冊當中。卅六，屬約計之詞。極言其多。東漢 班固 西都賦：「離宮別館，三十六所。」李善注：「離別，非一所也。上林賦曰：『離宮別館，彌山跨谷。』」唐 駱賓王 帝京篇：「秦塞重關一百二，漢家離宮三十六。」北宋 王珪（一〇一九—一〇八五）宮詞：「漏永禁宮三十六，宴回爭踏月輪歸。」儒林外史第一四回：「三十六家花酒店，七十二座管弦樓。」春宮，淫穢，

煽情的圖畫。按：源自宋春宮秘戲圖。紅樓夢第二六回：「昨兒我看見人家一本春宮兒，畫的很好。」近人錢杏邨（一九〇〇—一九七七）閑話西湖景引清 芝蘭室主人 都門雜吟：「可笑不分人老幼，紛紛鏡裏看春宮。」一樣，沒有差別。頒，發布。引申作「呈現」解。

③絕好……看　最好兩人緊挨著肩膀，在燈光下觀賞。絕好，猶最好。偎，ㄨㄟ。緊挨著。緊貼著。唐 溫庭筠 南湖詩：「野船着岸偎春草，水鳥帶波飛夕陽。」元 陳以仁 存孝打虎第二折：「我則見八面威的猛獸偎深澗，他可早一跳身番飛過淺山。」燈下，燈光下。

④春心……彎　男女愛慕的情懷，一旦引發，兩道彎彎的秀眉隱約可見端倪。春心，男女相思愛慕的情懷。南朝 梁元帝 春別應令詩之一：「花朝月夜動春心，誰忍相思不相見？」初刻拍案驚奇卷三一：「正寅看見賽兒尖鬆鬆雪白一雙手，春心搖盪。」花月痕第七回：「牢鎖春心荳蔻梢，可人還似不勝嬌。」觸，碰。引申作「引發」解。上，到。猶出現。眉彎，彎彎的眉毛。清 龔自珍太常行詞：「似他身世，似他心性，無恨到眉彎。」

二七三、濳園重脩吟社

蔡振豐

折柬相邀興致豪①，爭先鬬捷各揮毫②。吟壇依舊梅花裏③，韻事重脩第一遭④。

【析韻】

豪、毫、遭，下平、四豪。

【釋題】

潛園，詳卷二〇、三三一釋題，茲從略。重脩，謂再度整頓，重振旗鼓。修，整治、裝飾。脩，本意肉脯。「修」、「脩」，原有別。自漢隸，兩字已通用，古籍中兩字恒互通。

吟社，詩社。

【注解】

①折柬……豪　彼此寫信招請，大家的興趣都非常高。折柬，本作「折簡」。本謂折半之簡。在此，代指書札、信箋。南宋葉紹翁（？—？，慶元、景定間人。）四朝聞見錄　孝宗御製賜吳益：「（孝宗）手書御札一聯云：『稱此一天風月好，橘香酒熟待君來。』命近璫持此賜益。益入對，頓首稱謝。上笑曰：『聊復當折簡耳。』」元薩都刺　經姑蘇同游虎丘山次東坡舊題韻：「九京倘可作，當為折簡請。」清李漁　風箏誤　題鷂：「幸有風箏為折柬，寄愁天上何難。」相邀，彼此招請。興致，興趣。唐孫棨（？—？，唐末、五代時人）北里志　序：「予頻隨計吏，久寓京華，時亦偷游其中，固非興致。」聊齋志異　海公子：「妾自謂興致不凡，不圖先有同調。」二十年目睹之怪現狀第九回：「我自從入了仕途，許久不作詩了；你有興致，我們多早晚多約兩個人，唱和唱和也好。」豪，本謂迅猛：強勁。尉繚子　攻權：「夫力弱，故進退不豪，縱敵不擒。」唐韓愈　貞女俠詩：「江盤峽束春湍豪，雷風戰鬭魚龍逃。」北宋王安石　和王微之登高齋詩之一：「風豪雨橫費調燮，坐使發背為黃臺。」清魏之琇（？—？）臺城路　雲溪自湖墅移居東郊詞：「霜豪

雪練，別寫個東園，小堂清宴。」

②爭先……毫　搶第一、比快速，各自運筆書寫。爭，搶。鬬，本作「鬥」，亦作「鬭」、「鬪」、「鬦」。比賽。爭勝。唐 陸龜蒙 祕色越器詩：「好向中宵盛沆瀣，共嵇中散鬬遺杯。」敦煌變文集 維摩詰經講經文：「項臂垂瓔珞，珍珠鬦寶冠。」北宋 宋祁 送孫皋詩：「江邊瑤草鬬袍青，所樂從軍得四明。」明 陳子龍 幽草賦：「學織潤於脩翕，鬬輕揚於翠羽。」捷，ㄐㄧㄝˊ。迅速。敏疾。荀子 君子：「親疏有分，則施行而不悖；長幼有序，則事業捷成而有所休。」呂氏春秋 貴卒：「吳起之智可謂捷矣。」高誘注：「捷，疾也。」北魏 賈思勰 齊民要術 種穀：「穫不可不速，常以急疾為務。芒張葉黃，捷穫之無疑。」明 李東陽 豐年頌：「惟天之靈，惟吾皇之德，信如著卜。捷如影響，無有違逆。」揮毫，運筆書寫（或繪畫）。唐 杜甫 飲中八仙歌：「張旭三杯草聖傳，脫帽露頂王公前，揮毫落紙如雲煙。」北宋 王安石 和王微之登高齋詩之三：「揮毫更想能一戰，數窘乃見詩人才。」

③吟壇……裏　詩人聚會之所，仍然位在梅樹叢中。吟壇，詩壇。謂詩人聚會之處。唐 牟融 過蠡湖詩：「幾度篝簾相對處，無邊詩思到吟壇。」元 歐陽玄 祭祖墓詩之一：「白髮甘泉忝從官，歸來曳履上吟壇。」近人甯調元（一八八三—一九一三）海上次韻答天梅：「我向吟壇一低首，詩人今有李空同。」依舊，猶仍然。謂未作改變。梅花裏，梅樹叢中。裏，表範圍。

④韻事……遭　再行整理裝修的風雅之事，可是第一回呢！韻事，詳卷三、四八、注②。重倏，詳本首釋題。遭，作量詞使用。猶「回」。「次」。

二七四、竹垣雅集

丘逢甲

長安消息動輪蹏①，柳未成陰草未齊②。風雨南來人北上③，詩心留駐竹城西④。

【析韻】

號、齊、西，上平、八齊。

【釋題】

竹垣雅集者，眾同好、諸友儕，聚會於新竹風城也。新竹（竹塹）又稱竹垣。垣，ㄩㄢˊ。短牆；泛指城牆。清雍正十年（一七三二）淡水同知徐治民率守軍、眾庶以刺竹環插於今竹市舊都心之四周為城，周圍四百四十餘丈，此為新竹創城之始，竹塹城由此得名，亦稱竹子城。嘉慶十一年（一八〇六）改造土城，十八年（一八一三）城周增為一、四〇〇丈、高廣各二丈、濠深一丈，並改建四門。道光五年（一八二六）改以磚石砌造城牆。雅集，風雅之集會也。猶雅會。南宋姜夔一萼紅人日登長沙定王臺詞：「記曾共西樓雅集，想垂柳還裊萬絲金。」儒林外史第一八回：「吾輩今日雅集，不可無詩。」

【注解】

①長安……蹏　京師的訊息，使用車馬輾轉傳達此地。長安，隱指國都，謂北京。消息，訊息。指中日甲午戰爭。動，使用。輪蹏，本作「輪蹄」。車輪和馬蹄。代指車馬。唐韓愈南內朝賀歸呈同官詩：「綠槐十二街，渙散馳輪蹄。」清顧炎武遇蘇祿國王墓詩：「世有國人供灑掃，每勤詞客駐輪蹏。」厲鶚（一六九二—一七五二）沽上題襟集序：「僕三遊長安，皆有事，輪蹏未嘗一至水西，與分劇韻。」近人程善之自蕪湖至徽州道中詩：「明發別主人，更與輪蹄逐。」

②柳未……齊　柳樹的枝葉尚未繁茂，地上的青草也還沒有長得平整。陰，ㄧㄣ。通「蔭」。指枝葉繁茂狀。齊，平整。

③風雨……上　清廷喪師、日帝索臺的噩耗南傳到了臺澎；我卻風塵僕僕地朝北而行。風雨，喻紛紛的議論與各種各樣的傳說。

④詩心……西　作詩的心思停滯在竹塹城西側的潛園啊！詩心，作詩的心思、心緒。五代齊巳（？—？，唐末五代時人。）謝𣶣湖茶詩：「還是詩心苦，堪消蠟面香。」北宋王令（一〇三二—一〇五九）庭草詩：「獨有詩心在，時時一自哦。」清秋瑾失題詩：「詩心鯨背雪，婦思馬頭雲。」留駐，停滯（在）……。唐佚名劍俠傳：「從元帥床頭獲一金合（盒），不敢留駐，謹卻封納。」竹城，竹塹城。西，西側。榮按：潛園位於竹塹西門內側。

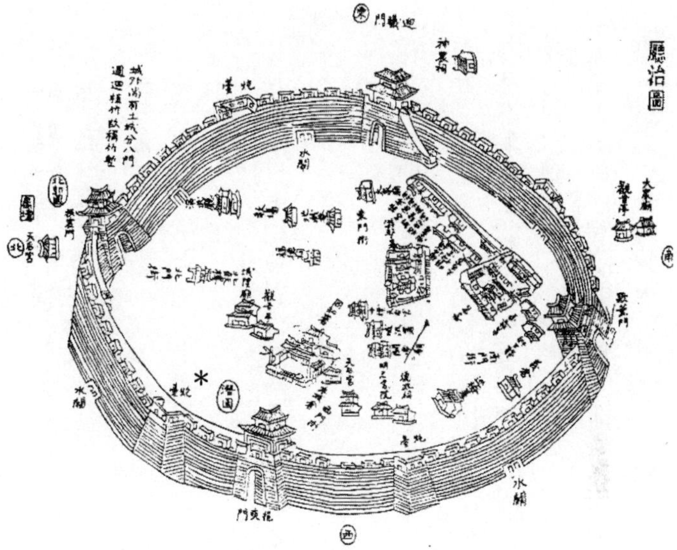

＊潛園原址

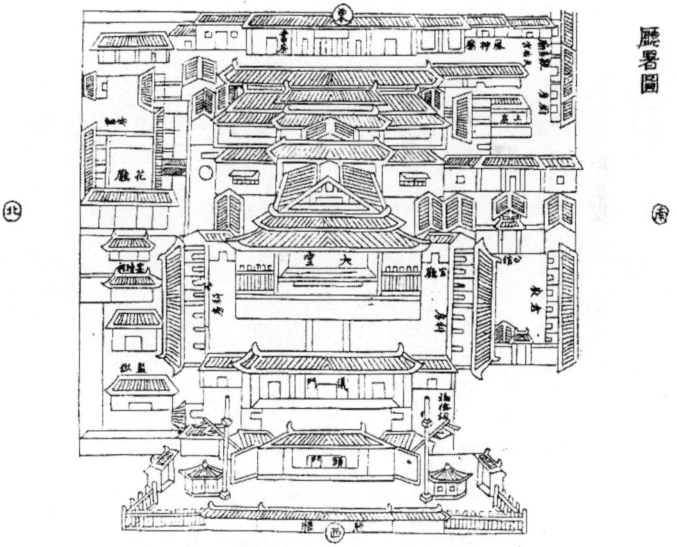

清淡水廳治設於竹塹城（今新竹市）

二七五、元月二日新開詩社

蔡　振　豐

【敲】詩韻事當消寒①，滿眼春光着筆難②。一樣昨朝同應制③，祈年吉語撰千官④。

【析韻】

寒、難、官，上平、十四寒。

【釋題】

元月二日，指農曆正月初二，元旦之翌日。新開詩社，謂舊歲已除，新年眾詩友首度集會唱和也。

【注解】

①敲詩……寒　推敲詩句這種風雅的事，就權充做去寒滋暖的聖品。「敲」原訛刊作「敵」，訂正之。敲詩，推敲詩句。元張可久小桃紅憶疏齋學士郊行曲：「飛梅和雪灑林梢，花落春顛倒，驢背敲詩暮寒峭。」清任曾貽（？—？）百字令詞：「貰酒當罏，敲詩午夜，彈指成今昔。」韻事，詳卷三、四八、注②。消寒，詳參本卷、二六六、注①。

②滿眼……難　雙眼所看見的都是春的景緻；倒不容易下筆。滿眼，充滿眼球。猶言雙眼所見。春光，春的景緻、風光。南朝宋吳孜（？—？，世次不詳。）春閨怨詩：「春光太無意，窺窗來見參。」南宋楊萬里題廣濟圩詩之三：「詩卷且留燈下看，轎中只好看春

光。」清黃遵憲遣悶詩：「花開花落掩關臥，負汝春光奈汝何。」着筆，猶云下筆。

③一樣……制 相同的是：昨天清晨一起應命作詩。應制，本謂應皇帝之命寫作詩文。如：南朝宋謝莊有七夕夜詠牛女應制詩，唐上官儀（六〇七—六六四）有奉和過舊宅應制詩……等。北宋歐陽修歸田錄卷二：「真宗朝，歲歲賞花釣魚，羣臣應制。」

④祈年……官 祈求豐年的美言佳句，盡是眾多官員的嘔心寫作。祈年，祈求豐年。詩大雅雲漢：「祈年孔夙，方社不莫。」鄭玄箋：「我祈豐年甚早。」南朝梁江淹蕭太傅東耕祝文：「宜民宜稼，克祥祈年。」唐羅隱岐王宅詩：「雲低雍畤祈年去，雨細長楊從獵歸。」吉語，吉祥的言辭。唐韓愈此日足可惜贈張籍詩：「聞子高第日，正從相公喪。哀情逢吉語，惝怳難為雙。」南宋陸游古別離詩：「紫姑吉語元無據，況憑瓦兆占歸日。」撰千官，千官（所）撰。千官，謂眾多的官員。呂氏春秋君守：「大聖無事，而千官盡能。」唐曹唐三年冬大禮詩之三：「千官不動旌旗下，日照南山萬樹雲。」近人魯迅（一八八一—一九三六）亥年殘秋偶作詩：「塵海蒼茫沈百感，金風蕭瑟走千官。」撰，ㄓㄨㄢˋ。寫作。著述。唐杜甫洗兵行：「隱士休歌紫芝曲，詞人解撰清河頌。」北宋蘇軾與曾子固書：「先君欲求人為撰墓碣。」

二七六、梅花百咏乞雲郎

蔡振豐

百咏新詞筆不停①，雲郎一乞各忘形②。先生莫被梅花笑③，別具風情覓小星④。

【析韻】

停、形、星，下平、九青。

【釋題】

梅，原產於我國，尤盛栽於江南各省，夙為國人所愛。北宋林逋嗜梅如癡，竟至不娶，以梅為妻、以鶴為子。歷代騷人墨客，賞梅之餘，吟誦為詩、詞、文，不勝枚舉。以梅花百咏為書名者，據編者所知，宋人李祺（生卒年待考）首撰梅花百咏，惜已不傳。端平間（一二三四－一二三六），張道洽（一二〇五－一二六八）以梅為題，作詩三百餘首，今僅存數首收錄於瀛奎律髓。元馮子振（一二五七－？）、釋明本（一二六三－一三二三）唱和梅花百咏經收錄於四庫全書（集庫、總集類）。韋珪（元順帝時人，生卒年不詳）撰梅花百咏一卷，列四庫未收書目提要。林茗澗（生卒年待考）撰梅花百咏一卷集絕句百首。日江戶幕府時代薩摩（今鹿兒島縣）玉山主人（生卒年不詳）撰梅花百咏一卷，前附伊藤長胤等人序文。咏，同「詠」。作者屬意雲郎做梅花百咏以饗詩友，故謂之「乞」。乞，ㄑㄧˇ。向人求討。左傳僖公十三年：「冬，晉荐饑，使乞糴於秦。」趙鍾麟（一八六三－一九三六），晚號老雲（老云），時人暱稱雲郎而不名。郎，男子之美稱也。渠與作者為莫逆交；餘詳作者篇。

【注解】

①百咏……停　為了寫成百首的詩。手上的筆不曾歇息。百咏，猶百首。新，與「舊」相對。新詞，近期所撰詩作，非昔日舊作也。停，止。猶言歇。

②雲郎……形　雲兄一旦被求討；悉心盡力，渾然忘我。雲郎、乞，均詳本首釋題。各，皆。都。忘形，超然物外，忘了自己的形體。莊子讓王：「故養志者忘形，養形者忘利，致道者忘心矣。」前蜀韋莊對酒詩：「何用巖棲隱姓名，一壺春酎可忘形。」北宋秦觀滿庭芳詞：「時時，橫短笛，清風皓月，相與忘形。江愛秋濤壯，山憐宿雨青。」各忘形，形容悉心盡力，渾然忘我也。

③先生……笑　您，千萬不要被梅花取笑。先生，對人的敬詞。猶云您。笑，指取笑、嘲笑言。

④別具……星　（在）尋求擁有另外一種丰采的姬妾啊！別具，擁有另一種。風情，丰采。晉書庾亮傳：「元帝為鎮東時，聞其名，辟西曹掾。及引見，風情都雅，過於所望，甚器重之。」南史齊衡陽元王鈞傳：「衡陽王飄飄有凌雲氣，其風情素韻，彌足可懷。」清紐琇觚賸雪遘：「才華豐豔，而風情瀟灑。」覓，尋求。小星，姬妾的代稱。詩召南小星序：「小星，惠及下也。夫人無妒忌之行，惠及賤妾。」明吳炳（一五九五—一六四八）療妒羹賢風：「夫人時常寬慰，許備小星。」紐琇觚賸雲娘：「公子治吉

席，特為小星催粧。雲忽易戎服，掣所佩刀，出立堂上，責公子。」

二七七、池上擣衣詞　蔡振豐

東鄰不比西鄰豔①，西鄰不比東鄰勤②。綠楊一帶橫塘路③，人語砧聲聽不分④。

【析韻】

勤、分，上平、十二文。

【釋題】

池上，水塘上。古時，衣裳常採紈素織物製作，質地比較硬挺，須先置於石上以杵反復舂搗，使之柔軟，曰擣衣。擣，ㄉㄠˇ。後泛指捶洗。東晉曹毗（一作「昆」。?—?，永嘉、太元間人）夜聽擣衣詩：「寒興御紈素，佳人理衣襟。冬夜清且永，皓月照堂陰。」謝惠連擣衣詩：「衡紀無淹度，晷運倏如催，白露滋園菊，秋風落庭槐。」南朝齊謝朓秋夜詩：「秋夜促織鳴，南鄰擣衣急。」唐李白子夜吳歌之三：「長安一片月，萬戶擣衣聲。」南宋葛天民（?—?，慶元前後之人。）春懷詩：「夜雨漲波高一尺，失卻擣衣平正石。」清陳維崧瑤花秋雨新晴登遠閣眺望詞：「金閨瑟瑟，正青砧隔院擣衣纔罷。」

【注解】

①東鄰……豔　東面的人家比不上西面人家來得嬌麗可人。鄰，指住家接近的人、人家。易

既濟：「東鄰殺牛，不如西鄰之禴祭，實受其福。」清 李漁 蜃中樓 耳卜：「劉、阮去，分頭問津，定覓個天臺二女結仙鄰。」不比，猶言比不上。比，ㄅㄧˇ。兩人或兩物相較美醜、優劣。豔，參卷一、六、注④。

②西鄰……勤　西面的人家比不上東面人家來得用心用力。勤，盡力多做。不斷地做。猶言用心用力。書 周官：「爾卿士，功崇惟志，業廣惟勤。」唐 韓愈 進學解「業精于勤荒于嬉，行成于思毀于隨。」清 錢泳 履園叢話 考索 勤：「凡事勤則成，嬾則敗。」

③綠楊……路　青翠的楊柳附近、水塘路邊。綠楊，青翠的楊柳樹。南朝 齊 王融（四六七—四九三）古意詩：「巫山綵雲沒，淇上綠楊稀。」唐 韋莊 送福州王先輩南歸詩：「明日一杯何處別，綠陽煙岸

池上擣衣舊影（光緒末年，今雙連附近）

雨濛濛。」李益 鹽洲過胡兒飲馬泉詩：「綠楊著水草如烟，舊是胡兒飲馬泉。」白居易 楊柳枝詞：「若解多情尋小小，綠楊深處是蘇家。」一帶，詳參卷十三、二三一、注③。橫塘，泛稱水塘。唐 溫庭筠 池塘七夕詩：「萬家砧杵三篙水，一夕橫塘似舊遊。」前蜀 牛嶠 玉樓春詞：「春入橫塘搖淺浪，花落小園空惆悵。」南宋 陸游 秋思絕句：「黃蛺蝶輕停曲檻，紅蜻蜓小過橫塘。」路，謂路邊。路旁。

④人語……分　究竟是婦人互相細語，還是搗衣發出的聲響？不容易分辨啊！砧聲，亦作「碪聲」。搗衣聲。唐 李頎 送魏萬之京詩：「關城曙色催寒近，御苑砧聲向晚多。」金 元好問 短日詩：「短日碪聲急，重雲雁影深。」明 劉基 秋日即事詩之十三：「雁行卻向城頭過，何處砧聲隱隱聞。」徐復祚 投梭記 賽魘：「砧聲續斷來，孤舟冷落無聊賴，人在天涯音信乖。」砧，ㄓㄣ。亦作「碪」。搗衣石。

捌、詠時令

卷一七

二七八、曉角

陳朝龍

號令新傳到六軍①，曉天吹角耳邊聞②。一聲劃破關山月③，萬幕炊烟曙色分④。

【析韻】

軍、聞、分，上平、十二文。

【釋題】

曉角，報曉的號角聲。曉，ㄒㄧㄠˇ。明亮。特指天亮。說文：「曉，明也。从日，堯聲。」唐沈佺期關山月詩：「將軍聽曉角，戰馬欲南歸。」袁郊（？－？，咸通前後時人。）甘澤謠紅線：「忽聞曉角吟風，一葉墜露，驚而試問，即紅線迴矣。」元陳櫟（一二五二－

一三三四）春先亭賦：「宜曉角之悲壯，任吹笛於高樓。」

【注解】

①號令……軍　號召的指令，剛剛送達戍守邊境的部旅。號令，上級號召下級所發布的指令。禮記 月令：「（季秋之月）是月也，申嚴號令。」史記 屈原賈生列傳：「入則與王圖議國事，以出號令。」新傳，剛剛送達。新，初次出現；引申作「剛」解。傳，輾轉傳遞。六軍，在此，泛指戍邊的部隊。

②曉天……聞　一大早，耳邊就聽到陣陣的號角聲。曉天，拂曉時的天色。唐 陳子昂 春夜別友人詩：「明月隱高樹，長河沒曉天。」牛嶠（？—？，會昌、天祐間人。）題朝陽巖詩：「躡石攀蘿路不迷，曉天風好浪花低。」吹角，吹奏號角。吹，撮口用力出氣。老子：「夫物或行或隨，或噓或吹。」唐 杜甫 城西陂泛舟詩：「魚吹細浪搖歌扇，燕蹴飛花落舞筵。」號角，部旅傳令用管樂器。耳邊，猶言耳旁。聞，聽到。

③一聲……月　這一聲，頓時驅散了士卒傷離怨別的愁緒。一聲，指號角聲。劃破，屬同義複詞。分開、排除。引申作「驅散」解。樂府詩集 橫吹曲辭三關山月題解：「樂府解題曰：『關山月，傷離別也。』古木蘭詩：『萬里赴戎機，關山度若飛。朔氣傳金柝，寒光照鐵衣。』」唐 王昌齡 從軍行之一：「更吹羌笛關山月，無那金閨萬里悲。」杜甫 洗兵馬詩：「三年笛裏關山月，萬國兵前草木風。」

④萬幕……分　家家戶戶燒火煮飯，白煙裊裊，拂曉的天色也越發清楚。萬幕，猶言家家戶

戶。萬，形容眾多。幕，帷幕。蓬帳。代指家宅住戶。炊烟，本作「炊煙」。燒火做飯時冒出的白煙。南宋劉過六州歌頭題岳鄂王廟詞：「野竈炊煙裏，依然是，宿貔貅。」元薩都刺贈同年莫州縣尹米思泰詩：「倦客重來憶去年，荒城斜日暗炊烟。」曙色，拂曉的天色。南朝梁簡文帝守東平中華門開詩：「薄雲初啟雨，曙色始成霞。」太平廣記卷三〇九引唐薛用弱集異記蔣琛：「曙色既分，巨龜復延首於中流，顧眄琛而去。」分，清楚。分明。南朝宋鮑照還都道中詩之一：「悅懷遂還心，踴躍貪至勤。雞鳴戒征路，暮息落日分。」唐韓愈郴口又贈詩：「雪颭霜翻看不分，雷驚電激語難聞。」

二七九、夕　陽

劉　廷　璧

翠壁蒼崖夕照佳①，携朋覽勝興無涯②。炊烟一角鴉千點③，黃葉村中認小齋④。

【析韻】

佳、涯、齋，上平、九佳。

【釋題】

夕陽，傍晚的太陽。東晉庾闡狹室賦：「南羲熾暑，夕陽傍照。」北宋歐陽修醉翁亭記：「已而，夕陽在山、人影散亂，太守歸而賓客從也。」三俠五義第二回：「正遇著深秋景況，夕陽在山之時。」

【注解】

①翠壁……佳　陡峭的山石、直挺的山側，盡是一片翠綠；黃昏餘暉，更是那麼地美好。翠壁，青綠、陡峭如壁的山石。蒼崖，綠色、直挺的山側。崖，ㄧㄚˊ。亦作「堐」。夕照，傍晚的陽光。唐太宗〈望雪〉詩：「縈空慚夕照，破彩謝晨霞。」南宋陸游〈野飲〉詩：「平堤漸放春無綠，細浪遙翻夕照紅。」清朱彝尊〈和韻題惠周惕紅豆書莊圖之二〉：「粥魚茶板近松門，夕照雙浮塔影存。」

②携朋……涯　攙扶友儕、觀賞勝境，興緻無窮。携，ㄒㄧㄝˊ。本作「攜」。亦作「擕」。攙扶。牽挽。淮南子〈覽冥訓〉：「人贏車弊，泥塗至膝，相攜於道，奮首於路。」唐韓愈〈河南府法曹參軍盧府君夫人苗氏墓誌銘〉：「歲時之嘉，嫁者來寧，累累外孫，有攜有嬰。」朋，友儕。覽勝，觀賞勝境。北宋王安石〈和甫舟中望九華山之一〉：「尋奇出後徑，覽勝倚前簷。」興，興緻。無涯，亦作「無厓」、「無崖」。無窮盡。無邊際。後漢書〈蔡邕傳〉：「隆貴翕習，積富無崖。」唐唐彥謙〈中秋夜玩月〉詩：「一夜高樓萬景奇，碧天無際水無涯。」清彭紹升（一七四〇—一七九六）〈秋士先生墓誌銘〉：「其窮者蓋在旦暮間，其不窮者無厓矣，而又何悲哉！」

③炊烟……點　在一個角落裡，燒火煮飯的白煙，冉冉而升；遠處，密密麻麻的寒鴉棲息枝頭，像上百成千的黑點。炊煙，詳參前首注④。一角，謂某一個角落。鴉，鳥名。千，形容數量多。點，喻其小。

④黃葉……齋　徒步來到黃葉村裡，設法找出那小築。認，辨明。引申作「設法找出」解。小齋，猶小築。規模不大的居室。南宋朱熹四時讀書樂詩：「新竹壓簷桑四圍，小齋幽敞明朱曦。」剪燈新語金鳳釵記：「即令搬挈行李，於門側小齋安泊。」

太湖夕照

淡江餘暉（臺北淡水河口）

二八〇、元　宵

林維丞

椒花初晉酒初傾①，又值天開不夜城②。譜出太平新景象③，六街燈火管絃聲④。

【析韻】

傾、城、升，下平、八庚。

【釋題】

上元節，農曆正月十五，簡稱上元。該日晚上，曰元宵，亦稱元夜、元夕。唐以來，國人有觀燈習俗，故又稱燈節。唐韓偓元夜即席詩：「元宵清景亞元正，絲雨霏霏向晚傾。」清趙翼上元夕毘陵驛前泊舟詩：「聯舟小泊運河濱，正是元宵節物新。」古今小說張舜美燈宵得麗女：「曾有妻劉氏素香，因三載前元宵夜觀燈失去，未知存亡下落。」

【注解】

①椒花……傾　椒花開始進奉，酒也剛剛斟滿。椒花，亦作「椒華」。椒的花。古俗，農曆元旦向家長獻椒酒（用椒浸製的酒），以示祝壽、拜賀之意。晉書列女傳劉臻妻陳氏：「劉臻妻陳氏者，亦聰辨能屬文，嘗正旦（指農曆元旦）獻椒花頌。其詞曰：『旋穹周迴，三朝肇建。青陽散輝，澄景載煥，標美靈葩，爰採爰獻，聖容映之，永壽於萬。』」初，起始。開端。書伊訓：「今王嗣厥德，罔不在初。」史記樂書：「佚能思初，安能惟始。」

元 耶律楚材 壬午元日詩之一：「舊歲昨日盡，新年此日初。」晉，進。傾，倒。猶云斟。全句意謂元旦剛過不久。

②又值……城 又遇上天家城開不夜、金吾不禁。值，遇。天，天家。指君王言。開，啟。引申作同意（解除宵禁）。不夜城，城市燈火通明，照耀如同白晝。昔帝制時代，上元依例解除宵禁。明 楊基（一三二六—一三七八？）元夕觀燈詩：「綺羅香繞長春苑，珠翠又遊不夜城。」王磐（一四七〇？—一五三〇）一枝花 賞閨元宵套曲：「重開不夜天，再造長春境。」

③譜出……象 標誌出時世安寧和平的嶄新景況和形象。譜，本謂按照事務的類別或系統編排記錄。在此，引申作標誌解。太平，時世安寧和平。呂氏春秋 大樂：「天下太平，萬物安寧。」唐 溫庭筠 長安春晚詩之二：「四方無事太平年，萬象鮮明禁火前。」新景象，嶄新的景況、形象。

④六街……聲 大街、鬧市，燈綵遍張、悅耳的樂聲處處可聞。六街，原指唐京都長安的六條主要大街。（詳資治通鑑 唐睿宗 景雲元年條）。而後泛指京師的大街、鬧市。清 徐昂發（？—約一七〇一，康 雍間人。）早春詩：「新月如鉤掛碧空，六街遊眺興無窮。」在此，指稱大街、鬧市。燈火，指燈綵。亦作「燈彩」。裝飾、觀賞的燈火。南宋 周密 武林舊事 元夕：「一入新正，燈火日盛。」清 富察敦崇（一八五五—？）燕京歲時記 燈節：「各色燈綵多以紗絹、玻璃及明角等為之，并繪畫古今故事，以資玩賞。」管絃聲，

樂聲。管絃，亦作「管弦」、「莞弦」、「莞絃」。管樂器與絃樂器。亦泛指樂器。在此，從後解。

二八一、元　宵　　蔡　振　豐

萬民今宵誦太平①，花香月色滿皇城②。人家更有猜燈謎③，破一疑團鼓一聲④。

【析韻】

平、城、聲，下平、八庚。

【釋題】

同前首。

【注解】

①萬民……平　全民今晚同時贊美時世安寧、和平。萬民，猶云全民。易謙：「勞謙君子，萬民服也。」今宵，今夜。頌，贊美。禮記少儀：「頌而無諂，諫而無驕。」唐韓愈送許郢州序：「愈於使君非燕游一朝之好也，故其贈行，不以頌而以規。」太平，參考前首注③。

②花香……城　京城瀰漫著百花的芬芳和皎潔的月光。月色，月光。參考卷一五、二五一、注①。滿，猶言瀰漫。皇城，泛指京師。

③人家……謎　民間另外還有猜燈謎的活動。人家，民家。亦泛指民間言。史記六國年表序：「詩書所以復見者，多藏人家，而史記獨藏周室，以故滅。」漢書佞倖傳鄧通：「於是長公主乃令假衣食，竟不得名一錢，寄死人家。」更有，另外還有。猜，循理揣測、推斷。燈謎，又稱「燈虎」。謎語的一種。貼謎面於花燈上，供人猜射，故稱。謎面多著眼於文字意義，如一個字、一句詩詞、一種名稱。南宋周密武林舊事燈品：「有以絹燈翦寫詩詞，時寓譏笑，及畫人物，藏頭隱語，及舊京諢話，戲弄行人。」其中，藏頭隱語，即指謎語。清錢謙益初學集二癸亥元夕宿汶上詩：「猜殘燈謎無人解，何處憑添兩鬢絲。」按：製謎，昔有二十四格（一說十八格），至今常用者有捲簾、諧聲、會意、白頭、粉底、拆字、解鈴、繫鈴、徐妃、鞦韆等格。清梁章鉅（一七七五—一八四九）歸田瑣記燈謎引韻鶴軒筆談：「燈謎有十八格，曹娥格為最古，次莫如增損格。增損即離合也……此外復有蘇黃諧音聲、皓首粉底、正冠正履、分心素心、重門垂柳諸格。」

④破一……聲　揭穿一則謎底，隨即捶鼓一聲。破，揭穿。唐白居易杜陵叟詩：「長吏明知不申破，急斂暴徵求考課。」疑團，猶言謎底。鼓，謂捶鼓。擊鼓。

二八二、花朝

鄭肇基

年年預備踏青鞋①，撲蝶風光分外佳②。此是百花生日日③，春心一半上裙釵④。

【析韻】

鞋、佳、釵，上平、九佳。

【釋題】

舊俗農曆二月十五日為百花生日，號花朝節，又稱花朝（ㄓㄠ）。南宋吳自牧（？—？，紹定、德祐間人。）夢粱錄二月望：「仲春十五日為花朝節，浙間風俗，以為春序正中，百花爭放之時，最堪遊賞。」廣羣芳譜天時譜二二月引翰墨記：「洛陽風俗，以二月二日為花朝節。士庶遊玩。又謂挑菜節。」又引南宋楊萬里誠齋詩話：「東京（按指：汴梁）二月十二日曰花朝，為撲蝶會。」唐司空圖早春詩：「傷懷同客處，病眼即花朝。」

【注解】

①年年……鞋　每年都事先備妥清明郊遊用的鞋履。年年，每年。宋書禮志二：「成帝時，中宮亦年年拜陵，議者以為非禮。」元陸仁（？—？，世次不詳）題金陵詩：「忘情只有龍河柳，煙雨年年換舊條。」清納蘭性德卜算子詠柳詞：「嬌輭不勝垂，瘦怯那禁舞？多事年年二月風，翦出鵝黃縷。」近人劉大白（一八八○—一九三二）大風詩：「呼啦！呼啦！好大的風，你年年是這樣的颳，也有些疲倦麼？」預備，事先準備。踏青，詳卷一二、二一七、注④。鞋，鞋履。

②撲蝶……佳　拍擊蝴蝶的景緻格外地好。撲，拍擊。拍打。元薩都剌題四時宮人圖詩之一：「一女淺步腰半駝，小扇輕撲花間娥。」西遊記第二六回：「撲着手呵呵大笑。」舊

時以農曆二月十五（或稱二月初二日、二月十二日不一）為花朝，屆時士女相聚，撲蝶為戲，故亦稱撲蝶會。南朝 梁 宗懍 荊楚歲時記：「長安二月間，士女相聚，撲蝶為戲，名曰撲蝶會。」蝶，通稱蝴蝶。昆蟲綱、鱗翅目、錘角亞目（Rhopalocera，舊稱蝶亞目）。翅及體表密被各色鱗片、叢毛，形成各種花斑；大小因種類而異。頭部有錘狀或棍棒狀觸角一對、複眼一對；口器特化成喙，虹吸式，不用時作螺旋狀捲曲。種類甚多，約有一萬四千餘種，大部分分布於美洲，尤以亞馬遜河流域為最多；我國約有一千三百餘種，臺灣且一度被譽為蝴蝶王國。某些種類為經濟作物的重要害蟲，如：弄蝶、菜粉蝶等。風光，風景。景色。唐 張渭（？—？，世次不詳。）湖上對酒行：「風光若此人不醉，參差辜負東園花。」北宋 蘇軾 退和子由去歲試舉人洛下所寄 暴雨初晴樓上晚景之一：「秋後風光雨後山，滿城流水碧潺潺。」分外，格外。佳，猶云美好。

③此是……日　這是個百花誕生的日子。百花生日，即花朝。清 陳維崧 東風齊着力 花朝詞：「斷腸也，百花生日，只是無聊。」餘參釋題。

④春心……釵　春景的意興，多半在婦女的表情、舉止上呈現。春心，春景所引發的意興、情懷。楚辭 招魂：「目極千里兮傷春心，魂兮歸來哀江南。」王逸注：「言湖澤博平，春時草短，望見千里，令人愁思而傷心也。」清 姚鼐 贈郭昆甫助教詩：「三月春心寄鳴雁，南來飛過岳陽樓。」一半，猶云多半。上，到。引申作「呈現」解。裙釵，婦人着裙插釵，因用以代稱婦女。明 梁辰魚 浣紗記 打圍：「彼勾踐不過一小國之君，夫人不過

一裙釵之女，范蠡不過一草莽之士。」紅樓夢第一回：「我堂堂鬚眉，誠不若彼裙釵。」

二八三、展花朝

鄭鵬雲

自過百花生日日①，思量無計可留春②。綠章擬向東皇奏③，乞為群芳再展輪④。

【析韻】

春、輪，上平、十一真。

【釋題】

展，ㄓㄢˇ。放寬，延長。史記王溫舒傳：「溫舒頓足歎曰：『嗟乎！令冬月益展一月，足吾事矣！』」花朝，詳前首釋題。

【注解】

①自過……日　自從過了花朝。自，從。唐王維雜詩之二：「君自故鄉來，應知故鄉事。」「自」、「從」合組為同義複詞。亦仍為介詞。表示時間的起點。東晉陶潛擬古詩之三：「自從分別來，門庭日荒蕪。」唐杜甫韋諷錄事宅觀曹將軍畫馬圖詩：「自從獻寶朝河宗，無復射蛟江水中。」過，度過。唐韓偓寒食日重遊李氏園亭有感詩：「料得他鄉過佳節，亦應懷抱暗淒然。」百花生日，詳參前首注③。

②思量……春　忖度沒有辦法可以挽留住春天。思量，ㄙ　ㄌㄧㄤˊ。忖度。唐杜荀鶴秋日寄

吟友詩：「閒坐細思量，惟吟不可忘。」紅樓夢第二四回：「賈蓉出了榮國府回家，一路思量，想出一個主意來。」無計，沒有對策。猶今語沒有辦法。留春，詳本卷、二九〇釋題。

③綠章……奏　打算敬備青詞，面對天神謹陳。綠章，青詞。昔道士祭天時所書寫的奏章表文，用硃筆寫在青籐紙上，故名。唐李賀綠章封事詩：「綠章封事諮元父，六街馬蹄浩無主。」王綺彙解：「演繁露：『今世上自人主，下至臣庶，用道家科儀奏事于天帝者，皆青藤紙朱字，名為青詞。』」南宋陸游花時遍遊諸家園詩：「綠章夜奏通明殿，乞借春陰護海棠。」擬，打算。北宋柳永鳳棲梧詞：「擬把疏狂圖一醉，對酒當歌，強樂還無味。」向，面對。朝著。莊子秋水：「（河伯）望洋向若而歎曰：『野語有之曰：聞道百以為莫己若者，我之謂也。』」唐韓愈南山詩：「或背若相惡，或向若相佑。」東皇，司春之神。唐戴叔倫暮春感懷詩：「東皇去後韶華在，老圃寒香別有秋。」南宋姜夔卜算子梅花八詠詞：「長信昨來看，憶共東皇醉。此樹婆娑一惘然，苔蘚生春意。」近人郁達夫除夜奉懷詩：「明朝欲向空山遁，為恐東皇笑我癡。」奏，ㄗㄡˋ。臣子對帝王進言陳事。書舜典：「敷奏以言，明試以功，車服以庸。」孔傳：「諸侯四朝，各使陳進治禮之言。」唐韓愈讀東方朔雜事詩：「領頭可其奏，送以紫玉珂。」

④乞為……輪　替眾花禱求又來一次花朝。乞，詳卷一六、二七六、釋題。為，替。群芳，各種花草。清李漁閒情偶寄種植木本：「是桃、李二物，領袖羣芳者也，其所以領袖

羣芳者，以色之大都不出紅、白二種。」群，同「羣」。再，第二次。展輪，轉輪。意即輪迴。循環回來。

二八四、展花朝

蔡 惠 如

春光過半幾經旬①，妙手分春迹已陳②。欲別未甘留不得③，替花請命仗何人④？

【析韻】

旬、陳、人，上平、十一真。

【釋題】

同前首。

【注解】

①春光……旬 仲春以後，又過多少天了。春光過半，指春季過了一半。意謂：仲春後。春光，詳參本卷、二七五、注②。在此，與「過半」合解為仲春後。幾，ㄐㄧˇ。多少。若干。左傳 僖公二三年：「夫有大功而無貴仕，其人能靖者與，有幾？」唐 江為江行詩：「越信隔年稀，孤舟幾夢歸。」南宋 楊萬里 送張倅詩：「山西勁氣何曾歇，秦 漢迄今幾奇傑！」經旬，整旬。十日為一旬。

②妙手……陳 精湛美好的春分！妳的腳印，積藏已久。妙手，精湛美好的（手藝、手法）

明王世貞鳴鳳記二臣哭夏：「他也曾和羹妙手調金鉉，他也曾丹楫宏材濟大川。」清唐孫華恕堂再次前韻見贈復次韻答之：「詩家廢疾不可起，借君妙手加攻砭。」分春，春分。管子乘馬：「分春曰書比，立夏曰月程。」迹已陳，腳印（或足跡）積藏已久。迹，亦作「跡」、「蹟」。腳印。足迹。左傳昭公一二年：「昔穆王欲肆其心，周行天下，將皆必有車轍馬跡焉。」孟子滕文公上：「當堯之時，……獸蹄鳥迹之道，交於中國。」已陳，積藏已久。

③欲別……得　想離開；我不甘心卻不能夠挽留住妳。欲，想。別，離開。意謂別離。楚辭離騷：「余既不難夫離別兮，傷靈脩之數化。」王逸注：「近曰離，遠曰別。」南朝梁江淹別賦：「黯然銷魂者，唯別而已矣。」唐杜甫石壕吏詩：「天明登前途，獨與老翁別。」未甘，不甘（心）。留不得，不能夠挽留住。史記項羽本紀：「項王即日因留沛公與飲。」南宋劉過賀新郎彈鋏西來路詞：「留不住，少年去。」穀梁傳襄公二九年：「閽，門者也，寺人也，不稱姓名。閽不得齊于人。」唐王昌齡浣紗女詩：「吳王在時不得出，今日公然來浣紗。」

④替花……人　為花請求保全生命，要依靠什麼人啊？替，為。請命，請求保全生命或解除困苦。書湯誥：「聿求元聖，與之戮力，以與爾有眾請命。」新唐書李光顏傳：「光顏躍馬入賊營大呼，眾萬餘人投甲請命。」京劇串龍珠第五場：「特為百姓請命而來。」仗，依靠。憑藉。唐杜甫送五十五判官扶侍還黔中詩：「離別不堪無限意，艱危深仗濟時才。」

北宋孫光憲清平樂詞：「憑仗東風吹夢，與郎終日東西。」

二八五、補祝花朝

蔡振豐

撲蝶良辰過不嫌①，啟樽補祝捲重簾②。東風莫笑開新例③，詩酒籌多一樣添④。

【析韻】

嫌、簾、添，下平、十四鹽。

【釋題】

補祝，逾時聚會頌禱、唱和也。花朝，花朝節。詳本卷、二八二、釋題，在此從略。

【注解】

①撲蝶……嫌　撲蝶為戲的美好時光雖已過去，但毋須埋怨。撲蝶，詳參本卷、二八二、注②。良辰，美好的時光。三國魏阮籍詠懷之九：「良辰在何許，凝霜沾衣襟。」唐李商隱流鶯詩：「巧囀豈能無本意，良辰未必有佳期。」兒女英雄傳第三〇回：「要知道天道忌全，人情忌滿，美景不長，良辰難再。」嫌，埋怨。不滿。世說新語捷悟：「王正嫌門大也。」北宋王安石贈蔡肇秘校詩：「身著青衫騎惡馬，日馳三百尚嫌遲。」二刻拍案驚奇卷三八：「我那知這事，卻來嫌我。」

②啟樽……簾　打開酒樽，逾期慶祝；收拾好層層的簾幕。啟，開。樽，盛酒的器具。餘參

卷一二、二一七、注④。補祝，逾期舉辦慶祝的活動。捲，ㄐㄩㄢˇ。斂。將簾幕收拾成卷狀。重簾，層層的簾幕。唐 溫庭筠 菩薩蠻詞：「夜來皓月纔當午，重簾悄悄無人語。」明 何景明 後別思賦：「開重簾之華燈，飛逸翰于清讌。」清 厲鶚 春寒詩：「梨花雪後酴醾雪，人在重簾淺夢中。」

③東風……例　春風啊！你不能笑我創了一個新的規範。東風，指春風。禮記 月令：「（孟春之月）東風解凍，蟄蟲始振，魚上冰。」唐 李白 春日獨酌詩之一：「東風扇淑氣，水木榮春暉。」近人劉大白 湖濱晚眺詩：「微波吐露東風語：明日是清明，青山分外青。」開，創。詩 周頌 武：「於皇武王，無競維烈。允文文王，克開厥後。」東漢 班固 東都賦：「分州土，立市朝，作舟輿，造器械，斯乃軒轅氏之所以開帝功也。」新例，前所未有，初次出現的規範。可供比照的規範、標準曰例。按：逾期慶祝，前所未見，故稱。

④詩酒……添　作詩要多、飲酒要多、投壺的矢要多，三者沒有差別，全都增加。籌，投壺的矢。屬博具。一樣，沒有差別。唐 王建 宮詞之十六：「新衫一樣殿頭黃，銀帶排方獺尾長。」明 李唐賓 梧桐葉第一折：「可正是一樣相思兩斷魂。」添，增加。

二八六、補祝花朝

陳朝龍

撲蝶聽鶯詩酒兼①，每逢佳節喜掀髯②。花朝亦是蘭亭例③，展限還教韻事添④。

【析韻】

兼、髯、添，下平、十四鹽。

【釋題】

同前首。

【注解】

①撲蝶……兼　撲蝶為戲、聆聽鶯唱、吟詩品酒，樣樣都來。撲蝶，詳參本卷、二八二、注②。以耳受聲曰聽。書 泰誓中：「天視自我民視，天聽自我民聽。」文心雕龍 誄碑：「觀風似面，聽辭如泣。」唐 皮日休 霍山賦：「靜然而聽，凝然而視，其體當中，如君之毅。」元 薩都剌 臥病書懷詩：「結茅倚壁知何日，飽聽一枕松風眠。」鶯，黃鶯清唱。兼，同時具有。易 繫辭下：「易之為書也，廣大悉備。有天道焉，有人道焉，有地道焉。兼三材而兩之，故六。」孟子 公孫丑上：「宰我、子貢善為說辭，冉牛、閔子、顏淵善言德行。孔子兼之。」唐 韓愈 苦寒詩：「四時各平分，一氣不可兼。」

②每逢……髯　每遇到美好的節日，總愛撩一撩兩頰的長鬚。每，每次。表數量。左傳 成公一五年：「初，伯宗每朝，其妻必戒之。」漢書 董賢傳：「每賜洗沐，不肯出，常留中視藥。」逢，遇（遇到）。佳節，美好的節日。唐 王維 九月九日憶山東兄弟詩：「獨在異鄉為異客，每逢佳節倍思親。」北宋 蘇軾 端午遊真如詩：「今年匹馬來，佳節日夜數。」清 吳偉業 庚子八月訪同年吳永調于錫山有感賦贈詩之二：「天遣名山供戶牖，老

逢佳節占風流。」喜，愛好。三國魏嵇康與山巨源絕交書：「臥喜晚起，而當關呼之不置。」孽海花第五回：「公坊本不喜熱鬧。」掀髯，笑時啟口撩鬚貌。北宋蘇軾次韻劉景文兄見寄：「細看落墨皆松瘦，想見掀髯正鶴孤。」南宋劉克莊沁園春答九華葉賢良詞：「掀髯嘯，有魚龍鼓舞，狐兔悲嗥。」清唐孫華壽周磔圃七十詩：「偶逢時事一掀髯，往往談言亦微中。」髯，ㄖㄢˊ。

③花朝……例　百花生日也是蘭亭修禊的古例。花朝，詳本卷、二八二釋題。蘭亭例，蘭亭修禊的舊例。東晉永和九年（三五三）癸丑三月王羲之與謝安等人在蘭亭灌濯、嬉遊、採蘭，以逐不祥。渠遺有蘭亭集序一文，清新疏朗、情韻邈綿，傳誦千古。蘭亭，位於浙江紹興西南蘭渚山上。例，詳參前首注③。

④展限……添　放寬限期來慶祝，更增加了幾許風雅。展限，放寬限期。南宋岳珂（一一八三—一二三四）桯史汪革謠讖：「三省、樞密院同奉聖旨，取謀反人，教練乃受錢展限耶？」清魏源聖武記卷一〇：「額勒登保奏請展限一月。」近人鄭觀應（一八四二—一九二二）盛世危言禁烟上：「既經嚴辦，仍予半年展限，改過自新。」還，ㄏㄞˊ。副詞。更。表性態。東晉陶潛雜詩：「親戚共一處，子孫還相保。」老殘遊記第五回：「若不是個女人，他雖死了，我還要打他二千板子，出出氣呢！」教，ㄐㄧㄠˋ。動詞。使。唐金昌緒春怨詩：「打起黃鶯兒，莫教枝上啼。」北宋周邦彥玉樓春詞：「酒邊誰使客愁驚，帳裡不教春夢到。」南宋朱熹答梁文叔權書：「教人如此發憤勇猛向前。」韻事，

詳卷三、四八、注②。添，詳前首注④。

二八七、清明日婦女上塚

陳朝龍

之一

相攜姊妹到荒村①，各有前緣奠一樽②。怪煞風流蘇小墓③，干卿甚事為招魂④。

之二

酹酒來招倩女魂⑤，踏青韻事到閨門⑥。夕陽芳草山腰路，半印弓鞋半淚痕⑦。

【析韻】

村、樽、魂，上平、十三元。（之一）

魂、門、痕，上平、十三元。（之二）

【釋題】

清明屬農曆二十四節氣之一。舊稱三月節，在陽曆四月五日或六日。淮南子天文訓：「春分後十五日，斗指乙為清明。」清明節恆做踏青掃墓等活動。上塚，猶云上墳，亦即掃墓也。塚，ㄓㄨㄥˇ。本作「冢」，高墳也。古時封土成丘曰墳，平者曰墓。後多以墳墓連用，不再區別。

【注解】

①相攜……村　姊姊和妹妹，彼此攙扶來到了偏僻淒涼、人煙稀少的聚落。相攜，彼此攙扶。攜，ㄒㄧㄝˊ。餘詳參本卷、二七九、注②。姊妹，姊姊和妹妹。左傳 襄公一二年：「無女而有姊妹及姑姐妹。」漢書 外戚傳上孝武 李夫人：「夫人姊妹讓之。」唐 戴叔倫女耕田行：「姊妹相攜心正苦，不見路人唯見土。」又，年輩相當的女性亦通稱姊妹。荒村，地處偏僻，草穢叢生、人煙稀少的聚（村）落，亦作「荒邨」。北宋 李中 春日野望懷故人詩：「暖風醫病草，甘雨洗荒村。」元 倪瓚（一三〇一—一三七四）荒邨詩：「踽踽荒邨客，悠悠遠道情。」水滸傳第二二回：「他自在縣裏住居，老漢自和孩兒宋清，在此荒村，守些田畝過活。」

②各有……樽　各自有一段前定的緣份，在這裏薦獻一杯水酒。各，代名詞。自。指每一個人或物的本身。書 湯誥：「各守爾典。」論語 公冶長：「顏淵、季路侍。子曰：『盍各言爾志？』」各自，同義複詞。前緣，前定的緣份。唐 李商隱 雜纂 隔壁聞語：「新娶婦卻道是前緣，必是醜。」南宋 嚴蕊（？—？，乾道、寶慶間人。）卜算子詞：「不是愛風塵，似被前緣誤。」初刻拍案驚奇卷三一：「我等與郎君輩原無前緣，故此先來告別。」奠，ㄉㄧㄢˋ，薦獻。進獻。禮記 玉藻：「唯世婦命於奠繭，其他則皆從男子。」鄭玄注：「奠，猶獻也。」一樽，猶言一杯水酒。樽，參卷一二、二一七、注④。

③怪煞……墓　奇怪得很，那瀟灑脫放逸的蘇小小，她的墳冢。奇異非常者曰怪。論語　述而：「子不語：怪、力、亂、神。」莊子　逍遙遊：「齊諧者志怪。」煞，極。甚。風流，詳卷三、四八、注⑥。蘇小墓，蘇小小的墳冢。餘詳參卷一二、二一七、注③。

④干卿……魂　關你（們）什麼事，竟來為她招魂。干卿甚事，即干卿何事。猶干卿底事。關你（們）什麼事。喻事不關己，好管閒事。南唐書　馮延巳傳：「南唐時，元宗與馮延巳並工詞，元宗有句云：『小樓吹澈玉笙寒』延巳『有風乍起，吹縐一池春水』，皆警策。元宗戲之曰：『吹縐一池春心，干卿底事！』」為，給（她）。招魂，招亡者之魂。亦作「招䰟」。儀禮　士喪禮：「復者一人。」鄭玄注：「復者，有司招魂復魄也。」明　唐順之（一五〇七—一五六〇）吳江三忠祠詩：「廟枕洞庭波，招魂薦楚歌。」打手勢呼人曰招。魂，人之陽氣。精神之稱。楚辭　招魂：「魂兮歸來，去君之恆幹，何為四方些。」章句：「魂者，身之精也。」

⑤酹酒……魂　以酒灌地，頻頻呼喚美女的幽魂。酹酒，奠祭時，以酒澆地。隋　杜臺卿（五三〇？—六〇五？）玉燭寶典正月孟春：「元日至月晦為餔食，度水。士女悉湔裳，酹酒於水湄，以為度厄。」北宋　周邦彥　夜飛鵲　別情詞：「但徘徊班草，欷歔酹酒，極望天西。」清　翟灝（？—一七八八）風俗編　儀節：「酹酒之制，應昉自古祼（ㄍㄨㄢˋ）禮。周禮　大行人：『享上公再祼而酢，侯伯壹祼而酢，子男壹祼不酢。』古凡享大賓，皆先攝瓚。酌鬱鬯之酒，灌地而後送爵，故今飲席效之。」榮按：以香酒灌地求神曰祼。來，呼。呼

喚。周禮 春官：「來瞽，令皐舞。」康熙字典：「來，又呼也。」倩女，美麗的少女。四溟詩話卷三引明 杜約夫 擬李商隱無題詩之一：「楚曲風煙愁倩女，武陵花月夢仙郎。」清 趙翼 浮論詩：「絮衣頻喚縫人補，藜杖聊當倩女扶。」

⑥踏青……門　清明郊遊的風雅之事，在內室裡暢談著。踏青，詳參卷一二、二二七、注④。韻事，詳卷三、四八、注②。到閨門，猶言在內室暢談。閨門，指婦人居處。猶內室。北齊書 尉謹傳：「瑾外雖通顯，內闕風訓，閨門穢雜，為世所鄙。」北宋 蘇軾 策別安萬民五：「今者治平之日久，天下之人，驕情脆弱，如婦人孺子不出於閨門，論戰鬭之事，則縮頸而股慄，聞盜賊之名，則掩耳而不願聽。」清 李漁 蜃中樓 傳書：「據你說是貴人之女，士人之妻，就該不出閨門。」

⑦夕陽……痕　黃昏時段，青草散發馨香，山腰的步道上，留有她們的鞋跡，也沾著她們的淚痕。夕陽，詳本卷、二七九、釋題。芳草，香草。在此，引申作青草散發出馨香之氣。山腰，從山腳到山頂約一半的地方。北周 庾信 枯樹賦：「橫洞口而欹臥，頓山腰而半折。」唐 白居易 殘暑招客詩：「雲截山腰斷，風驅雨腳迴。」半……半，猶「有……也……」。印，留下……的痕跡。弓鞋，亦作「弓鞵」。昔日纏足婦女所穿的小鞋，其形狀如弓，故稱。北宋 黃庭堅 滿庭芳 妓女詞：「直待朱幡去後，從伊便窄襪弓鞋。」南宋 張世南（？—？，晚宋人。）游宦紀聞卷四：「又有富室攜少女求頌。僧曰：『好弓鞋，敢求一隻。』語再四，不得已遺之。即裂其底得襯紙，乃佛經也。」清 趙翼 土歌：「長裙闊袖

結束新，不睹弓韉三寸小。」淚痕，眼淚留下的痕跡。南朝梁簡文帝和蕭侍中子顯春別之三：「淚痕未燥詎終朝，行聞玉珮已相要。」唐李白怨情詩：「但見淚痕濕，不知心恨誰。」

二八八、春　陰

陳朝龍

不晴不雨養花初①，醞釀春陰景有餘②。簾外山光煙外樹③，商量淡墨畫何如④？

【析韻】

初、餘、如。上平、六魚。

【釋題】

春季天陰時，天空呈現陰氣。南朝梁簡文帝侍遊新亭應令詩：「沙文浪中積，春陰江上來。」南宋陳與義寓居劉倉廨中晚步過鄭倉臺上詩：「世事紛紛人易老，春陰漠漠絮飛遲。」亦指春季陰天。

【注解】

①不晴……初　不是晴天、也不是雨天，正好開始栽種花卉。晴，ㄑㄧㄥˊ。雨或雪等停歇，天空無雲或少雲。西晉潘岳閑居賦：「微雨新晴，六合清朗。」唐韓愈祖席詩：「野晴山簇簇，霜曉菊鮮鮮。」紅樓夢第四九回：「這雪未必晴。縱晴了，這一夜下的也夠賞了。」

雨，指下雨。不雨，猶云不是雨天。養花，種植（或培植）花卉。管子牧民：「藏於不竭之府者，養桑麻、育六畜也。」北宋梅堯臣臘筍詩：「南岡深竹養，下有鷓鴣鳴。」初，詳參本卷、二八〇、注①。

②醞釀……餘　春陰的景象，在形成的過程當中，多麼耐人尋味。醞釀，ㄩㄣˋ ㄋㄧㄤˋ。喻天候（或事情）形成的過程。資治通鑑漢宣帝地節四年：「豈徒霍氏之自禍哉？亦孝宣醞釀以成之也。」南宋嚴羽（一一九二—約一二四五）滄浪詩話詩辨：「然後博取盛唐名家。醞釀胸中，久之自然悟入。」春陰，詳釋題。景，指景象而言。有餘，有餘味。謂有耐人回想不盡的意味。清惲敬（一七五七—一八一七）答鄧鹿耕書：「先生論史筆不難於簡，難於有餘，最為高識名論。」

③簾外……樹　珠簾外邊的山色、霧雰背後的樹叢。簾外，隱指屋外。山光，山的景色。南朝梁沈約泛永康江詩：「山光浮水至，春色犯寒來。」唐岑參郡齋平望江山詩：「山光圍一郡，江月照千家。」煙，亦作「烟」。指煙狀物；在此謂霧雰。外，背後。樹，樹叢。

④商量……如　準備用濃度低一點的水墨來繪畫可好？商量，準備。北宋舒亶（一〇四一—一一〇三）菩薩蠻次韻張秉道詞：「密葉似商量，向人春意長。」元張可久秦樓月曲：「催歸去，吳山雲暗，又商量雨。」淡墨，濃度低的水墨。何如，詳卷三、五七、注②。

二八九、春　煙

蔡　振　豐

別有輕煙罩晚曛①，卻非濛霧亦非雲②。人家炊火江村樹③，一抹螺痕淡不分④。

【析韻】

曛、雲、分。上平、十二文。

【釋題】

春煙，泛指春天的雲煙嵐氣……。魏書常景傳：「長卿有豔才，直致不羣性，鬱若春煙舉，皎如秋月映。」唐張說（六六七－七三一）和張監遊終南詩：「春煙生古石，時鳥戲幽松。」元趙孟頫桃源春曉圖詩：「桃花源裏得春多，洞口春煙搖綠蘿。」

【注解】

①別有……曛　另有淡淡的煙霧，覆蓋住夕陽餘暉。別有，詳卷三、五〇、注⑤。輕煙，本作「輕烟」。輕淡的煙霧。煙霧，猶言霧雰。南朝梁元帝詠霧：「乍若輕煙散，時如佳氣新。」元白樸天淨沙秋套曲：「孤村落日殘霞，輕烟老樹寒鴉，一點飛鴻影下。」罩，覆蓋。唐司空圖王官詩之二：「荷塘煙罩小齋虛，景物皆宜入畫圖。」北宋歐陽修歸田錄卷二：「（梅詢）每晨起將視事，必焚香兩鑪，以公服罩之。」紅樓夢第四九回：「黛玉換上掐金挖雲紅香羊皮小靴，罩了一件大紅的縐面白狐狸皮的鶴氅。」晚曛，

夕陽餘暉。曛，ㄒㄩㄣ。黃昏。

②卻非……雲　原來不是霧雰，也不是雲嵐。卻，副詞。原來。南宋楊萬里昭君怨詠荷上雨詞：「夢初驚，卻是池荷跳雨，散了真珠還聚。」濛霧，霧雰。雲，指雲嵐。

③人家……樹　江濱樹林裏，民家聚落燒飯的煙火。人家，民家。餘參本卷、二八一、注③。炊火，燒飯的煙火。江村樹，江濱樹林裏的聚落。

④一抹……分　一片螺旋狀的白色痕跡，濃度不高。不好辨識。一抹，猶一片。唐羅虬（？—八八一？）比紅兒詩之十七：「一抹濃紅傍臉斜，粧成不語自攀花。」（按：「臉」亦作「瞼」。「自」亦作「獨」。）宣和畫譜：「夫躡景追電，一抹千里，得於心術之妙者，足以知之。」清納蘭性德水調歌頭題西山秋爽圖詞：「猶記半竿斜照，一抹映疏林。」螺痕，螺旋狀的痕跡。淡，形容濃度不高。不分，不好辨識。

二九〇、留　春

陳　朝　龍

一年好景太匆匆①，九十韶華轉瞬中②。楊柳有絲能繫客③，可憐無力挽春風④。

【析韻】

匆、中、風，上平、一東。

【釋題】

企圖挽住春天（季），不使離去，曰留春。留，停止於某一處所或位置上不動（不離去）。詩大雅常武：「不留不處，三事就緒。」史記越王句踐世家：「可疾去矣，慎毋留。」南宋王應麟（一二二三—一二九六）困學紀聞書：「君子之去留，國之存亡繫焉。故夏書終於汝鳩、汝方，商書終於微子。」北宋宋迪（？—？）龍池春草詩：「幽姿偏占暮，芳意欲留春。」席夔（？—？）竹箭有筠詩：「虛心如待物，勁節自留春。」

【注解】

①一年……匆　一年當中，妙麗的景色，總是非常急速地消逝而去。好景，美好的景色。前蜀魏承班（？—九二五）木蘭花詞：「遲遲好景煙花媚，曲渚鴛鴦眠錦翅。」北宋柳永雨霖鈴詞：「此去經年，應是良辰好景虛設。」金董解元西廂記諸宮調卷五：「對許多好景，觸目是斷腸詩。」元劉秉忠（一二一六—一二七四）寄友人詩：「好景與時渾易過，可人和月只難圓。」太，甚。極。匆匆，急急忙忙的樣子。唐牟融送客之杭詩：「西風吹冷透貂裘，行色匆匆不暫留。」元薩都剌和王伯循題壁：「廣陵城裏別匆匆，一去三山隔萬重。」

②九十……中　一轉眼，九十個美好的日子就過去了。九十，指稱數量。一年有四季，每季約九十天。韶華，美好的時光。恆指春光。唐戴叔倫暮春感懷詩：「東皇去後韶華盡，老圃寒香別有秋。」明李唐賓梧桐葉第一折：「韶華將盡，三分流水二分塵。」清謳歌變俗人

（？—？）醒世緣彈詞第九回：「看看又是殘冬過，滿眼韶華一片春。」轉瞬中，轉眼間。一眨眼當中。形容時間短促。南朝梁沈約形神論：「凡人之暫無本實有，無未轉瞬，有已隨之。」南宋葉適祭王君玉太傅文：「崇高轉瞬，匆墮奚悲！」轉瞬，亦作「轉眴」。

③楊柳……客　垂柳的枝條細長如絲，它能拴縛住來客。楊柳有絲，指柳枝而言。柳枝細長如絲，故稱柳絲。唐駱賓王贈道士李榮詩：「梅花如雪柳如絲，年去年來不自持。」白居易楊柳枝詞之八：「人言柳葉似愁眉，更有愁腸似柳絲。」南宋范成大春晚詩：「想見籬東春漲動，小舟無伴柳絲垂。」楊萬里過臨平蓮蕩詩：「想得薰風端午後，荷花世界柳絲鄉。」繫，拴縛。唐韓愈獨釣詩之一：「聊取誇兒女，榆條繫從鞍。」南宋楊萬里紅錦帶花詩：「何嘗繫住春歸腳，只解長縈客恨眉。」客，謂來客。

④可憐……風　可惜啊！它沒有力氣牽拉住春風呢！可憐，猶言可惜。餘參卷一、九、注④。挽，ㄨㄢˇ。拉。牽引。莊子天運：「今取猨狙而衣以周公之服，彼必齕齧挽裂，盡去而後慊。」新唐書安祿山傳：「晚益肥，腹緩及膝，奮兩肩若挽牽者乃能行。」春風，春季的和風。戰國楚宋玉登徒子好色賦：「寤春風兮發鮮榮，絜齋俟兮惠音聲。」

二九一、留春

鄭兆璜

到處春深到處同①，園林幾許怨東風②。惟餘花底多情蝶③，猶自般勤戀落紅④。

【析韻】

同、風、紅，上平、一東。

【釋題】

同前首。

【注解】

①到處……同　處處春意濃鬱，各地沒有兩樣。到處。處處。各地。唐 李山甫（？—？；光啟間猶健在。）寒食詩：「有時三點兩點雨，到處十枝五枝花。」南宋 張道洽（一二〇五—一二六八）嶺梅詩：「到處皆詩境，隨時有物華。」醒世恆言 錢秀才錯占鳳凰儔：「高贊為選中了乘龍佳壻，到處誇揚。」春深，春意濃鬱。唐 儲光羲（七〇六？—七六二？）釣魚灣詩：「垂釣綠灣春，春深杏花亂。」北宋 秦觀 次韻裴仲謨和何先輩：「支枕星河橫醉後，入簾飛絮報春深。」同，一樣。一般。

②園林……東風　園林多麼強烈地不滿春風。園林，種植花木，兼有亭閣等設施，以供人遊賞休憩的場所。西晉 張翰（二五九？—三一五？）雜詩：「暮春和氣應，白日照園林。」唐 賈島 郊居即事詩：「住此園林久，其如未是家。」明 劉基 春雨三絕句之一：「春雨和風細細來，園林取次發枯荄。」清 吳偉業 晚眺詩：「原廟寒泉裏，園林秋草旁。」幾許，多麼。何等。北齊書 高元海傳：「爾（高元海）在鄴城說我以弟反兄，幾許不義！鄴城兵馬抗并州，幾許不智！」隋書 楊勇傳：「昔漢武帝起上林苑，東方朔諫之，賜朔

黃金百斤，幾許可笑。」怨，強烈不滿。易 繫辭下：「益以興利，困以寡怨。」唐 王昌齡 江上聞笛詩：「橫笛怨江月，扁舟何處尋。」醒世恆言 灌園叟晚逢仙女：「我與你前日無怨，往日無仇，如何下此毒手，害我性命！」東風，指春風。餘詳參本卷、二八五、注③。

③惟餘……蝶 只剩花叢下那鍾情的蝴蝶。惟，副詞。只有。亦作「唯」、「維」。論語 述而：「子謂顏淵曰：『用之則行，舍之則藏，惟我與爾有是夫！』」北宋 蘇軾 月夜與客飲酒杏花下詩：「洞簫聲斷月明中，惟憂月落酒杯空。」清 孔尚任 桃花扇 罵筵：「老師相是不喜奉承的，晚生惟有心悅誠服而已。」餘，剩（下）。花底，花叢下。多情蝶，鍾情的蝴蝶。餘詳參本卷、二八二、注②。

④猶自……紅 還情意深厚地對掉落的花朵依依不捨呢！猶自，尚。尚自。唐 許渾 塞下曲：「朝來有鄉信，猶自寄征衣。」南宋 王沂孫（一二四〇—一二九〇）齊天樂 蟬詞：「短夢深宮，向人猶自訴憔悴。」金 董解元西廂記 諸宮調卷五：「白日且猶自可，黃昏後是甚活？」殷勤，情意深厚。孝經援神契：「母之於子也，鞠養殷勤，推燥居濕，絕少分甘。」南史 任昉傳：「（任昉）為家誡，殷勤甚有條貫。」戀，ㄌㄧㄢˋ。依依不捨。東漢 王粲 從軍詩之二：「征夫懷親戚，誰能無戀情。」唐 白居易 酬李少府曹長官舍見贈詩：「戀月夜同宿，愛山晴共看。」落紅，落花。戴叔倫 相思曲：「落紅亂逐東流水，一點芳心為君死。」元 高克恭（一二四八—一三一〇）過信州詩：「風送落紅攙馬過，春風更比路人忙。」

清陳維崧破陣子擬過竹逸齊前探梅詞：「四百八十南朝寺，二十四番花信風，鶗啼催落紅。」

二九二、送春詞

林資銓

九十韶光逐水流①，雲山黯黯嬾登樓②。撩人劇恨絲絲雨③，不綰東風只綰愁④。

【析韻】

流、樓、愁，下平、十一尤。

【釋題】

告別春天的詩句，稱送春詞。詞，通「辭」、同「詈」。說文：「詞，意內而言外也。」段注：「有是意於內，因有是言於外，謂之詈。……言者，文字之聲也。詈者，文字形聲之合也。」在此，引申作「詩句」解。唐韓愈柳巷詩：「吏人休報事，公作送春詩。」杜牧殘春獨來南亭因寄張祜詩：「高枝百舌猶欺鳥，帶葉梨花已送春。」

【注解】

①九十……流　九十個美好的春天，跟隨著滾滾溪水汩汩而去。九十，表數量。一季約九十天。韶光，美好的時光；恆指春光。南朝梁簡文帝與慧琰法師書：「五翳消空，韶光表節。」唐王勃梓州郪縣兜率寺浮圖碑：「每至韶光照野，爽靄晴遙。」元谷子敬城

南柳第四折：「但能勾五千歲遐齡，強索如九十日韶光。」清顧炎武赴東詩之五：「草木皆欣欣，不覺韶光晚。」韶，ㄕㄠˊ。遂，隨。跟隨。楚辭九歌河伯：「靈何為兮水中，乘白黿兮逐文魚。」王逸注：「逐，從也。」北宋賀鑄雁後歸採蓮回詞：「羞從面色起，嬌逐語聲來。」水行曰流。

②雲山……樓　雲和山，昏暗、沈重；我不想拾級上樓。雲山，雲和山。南朝梁吳均同柳吳興烏亭集送柳舍人詩：「雲山離晻曖，花霧共依霏。」唐王昌齡過華陰詩：「雲起太華山，雲山共明滅。」北宋蘇舜欽無錫惠山寺詩：「雲山相照翠會合，殿閣對起涼參差。」黯黯，光線昏暗。東漢陳琳遊覽詩之一：「蕭蕭山谷風，黯黯天路陰。」北宋王安石望淮口詩：「白煙瀰漫接天捱，黯黯長空一道斜。」嬾，ㄌㄢˇ。亦作「孄」、「孏」。懶惰。懈怠。唐韓偓生查子詞：「嬾卸鳳凰釵，羞入鴛鴦被。」南宋陳允平（？—？，晚宋、元初人。）唐多令詞：「回首層樓歸去孄，早新月，掛梧桐。」登樓，上樓。

③撩人……雨　引人強烈不滿的，竟是一絲絲的細雨。撩人，誘人。動人。南宋楊萬里和昌英主簿叔送花：「風顛雨急關儂事，時序撩人只暗歎。」明徐渭遮葉牡丹詩：「終是傾城嬌絕世，只須半面越撩人。」清沈復浮生六記閒情記趣：「庭中木犀一株，清香撩人。」劇恨，強烈的不滿。絲絲雨，一絲絲的細雨。絲絲，一絲一絲的。形容纖細之物。絲絲雨即絲雨。唐周彥暉（？—？，世次不詳。）晦日宴高氏林亭詩：「雲低上天晚，絲雨帶風斜。」明俞國賢（？—？，世次不詳。）展先子墓晚歸即事詩：「罷掃春山歸路遲，

東風絲雨帶寒吹。」清 曹寅 中秋西堂待月詩：「空香浥路飄絲雨，重穀流雲裹珮環。」

④不綰……愁　不牽著春風；（卻）僅僅拉住怨尤。綰，ㄨㄢˇ。牽。拉住。唐 張喬 寄維揚故人詩：「離別河邊綰柳條，千山萬水玉人遙。」明 劉基 踏莎行 咏游絲詞：「如何綰得春光住，甫能振迅入雲霄，又還旖旎隨風去。」清 納蘭性德 扈蹕霸州詩：「花承暖日迎來騎，柳帶新膏綰去旌。」東風，詳參本卷、二八五、注③。只，僅僅。愁，怨尤。怨恨。唐 白居易 琵琶行：「別有幽愁暗恨生，此時無聲勝有聲。」清 王韜 春日滬上感事詩：「海上潮聲日夜流，浮雲廢壘古今愁。」

卷一八

二九三、乞巧

蔡汝修

雙星遙拜倚闌干①，詩未成時酒未闌②。有巧也知人乞盡③，聊藏吾拙乞平安④。

【析韻】

干、闌、安，上平、十四寒。

【釋題】

舊時風俗，傳說：農曆七月七日夜，天上牛郎、織女相會，婦女於當晚穿針，稱為乞巧，又稱「巧七」。初學記卷四引南朝梁宗懍荊楚歲時記：「七夕婦女結綵縷，穿七孔針，或以金銀鍮石為針，陳瓜果於庭中以乞巧。有喜子網於瓜上，則以為得。」五代後周王仁裕開元天寶遺事卷下乞巧樓：「宮中以錦結成樓，殿高百尺。上可以勝數十人，陳以瓜果酒炙，設坐具，以祀牛女二星。嬪妃各備九孔針、五色線，向月穿之，過者為得巧之候。動清商之曲，宴樂達旦，士民之家皆效之。」另，南宋孟元老東京夢華錄卷八七夕對唐、宋乞求之俗亦有詳載，茲從略。

【注解】

①雙星……干　貼近欄杆，望著遠處，祭拜牛郎、織女二星。雙星，指牛郎、織女二星。牽牛星俗稱牛郎星，簡稱牛郎。神話傳說：織女為天帝孫女，長年織造雲錦。遙拜，望遠處祭拜行禮。倚，參卷一三、二三五、注①。闌干。以木、竹、磚、石或金屬等構製而成，設於亭、臺、樓、閣或路邊、岸旁等處作遮攔之用，並維護安全。唐李白清平調詞之三：「解釋春風無限恨，沉香亭北倚欄干。」明王韋（？—？；弘治進士，年五十六卒，金陵三俊之首。）閣試春陰詩：「含情佇立憑闌干，遠峰漠漠登樓看。」

②詩未……闌　詩還沒做好，酒也還沒喝完。酒未闌，參考卷一一、二〇二、注③。

③有巧……盡　果真有技巧、有技藝；我也知道大家都求過了。巧，謂技巧。技藝。周禮考

工記序：「天有時，地有氣，材有美，工有巧。合此四者，然後可以為良。」荀子儒效：「羿者，天下之善射者也，無弓矢則無所見其巧。」唐沈亞之（?－八三一稍後）為人撰乞巧文：「邯鄲人技婦李容子，七夕祀織女，作穿針戲，取苔篁雜製席上，以望巧所降。」乞盡，求過。求了。

④聊藏……安　姑且隱匿起自己的短處，圖個平安也就心滿意足了。聊，ㄌㄧㄠˊ。姑且。暫且。詩檜風素冠：「我心傷悲兮，聊與子同歸兮。」鄭玄箋：「聊，猶且也。且與子同歸，欲之其家，觀其居處。」古詩十九首青青陵上柏：「人生天地間，忽如遠行客。斗酒相娛樂，聊厚不為薄。」南宋蘇庠（?－一一四七）臨江仙詞：「秋水芙渠聊蕩槳，一樽同破愁城。」藏，隱匿。易繫辭上：「顯諸仁，藏諸用，鼓萬物而不與聖人同憂。」金元好問九月晦日王村道中詩：「煙光藏落景，山骨露清秋。」拙，ㄓㄨㄛˊ。遲鈍。魯笨。老子：「大道若屈，大巧若拙，大辯若訥。」唐韓愈為裴相公讓官表：「知事君以道，無憚殺身；慕當官而行，不求利己。人以為拙，臣行不疑。」清納蘭性德與韓元少書：「寧迂而不徑，寧拙而不巧。」遲鈍，在此，引申作「短處」解。平安，詳參卷六、一二一、注⑥。

二九四、七　夕

王石鵬

雙星雅會紀年年①，乞巧穿鍼韻事傳②。畢竟人間勝天上③，兒家夫壻樂團圓④。

【析韻】

年、傳、圓，下平、一先。

【釋題】

七夕，農曆七月初七夜。相傳：牛郎、織女此夜相會於天河。舊俗，有婦女穿針乞巧、祈禱福壽。七夕風俗及牛女二星故事，分別見於四民月令（東漢崔寔）、風土記（西晉周處）、續齊諧記（南朝梁吳均）…等書。

【注解】

①雙星……年　每年都有牛女在銀河鵲橋上高雅不俗的聚會。雙星，詳參前首注①。雅會，高雅不俗的聚會。南宋劉子翬次韻陳成季郡會：「雅會欣聞珠履集，新詞好付雪兒歌。」明顧大曲（一五四〇—一五九六）青衫記家門始末：「塵事常多雅會稀，忍不開眉。畫堂歌管深深處，難忘酒盞花枝。」清孫枝蔚十四夜雪後同鄧孝威等觀燈詩：「高懷憐節物，雅會重詩書。」紀，動詞。錄。記載。通「記」。左傳桓公二年：「文、物以紀之，聲、明以發之。」東漢張衡東京賦：「咸用紀宗存主，饗祀不輟，銘勳彝器，歷世彌光。」李善注：「紀，錄也。」唐韓愈祭柳子厚文：「富貴無能，磨滅誰紀？」在此，引申作「有」解。年年，詳參卷一七、二八二、注①。

②乞巧……傳　祈求授予絲線貫通針孔的技藝，這種風雅之事在婦人當中彼此轉述、討論。乞巧，詳前首釋題。穿鍼，本作「穿針」。絲線貫通針孔。北周庾信對燭賦：「燈前桁

衣疑不亮，月下穿針覺最難。」韻事，詳卷三、四八、注②。傳，ㄔㄨㄢˊ。轉達。在此，作「轉述、討論」解。

③畢竟……上　到底人世社會賽過神仙世界。畢竟，到底。終歸。唐 許渾 聞開江宋相公申錫下世詩之一：「畢竟成功何處是？五湘雲月一帆開。」南宋 辛棄疾 菩薩蠻 書江西造口壁詞：「青山遮不住，畢竟東流去。」明 劉基 更漏子詞：「賽門雲，湘浦樹，畢竟故鄉何處。」人間，人世社會。勝，賽過。贏過。……比……來的好。天上，指神仙世界言。北宋 李清照 孤雁兒詞：「吹簫人去玉樓空，腸斷與誰回倚？一枝折得，人間天上，沒箇人堪寄。」元 曾允元（？—？，世次不詳。）水龍吟 春夢詞：「甚依稀難記，人間天上，有緣重見。」明 劉基 詠月詞：「人間天上一般秋，銀潢水何事獨西流。」北宋 張先 菩薩蠻 七夕詞：「牛星織女年年別，分明不及人間物。」另，參卷九、一七〇、注①。

④兒家……圓　我家那口子，正為夫妻相聚，樂不可支。兒家，古年輕女子對其家的自稱。猶言我家。唐 寒山 詩之六十：「何須久相弄，兒家夫婿知。」南宋 辛棄疾 江神子 和人韻詞：「兒家門戶幾重重，記相逢，畫樓東。」近人郁達夫 春閨詩之二：「明知此樂人人有，總覺兒家事最奇。」夫壻，亦作「夫婿」、「夫聟」。丈夫。玉臺新詠 陌上桑：「東方千餘騎，夫壻居上頭。」唐 王昌齡 閨怨詩：「忽見陌頭楊柳色，悔教夫壻覓封侯。」杜甫 佳人詩：「夫婿輕薄兒，新人美如玉。」樂，ㄌㄜˋ。喜。悅。歡樂。詩 小雅 鹿鳴：「我有旨酒，以燕樂嘉賓之心。」論語 學而：「有朋自遠方來，不亦樂乎！」孟子 梁惠王上：

「獨樂樂，與人樂樂，孰樂？」團圓，詳參卷一〇、一八九、注③。

二九五、展重陽

鄭鵬雲

重陽辜負此良辰①，再展佳期話夙因②。風雨滿城仍覓句③，催租防有再來人④。

【析韻】

展、因、人，上平、十一真。

【釋題】

延期慶重陽，曰展重陽。古以「九」為陽數之極，九月九日稱重九或重陽。西京雜記卷三：「九月九日，佩茱萸，食蓬餌，飲菊花酒，令人長壽。」魏晉以後習俗，於此日登高游宴，飲菊花酒。南朝梁庾肩吾（四八七—五五一）九日侍宴樂游應令詩：「獻壽重陽節，迴鑾上苑中。」唐杜甫九日詩：「重陽獨酌盃中酒，抱病起登江上臺。」鄭谷漂泊詩：「黃花催促重陽酒，何處登高望二京。」南宋張孝祥柳梢青餞別蔣德施粟子求諸公詞：「重陽時節，滿城風雨，更催行色。」清陳維崧醉花陰重陽和漱玉詞：「今夜是重陽，不捲珍珠，陣陣西風透。」

【注解】

①重陽……辰　對不住重陽這美好的時光。按：作者將重陽擬人化。重陽，詳釋題。辜負，

詳參卷九、一六一、注④。此，這。這一。良辰，參卷一七、二八五、注①。

②再展……因　黃道吉日又告順延，那得說一說宿因。再展，猶又順延。佳期，美好的時光。意謂黃道吉日。南朝齊謝朓永明樂詩之九：「佳期悵何許，淚下如流霰。」唐杜甫宿青溪驛奉懷張員外詩：「浩蕩前後間，佳期赴荊楚。」明何景明泊雲陽江頭玩月詩：「佳期邈山岳，端坐令人省。」話，語。談敘。猶說說。唐李商隱夜雨寄北詩：「何當共翦西窗燭，卻話巴山夜雨時。」孟浩然過故人莊詩：「開筵面場圃，把酒話桑麻。」夙因，宿因。謂前世的因緣。前世的根源。明楊珽（？—？，萬曆前後人。）龍膏記錯媾：「有緣千里能相見，這其間夙因不淺，看錦帳流香度百年。」儒林外史第一九回：「鄭老爹迎了出來，翁婿一見，才曉得就是那年回去同船之人，這一番結親，真是夙因。」

③風雨……句　全城議論紛紛、傳說不斷；依然再構思、推敲詩句。風雨，詳參卷一六、二七四、注③。滿城，整個城。整座城。意謂全城。仍，依然。尚。表性態。史記太史公自序：「太史公仍父子相續纂其職。」覓句，亦作「覔句」。詳參卷七、一二八、注④。

④催租……人　要戒備，又會有人來催促速繳詩作。催租，本義催繳田賦、地租。南宋范成大後催租行：「室中更有第三女，明年不怕催租苦。」本句此處，引申作催繳詩作解。防，戒備。易小過：「弗過防之，從或戕之，凶。」唐皎然因遊支硎寺寄邢端公詩：「謇諤言無隱，公忠禍不防。」

二九六、展重陽

桃園吟社

茱萸偏插話前因①，菊酒重開不厭陳②。生恐劉郎仍擱筆③，題糕膽怯到詩人④。

【析韻】

因、陳、人，上平、十一真。

【釋題】

同前首。

【注解】

①茱萸……因　茱萸都插妥了，且說一說這習俗的由來。茱萸，ㄓㄨ ㄩˊ。植物名。香氣辛烈，可入藥。古俗，九月九日重陽節，佩茱萸謂能袪邪辟惡。南朝梁吳均續齊諧記九日登高：「費長房謂桓景曰：『九月九日汝家有災，急令家人各作絳囊盛茱萸繫臂，登高飲菊花酒。』」三國魏曹植浮萍篇：「茱萸自有芳，不若桂與蘭。」唐王維九月九日憶山東兄弟詩：「遙知兄弟登高處，遍插茱萸少一人。」清吳偉業丁亥之秋王烟客招予西田賞菊詩：「秔稻將登農父喜，茱萸偏插故人憐。」偏，ㄆㄧㄢ。皆。表數量。猶「都」(ㄉㄡ)。淮南子主術訓：「則天下偏為儒墨矣。」漢書賈誼傳：「彼自丞尉以上，偏置私人。」插，ㄔㄚ。刺入。穿入。呂氏春秋貴卒：「(吳起)拔矢而走，伏尸插矢而疾言曰：『羣

臣亂王。』」陳奇猷校釋：「吳起拔人所射之矢以插王尸。」南宋范成大大丫隘詩：「山深生理卻不乏，人有銀釵一雙插。」話，詳參前首注②。前因，由來。原因。二刻拍案驚奇卷一九：「看官，你道從來只有說書的續上前因，哪有做夢的接著前事？」

②菊酒……陳　菊花酒又啟封了，（我們）不嫌棄它窖藏的時間長久。菊酒，菊花酒。西京雜記卷三：「……菊花舒時，並採莖葉，雜黍米釀之，至來年九月九日使熟，就飲焉，故謂之菊花酒。」重開，又啟封。謂去年此時曾開，今年此刻又開也。厭，ㄧㄢˋ。嫌棄。論語憲問：「夫子時然後言，人不厭其言；樂然後笑，人不厭其笑；義然後取，人不厭其取。」陳，積藏已久。如：陳酒、陳醋。

③生恐……筆　只怕劉郎依然中止下筆。生恐，只怕。紅樓夢第九五回：「王夫人知事難瞞……心裏也徬徨的很，生恐賈母著急。」兒女英雄傳第五回：「那店主人本是個老經紀；他見那女子行跡有些古怪，公子又年輕不知庶務，生恐弄出些什麼事到店中受累，便走到公子房中要問個端的。」劉郎，指劉禹錫。劉禹錫（七七二—八四三）。唐彭城人。字夢得。貞元九年進士，登博學宏詞科，曾出任蘇州刺史，遷太子賓客，故又稱劉賓客。官至集賢殿學士。渠文章簡鍊深刻，於韓柳外自成一家。所作竹枝詞，剛健清新、語言明快，別具風格。在洛陽時，常與白居易唱和，時稱劉白。有劉夢得文集存世，新舊唐書有傳。仍，參考前首注③。擱筆，停筆。謂放下筆中止書寫。北宋畢仲游（一〇四七—一一二一）回范十七承奉書：「舊時數百首悉焚去，擱筆不復論詩。」清袁枚隨園詩話卷一：

「邵薑畦……詠濟南趵突泉云：『倒翻廬阜瀑，長湧浙江潮。』一時諸名士為之擱筆。」

④題糕……人　咳！連詩人都害怕寫「糕」字。題，書寫。膽怯，膽小畏縮，謂沒膽量，猶言害怕。題糕，本作「題餻」。故事源自劉禹錫重陽題詩不敢用「餻」字。南宋　邵博（？－一一五八）聞見後錄卷一九：「劉夢得作九日詩，欲用『餻』字，以五經中無之，輟不復為。宋子京以為不然。故子京九日拾餻有詠云：『颸館輕霜拂曙袍，糗餈花飲鬬分曹，劉郎不敢題餻字，虛負詩中一世豪。』」

二九七、涼信

鄭兆璜

萬籟無聲月色幽①，園林鎮日不知愁②。庭梧昨夜新消息③，報到江南第一秋④。

【析韻】

幽、愁、秋，下平、十一尤。

【釋題】

猶言秋信。天候轉涼，氣溫逐漸降低，示意吾人秋即將到來，應增添衣物也。

【注解】

①萬籟……幽　沒一點聲音，月光又是那麼地暗淡。萬籟無聲，即萬籟俱寂。萬籟，各種聲響。籟，自孔穴中發出的聲音。南朝　謝朓　答王世子詩：「蒼雲暗九重，北風吹萬籟。」

唐杜甫玉華宮詩：「萬籟真笙竽，秋色正蕭灑。」西遊記第一七回：「萬籟聲寧，千山鳥絕。」月色，詳參卷一五、二五一、注①。幽，暗淡。東晉葛洪抱朴子嘉遯：「猶震雷駭則鼙鼓堙，朝日出則螢燭幽也。」

②園林……愁　園林卻整天不知道「愁」是甚麼滋味。園林，詳參卷一七、二九一、注②。鎮日，參考卷一五、二五七、注②。愁，參考卷一〇、一八八、注①。

③庭梧……息　昨天晚上，堂前梧桐有了新的音信。堂前之地曰庭。詩魏風伐檀：「不狩不獵，胡瞻爾庭有縣貆兮！」梧，梧桐。學名 **Firmiana simplex**。一名青桐。梧桐科。落葉喬木。幼，樹皮綠色，平滑。葉掌狀三至七裂。夏季開花，雌雄同株，花小，淡黃綠色或白色，圓錐花序。果實分為五個分果，成熟前裂開成小艇狀，球形種子生其邊緣。產於我國及日本。木材供製樂器、家具，樹皮纖維可造紙。種子炒熟供食用，亦可搾油，供製肥皂、潤滑劑。亦為綠化樹。新，與「舊」相對。謂初次呈現（或初次得到）。消息，詳參卷一〇、一八四、注②。

④報到……秋　告知江南第一個秋訊，已經悄悄來到。明程道生（？—？，世次不詳。）遁甲演義卷二：「梧桐于立秋之日，一葉先墜。」前一句所謂新消息者，即指一葉先墜之音訊也。報到，告知自己已經來到。北宋文瑩（？—？，世次不詳。）玉壺清話卷六：「舊制，宰相報到，未刻方出中書，會歲大熱，特許公（按指趙普）纔午歸第，遂為永制。」江南，泛指長江以南地區。近代專指蘇南、浙江等一帶。第一秋，第一個秋訊。

二九八、涼信

蔡振豐

萬籟淒涼夜景幽①，西風忽自動簾鈎②。碧梧庭院殘荷沼③，並作山居一夕秋④。

【析韻】

幽、鈎、秋，下平、十一尤。

【釋題】

同前首。

【注解】

①萬籟……幽　四面八方傳來孤寂、冷落的聲音，月光又是如此地暗淡。萬籟，幽，均詳參前首注①。淒涼，參考卷七、一三五、注①。夜景，指月光。東晉陶潛辛丑歲七月赴假還江陵夜行途中詩：「涼風起將夕，夜景湛虛明。」唐韋應物晚登郡閣詩：「春風偏送柳，夜景欲沈山。」

②西風……鈎　秋風卻突然吹動了簾鈎。西風，參卷一五、二六一、注③。忽，突然。列子湯問：「涼風忽至，草木成實。」唐岑參白雪歌送武判官歸京：「北風卷地白草折，胡天八月即飛雪。忽如一夜春風來，千樹萬樹梨花開。」自，指西風言。動，吹動。簾鈎，捲收簾幕所用的鈎狀物。唐王昌齡青樓怨詩：「斷腸關山不解說，依依殘月下簾鈎。」

隨園詩話卷八引清 陳以剛詩：「六朝山立簾鈎外，萬卷書橫簿領中。」簾，以竹、木等製成，用以遮蔽門窗的物件。南朝 齊 謝朓 和王主簿怨情：「花叢亂數蝶，風簾入雙燕。」北宋 張耒 夏日詩：「落落疎簾邀月影，嘈嘈虛枕納溪聲。」

③碧梧……沼　堂前院落裏的青桐、水塘中的枯荷。碧梧，即青桐。餘參前首注③。庭院，堂前的院落。殘荷，枯萎的芙渠。荷，又名芙渠。沼，ㄓㄠˇ。水池。詩 小雅 正月：「魚在于沼，亦匪克樂。」西漢 司馬相如 上林賦：「日出東沼，入乎西陂。」前蜀 韋莊 訴衷情詞之二：「碧沼紅芳煙雨靜，倚蘭橈。」

④並作……秋　一起在山居度過一個秋夜。並作，一起度過。山居，山中的住所。二刻拍案驚奇卷一八：「貧道也要老丈到我山居中，尋幾味野蔬，少少酬答厚意一番。」清 姚鼐 登泰山道里記序：「比有岱宗之遊，遇訪聶君山居，迺索其書讀之。」一夕秋，猶言一秋夜。

二九九、秋　陰

林維丞

清景迷離興致豪①，吟秋有客健揮毫②。蘆花隱約漁舟泊③，淡淡溪痕減半篙④。

【析韻】

豪、毫、篙，下平、四豪。

【釋題】

秋季天陰時，天空呈現陰晦之氣。亦指秋季陰天。

【注解】

①清景……豪　清麗的景色濛濛朧朧，大家的興趣都非常高昂。清景，清麗的景色。明謝榛四溟詩話卷二：「謝靈運『池塘生春草』，造語天然，清景可畫。」迷離，模糊不明，難以分辨。謂濛朧也。樂府詩集橫吹曲辭五木蘭詩：「雄兔腳撲朔，雌兔腳迷離。」北宋張先山亭宴詞：「碧波落日寒煙聚，遙望山迷離紅樹。」清吳偉業鴛湖曲：「煙雨迷離不知處，舊隄卻認門前樹。」興致豪，參卷一六、二七三、注①。

②吟秋……毫　以秋景為題作詩，好多位來客，詩思泉湧，正運筆急書。吟秋，以秋景為題作詩。客，指來客。受邀聚會者。健，擅長。善於。新唐書忠義傳上呂子臧：「呂子臧，蒲州河東人。剛直，健於吏。」南唐劉崇遠金華子雜編卷上：「崔涓，大夫嶼之子，小宗伯澹之兄。涓性俊逸，健於記識。」揮毫，參卷一六、一七三、注②。

③蘆花……泊　白茫茫的蘆絮當中，依稀可見漁船棲止。蘆花，蘆絮。即蘆葦花軸上密生的白毛。隋江總贈賀左丞蕭舍人詩：「蘆花霜外白，楓葉水前丹。」元耶律楚材透脫詩：「瀟湘一片蘆花秋，雪浪銀濤無盡頭。」隱約，依稀不明貌。南朝梁何遜初發新林詩：「帝城猶隱約，家國無處所。」唐韓愈次硤石詩：「試憑高處望，隱約見潼關。」漁舟，漁船。南朝梁劉孝威（四九六—五四九）登覆舟山望湖北詩：「荇蒲浮新葉，漁舟繞落

花。」唐 杜甫 初冬詩：「漁舟上急水，獵火著高林。」清 錢載（一七〇九—一七九三）飲望湘亭詩：「估客帆墻去，漁舟浦溆還。」近人劉半農（一八九一—一九三四）游香山紀事詩之九：「漁舟橫小塘，漁父賣魚去。」泊，ㄅㄛˊ。靠岸停船。猶言棲止。三國志 吳書 陸凱傳：「武昌土地，實危險而墝确，非王都安國養民之處，船泊則沈漂，陵居則峻危。」唐 杜甫 絕句之三：「窗含西嶺千秋雪，門泊東吳萬里船。」清 孔尚任 桃花扇 逢舟：「流水渾渾，風濤拍禹門；堤邊浪穩，泊舟楊柳根。」

④淡淡……篙　溪床上顏色淡淡的水痕，隱約可見少了半根船竿高的流水呢！淡淡，ㄉㄢˋ ㄉㄢˋ。形容顏色淺淡。唐 杜甫 行次鹽亭縣聊題四韻：「雪溪花淡淡，春郭水泠泠。」北宋 徐鉉（九一七—九九二）寒食日作詩：「過社紛紛燕，新晴淡淡霞。」南宋 陸游 泛舟至東村詩：「颼颼風漸冷，淡淡月初生。」溪痕，溪床留下的水痕。痕，本義傷疤；引申做凡物所留下來的跡象。減，少。半篙，半根船竿（的高度）。篙，ㄍㄠ。撐船的竹（木）竿。唐 玄應（？—？，武德、永徽間人。）一切經音義卷一五：「（篙）謂刺船竹，以鐵為鏃。」紅樓夢第四〇回：「說著，便一篙點開。」

三〇〇、秋　柝

劉廷璧

更深月色映柴扉①，擊柝頻聞響四圍②。一樣秋心同擣碎③，砧聲隔巷扣依依④。

【析韻】

扉、圍、依，上平、五微。

【釋題】

秋柝，秋夜梆聲。柝，ㄊㄨㄛˋ。同「欜」。古代巡夜人敲以報更之木梆。易繫辭下：「重門擊柝，以待暴客。」釋文馬（融）云：「兩木相擊以行夜。」

【注解】

①更深……扉　夜深人靜，月光照在柴門上。更深，夜深。唐杜甫火詩：「流汗臥江亭，更深氣如縷。」清吳騫扶風傳信錄：「是歲二月十八日之夕，素娥復至，時已更深，生與婦俱已寢。」月色，參卷一五、二五一、注①。映，照。照耀。東晉郭璞江賦：「青綸競糾，縟組爭映。」劉良注：「糾，亂；爭，交也。言多而交亂為暉映也。」北宋王安石金山寺詩：「誰言張處士，雄筆映千古。」柴扉，柴門。南朝梁范雲（四五一—五〇三）贈張徐州稷詩：「還聞稚子說，有客款柴扉。」唐李商隱訪隱者不遇成二絕之二：「城郭休過識者稀，哀猿啼處有柴扉。」亦指貧寒的家園。

②擊柝……圍　梆聲不斷，提醒著四周的住家。擊，敲。敲打。書益稷：「於！予擊石拊石。」唐韓愈病中贈張十六詩：「文章自娛戲，金石日擊撞。」柝，詳釋題，略。頻聞，屢聞。連聞。形容柝聲不斷。響，發出聲音而震動。在此，引申作「提醒」解。四圍，四周。周圍。唐牟融登環翠樓詩：「雲樹四圍當戶暝，烟嵐一帶隔簾浮。」元王實甫西

廂記第四本第三折：「四圍山色中，一鞭殘照裏。」

③一樣……碎　此刻，秋的悲思也一道被擊破了。一樣，詳參卷一五、二五九、注④。秋心，秋日的心緒。多指因秋來而引發悲愁心情。唐鮑溶怨詩：「秋心還遺愛，春貌無歸妍。」北宋張耒夏日五言之十一：「庭除延夜色，砧杵發秋心。」同，共。猶言一道。擣碎，擊破。擣，ㄉㄠˇ。捶擊。舂搗。詩小雅小弁：「我心憂傷，惄焉如擣。」碎，破。晉書石崇傳：「以珊瑚樹……示崇，崇便以鐵如意擊之，應手而碎。」

④砧聲……依　卻留戀起隔巷傳來的婦人搗衣聲呢！砧聲，詳參卷一六、二七七、注④。隔巷，分開且不相通的巷弄。巷，里中的道路。南方稱里弄，北方稱胡同。易睽：「遇主於巷。」詩鄭風叔于田：「叔于田，巷無居人。」毛傳：「巷，里塗也。」扣，同「叩」。敲擊。墨子公孟：「譬若鍾（鐘）然，扣則鳴，不扣則不鳴。」依依，留戀不捨的樣子。韓詩外傳卷二：「其風治，其樂連，其驅馬舒，其民依依，其行遲遲。」玉臺新詠古詩為焦仲卿妻作：「舉手長勞勞，二情同依依。」唐劉商（？—？約卒于元和二年前）胡笳十八拍詩：「淚痕滿面對殘陽，終日依依向南北。」

三〇一、餞秋　蔡振豐

欲送故人秋亦去①。別離情緒兩紛紛②。一樽偷向西風說③，南浦春愁減幾分④。

【析韻】

紛、分，上平、十二支。

【釋題】

飲酒送別晚秋，曰餞秋。餞，ㄐㄧㄢˋ。設酒食送行。詩邶風泉水：「出宿于泲，飲餞于禰。」鄭玄箋：「餞，送行飲酒也。」又，餞，送也。書堯典：「寅餞納日，平秩西成。」孔傳：「餞，送也。日出言導，日入言送。」

【注釋】

①欲送……去　想要揮別老友；秋也已經離我而去。欲，參卷一、一六、注②。送，餞行。告別。詩邶風燕燕：「之子于歸，遠送于野。」北宋孫光憲上行杯詞：「離棹逡巡欲動，臨別浦，故人相送。」故友，老友。舊交。莊子山木：「夫子出於山，舍於故人之家。」史記范睢蔡澤列傳：「公之所以得無死者，以綈袍戀戀，有故人之意，故釋公。」唐王維送元二使安西詩：「勸君更盡一盃酒，西出陽關無故人。」去，離開。

②離別……紛　離別纏綿的情意，彼此內心都非常地亂。別離，離別。楚辭九歌少司命：「悲莫悲兮生別離，樂莫樂兮新相知。」唐聶夷中勸酒詩之二：「人間榮樂少，四海別離多。」清孫枝蔚將之屯留省五兄大宗留別賓賢羽吉舟次詩：「昆弟非路人，焉敢久別離。」情緒，纏綿的情意。南朝梁江淹泣賦：「直視百里，處處秋烟，閴寂以思，情緒留連。」唐韓偓青春詩：「眼意心期卒未休。暗中終擬約秦樓，光陰負我難相偶，情

緒牽人不自由。」北宋晏幾道梁州令詞：「南橋楊柳多情緒，不繫行人住。」兩，故人與我。猶云彼此。紛紛，亂貌。管子樞言：「紛紛乎若亂絲，遺遺乎若有從治。」北宋王安石桃源行：「重華一去寧復得，天下紛紛幾經秦。」明沈采千金記封王：「過長亭短亭，亂紛紛道蔽旌旗影。」

③一樽……說　奉上一杯水酒，暗地裏對秋風傾訴。一樽，參卷一二、二一七、注④。偷向，暗地裏對著。西風，參卷一五、二六一、注③。說，猶傾訴。

④南浦……分　南面水邊，那春日的愁緒，到底少了幾分。南浦，南面的水邊。楚辭九歌河伯：「子交手兮東行，送美人兮南浦。」王逸注：「願河伯送己南至江之涯。」恆用稱送別之地。南朝梁江淹別賦：「春草碧色，春水淥波，送君南浦，傷如之何。」唐李賀黃頭郎詩：「黃頭郎，撈攏去不歸。南浦芙蓉影，愁江獨自垂。」清曹寅登署樓適培山至用東坡真州詩韻同賦：「西風晴十日，南浦別經年。」春愁，春日的愁緒。南朝梁元帝春日詩：「春愁春自結，春結詎能申。」唐李白愁陽春賦：「春心蕩兮如波，春愁亂兮如雲。」張祜折楊柳枝詩之一：「傷心日暮煙霞起，無限春愁生翠眉。」南宋陸游行武擔西南村落有感詩：「騎馬悠然欲斷魂，春愁滿眼與誰論？」減，少。

三〇二、送 秋

鄭鵬雲

清商驪唱不堪聞①，況值高風欲別君②。我自送秋秋送我③，天涯離恨各平分④。

【析韻】

聞、君、分，上平、十二文。

【釋題】

告別秋季，曰送秋。

【注解】

①清商……聞 不能忍受聽到淒清悲涼的告別之歌。清商，指商聲言。古五音之一。其調淒清悲涼，故稱。韓非子十過：「公曰：『清商固最悲乎？』師曠曰：『不如清徵。』」東晉葛洪抱朴子暢玄：「夫五聲八音，清商流徵，損聰者也。」唐杜甫秋笛詩：「清商欲盡奏，奏苦血霑衣。」驪唱，指驪歌。即告別之歌。清杜岕（一六一七－一六九三）送張子良還燕詩：「坐中驪唱渭城聲，歌者齊眉髮初覆。」趙翼將入都留別蓉龕諸人詩：「連宵置酒煩驪唱，往日聯裾似雁行。」近人郁達夫夢醒枕上作翌日寄荃君詩之一：「與君十載湖亭約，驪唱聲中兩度逢。」不堪，參卷一三、二二七、注④。聞，參卷一七、二七八、注②。

②況值……君　正遇上風操如此高尚的您，想要分離。況，正。恰。表情狀的副詞。唐王昌齡送東林廉上人歸廬山詩：「昔為廬峯意，況與遠公違。」金董解元西廂記諸宮調卷三：「生不勝怏怏。況是無聊，又聞夜雨。」清顧炎武寄劉處士大來詩：「世路況悠悠，窮途儻能遣。」值，參卷一六、二八〇、注②。高風，參卷一三、二三二、注③。君，對人的敬稱。如今語「您」。

③我自……我　我親身揮別秋天；秋天也向我告別。自，參考卷一、一、注②。

④天涯……分　遠離的愁苦，彼此對半吧！天涯，參卷五、一〇四、注④。離恨，參考卷八、一四七、注⑦。各，參卷一六、二八七、注②。平分，猶對半。楚辭九辯：「皇天平分四時兮，竊獨悲此廩秋。」唐白居易元微之除浙東觀察使喜得杭越鄰州先贈長句：「郡樓對翫千峯月，江界平分兩岸春。」清李漁憐香伴遄發：「行來漸漸和他遠，平分得相思一半。」

三〇三、消寒詞

林清漪

雞聲唱徹夜將分①，霜月侵簾鴨篆焚②。我擁美人權擁被③，小窓夢醒上朝曛④。

【析韻】

分、焚、曛，上平、十二文。

【釋題】

消寒會中所作詩句，曰消寒詞。消寒會，暖寒之會也。舊俗，冬至後，邀集朋友，輪流作東宴飲之。五代後周王仁裕開元天寶遺事卷上掃雪迎賓：「巨豪王元寶每至冬月大雪之際，令僕夫自本家坊巷口掃雪為逕路，躬親立於坊巷前迎揖賓客，就本家具酒炙宴樂之，為暖寒之會。」

【注解】

①雞聲……分　雞鳴不已，漫漫長夜就要消逝了。雞聲，雞鳴報曉的聲音。唱徹，鳴啼不已，處處可聞。唱，叫喊。北史孫脩義傳：「（高）居大言不遜，脩義命左右牽曳之，居對大眾呼天唱賊。」徹，達，到。國語魯語上：「既其葬也，焚，煙徹于上。」韋昭注：「徹，達也。」元馮子振（一二五七—？）鸚鵡曲赤壁懷古曲：「嘆西風捲盡豪華，往事大江東去；徹如今話說漁樵，算也是英雄了處。」唱「徹」。用以描述處處可聞。夜，與「晝」相對。從天黑到天亮的一段時間。詩唐風葛生：「夏之日，冬之夜，百歲之後，歸于其居。」南朝梁簡文帝隴西行之三：「沙飛朝似幕，雲起夜疑城。」將，就要。左傳文公一八年：「春，齊侯戒師期，而有疾。醫曰：『不及秋將死。』」清李漁奈何天驚醜：「親事將到門了，快叫儐相進來。」分，離開。離別。莊子漁夫：「仁則仁矣，恐不免其身；苦心勞形以危其真。嗚呼！遠哉，其分於道也！」北宋王安石再題南澗樓詩：「去此非吾願，臨分更上樓。」在此，引申作「消逝」解。

②霜月……焚　簾幙的內外，寒月進進出出；寶鴨裏的環香正在燃燒。霜月。寒月中的月。南朝宋鮑照和王護軍秋夕：「散漫秋雲遠，蕭蕭霜月寒。」唐王勃寒夜懷友詩之一：「北山烟霧始茫茫，南津霜月正蒼蒼。」清黃景仁夜泊聞雁詩：「悽然對江水，霜月不勝涼。」侵，越境進犯。詩小雅六月：「玁狁匪茹，整居焦穫，侵鎬及方，至于涇陽。」簾。詳本卷二九八、注②。鴨篆，鴨形香爐裏的環香。餘參卷一五、二四九、注①。焚，燃燒。

③我擁……被　我抱著美人比圍裏住衾被來得要緊。擁，抱。禮記玉藻：「肆束及帶，勤者有事則收之，走則擁之。」孔穎達疏：「擁，謂抱之於懷也。」南朝宋謝靈運發歸瀨三瀑布望兩溪詩：「風雨非攸恡，擁志誰與宣。」美人，詳卷一、四、注②。權，重於。戰國策齊策三：「（蘇秦）謂楚王曰：『齊之所以敢多割地者，挾太子也。今已得地而求不止者，以太子權王也。』」高誘注：「權，重。」擁被，圍裏衾被。南史隱逸傳上陶潛：「敗絮自擁，何慚兒子。」南宋陸游雪夜詩：「僵縮不能寐，起坐擁故袍。」

④小窓……曛　小窗邊，睡夢中醒來，已經是黃昏了。「小」窗，形容面積不大。夢醒，夢覺。睡夢當中醒來。上，猶云到。朝，ㄓㄠ。初。始。曛，ㄒㄩㄣ。黃昏。南朝宋鮑照冬日詩：「曛霧蔽窮天，夕陰晦寒地。」

三〇四、冬夜消寒詞

蔡振豐

梅花簾外嫩寒催①，夜色如銀雪滿臺②。我擁美人權擁被③，半床暖玉夢初回④。

【析韻】

催、臺、回，上平、十灰。

【釋題】

參考前首釋題。

【注解】

①梅花……催　竹簾外，微寒逼促梅枝綻放花朵。梅花，梅枝上的花（朵）。梅，果木名。學名 **prunus mume**。薔薇科。落葉喬木。葉闊卵形或卵形，有細銳鋸齒。葉柄頂端有二腺體。芽為落葉果樹中萌發最早的一種。花或單生或兩朵齊出，先葉開放，多為白色或淡紅色，具清香。核果球狀，未熟時呈青色，成熟後多呈黃色，味極酸。性喜溫暖濕潤，土壤適應性強。多採嫁接或播種繁殖。原產我國，多分布於長江以南各地。果實可生食或製成蜜餞，亦供藥用（如烏梅）。花供欣賞。簾外，竹簾外。猶言屋外。簾，參本卷、二九八、注②。外，與「內」相對。嫩寒，本作「嫩寒」。輕寒。即微有寒意。北宋王詵（？—？，景祐、元符間人。）踏青遊詞：「金勒狨鞍，西域嫩寒春曉。」元張翥摸魚兒送黃任

伯歸豐城詞：「蘭舟同上鴛鴦浦，天氣嫩寒輕暖。」明高啟梅花詩之二：「薄暝山家松樹下，嫩寒江店杏花前。」催，逼促。西晉李密陳情表：「郡縣逼迫，催臣上道。」南宋劉過臨江仙詞：「嚴風催酒醒，微雨替梅愁。」明張居正留別新鄉方大尹詩：「夜燒紅燭催春酒，曉借鳴琴寫別情。」

②夜色……臺 銀白、潔淨的夜光，庭階遍積瑞雪。夜色，猶夜光。南朝梁劉孝標（四六三—五二二）辯命論：「才非不傑也，主非不明也，而碎結綠之鴻輝，殘懸黎之夜色，抑尺之量有短哉？」如銀，像銀一般。形容光色潔淨。雪，空中降落的白色晶體，多呈六角形，是氣溫降到攝氏零度以下時，天空中的水蒸氣凝結而成者。詩邶風北風：「北風其涼，雨雪其雱。」唐李白塞下曲之一：「五月天山雪，無花祇有寒。」滿，充滿。猶言遍積。臺，指庭階。用磚、石等在門庭玄關前砌成的階梯。

③我擁……被 詳前首注③。

④半床……回 好大的一個保溫囊，通體舒暢。剛從睡夢中醒來呢！半床，本作「半牀」。謂不滿一床。形容其體積。北周庾信小園賦：「落葉半牀，狂花滿屋。」前蜀韋莊清平樂詞之二：「夢覺半床斜月，小窗風觸鳴琴。」紅樓夢第三八回：「半床落月蛩聲切，萬里寒雲雁陣遲。」暖玉，古保溫器。談薈：「唐岐王暖玉鞍，雖天氣嚴寒，溫溫有火氣。天寶時，內庫自暖盃，青玉色，取酒注之，溫溫有氣，相吹而沸湯。」開元天寶遺事暖玉鞍：「岐王有玉鞍一面，每至冬月則用之，雖天氣嚴寒，則有此鞍上坐，如溫火之氣。」

按：近世恆以白鐵焊製成扁卵圓形，中空。注入熱水後即時拴緊，外層圍裹厚（布），避免燙傷。金屬傳熱迅速，頓時厚氈溫溫有熱氣，置諸被褥間以禦寒取暖；於電氈普及前，為寒冬相當實用之家庭器物。閩南、本島俗稱「水龜」。蓋其形似龜之軀體，故名。夢初回，甫從睡夢中醒來。舊題唐 柳宗元 龍城錄 任中宣夢水神持鏡：「夢一道士赤衣乘龍，詣中宣，言：此鏡乃水府至寶，出世有期，今當歸我矣。中宣因問姓氏，但笑而不答，持鏡以去。夢迴，極覛篋中，已失所在。」南唐 李璟（九一六—九六一）攤破浣溪沙詞之二：「細雨夢回雞塞遠，小樓吹徹玉笙寒。多少淚珠無限恨，依闌干。」南宋 辛棄疾破陣子 為陳同輔賦壯詞以寄之詞：「醉裡挑燈看劍，夢回吹角連營。」明 湯顯祖 牡丹亭 寫真：「徑曲夢迴人杳，閨深珮冷魂銷。」初，詳參卷一七、二八〇、注①。

三〇五、冬閨消寒詞

施廷俊

瘦減肌膚怯朔風①，梅花時節賞心同②。雪中學得新裝束③，兩袖猩紅擁斗篷④。

【析韻】

風、同、篷，上平、一東。

【釋題】

冬夜，於內室所作消寒詞，曰冬閨消寒詞。消寒詞，詳本卷、三〇三、釋題，茲從略。

【注解】

①瘦減……風　身子骨那麼消瘦，畏懼凜烈的北風。瘦減，瘦損。意謂消瘦。北宋周邦彥意難忘美咏句：「些箇事，惱人腸，試說與何妨？又恐伊，尋消問息。瘦減容光。」南宋盧祖皐（？—？，嘉定十六年後去世。）水龍吟荼蘼詞：「不似梅粧瘦減，占人間丰神蕭散。」肌膚，肌肉與皮膚。猶言軀體。今語身子骨。禮記禮運：「故禮義也者，人之大端也，所以講信脩睦，而固人之肌膚之會，筋骸之束也。」唐杜甫哀王孫詩：「已經百日竄荊棘，身上無有完肌膚。」怯，ㄑㄧㄝˋ（讀音）、ㄑㄩㄝˋ（語音），畏懼。害怕。左傳襄公二四年：「曩者志入而已，今則怯也。」朱子語類卷一三二：「虜人大敗，方有怯中國之意。」元吳昌齡東坡夢第一折：「你不怯我師父，我師父也不怯你。」朔風，詳參卷四、六二、注①。

②梅花……同　梅花綻放的季節裏，人人心歡意樂。時節，節令。季節。管子君臣下：「故能飾大義，審時節，上以禮神明，下以義輔佐者，明君之道。」南宋楊萬里黃菊詩：「比他紅紫開差晚，時節來時畢竟開。」賞心，心意歡樂。南朝宋謝靈運晚出西射堂詩：「含情尚勞愛，如何離賞心？」北宋邵雍（一〇一一—一〇七七）同程郎中父子月陂上閒步吟：「中期快作賞心事，卻恐賞心難便來。」同，相同。一樣。易睽：「天地睽而其事同也。」北宋司馬光功名論：「然則人主有賢不能知，與無賢同；知而不用，與不知同；用而不能信，與不用同。」

③雪中……束　學會了在雪地裏新的裝飾、打扮。雪中，猶言在雪地裏。學得，學會了。新，

參考卷一七、二七八、注①。裝束，裝飾打扮。唐 元稹 連昌宮詞：「春嬌滿眼睡紅綃，掠削雲鬟旋裝束。」警世通言 杜十娘怒沉百寶箱：「時已四鼓，十娘即起身挑燈梳洗，……裝束方完，天色已曉。」

④兩袖……篷　一雙鮮紅的衣袖，手裏還拿著一件寬敞、無袖的大衣。猩紅，像猩猩的血那樣鮮紅的顏色。南宋 陸游 花下小酌詩：「柳色初深燕子回，猩紅千點海棠開。」擁，持。執持。史記 孟荀列傳（孟軻）：「昭王擁彗先驅，請列弟子之座而受業。」斗篷，披在身上的寬大無袖的禦寒外衣。紅樓夢第二一回：「（襲人）料他睡眷，便起來拿了一件斗篷來替他蓋上。」兒女英雄傳第三一回：「（姑娘）因要下地小解，便披上斗篷，就睡鞋上套了雙鞋下來。」篷，ㄆㄥˊ。

三〇六、冬至搓丸詞

林維丞

纖手輕搓五夜燈①，團圓冬節到今稱②。小姑笑問新來嫂③，昨夜宜男卜未曾④？

【析韻】

燈、稱、曾，下平、十蒸。

【釋題】

陽曆十二月廿二或廿三日（陰曆十一月中）為冬至，居第廿二（節）氣。史記 律書：

「日冬至則一陰下藏，一陽上舒。」舊俗此日須製作湯圓，供奉於神龕與祖先神位前，焚香畢，全家老小共食之。丸，湯圓，閩臺謂圓仔。糯米洗淨、浸泡後，磨漿；裝入大粗布袋壓去餘水，揉成團狀，其中部分另摻少許朱砂和勻備用，再分成條狀，捏作小塊，用雙手搓成圓球形，以滾水煮熟，撈起，置入預先調製之糖薑汁，即成。粉紅色者稱金（丸）、原色者稱銀（丸），求發財致富之吉語也。包餡作法不同，茲從略。搓，ㄘㄨㄛ。以一手掌盛物，另一手掌面朝下；上端手掌不斷轉動，使所盛物呈圓球狀而後止。詞，猶云詩句。閩南、本島等地俗諺：「圓仔吃落去，又高加一歲。」

【注解】

①纖手……燈　天色將明，婦人們柔細的雙手還在輕輕地搓捻著湯圓。纖手，又作「纖手」。女子柔且細的手。西漢昭帝（前九四－前七四）淋池歌：「秋素景兮泛洪波，揮纖手兮折芰荷。」西晉陸機擬西北有高樓詩：「佳人撫琴瑟，纖手清且閒。」南朝陳徐陵玉臺新詠序：「楚王宮內，無不推其細腰；魏國佳人，俱言訝其纖手。」南宋張孝祥醜奴兒詞：「珠燈璧月年時節，纖手同攜。」清孫枝蔚古別離詩：「吳越有佳人，交綾出纖手。」輕，謂稍用力。今語輕輕地。形容使用的力道不大。米漿團性軟，不宜過分用力，否則無法成形也。搓，詳釋題。五夜燈，猶五更燈。舊時自黃昏至拂曉一夜間，分甲、乙、丙、丁、戊五段，謂之五更。又稱五鼓、五夜。（詳顏氏家訓書證）。五夜，即五更。謂天色將明（拂曉）的時段。南朝梁陸倕（四七〇－五二六）新刻漏銘：「六日不

辨，五夜不分。」唐王建和元郎中從八月十二至十五夜玩月之五：「仰頭五夜風中立，從未圓時直到圓。」花月痕第四一回：「五夜迢迢睡不成，燈昏被冷若為情。」燈，指燈火言。電燈未普及前，昔人於室內恆以皿或小瓶注油，加一草（或棉線）為蕊，點燃以照明。

②團圓……稱　如今，依然叫做冬至團圓日。團圓，指親屬相聚，兼寓圓（全、完整）滿（盈）之意。餘詳參卷三、五二、注③，卷一〇、一八九、注③。冬節，冬至日。南齊書武陵昭王曄傳：「冬節問訊，諸王皆出，曄獨後來，上已還便殿，聞曄至，引見問之。」榮按：「『曄』，亦作『曅』」。南朝梁宗懍荊楚歲時記：「去冬節一百五日，即有疾風甚雨，謂之寒食。」到今，猶如今。稱，謂。叫做。禮記表記：「言在不稱徵，言徵不稱在。」

③小姑……嫂　小姑笑著問剛剛嫁過來的嫂子。小姑，丈夫之妹。玉臺新詠古詩為焦仲卿妻作：「新婦初來時，小姑始扶床；今日被驅遣，小姑如我長。」唐王建新嫁娘詞：「未諳姑食性，先遣小姑嘗。」紅樓夢第四回：「（李紈）惟知侍親養子，閒時陪侍小姑等針黹誦讀而已。」新來，甫嫁過來。女婚曰嫁；曰歸。嫂，兄之婦。

④昨夜……曾　昨天晚上適合懷孕，（您）事先預測了嗎？昨夜，昨天晚上。南朝宋鮑照上潯陽還都道中詩：「昨夜宿南陵，今日入蘆洲。」唐權德輿玉臺體：「昨夜裙帶解，今朝蟢子飛。鉛華不可棄，莫是藁砧歸？」前蜀毛文錫醉花間詞之一：「昨夜雨霏霏，臨明寒一陣。」宜男，本為舊時祝頌婦人多子之辭；在此，引申作「適合有孕」解。卜，

詳參卷五、一〇九、注②。未曾，未嘗。不曾。猶（有）沒有。唐韓愈辛卯年雪詩：「往年未曾見，何暇議是非。」

三〇七、舊歷日

林朝崧

不分匆匆正朔移①，案頭舊歷忍重披②。分明一卷陶潛集③，甲子前朝紀義熙④。

【析韻】

移、披、熙，上平、四支。

【釋題】

歷，通「曆」。漢書律曆志上：「黃帝調律歷。」史記曆書，百衲本作「歷」。舊歷日，即將逝去之歷日也。明楊基除夜詩：「舊曆驚心只一行，坐依燈火戀年光。」文彭（一四九八－一五七三）除夕與肇兒守歲詩：「日月將遷拋舊曆，風塵時逐媿虛名。」本首，應係成於割臺之後。蓋各句多存隱語、話中有話，心念故國，有所發也。

【注解】

①不分……移　不料很快地曆書又要改了。不分，不料。唐陳陶（八〇三？－八七九？）水調詞之二：「容華不分隨年去，獨有妝樓明鏡知。」明湯顯祖牡丹亭移鎮：「天下事，鬢邊愁，付東流。不分吾家小杜，清時醉夢揚州。」清朱彝尊詠古之一：「漢皇將

將屈羣雄，心許淮陰國士風。不分後來輸絳灌，名高一十八元功。」分，ㄈㄣˋ。匆匆，本謂急急忙忙的樣子。唐牟融送客之杭詩：「西風吹冷透貂裘，行色匆匆不暫留。」元薩都剌和王伯循題壁：「廣陵城裏別匆匆，一去三山隔萬重。」在此，引申作「很快地」解。正朔，帝王（或中央政府）所頒的曆書（曆法）。古，帝王易姓受命，必改正朔。夏、商、周、秦至漢初，其正朔各不相同。漢武帝以後，直至現今的農曆，皆用夏制，即以建寅之月為歲首。禮記大傳：「改正朔，易服色。」孔穎達疏：「改正朔者，正謂年始；朔，謂月初，言王者得政示從我始，改故用新，隨寅丑子所損也。周子、殷丑、夏寅，是改正也；周半夜、殷雞鳴、夏平旦，是易朔也。」三國蜀雍闓（？—？，世次不詳。）答嚴書：「今天下鼎立，正朔有三。」北齊書文襄帝紀：「去名就安，今歸正朔。」移，易。轉變。猶言改。書畢命：「既歷三紀，世變風移。」論語陽貨：「唯上知與下愚，不移。」孟子滕文公下：「富貴不能淫，貧賤不能移，威武不能屈，此之謂大丈夫。」

②案頭……披　書桌上過時的曆書，耐著性子，再一次地展閱。案頭，原指几案上；今語書桌上。唐杜甫題鄭十八著作丈故居詩：「窮巷悄然車馬絕，案頭乾死讀書螢。」二十年目睹之怪現狀第二二回：「伯述在案頭取過一本書來遞給我。」舊歷，謂過時的曆書。忍，耐。包容。論語八佾：「是可忍也，孰不可忍也？」唐杜牧題烏江亭詩：「勝敗兵家事不期，包羞忍恥是男兒。」重，ㄔㄨㄥˊ。再一次。披，參卷一六、二六八、注③。

③分明……集　清清楚楚，那是一本陶淵明集。分明，詳參卷四、八〇、注④。一卷，猶言

一本。卷，ㄐㄩㄢˋ。陶潛（三六五—四二七）東晉 尋陽人，一名淵明，字元亮。大司馬陶侃曾孫。曾為州祭酒，復為鎮軍、建威參軍，後為彭澤令。因不願為五斗米折腰，棄官歸隱，以詩酒自娛。徵著作郎，不就。南朝 宋 元嘉四年卒。世稱靖節先生。其詩描寫山川田園之秀美，自然樸素；而妒世激昂之情，亦時有之。散文、詞賦亦均質樸流暢。有陶淵明集存世。晉書 宋書皆有傳。匯輯單篇作品或多人有關作品而成的書冊，通稱曰集。隋書經籍志四：「別集之名，蓋漢 東京之所創也。自靈均以降，屬文之士多矣，然其志向不同，風流殊別。後之君子，欲觀其體勢，而見其心靈，故別聚焉，名之為集。」又。「總集者，以建安之後，辭賦轉繁，眾家之集，日以滋廣……合而編之。」

④甲子……熙　上面刊刻的紀元，還是前一個朝代—東晉 安帝的年號義熙啊！甲，天干的首位；子，地支的首位。古以天干地支遞次相配，如甲子、乙丑、丙寅……，以紀年、紀日，統稱甲子。前朝，前一個朝代。榮按：陶潛卒於南朝 宋 元嘉四年；而其詩文集仍以東晉紀元。紀，錄。記載。義熙，東晉 安帝（司馬德宗）第六個年號（自公元四〇五年乙巳至公元四一八年戊午）。

三〇八、舊歷日

林　資　修

一例黃花十日悲①，新陳代謝到干支②。紀年何限王正月③，總有春秋東閣時④。

【析韻】

悲、支、時，上平、四支。

【釋題】

同前首。

【注解】

①一例……悲　菊紋皇室惹是非，上達天聽倍哀痛。一例，隱指日帝挑釁，引發中日甲午戰爭（一八九四、七—一八九五、三），清廷喪師、割臺議和。例，本義為可引證的事理；在此，作「事件」解。黃花，指菊花。日本皇室以十六葉（榮按：吾人曰瓣。）菊為其章紋。十日，暗指上天。上蒼。古神話，天本有十日，堯命后羿射落九日。藝文類聚卷一引淮南子：「堯十日並出，草木焦枯，堯命羿仰射十日，中其九，鳥皆死，墮羽翼。」淮南子本經訓：「逮至堯之時，十日並出，焦禾稼、殺草木，而民無所食。猰貐、鑿齒、九嬰、大風、封豨、脩蛇，皆為民害。堯乃使羿誅鑿齒於疇華之野，殺九嬰於凶水之上，繳大風於青丘之澤，上射十日而不殺猰貐……萬民皆喜，置堯以為天子。」高誘注：「十日並出，羿射去九。」悲，詳參卷五、九五、注④。

②新陳……干支　新陳代謝時髦論，就連干支亦遭殃。新陳代謝（Metabolism），生物體內生活細胞中進行的所有化學反應之總和。生命的基本特徵之一。簡稱代謝。通過代謝，生物體與環境不斷地進行物質、能量的交換。其方向、速度受各種因素的調節，期適應生物

體內外環境的變化。生物體將從食物中攝取的養份轉換成自身的組成物質，且儲存能量，謂之同化作用或合成代謝。反之，生物體將自身的組成物質分解以釋放能量或排出體外，謂之異化作用或分解代謝。代謝由酶所催化，具有複雜的中間過程，如葡萄糖於生物體內氧化為水與二氧化碳須經過許多化學變化，這些過程統稱之為中間代謝。新陳代謝失調會產生疾病。新陳代謝一旦停止，生命亦就終止。在此，猶言棄舊崇新。按：物競天擇、新陳代謝等，於十九世紀亞洲各國，仍被視之為新學。到，至。干支，天干地支。餘參前首注④。本句意謂殖民政府不再採干支紀年。

③紀年……月　紀年誰能做制限？未必一定採周制。紀年，記年歲。左傳襄公三〇年：「臣小人也，不知紀年。臣生之歲，正月甲子朔，四百有四十五甲子矣，其季於今三之一也。」何限，猶言誰能限制。王正月，周王之正月。正，ㄓㄥ。謂周天子所頒曆法的正月。周以建子之月（即農曆十一月）為正。春秋隱公元年：「元年春，王正月。」公羊傳：「元年者何？君之始年也。春者何？歲之始也。王者孰謂？謂文王也。曷為先言王而後言正月？王正月也。何言乎王正月？大一統也。」清顧炎武日知錄王正月：「未為天子，雖為建子而不敢謂之正。武成：『惟一月壬辰』是也。已為天子，則謂之正而復加王，以別於夏殷。春秋『王正月』是也。」

④總有……時　即使春秋未佚失，也只好棄置不用。總有，縱使有，即使有。春秋，五經之一。餘參前注。束閣時，束之高閣的時候。束閣，束之高閣的省詞。把東西收拾妥當，放

置在高的閣樓上面。謂棄置不用。晉書 庾翼傳：「京兆 杜乂，陳郡 殷浩，並才名冠世，而翼弗之重也；每語人曰：『此輩宜束之高閣，俟天下太平，然後議其任耳。』」亦省作束高閣；或作「束之高屋」。唐 韓愈 寄盧仝詩：「春秋三傳束高閣，獨抱遺經究終始。」南宋 陸游 醉歌：「讀書三萬卷，仕宦皆束閣。」明 李贄 讀書樂詩：「棄置莫讀，束之高屋，怡性養神，輟歌送哭。」

三〇九、庚戌除夕

施士洁

客中一十七除夕①，今夕愁來不可除②。吾國少年吾老矣③，忍拋舊學說新書④。

【析韻】

除、書，上平、六魚。

【釋題】

庚戌，宣統二年（公元一九一〇年、民前二年、日治明治四十三年。）自乙未迄庚戌，割臺已一十有六年。除夕，農曆十二月的最後一夜。西晉 周處 風土記：「至除夕達旦不眠，謂之守歲。」

【注解】

①客中……夕　旅居他鄉已經整整十七個年頭了。客中，旅居外鄉或外國。唐 孟浩然 早寒

江上有懷詩：「我家襄水上，遙隔楚雲端。鄉淚客中盡，孤帆天際看。」南宋戴復古泉南詩：「客中歸未得，歲事漸相催。」元尹廷高（？—？，宋末元初人，大德間猶在世。）客中秋社詩：「社日傷心在客中，淒然涕淚落秋風。故鄉田土荒蕪盡，枉向他州說歲豐。」紅樓夢第五七回：「寶玉道：『也沒什麼要緊，不過我想著寶姐姐也是客中，既吃燕窩，又不可間斷，若只管和他要，也太托實。』」一十七，十七。除夕，詳釋題。榮按：作者於甲午前後渡臺，所謂客中，隱指流寓本島也。

②今夕……除　今晚心中的憂怨，一直揮之不去。愁，參考卷五、八三、注③。不可除，不能除。猶言揮之不去。除，去掉。書泰誓下：「除惡務本。」

③吾國……矣　年青小伙子們！我的年紀可不小囉！少年，古稱青年男子。與「老年」相對。韓非子內儲說上：「鄭少年相率為盜，處於雚澤。」三國魏曹植送應氏詩之一：「不見舊耆老，但覩新少年。」唐高適邯鄲少年行：「且與少年飲美酒，往來射獵西山頭。」二刻拍案驚奇卷一七：「兩人都是出羣才學，英銳少年。」老，年歲大。與「少」相對。詩小雅北山：「嘉我未老，鮮我方將。」楚辭九章涉江：「余幼好此奇服兮，年既老而不衰。」

④忍拋……書　橫下心來拋棄舊學，談一談新的知識吧！忍，猶言橫下心。拋，棄。餘參卷三、五七、注⑥。舊學，指四書、五經等我國傳統學問。說，猶談。新書，指西方社會、政經……等各領域的知識、學說。

玖、寫景

卷一九

三二〇、假山

陳朝龍

平生名勝足親經①，點綴峰巒妙象形②。偷得虎邱好藍本③，半山添築可中亭④。

【析韻】

經、形、亭，下平、九青。

【釋題】

假山，園林庭院中人工疊石而成，供人觀賞，具體而微，如假似真之小山。史記孝武帝本紀載漢武帝於太液池築三神山，即假山之類。唐鄭谷七祖院小山詩：「峨嵋咫尺無人去，卻向僧窗看假山。」北宋司馬光涑水記聞卷二：「王嘗作假山，所費甚廣。」清孫

枝蔚 園中作詩：「小樹初栽將伴老，假山久玩欲同真。」

【注解】

①平生……經　這一生，有些風景優美且著名的地方，值得我們親自前往飽覽一番。平生，詳卷四、六五、注③。名勝，在此，指風景優美（榮按：亦作「幽美」）且著名的地方。北齊書 韓軌傳附韓晉明：「朝庭處之貴要之地，必以疾辭。告人曰：『廢人飲美酒、對名勝，安能作刀筆吏返披故紙乎？』」清 王鵬運（一八四九—一九〇四）彊村詞 序：「南方名勝當亟游，以便北首。」足，值得。東晉 陶潛 桃花源記：「此中人語云：『不足為外人道也。』」北宋 王安石 答曾公立書：「公立更與深於道者論之，則某之所論無一字不合於法，而世之譊譊者，不足言也。」親經，親自經受。親，接近。經，經歷。

②點綴……形　刻意布局、設色的連綿山峰，肖似、逼真，多麼高明。點綴，布局和設色。唐 張彥遠 歷代名畫記 論畫體工用拓寫：「若能沾溼絹素，點綴輕粉，縱口吹之，謂之吹雲。」南宋 范成大 題范道士二牛圖詩：「目光炯炯獰而馴，點綴毫末俱逼真。」清 戴名世（一六五三—一七一三）跋趙孟頫畫：「右趙孟頫畫一卷，泉石蹊徑，花鳥雲霞，歷歷然點綴誠工妙矣。」峰巒，本作「峯巒」。連綿的山峰。唐 杜甫 放船詩：「青惜峯巒過，黃知獨柚來。」南宋 劉過 行香子 山水扇面詞：「樹陰中，酒旆低懸。峯巒空翠，溪水青連。」高且尖的山頂，稱山峯。妙，高明。西晉 左思 魏都賦：「控弦簡發，妙擬更嬴。」三國演義第五一回：「此計大妙！」象形，象其形。謂肖似、逼真。南朝 齊 謝

赫（？—？，世次不詳。）古畫品錄序：「六法者何？一氣韻生動是也；二骨法用筆是也；三應物象形是也；四隨類賦彩是也；五經營位置是也；六傳移模寫是也。」清 黃鈞宰（一八二六—一八七六？）金壺七墨 元夕觀燈：「淮陽燈節最盛，魚龍獅象，禽鳥螺蛤而外，凡農家漁樵，百工技藝，各以新意，象形為之，頗稱輕巧。」

③偷得……本　拿到虎丘如此理想的底本。偷，取。淮南子 說林訓：「狗彘不擇甂甌而食，偷肥其體，而顧近死。」高誘注：「偷，取也。」唐 溫庭筠 太子西池詩之二：「柳占三春色，鶯偷百鳥聲。」偷得，猶云拿到。虎邱，詳參卷一二、二一七、注①。好，猶善。意謂理想。藍本，庭園、繪畫、著作……等作品所根據、參考的底本。明 沈德符敝帚軒剩語錄舊

蘇州獅子林假山

文：「科場括帖，蹈襲成風，即前輩名家垂世者，亦間有藍本。」清 錢大昕（一七八二—一八〇四）十駕齋養新錄 傅奕詆浮圖法：「唐 傅奕上疏詆浮圖……此韓退之 佛骨表之藍本也。」

④半山……亭　山腰上還增建了一座可中亭呢！半山，猶山腰。北周 王褒（五一一？—五七四？）始發宿亭詩：「落星侵曉沒，殘月半山低。」唐 李頎 少室雪晴送王寧詩：「陽城半山連青松，素色峨峨千萬重。」添築，加築，即增建。可中亭，亭名。為紀念追懷陳高的氣節、學養而造。亭，多有頂無牆，以竹、木、磚、石為材，平面呈圓形、方形、扇形、或多角形，築於道旁、園林、名勝等處，供人憩息、賞景之用。陳高，閩從子。福建仙遊人。字可中，元符間舉進士，官至太學錄。祭酒龔原、司業傅楫，以其精於經術，屢薦為博士。政和中，上書條陳國事，忤蔡京。從此罷官歸田，宣和間猶健在。（宋元學案卷一、尚友錄卷四）

三一一、荒　園

鄭　鵬　雲

園林冷落最關情①，補綴難教不日成②。一樣夕陽餘廢塚③，萋萋芳草鷓鴣聲④。

【析韻】

情、成、聲，下平、八庚。

【釋題】

荒園者，久疏整治，草穢叢生，形同廢棄，不堪休憩、流連之園林也。種植花木，並有亭，閣等設施，以供人遊賞休息之場所，稱園林。西晉張翰雜詩：「暮春和氣應，向日照園林。」唐賈島郊居即事詩：「住此園林久，其如未是家。」明劉基春雨三絕句之一：「春雨和風細細來，園林取次發枯荄。」清吳偉業晚眺詩：「原廟寒泉裏，園林秋草旁。」

【注解】

①園林……情　園林冷冷清清，極令人牽動情懷。園林，詳參卷一七、二九一、注②與本首釋題。冷落，冷清。不熱鬧。唐錢起山路見梅感而有作詩：「行客淒涼過，村籬冷落開。」北宋蘇軾喜劉景文至詩：「過江而來二百日，冷落山水愁吳姝。」元關漢卿金線池第二折：「我去的半月其程，怎麼門前的地也沒人掃，一剗的長起青苔來，這般樣冷落了也？」最，猶極。關情，牽動情懷。唐陸龜蒙又

荒園殘影㈠、㈡

酬襲美次韻：「酒香偏入夢，花落又關情。」關漢卿 金線池楔子：「語若流鶯聲似燕，丹青，燕語鶯聲怎成畫？難道不關情。」近人郁達夫 題淡然手冊詩：「風雨雞鳴夜五更，浮雲聚散總關情。」

②補綴……成　修葺、整治，短暫的時間內並不容易竣事。補綴，本謂縫補衣物。在此，引申作修葺、整治解。難教，不容易使（它）……。教，ㄐㄧㄠ。使。唐 金昌緒 春怨詩：「打起黃鶯兒，莫教枝上啼。」北宋 周邦彥 玉樓春詞：「酒邊誰使客愁驚，帳裏不教春夢到。」不日，不久。猶謂短期間內。詩 大雅 靈臺：「經始靈臺，經之營之，庶民攻之，不日成之。」北齊書 魏收傳：「侯景叛入梁，寇南境，文襄時在晉陽，令收為檄，五十餘紙，不日而就。」南宋 吳曾 能改齋漫錄 事始二：「包孝肅公（榮按：即包拯。）守廬州，歲饑，亦不限米價，而商賈載至者遂多，不日米賤。」成，工程竣事。

③一樣……塚　黃昏的景色依然，只是多出了一些乏人看管的墳堆。一樣，參卷一七、二八

荒園殘影(三)

五、注④。夕陽，詳參卷一三、二二五、注④。餘，猶多出。廢塚，為人棄置，未適時祭祀鋤草的墳堆。

④萋萋……聲　茂盛的草叢，似乎警示著行不得的訊息啊！萋萋芳草，參考卷一二、二二三、注③。鷓鴣聲，鷓鴣啼叫的聲音。鷓鴣屬華南留鳥。古人諧其鳴聲為「行不得也，哥哥。」清尤侗（一六一八—一七〇四）聞鷓鴣詩：「鷓鴣聲裏夕陽西，陌上征人首盡低。」

三一二、荒 園

鄭以庠

粉怨香愁寫不成①，名園寂寂賸啼鶯②。綠珠去後花無色③，金谷繁華感變更④。

【析韻】

成、鶯、更，下平、八庚。

【釋題】

同前首。

【注解】

①粉怨……成　女人的不滿、憂慮，通通沒得寫。粉、香，隱喻女子。怨，詳卷一、十、注①（從後解）。愁，參考卷一八、三〇九、注②。缺乏素材，故云寫不成。執筆作書曰寫。不成，沒有成就。沒有具體顯着的成果。不成功。史記項羽本紀：「項籍少時，學書不

成，去學劍，又不成。」清嚴有禧漱華隨筆沈文昭：「讀書要有福，無福者讀書不成。」

②名園……鶯 赫赫有名的園囿，死靜冷清，只留下幾隻黃鶯。名園，著名的園囿。世說新語簡傲：「王子敬自會稽經吳，聞顧辟疆有名園，先不識主人，徑往其家。」唐杜甫奉漢中王手札詩：「主人留上客，避暑得名園。」明朱有燉（一三七九—一四三九）風月牡丹仙第一折：「小生再不敢希望佳期，但於明日在此名園，請邀東道，宴請芳卿。」清唐孫華送王誦侯之官成都詩：「涤水名園比洛涘，板輿奉母方閑居。」寂寂，寂靜無聲貌。三國魏曹植釋愁文：「愁之為物，惟惚惟恍，不召自來，推之弗往，尋之不知其際，握之不盈一掌。寂寂長夜，或羣或黨，去來無方，亂我精爽。」唐王維寒食汜上作詩：「落花寂寂啼山鳥，楊柳青青渡水人。」南宋葉適葉君宗儒墓志銘：「有百年之宅，千歲之田，前臨清流，旁接高阜，亭院深蕪，竟日寂寂。」明歸有光項脊軒志：「庭堦寂寂，小鳥時來啄食，人至不去。」在此，形容人去園空，一片死靜冷清。賸，ㄕㄥˋ。餘留。啼鶯，即黃鶯。

③綠珠……色 寵妾離開以後，已經不再有秀麗貌美的姬人了。綠珠，詳卷一、一二、注④。在此，借指寵妾。花，隱指其他姬人。女子美貌曰色。穀梁傳僖公一九年：「梁亡，自亡也，湎於酒，淫於色，心昏，耳目塞。」唐白居易長恨歌：「漢皇重色思傾國，御宇多年求不得。」水滸傳第五一回：「雷橫坐在上面，看那婦人時，果然是色藝雙全。」

④金谷……更 從此，金谷園的興旺熱鬧，消失無蹤。金谷，指金谷園。金谷，本地名，原

稱金谷澗，位於洛陽西北。有水流經此，謂之金谷水，東南入於瀍河，古時入穀水。西晉太康年間（二八〇—二八九年），石崇築園於此，即世傳之金谷園也。南朝 梁 何遜 車中見新林分別甚盛詩：「金谷賓遊盛，青門冠蓋多。」繁華，亦作「緐華」。興旺熱鬧。南朝 宋 鮑照 擬古詩之四：「繁華悉何在，宮闕久崩填。」北宋 賀鑄 采桑子 羅敷歌詞：「東南自古繁華地，歌吹揚州，十二青樓，最數秦娘第一流。」元 劉壎（一二四〇—一三一九）隱古通議 古賦一：「盡緐華於一眹，莽蕭條於四封。」身心有所受，曰感。變更，改變更動。感變更，猶言不再是原來的面目。

三一三、荒　園

耀　卿

名園十載費經營①，也等滄桑日變更②。滿地落花紅不掃③，春風無主問啼鶯④。

【析韻】

營、更、鶯，下平、八庚。

【釋題】

詳本卷、三一一、釋題。

【注解】

①名園……營　用心籌劃、耗資構建這座有名的園囿，前後不下十年。名園，詳參前首注②。

十載，十年。載，ㄗㄞˇ。年、歲等的別稱。爾雅 釋天：「載，歲也。夏曰歲，商曰祀，周曰年，唐 虞曰載。」費，耗資。經營，籌劃、構建。書 召誥：「卜宅，厥既得卜，則經營。」西漢 揚雄 法言 五百：「經營然後知幹楨之克立也。」李軌注：「言經營宮室，立城郭，然後知幹楨之能有所立也。」

②也等……更　度量世事無常，就像滄海成桑田，隨時改變、更替。也，句首發語詞。無義。元 王實甫 西廂記 後候：「也罷，夫人正使我去！」等，度量。唐 段成式 柔卿解籍戲呈飛卿詩之三：「最宜全幅碧鮫綃，自襞春羅等舞腰。」滄桑，參考卷八、一四五、注③。日，時之泛稱。猶言隨時。變更，詳參前首注④。

③滿地……掃　遍地都是一粒粒的林檎，並未及時清除。滿地，猶言遍地。意謂到處都是。落，指從樹枝上掉下來。花紅，植物名。落葉小喬木，葉呈卵形或橢圓形，花粉紅色。果實球狀，似蘋果而小，黃綠微紅，屬常見水果。明 文震亨（一五八五—一六四五）長物志 蔬果：「西北稱柰，家以為脯，即今之蘋婆果也……吳中稱花紅，即名林檎，又名來檎，似柰而小，花亦可觀。」孫錦標（一八五六—一九二七？）通俗常言疏證 植物：「事物紺珠：『林檎，俗名花紅，大者名沙果。』」不掃，未及時清除。掃，清除汙穢。唐 韓愈 竹徑詩：「無塵從不掃，有鳥莫令彈。」北宋 孫光憲 菩薩蠻詞：「小庭花落無人掃。」

④春風……鶯　春風身不由己、沒有主張，只好請教枝頭上啼唱著的黃鶯。春風，即東風。春天的和風。無主，身不由己，沒有主張。唐 聶夷中 送友人歸江南詩：「上國身無主，

下第誠可悲。」清王世禎池北偶談談獻三蘇門孫先生言行：「憂患恐懼，最怕有所；一有所，則我心無主。古來忠臣孝子、義士悌第，只是能自作主張。」問，詢。猶請教。啼鶯，詳前首注②。

三一四、梅窗

林維丞

幾生修到話知心①，香氣當窗脈脈侵②。最好碧紗籠月影③，孤山畫稿靜中尋④。

【析韻】

心、侵、尋，下平、十二侵。

【釋題】

窗呈五瓣梅花形者，曰梅窗。窗，ㄔㄨㄤ。亦作「窓」、「窻」。設在屋頂上或壁上以透光通風之洞口。位於屋頂者稱天窗。今一般均裝有窗扇。周禮考工記匠人：「四旁兩夾窻。」鄭玄注：「窻，助戶為明，每室四戶八窻。」東漢王充論衡別通：「鑿窗啟牖，以助戶明也。」世說新語言語：「北窻作琉璃屏，實密似疎。」元薩都剌送外舅之燕京詩：「揚州江頭柳色濃，小窓春雨去忩忩。」

【注解】

①幾生……心　不知道要培養幾輩子，才說得上貼己、深交。幾生，猶言幾輩子。幾，多少。

若干。餘參卷一五、二五七、注④。生，一生。一輩子。唐李商隱馬嵬詩：「海外徒聞更九州，他生未卜此生休。」修到，修成。修，學習。培養。禮記學記：「故君子之於學也，藏焉，修焉，息焉，遊焉。」鄭玄注：「修，習也。」後漢書皇后紀上和熹鄧皇后：「帝知后勞心曲體，歎曰：『修德之勞，乃如是乎！』」話，說。知心，彼此契合，腹心相照。猶貼己、深交。西漢李陵答蘇武書：「人之相知，貴相知心。」北宋王安石明妃曲之二：「漢恩自淺胡自深，人生樂在相知心。」警世通言俞伯牙摔琴謝知音：「相識滿天下，知心能幾人？」

②香氣……侵　芳馨的氣味對著窗戶連綿不斷地滲入。香氣，芳馨好聞的氣味。指梅花所散發的清香。列子湯問：「沐浴神瀵，膚色脂澤，香氣經旬乃歇。」唐韋應物寄中書劉舍人詩：「玉座浮香氣，秋禁散涼風。」當，對（著）。漢書袁盎鼂錯傳鼂錯：「今使胡人對處轉牧，行獵於塞下，或當燕代或當上郡、北地、隴西，以候備塞之卒。」脈脈，ㄇㄛˋ ㄇㄛˋ。亦作「脉脉」。連綿不斷貌。明陳所聞（？—？，萬曆前後人）閨怨曲：「機中錦字添，鏡裏朱顏變，脈脈春愁，都付鶯和燕。」清龔自珍浣溪沙詞：「鳳脛燈青香篆寒，尋思脈脈未成眠。」紅樓夢第四五回：「秋霖脈脈，陰晴不定。」侵，引申作「滲入」解。餘參卷一八、三〇三、注②。

③最好……影　最大的期待就是珍愛、賞識那柔和的月光。最好，最理想的選擇。最大的希望。唐韓偓三月詩：「四時最好是三月，一去不回唯希望。」清趙慶熺（一七九二—

一八四七）香銷酒醒曲洄胡訪舊圖：「最好水楊柳下，蓋三間茅屋。」碧紗籠，典出五代王定保唐摭言卷七：「王播少孤貧，嘗客揚州惠昭寺木蘭院，隨僧齋飡。諸僧厭怠，播至，已飯矣。後二紀，播自重位出鎮是邦，因訪舊游，向之題已皆碧紗幕其上，播繼以二絕句曰：『……』『上堂以了各西東，慚愧闍黎飯後鐘。二十年來塵撲面，如今使得碧紗籠。』」北宋孫光憲北夢瑣言卷三：「唐段相文昌，家寓江陵，少以貧窶修進，常患口食不給，每聽曾口寺齋鐘動，輒詣謁餐，為寺僧所厭，自此乃齋後扣鐘，冀其晚屆而不速食也。後入臺座，連出大鎮，拜荊南節度，有詩題曾口寺云：『曾遇闍黎飯後鐘』。蓋為此也。」南宋吳處厚（？—？，世次不詳。）青箱雜記卷六：「世傳魏野嘗從萊公（按指：寇準）遊陝府僧舍，各有留題。後復同遊，見萊公之詩已用碧紗籠護，而野詩獨否，塵昏滿壁。時有從行官妓頗黠，即以袂就拂之，野徐曰：『若得常將紅袖拂。也應勝似碧紗籠。』萊公大笑。」按此典恆用以形容詩以人重或世態炎涼、以勢取人或指賞識、珍愛某一詩文、事物。本句從第三解。月影，指月光。北齊邢邵（一作「劭」，？—四九六）冬夜酬魏少傅直史館詩：「風音響北牖，月影度南端。」唐元稹江陵三夢詩：「月影半牀黑，蟲聲幽草移。」南宋陸游霜月詩：「枯草霜花白，寒窗月影新。」

④孤山……尋　孤山處士的畫稿，只有默默地覓求了。孤山，指北宋處士林逋。餘詳卷六、一一三、釋題。畫稿，繪畫作品的底本。靜中尋，默默地去覓求。

三一五、屯字窗

鄭兆璜

竟從釋典仿莊嚴①，八角玲瓏勝護縑②。八字蘭橈之字水③，推篷看看綠痕添④。

【析韻】

嚴、縑、添，下平、十四鹽。

【釋題】

窗，其外形由縱、橫條柱組成，呈「屯」字形者，謂之屯字窗。材料或採木質或採石材或採陶土燒製，均無不可。

【注解】

①竟從……嚴　居然須從佛經（上頭），去模擬宏偉精妙的境界。竟，居然。表性態。史記陳丞相世家：「及呂后時，事多故矣；然平竟自脫，定宗廟，以榮名終，稱賢相。」雜纂新錄不想活：「竟敢在老虎頭上拔毛。」從，自。釋典，佛經。晉書何充傳：「性好釋典，崇修佛寺。」資治通鑑陳長城公禎明二年：「（沈后）唯尋閱經史及釋典為事。」胡三省注：「釋典，佛經也。」清劉獻廷（一六四八—一六九五）廣陽雜記卷三：「其通曉釋典、語錄者，特藉此以了性也。」仿，模擬。元楊梓（？—一三二七）霍光鬼諫第一折：「你待仿驪姬亂晉，俺難學伊尹扶湯。」明楊基送陳資深歸廣詩：「人生還鄉

樂，無物堪比仿。」二十年目睹之怪現狀第二九回：「後來鬧到外面銅匠店，仿著樣子做，要買四五百錢一個呢。」莊嚴，佛教語。謂宏偉精妙之境界。近人鍾動（？—？）香江冬夜臨海望月詩：「何不策高足，競此莊嚴界。」

②八角……鎌　四面窗戶軒敞，八方通徹明亮，賽過那單調、刻板的絹織護圍。八角玲瓏，同八面玲瓏。謂四面窗戶軒敞、八方通徹明亮。亦作「八窗玲瓏」。勝，賽過。護鎌，絹製護圍，用以分內外、維安全。鎌，ㄐㄧㄢ。

③八字……水　曲折的河道上，小舟反覆循V形航線前進。八字，行舟遇風向不利時，須借帆使風，反覆依V形路線前進。「V」酷似倒「八」字，故名。「八字帆」省作「八字」、亦作「八字行船」。南宋汪元量常州詩：「一樽酒對三人飲，八字帆分兩岸飛。」蘭橈，美稱小舟。唐太宗帝京篇之六：「飛蓋去芳園，蘭橈遊翠渚。」元薩都刺寄朱舜咨王伯循了即休詩：「木落淮南秋，蘭橈泊瓜渚。」清曹寅鹿墟貽瓶中海棠詩：「吳公臺下花如澥，嬾趁蘭橈到酒邊。」橈，ㄖㄠˊ。之字水，曲折如「之」形的河流。水，在此，特指河流。

④推篷……添　推開船篷向外瞧瞧，吃水線上下增加了不少青苔。推，用力使物體向外移動。篷，指船篷言。綠痕，猶言青苔。添，增加。

三一六、屯字窗

陳濬芝

參得如來色相兼①，小窗相對亦莊嚴②。平安更喜爐烟結③，丁字分明不捲簾④。

【析韻】

兼、嚴、簾，下平、十四鹽。

【釋題】

同前首。

【注解】

①參得……兼　悟到佛祖顧及萬物的形貌。參得，領悟到。參，ㄘㄢ。領悟。琢磨。元 關漢卿 謝天香第四折：「相公意，難參透。」水滸傳第九回：「此乃禪機隱語，汝宜自參，不可明說。」警世通言 王安石三難蘇學士：「讀不盡者，天下之書，參不盡者，天下之理。」如來，佛的別名。梵語 **Tathāgata** 的意譯。「如」謂如實。「如來」即從如實之道而來，開示真理的人。釋迦牟尼十種法號之一。金剛經 威儀寂靜分：「如來者，無所從來，亦無所去，故名如來。」南朝 宋 謝靈運廬山慧遠法師誄：「仰弘如來，宣揚法雨；俯授法師，威儀允舉。」清 趙翼大石佛歌：「是誰鑿破山骨裂，幻出如來身半截。」色相，亦作「色象」。佛教語。指萬物的形貌。涅盤經 德王品四：「（菩薩）示現一色，一切眾生各各

皆見種種色相。」唐白居易感芍藥花寄正一丈人詩：「開時不解比色相，落後始知如幻身。」明吳承恩留翁遺稿序：「廟堂之冠冕，煙霞之色相，蓋兩得之，誠有德之言，治世之音也。」清王錫（？—？）法相寺詩：「性真既已離，色相復何有！」兼，同時具有。孟子告子上：「魚，我所欲也。熊掌，亦我所欲也。二者不可得兼；舍魚而取熊掌也。」在此，引申作「顧及」解。

②小窗……嚴　小窗彼此向著，也稱得上是端端正正。莊嚴，形容裝飾（或擺設）端正。

③平安……結　平穩安全；越發高興地是香爐裏的熏煙盤旋散發。平安，參考卷六、一二一、注④。更，越發。唐李白宣州餞別詩：「抽刀斷水水更流，舉杯消愁愁更愁。」喜，高興。爐烟，本作「爐煙」。熏爐、香爐中的煙。南朝梁簡文帝曉思詩：「爐煙入斗帳，屏風隱鏡臺。」北宋蘇軾青牛嶺高絕處有小寺人迹罕到詩：「暮歸走馬沙河塘，爐煙裊裊十里香。」結，盤旋，屈曲。楚辭九歎遠遊：「結余軫於西山兮，橫飛谷以南征。」禮記月令：「（仲冬之月）芸始生，荔挺出，蚯蚓結，鹿角解，水泉動。」

④丁字……簾　清清楚楚地，丁字簾並沒有捲起來。丁字，丁字簾的省詞；亦省作「丁簾」。謂丁字形的卷簾。二十年目睹之怪現狀第二五回：「帶三分暖收丁字，隔一重紗放午晴。」近人劉國鈞（？—？，生卒年不詳。）月詞之六：「偷向丁簾深處立，怕他花影妬腰支。」分明，詳參卷四、八〇、注④。捲，詳參卷一七、二八五、注②。

三一七、綠　陰

鄭兆璜

窓前陰護助幽談①，萬綠叢中夕照含②。絕好橫塘春二月③，垂楊十里記停驂④。

【析韻】

談、含、驂，下平、十三覃。

【釋題】

綠陰，亦作「綠蔭」。綠色的樹蔭。唐來鵠（鵠一作「鵬」；？—？。約卒于中和間，客死揚州）病起詩：「春初一臥到深秋，不見紅芳與綠陰。」明高啟葵花詩：「豔發朱光裏，叢依綠蔭邊。」清徐喈鳳（？—？，世次不詳）會仙記：「素娥抱一女孩至，曰：『此小姐所產，十閱月矣。以其生綠陰下，因名綠陰。』」

【注解】

①窗前……談　窗前遮掩著樹蔭，有助於促膝祕談。陰護，猶言遮掩著樹蔭。助，幫助。孟子公孫丑下：「得道者多助，失道者寡助。」唐韓愈春雪詩：「兼雲封洞口，助月照天涯。」兒女英雄傳第二回：「二哥，你帶了他去，大可助你一臂之力。」幽談，隱祕的交談。

②萬綠……含　一大片青翠的樹木當中，懷藏著傍晚的陽光。萬，表數量多。萬綠，猶一大

片青翠。叢，樹木聚於一處。孟子 離婁上：「為淵敺魚者，獺也；為叢敺爵者，鸇也。」夕照，詳參卷一七、二七九、注①。含，懷藏。東漢 王粲 公宴詩：「今日不極懽，含情欲待誰？」唐 白居易 長恨歌：「含情凝睇謝君王，一別音容兩眇茫。」明 高啟 聽教坊舊妓郭芳卿弟子陳氏歌：「含情欲為秋娘賦，愧我才非杜牧之。」

③絕好……月 仲春二月的水塘，無比美麗。絕好，無比美麗。史記 呂不韋列傳：「呂不韋取邯鄲諸姬絕好善舞者與居。」司馬貞 索隱：「言其姿容絕美，而又善舞也。」橫塘，泛稱水塘。唐 溫庭筠 池塘七夕詩：「萬家砧杵三篙水，一夕橫塘似舊遊。」前蜀 牛嶠 玉樓春詞：「春入橫塘搖淺浪，花落小園空惆悵。」南宋 陸游 秋思絕句：「黃蛺蝶輕停曲檻，紅蜻蜓小過橫塘。」春二月，仲春二月。

綠蔭　吳梅嶺，民 75。紙本設色，縱 30CM 橫 31CM。

④垂楊……驂　想起連綿十里的垂楊盡頭，坐騎還在那兒歇著呢！垂楊，即垂柳。古人詩文「楊」、「柳」恆通用。南朝 齊 謝朓 隋王鼓吹曲 入朝曲：「飛甍夾馳道，垂楊蔭御溝。」唐 萬齊融（？—？，盛唐時，名揚京師）送陳七還廣陵詩：「落花馥河道，垂楊拂水窗。」老殘遊記第二回：「到了濟南府，進得城來，家家泉水，戶戶垂楊。」古時，於道路每隔十里設長亭、五里設短亭，供行旅休息、歇腳。近城十里多為送別之處。記，憶。想起。停驂，歇息的坐騎。驂，ㄘㄢ。馬。唐 岑參 水亭送華陰王少府詩：「關門勞夕夢，仙掌引歸驂。」詩韻集成 覃韻：「綠陰深處更停驂。」

三一八、聽　雨

蔡　振　豐

小樓人靜漏初殘①，多少春光夢未安②。庭竹自喧蕉欲碎③，擁衾無語一燈寒④。

【析韻】

殘、安、寒，上平、十四寒。

【釋題】

聽，ㄊㄧㄥ。以耳受聲。書 泰誓：「天視自我民視，天聽自我民聽。」文心雕龍 誄碑：「觀風似面，聽辭如泣。」唐 皮日休 霍山賦：「靜然而聽，凝然而視，其體當中，如君之毅。」元 薩都剌 臥病書懷詩：「結茅依壁知何日，飽聽一枕松風眠。」雨（Rain），雲中降落的液狀水滴。主要由雲中冰晶或雪粒，因水汽轉移、碰撞、合併等作用，不斷增大到上升氣流無力支持時，下降融化而成。亦有由液狀水滴直接增大而下降者。雨滴直徑約 0.1-7 毫米。北宋 張耒 夜聞風雨有感詩：「何當粗息飄萍恨，卻誦僧窗聽雨詩。」南宋 方岳（一一九九—一二六五）聽雨詩：「竹齋眠聽雨，夢裡長青苔。」元 虞集（一二七二—一三四八）春江聽雨圖詩：「憶昔江湖聽雨眠，翩翩啼鴈度春前。」

【注解】

①小樓……殘　天剛亮，偪窄的閣樓，寂然無聲。小，形容偪窄不寬敞。樓，閣樓。人靜，謂寂靜無聲。漏初殘，漏聲甫盡。言天剛亮也。漏，古計時器。歷代形制不一。說文：「漏，以銅受水，刻節，晝夜百刻。」俗稱漏壺。

②多少……安　夜眠、老出現纏綿悱惻的幻像，睡得不平穩。多少，猶「幾」。言概數。春光，指男女私情。清 洪昇 長生殿 絮閣：「（內侍）啟萬歲爺，楊娘娘到了。（生作保科）呀！這春光漏泄怎地聞交？」夢，睡眠過程中的幻像。安，平穩。

③庭竹……碎　堂前風吹竹響，引來陣陣繁鬧，殃及了蕉葉，難免破裂。庭，指堂前。喧，嘈雜吵鬧。東晉 陶潛飲酒詩之五：「結廬在人境，而無車馬喧。」北周 庾信 同州還詩：「上林催獵響，河橋爭渡喧。」北宋 王安石金山寺詩：「夜風一何喧，大舶夾雙櫓。」蕉，指蕉葉。欲碎，將要破裂。唐 許渾咸陽城東樓詩：「溪雲初起日沉閣，山雨欲來風滿樓。」

④擁衾……寒　緊抱又大又厚的寢被，默然無聲；一盞如豆的孤燈，更頻添幾許寒意。擁，抱。衾，大被。餘參卷一〇、一八一、注②，一八三、注①。寒，冷。指寒意。

三一九、聽　雨

蔡汝修

幾回入聽怯宵寒①，風雨樓頭漏又殘②。數到春多春少處③，落花應待捲簾看④。

【析韻】

寒、殘、看，上平、十四寒。

【釋題】

同前首。

【注解】

①幾回……寒　多少次在屋裡仔細地聽著，就是畏懼夜晚的凍寒。幾回，猶幾次。謂多少次。由外至內曰入。入聽，在屋裡聽著。怯，詳參卷一八、三〇五、注①。宵寒，夜寒。

②風雨……殘　外頭刮著風、下著雨；樓上的滴漏也停歇了。風雨，風和雨。北宋蘇軾次韻黃魯直見贈古風之一：「嘉穀臥風雨，稂莠登我場。」醒世恆言李汧公窮邸遇俠客：「風雨蕭蕭夜正寒，扁舟急槳上危灘。」樓頭，參考卷一三、二二七、注③。又，副詞。表示轉折。漏殘，參考前首注①。

③數到……處　推算究竟春有多少個日子的時候。數到，猶言推算過。春多春少，春有多少個日子。春，指春天。春季。我國恆以農曆正月至三月為一年的首季—春。明 高啟 明皇秉燭夜遊圖詩：「滿庭紫焰作春霧，不知有月空中行。」春多春少，春季有多少個日子。處，時。時候。唐 劉長卿 江州留別薛六柳八二員外詩：「江海相逢少，東南別處長。」南宋 岳飛 滿江紅 寫懷詞：「怒髮衝冠，憑欄處，瀟瀟雨歇。」水滸傳第二回：「正沒理會處，只見遠遠地林子裏閃出一道燈光來。」

④落花……看　捲起窗簾看看落花就知道了。落花，掉在地面上的花朵。應待，應等待。要等待。待，表示某一種動作之後的另一個動作。捲簾，將簾子收拾成捲筒狀。（以便看清楚屋外的景象。）

三二〇、雨　聲

鄭兆璜

連朝雨為報花開①，滴滴聲喧入耳來②。記得小樓欹枕夜③，一春消息夢初回④。

【析韻】

開、來、回，上平、十灰。

【釋題】

雨聲，雨與大氣、山、川、湖泊、屋宇、陸地乃至花草樹木等碰撞所發出之聲響。唐 杜甫晴詩：「雨聲銜塞盡，日氣射江深。」李昌符（？—？，會昌、景福間人）旅游傷春詩：「曙分林影外，春盡雨聲中。」鄭谷中年詩：「苔色滿牆思故第，雨聲入夜憶春田。」杜常（？—？，晚唐之人。）華清宮詩：「朝元閣上西風息，都入長楊作雨聲。」儲光羲 山中流泉詩：「映地為天色，飛空作雨聲。」

【注解】

①連朝……開　持續幾天的雨，是在告知花兒即將綻放。連，持續。朝，ㄓㄠ。天。日。孟子 告子下：「雖與之天下，不能一朝居也。」唐 韓愈 次同冠峽詩：「今日是何朝，天晴物色饒。」元 鄭光祖（？—？，世次不詳）倩女離魂 楔子：「試期尚遠莫心焦，且在寒家過幾朝。」近人劉師亮（？—？，生卒年不詳）續青羊宮花市竹枝詞：「連朝看花被雨淋，午前雲起又天陰。」雨，詳參本卷、三一八、釋題。為，是。老子：「重為輕根，靜為躁君。」論語 微子：「長沮曰：『夫執輿者為誰？』子路曰：『為孔丘』……桀溺曰：『子為誰？』曰：『為仲由。』」開，花朵綻放。

②滴滴……來　滴滴搭搭，嘈雜吵鬧，頻頻傳進耳根。滴滴，猶滴滴搭搭，象雨（水）聲。唐 令狐楚（七六六—八三七）賦山詩：「古巖泉滴滴，幽谷鳥關關。」段成式 醉中吟：「只愛槽牀滴滴聲，長愁聲絕又醒醒。」聲喧，聲音嘈雜吵鬧。喧，參本卷三一八、注③。入耳來，傳進耳根。入，詳參前首注①。耳，指耳根。

③記得……夜　想起在小樓裏斜靠著頭枕的那個晚上。記得，猶云想起。小樓，詳參本卷三

一八、注①。攲，ㄑㄧ。通「倚」。斜靠。北宋 王安石 純甫出示惠宗畫要予作詩：「暮氣沈舟暗魚罟，攲眠嘔軋如聞櫓。」元 石子章（？—？，世次不詳。）竹塢聽琴第二折：「幾時能勾月枕雙攲，玉簫齊品，翠鸞同跨。」

④一春……回　睡夢中剛剛醒來，初春的音訊就到來了。一春，猶云初春。一，初。孟子 梁惠王下：「書曰：『湯一征，自葛始。』」趙岐注：「言湯初征，自葛始。」消息，詳卷二、二八、注③。夢初回，詳參卷一八、三〇四、注④。

三二一、雨　聲　　蔡　振　豐

芭蕉墻外小樓臺①，一片聲喧夢乍回②。剪燭西窗人獨聽③，巴山夜景上心來④。

【析韻】

臺、回、來，上平、十灰。

【釋題】

同前首。

【注解】

①芭蕉……臺　粉牆外、涼臺邊，點綴著芭蕉。芭蕉，學名 Musa basjoo。亦稱「甘蕉」。芭蕉科。多年生草本。具匍匐莖。假莖綠或黃綠色，高達六公尺，略被白粉。葉片呈長圓形，

長約三公尺，頂端鈍圓，基部圓形，不對稱；中脈粗大，側脈多數平行；葉柄長，葉翼開張。穗狀花序下垂，苞片紅褐或紫。果肉質、黃色，有多數種子，不堪食用。原產於琉球群島、臺灣。秦嶺、淮河以南恆露地栽培供觀賞。葉纖維可織布，稱蕉葛。假莖、葉、花蕾、匍匐莖可作藥用，其功能清熱解毒、利尿消腫、涼血、止痛。墻外，指屋牆的外圍。小，形容面積、體積不大。樓臺，涼臺。

②一片……回　風、雨、葉片彼此拍擊、撕裂的聲音，嘈雜吵鬧，我忽然從睡夢中醒來。一片，形容集聚在一起的聲音。南宋 朱淑貞 元夜詩之一：「一片笑聲連鼓吹，六街燈火麗昇平。」水滸傳第三三回：「花榮一片聲叫道：『我得何罪？』」兒女英雄傳第三一回：「慌慌張張爬到牆上，踹的那瓦一片山響。」聲喧，聲音嘈雜吵鬧。喧，詳參本卷、三一八、注③。夢乍回，睡夢中突然醒來。乍，ㄓㄚˋ。忽。表狀態。東漢 荀悅（一四八—二〇九）雜言：「一俯一仰，乍進乍退。」餘參卷一八、三〇四、注④。

③剪燭……聽　西窗邊隨手剪去已經燒焦的燭心。我，孤零零地傾聽著。剪燭西窗，亦作「翦燭西牕」。語出唐 李商隱 夜雨寄北詩：「君問歸期未有期，巴山夜雨漲秋池。何當共剪西窗燭，卻話巴山夜雨時。」後人恆以「剪燭西窗」為促膝長談之典。附誌之。獨，單身。

④巴山……來　巴山夜雨的景色，不覺湧上心頭。巴山，在今四川 南江縣北，有大巴山與小巴山。夜景，指夜雨的景色。餘參前注。上，猶到（達）。抵。在此作「湧上」解。

三二二、晚山煙雨

林資修

詩情畫意近南朝①，草樹濛濛石徑遙②，林際濕雲飛不起③，一聲疎磬落山腰④。

【析韻】

朝、遙、腰，下平、二蕭。

【釋題】

晚山煙雨，謂日暮黃昏，山野田舍間正濛濛細雨也。晚，日暮。黃昏。詩齊風東方未明：「不能辰夜，不夙則莫。」毛傳：「莫，晚也。」東漢王充論衡明雩：「暮者，晚也。」唐杜甫晚行詩：「三川不可到，歸路晚山稠。」煙雨，濛濛細雨。餘參卷二〇、三三五、釋題。榮按：作者乃霧峯林家子弟，晚山煙雨應在霧峯宮保第周遭。

【注解】

①詩情……朝　詩篇的情思、畫作的意味，好似六朝古都—南京。詩情畫意，詩畫中的描摹予人以美感的意境。南宋周密清平樂橫玉亭秋倚詞：「詩情畫意，只在闌干外，雨露天低生爽氣，一片吳山越水。」清黃鈞宰金壺逸墨晚學齋詩詞：「詩情畫意正清絕，我來深巷無喧嘩。」近，似。相似。禮記中庸：「好學近乎知，力行近乎仁，知恥近乎勇。」三字經：「人之初，性本善；性相近，習相遠。」南朝，我國南北朝時代，領有江南一帶

地區的宋、齊、梁、陳四朝的總稱。該四朝均建都於建康（今南京）。後人恆以南朝借指為南京。又，四朝之外，三國孫吳、東晉亦先後奠都於此，故南京亦稱六朝古都。唐周賀（？—？；大和末為僧。）送紹康歸建業詩：「南朝秋色滿，君去意如何？帝業空城在，民田壞塚多。」清陳恭尹（一六三一—一七〇〇）秋日西郊宴集詩：「欲灑新亭數行淚，南朝風景已全非。」

②草樹……遙　青草、綠樹紛雜，遠處石頭小路隱約可見。濛濛，紛雜。西漢枚乘（？—前一四〇）梁王菟園賦：「羽蓋繇起，被以紅沫，濛濛若雨委雪。」唐賈島送神邈法師詩：「柳絮落濛濛，西州道路中。」北宋晏殊踏莎行詞之五：「春風不解禁楊花，濛濛亂撲行人面。」石徑，亦作「石逕」。石頭小路。南朝宋鮑照出自薊北門行：「鴈行緣石逕，魚貫度飛梁。」唐杜牧山行詩：「遠上寒山石徑斜，白雲生處有人家。」三國演義第一一九回：「馬到山根處，兵來石徑分。」遙，亦作「遥」。指距離遠。禮記王制：「自江至於衡山，千里而遙。」前蜀杜光庭虬髯客傳：「妓遙呼（李）靖曰：『李郎且來拜三兄。』」

③林際……起　林邊飽含水分的雲朵，無從騰空而行。林際，樹林邊。濕雲，濕度偏高的雲。唐李頎宋少府東溪泛舟詩：「晚葉低眾色，濕雲帶繁暑。」飛不起，無從騰空而行。

④一聲……腰　短暫、冷落且疏遠的磬聲，在山腰產生迴響。一聲，形容短暫。疎磬，冷落疏遠的磬聲。疎，本作「疏」。磬，ㄑㄧㄥˋ。古打擊樂器。狀似曲尺，以玉、石或金屬製成。

懸於架上，擊之而鳴。詩商頌那：「既和且平，依我磬聲。」磬，在此，作「磬聲」解。落，入。清紀昀閱微草堂筆記如是我聞一：「我百年後，儻圖器書玩散落人間，使賞鑒家指點摩挲曰：『此紀曉嵐故物，』亦是佳說，何所恨哉？」山腰，詳參卷一七、二八七、注⑦。

三二三、晚山煙雨

莊 嵩

輕煙漠漠雨瀟瀟①，風景依稀似六朝②。箬笠簑衣千步磴③，山歌一曲聽歸樵④。

【析韻】

瀟、朝、樵，下平、二蕭。

【釋題】

同前首，按：作者莊嵩為櫟社成員。

【注解】

①輕煙……瀟 淡淡、迷濛的霧雰，絲絲、紛霏的細雨。輕煙，參考卷一七、二八九、注①。漠漠，迷濛貌。楚辭九思疾世：「時咄咄兮且且，塵漠漠兮未晞。」唐杜甫茅屋為秋風所破歌：「俄頃風定雲墨色，秋天漠漠向昏黑。」北宋鄭俠（一〇四〇—一一一九）烟雨樓詩：「羣岫西來煙漠漠，大江南去雨濛濛。」雨，參本卷、三一八、釋題。瀟瀟、

小雨貌。南唐王周（？—？，世次不詳。）宿疎陂驛詩：「誰知孤宦天涯意，微雨瀟瀟古驛中。」

②風景……朝　風光景色隱約中像是古都南京。風景，詳參卷一二、二二一、注①。依稀，隱約。不清晰。南朝宋謝靈運行田登海口盤嶼山詩：「依稀採菱歌，彷彿含嚬容。」北宋梅堯臣至和元年四月二十日夜夢覺而錄之詩：「滉朗天開雲霧閣，依稀身在鳳皇池。」似，像。三國吳、東晉，南朝宋、齊、梁、陳相繼建都建康（孫吳時稱建業，即今南京）合稱六朝。亦借指南京。

③箬笠……磴　頭頂竹笠、身罩雨披，悠然自在地走在千步磴上。箬笠，用箬竹葉及篾編成的寬邊帽。元李衎（？—？，世次不詳。）竹譜詳錄箬竹：「箬（ㄖㄨㄛˋ）竹，又名篛竹，出江、浙及閩、廣，處處有之。葉類簝竹，但多生傍枝。幹如箭竹，高者不過五七尺。江西人專用其葉為茶罨，云不生邪氣，以此為貴。」紅樓夢第四五回：「寶玉頭上帶著大箬笠，身上披著簑衣。」簑衣，用竹葉或草、棕編成的雨披。水滸傳第一九回：「船頭上立著一個人，頭戴青箬笠，身披綠簑衣。」簑，同「蓑」，ㄙㄨㄛ。千步磴，萊園十景之一。磴，ㄉㄥ。石階。餘詳參卷二〇、三三八、三四四等二首釋題。

④山歌……樵　聽：那樵夫歸途中還哼著一首山歌呢！山歌，形式短小、曲調質樸、節奏自由的民間歌曲，流行於我國南方，多在山野工作時獨唱或齊唱，故名。唐李益送人南歸詩：「無奈孤舟夕，山歌聞竹枝。」北宋張耒上元詩之三：「江邊燈火似秋螢，哀怨山

歌不可聽。」明祝允明（一四六〇—一五二六）前聞記沈孝子：「乃起跳舞而唱山歌，作嬉笑以樂母。」一曲，猶一首。歸樵，回家途中的打柴人。

三二四、冬山如睡

林馨蘭

歷盡秋風卸盡妝①，慵梳螺髻立斜陽②。待他喚醒羅浮夢③，添得寒梅幾段香④。

【析韻】

妝、陽、香，下平、七陽。

【釋題】

形容冬日山林沉寂之象。北宋郭熙（？—？，五代、宋初人。）林泉高致山水訓：「真山水之煙嵐，四時不同：春山澹冶而如笑，夏山蒼翠而如滴，秋山明淨而如粧，冬山慘淡而如睡。」

【注釋】

①歷盡……妝　飽嘗冷落、蕭瑟的風，除去了身上的一切裝扮。歷，經過。書畢命：「既歷三紀，世變風移。」盡，竭。完。易繫辭上：「書不盡言，言不盡意。」引申為達於極限。莊子齊物：「至矣盡矣，不可以加矣。」歷盡，猶云飽嘗。秋風，參卷三、五〇注④，五二、注④。卸盡妝，除畢身上的裝扮。

②慵梳……陽　懶洋洋地梳成螺型的髮髻，站在斜照著的夕陽下佇候。慵，ㄩㄥ。懶惰。懶散。唐 杜甫 王十七侍御掄許攜酒至草堂奉寄此詩便請高三十五使君同到：「老夫臥穩朝慵起，白屋寒多暖使開。」北宋 王禹偁 寒食詩：「使君慵不出，愁坐讀離騷。」明 謝讜 四喜記 風月青樓：「纖髻及焚膏，莫教一刻慵。」梳，ㄕㄨ。整理（鬚髮）。螺髻，螺殼狀的髮髻。西晉 崔豹 古今注 魚蟲：「童子結髮，亦為螺髻，亦謂其形似螺殼。」南宋 吳曾 能改齋漫錄 樂府一：「（晁補之 嘲白氏詞）因倚妝臺，盈盈正解螺髻，鳳釵墜，繚繞金盤玉指，巫山一段雲委。」立，站。斜陽，參考卷一三、二三一、注④。

③待他……夢　就等他來叫醒梅花。待，等。喚醒，叫醒。南宋 真山民 春遊和胡叔芳韻：「棠醉風扶起，柳眠鶯喚醒。」元 楊維楨 明皇按樂圖詩：「海棠花妖睡初著，喚醒一聲紅芍藥。」老殘遊記第一回：「今日被先生喚醒，我們實在慚愧，感激的很。」羅浮夢，詳卷八、一五九、釋題。

④添得……香　增加了它幾回的芬芳。添得，參卷一二、二二二、注③。寒梅，即梅花。梅凌寒綻放，故稱。唐 張謂（？—七七八？）早梅詩：「一樹寒梅白玉條，迥臨林村旁谿橋。」北宋 柳永 瑞鷓鴣詞：「天將奇豔與寒梅，乍驚繁杏臘前開。」明 何景明 二月見梅詩：「二月寒梅開滿枝，素心寧與豔陽期！」段，次。回。香，芬芳。

三二五、冬山如睡

鄭登瀛

煙煙雨雨黑甜鄉①，畫出詩情費主張②。惟有梅花偏不睡③，孤山一笑露寒香④。

【析韻】

鄉、張、香，下平、七陽。

【釋題】

同前首。

【注解】

①煙煙……鄉　山頭籠罩著淡淡的霧雰；天空下著濛濛的細雨，它睡得又沈又甜。煙煙雨雨，參考本卷三二三、注①。黑甜鄉，詳卷九、一七九、注④。

②畫出……張　可是用了主意，才描摹成詩篇般的情思。畫出，描摹成（功）。詩情，參本卷、三二二、注①。費，用。使用。警世通言第五卷：「恨天者，……多了秋風冬雪，使人怕冷，不免費錢買衣服穿。」主張，主意。水滸傳第六四回：「寨中頭領主張不定，請兄長軍師早早收兵回來，且解山寨之難。」清李漁玉搔頭訊玉：「母親不要多慮，孩兒自有主張。」

③惟有……睡　特別得很，偏偏只有梅花甦醒、亢奮。偏，特。表意外。同偏偏。不睡，甦

醒、亢奮。北宋莊子列御寇：「夫千金之珠，必在九重之淵而驪龍頷下。子能得珠者，必遭其睡也。」唐韓愈宿神龜招李十八馮十七詩：「夜宿驛亭愁不睡，幸來相就蓋征衣。」蘇軾海棠詩：「只恐夜深花睡去，故燒高燭照紅妝。」

④孤山……香　它微微地笑著，並吐出清冽的芬芳。孤山，隱指梅。餘參卷五、一一三、釋題及注④，一一四注④。一笑，形容很短暫且含蓄的笑。露，顯現。在此，引申作「吐」（ㄊㄨˇ）解。寒香，清冽的香氣。形容梅香。唐羅隱梅花詩：「愁憐粉艷飄歌席，靜愛寒香撲酒尊。」清陳瑚（一六一二—一六七四）山中喜遇徐昭法共飲詩：「一夜寒香萬樹開，相逢花下且銜杯。」紅樓夢第四九回：「（寶玉）剛轉過去，已聞得一股寒香撲鼻，回頭一看，卻是妙玉那邊櫳翠庵中有十數枝紅梅。」

三二六、塞上曲

陳朝龍

黃沙萬里捲秋風①，聽澈鐃歌感慨中②，年少將軍新受鉞③，殺人多處是奇功④。

【析韻】

風、中、功，上平、一東。

【釋題】

塞上曲有二：（一）自漢橫吹曲辭演化而成，屬新樂府辭。詳樂府詩集橫吹曲辭一出塞。（二）琵琶套曲。清季李芳園（？—？，世次不詳）據華秋蘋（？—？，世次不詳。）琵琶譜，其中五首小曲思春、昭君怨、泣顏回、傍妝臺、訴怨，調整組合成宮苑思春、昭君怨、湘妃滴淚、妝臺秋思、思漢，總稱塞上曲。（南北派十三套大曲琵琶新譜。）此處，則純取以為詩題。

【注解】

①黃沙……風　黃色的沙土一望無垠、遍地綿衍，裹取那冷清、蕭瑟的涼風。萬里，參卷三、五七、注①。捲，ㄐㄩㄢˇ。同「卷」，裹取。史記 蘇秦張儀列傳：「席捲常山之險。」唐 盧仝 蕭宅贈答詩：「揚州惡百姓，疑我捲地皮。」秋風，參卷三、五〇、注④及五二、注④。

②聽澈……中　傾聽過軍樂，情緒正憤激不已。以耳受聲曰聽。澈，本義「水澄」，即水澄清狀，故从水。又，「徹」本作「通」解，寓貫通到底之意；水澄清則清可見底，故以徹省聲。聽澈，猶言傾聽畢。鐃歌，軍中樂歌。泛指軍歌。明 陳汝元 金蓮記 焚券：「譚笑青萍歸路遠，清笳萬里和鐃歌。」清 方文 偕蔣穆之登金山懷龍友先生詩：「曾上江樓閱水師，鐃歌鼓吹譜新詞。」感慨，亦作「感嘅」。謂情緒激亢、憤恨。史記 季布欒布列傳 論：「夫卑妾賤人感慨而自殺者，非能勇也，其計畫無復之耳。」唐 韓愈 送董邵南序：「燕 趙古稱多感慨悲歌之士。」中，表時式，謂正在進行（發作）。

③年少……鉞　年輕的將帥剛剛接受出征的符節和斧鉞。年少，指年紀不大，猶年輕。將軍，統帥部旅作戰的高階軍官。新，初次出現，猶云「剛」。受鉞，古時將帥出征，行前接受

天子授予符節和斧鉞。唐岑參西河太守杜公輓歌之三：「剖符移北地，受鉞領西門。」北宋李上交近事會元大將受命引唐志：「大將出軍征討，皆告廟受鉞。」鉞，ㄩㄝˋ。

④殺人……功　砍殺敵軍數量可觀的時候，是一件異常的功勳。殺人，謂砍殺敵軍。多處，數量可觀的時候。多，表數量。不少。處，ㄔㄨˋ。時。時候。唐劉長卿江州留別薛六柳八二員外詩：「江海相逢少，東南別處長。」南宋岳飛滿江紅寫懷詞：「怒髮衝冠，憑欄處。瀟瀟雨歇。」奇功，異常的功勳。三國演義第七〇回：「黃忠謂嚴顏曰：『你可見諸人動靜麼？你笑我二人年老，今可建奇功，以服眾心。』」

三二七、虎邱劍池紀事

鄭鵬雲

莫向山邱談往事①，霸王遺跡半衰殘②。棲鴉落日池邊樹③，虎氣銷沈劍氣寒④。

【析韻】

殘、寒，上平、十四寒。

【釋題】

虎丘，山名，為避孔子名諱，改稱虎邱。一名海湧山。相傳吳王闔閭葬於此，三日有虎踞其上，故名。泉石幽勝，上有塔，登眺之，全城在目，為蘇州名勝。唐時，避其先祖李虎諱，一度改名武丘。劍池，在今江蘇蘇州市虎丘山。相傳秦始皇東巡時，在此找尋過吳王闔閭生前所持寶劍。一說闔閭入土，曾鑿池殉葬魚腸、扁諸等寶劍各三千。紀事，記其事也。紀，通「記」。記載。左傳 桓公二年：「夫德儉而有度，登降有數，聲明以發之，文物以紀之。」虎丘、劍池均位於蘇州 閶門外。圖詳卷一二、二一七。

【注解】

①莫向……事　不要對那座墳墓論說過去的事。山邱，本作「山丘」。墳墓。三國 魏 曹植 箜篌引：「生存華屋處，零落歸山丘。」北宋 曾鞏 南軒詩：「聖賢雖山丘，相望心或庶。」金 元好問 醉後詩：「身後山丘幾春草，醉來日月兩秋螢。」談，論說。南史 張裕傳：「裕子鏡少與顏延之鄰居，顏談義飲酒，喧呼不絕。」往事，過去的事情。荀子 成相：「觀往事，以自戒，治亂是非亦可識。」史記 太史公自序：「此人皆意有所鬱結，不得通其道也，故述往事，思來者。」唐 劉長卿 南楚懷古詩：「往事那堪問，此心徒自勞。」明 劉基 滿江紅詞：「懷往事，空淒切。思不斷，腸千結。」

②霸王……殘　吳王 闔閭所留下的種種蹟象，多已坍圮、不全。霸王，指闔閭。餘參本首釋題。遺跡，本作「遺迹」，亦作「遺蹟」。指古代或過去的人和事物遺留下來尚可見的蹟象。東漢 王粲 贈文叔良詩：「先民遺迹，來世之矩。」北宋 蘇軾 渚宮詩：「誰能為我訪遺迹，草中應有湘東碑。」蘇轍 中秋見月寄子瞻詩：「黃樓未成河已退，空有遺跡令人看。」明 沈德符 野獲編 曆法 日圭同異：「登封縣有觀象、測景二臺，乃周公營洛邑時，手建遺蹟，其土圭表漏尚存。」半，二分之一。引申作「多已」解。衰殘，本義枯

萎殘落。北宋林逋西湖孤山寺後舟中寫望詩：「拂拂煙雲初淡蕩，蕭蕭蘆葦半衰殘。」在此，引申作「坍圮、不全」解。

③棲鴉……樹　歇宿在那裏的烏鴉、黃昏的餘暉，還有江岸上的老樹。

④虎氣……寒　寶劍的精氣固然消失，它的光芒也已不再重現。虎氣，指寶劍的精氣。唐杜甫蕃劍詩：「虎氣必騰上，龍身寧久藏。」清錢謙益箋注：「殷芸小說載世說云：『王子喬墓在京茂陵。國亂時，有人盜發之，惟有一劍，懸在空中，欲取之，劍便作龍鳴虎吼，俄而飛上天。』」銷沈，本作「銷沉」。消失。消逝。唐杜牧登樂遊原詩：「長空淡淡孤鳥沒，萬古銷沉向此中。」元王學文（？—？，生卒年待考）綺寮怨詞：「當日登臨，都化做夢銷沉。」劍氣，劍的光芒。唐錢起江行無題詩：「自憐非劍氣，空向斗牛星。」南宋華嶽（？—？，慶元、寶慶間人）呈番禺趙及甫詩：「筆鋒帶怒搖山岳，劍氣卿寃射斗牛。」清石達開（一八三一—一八六三）白龍洞題壁詩：「劍氣沖星斗，文光射日虹。」又，亦恆以喻人的才藝、才氣。在此，從後解，隱指吳王闔閭的才氣。寒，歇。歇止。左傳哀公一二年：「吳子使太宰嚭請尋盟，子貢曰：『若可尋也，亦可寒也。』」在此，引申作「不再重現」解。

三二八、馬當山

黃鴻翔

怪石臨流一箭通①，王郎從此訪閻公②。文章自得江山助③，漫說神人借好風④。

【析韻】

通、公、風，上平、一東。

【釋題】

馬當山位於江西彭澤縣東北。山形似馬，橫枕長江，為江流險要之處。唐王勃乘舟遇風，自此一夜達南昌。李白橫江詞之二：「海潮南去過尋陽，牛渚由來險馬當。」

【注解】

①怪石……通　形狀奇特的石頭，面對著流動中的江水，一個箭步即可到達。怪石，奇形怪狀之石。唐柳宗元始得西山宴遊記：「日與其徒上高山，入深林，窮迴路，幽泉怪石，無遠不到。」方干題故人廢宅詩之一：「閒花舊識猶含笑，怪石無情更不言。」臨，面對。當著。楚辭九歌少司命：「望美人兮未來，臨風怳兮浩歌。」南朝宋鮑照送從弟道秀別詩：「登山臨朝日，揚袂別所思。」唐王昌齡悲哉行：「北上太行山，臨風閱吹萬。」水之通稱曰流。列子湯問：「八紘九野之水，天漢之流，莫不注之，而无增无減焉。」唐李白廬山瀑布詩：「飛流直下三千尺，疑是銀河落九天。」一箭，指一箭所

能達到的距離。謂彼此距離甚近。猶云一個箭步。品花寶鑑第三二回：「我家與烏家相隔不到一箭遠，在一條胡同裏。」二十年目睹之怪現狀第一六回：「行了一箭多路，猛然又想起方纔那個客人，就是我在元和船上看見他扮官做賊，後來繼之說他居然是官的人。」通，到達。國語晉語二：「道遠難通，望大難走。」韋昭注：「通，至也。」三國志蜀書諸葛亮傳：「荊州北據漢沔，利盡南海，東達吳會，西通巴蜀。」金元好問緱山置酒詩：「西望洛陽城，大路通平津。」

②王郎……公　才子王子安就在此地去拜望陰府閻羅。王郎，指王勃。勃（六四八─六七五）。唐絳州龍江人，字子安。年六歲即善文辭，曾為沛王府修撰，以為沛王作檄雞文，為高宗所聞，削職。上元二年，渠赴交阯省父，渡海溺死，年僅二十八。勃與楊炯、盧照鄰、駱賓王合稱初唐四傑。詩文沿襲六朝餘緒，惟題材已較寬廣。遺有王子安集，（清蔣清翊集注二〇卷）。新、舊唐書均有傳。榮按：王子安並未於馬當山滅頂；作者係借以為溺水之典。從此，自此時或此地起。此處，從後解。東晉干寶搜神記卷一六：「恩愛從此別，斷腸傷肝脾。」唐李益寫情詩：「從此無心愛良夜，任他明月下西樓。」北宋蘇軾石鼻城詩：「北客初來試新險，蜀人從此送殘山。」訪，拜望。唐杜甫聶耒陽以僕阻水書致酒肉詩：「耒陽馳尺素，見訪荒江渺。」元揭傒斯過族姪詩：「每訪所親皆異物，始驚為客久殊鄉。」閻公，指閻羅。閻羅，梵語 Yamarāja 的略譯，佛教稱主管地獄的神。通稱閻王，又稱閻摩、閻君、閻摩王、閻老王、閻老五、閻魔天子、閻羅大王、閻羅

天子。傳說渠乃閻摩十王的第五王，姓包。

③文章……助　體會到自己的才學，得之於江河山嶽的奧援。文章，才學。後漢書　韓棱傳：「肅宗（榮按：孝章帝，簡稱章帝，廟號肅宗。）嘗賜諸尚書劍，唯此三人特以寶劍……壽明達有文章，故得漢文。」漢文，寶劍名。唐　韓愈　苗氏墓志銘：「夫人年若干，嫁河南法曹盧府君，諱貽，有文章德行。」北宋　張齊賢（九四三—一〇一四）洛陽縉紳舊聞記　少師佯狂：「時僧雲辨，能俗講，有文章，敏於應對。」自得，自己有心得體會。禮記　中庸：「君子無入而不自得焉。」孟子　離婁下：「君子深造之以道，欲其自得之也。自得之則居之安，居之安則資之深，資之深則左右逢其原，故君子欲其自得之也。」江山，江河山嶽。莊子　山木：「彼其道遠而險，又有江山，我無舟車，奈何？」東晉　郭璞　江賦：「蘆人漁子，擯落江山。」唐　杜甫　宿鑿石浦詩：「早宿賓從勞，仲春江山麗。」助，佐。幫助。猶云奧援。孟子　滕文公上：「守望相助，疾病相扶持，則百姓親睦。」史記　田單列傳：「為君將是助桀為虐也。」

④漫說……風　不要說是神仙暫時讓他使用那爽快宜人的風。謂莫道有神助。漫說，不要說。別說。唐　司空圖　柳　詩之一：「漫說早梅先得意，不知春力暗分張。」兒女英雄傳第七回：「當下姑娘臉上的那番得意，漫說出將入相，八座三臺，大約立刻叫他登基座殿，成佛升天，他也不換！」神人，猶神仙。古道教與方士理想中所謂修真得道而長生不老的人。史記　封禪書：「乃益發船，令言海中神山者數千人求蓬萊神人。」西漢　揚雄長楊賦：「聽

廟中之雍雍，受神人之福祜。」唐杜甫遣興詩之一：「頓轡海徒湧，神人身更長。」借，暫將財物予人使用。好風，爽快怡人的風。東晉陶潛讀山海經詩：「微雨從東來，好風與之俱。」唐唐彥謙緋桃詩：「坐久好風休掩袂，夜來微雨已沾巾。」錢起秋夜同梁鍠文宴詩：「好風能自至，明月不須期。」雍陶（？—？，元和、咸通間人。）題大安寺池亭詩：「好風好月無人宿，夜夜小禽船上棲。」

三二九、登鼓山天風海濤亭望臺灣

鄭鵬雲

滄溟龍渡海之東①，地脈占祥記晦翁②。百萬人家成島郡③，十年刼火可憐紅④。

（南）宋朱子登鼓山望臺灣云：「龍渡滄溟，五百年後當成有百萬人之郡。」

【析韻】

東、翁、紅，上平、一東。

【釋題】

自下而上曰登。鼓山，在福建閩侯縣（今林森縣）東三十里。山巔有巨石如鼓，相傳每風雨大作，即簸揚有聲，故名。天風海濤亭，宋時建。在福建閩侯鼓山之上。存有朱熹（一一三〇—一二〇〇）手書匾額。望，遠眺。詩衛風河廣：「誰謂宋遠，跂余望之。」臺灣，簡稱臺。位於福建東南，東海與南海間，包括臺灣島、澎湖列島等島嶼。康熙廿三年（一六八四）設臺灣府，屬福建省，領縣三。光緒十一年（一八八五）改行省。甲午戰敗，中日簽署馬關條約，清廷同意割臺（一八九五、四、一）。民國卅四年夏（一九四五、八、十五）日本無條件投降，臺灣終告光復。同年，十月廿五日於臺北公會堂（今稱中山堂）受降、移交。

【注解】

①滄溟……東　龍的傳人，不畏艱難，遠涉黑水，來到海峽的東隅。滄溟，大海。漢武帝內傳：「諸仙玉女，聚居滄溟。」唐 元稹俠客行：「此客此心師海鯨，海鯨露背橫滄溟。」清 譚嗣同（一八六五—一八九八）思緯壹壹臺短書報貝元徵：「一泛滄溟，即暈眩嘔噦，不能行立。」滄溟，在此，指臺灣海峽。龍，鱗蟲之長。與麟、鳳、龜合稱四靈。國人夙以龍的傳人自居。渡，濟。謂涉水。海之東，海峽的東隅。閩、臺二地隔臺灣海峽遙遙相對。基隆至金門二二〇浬，高雄至金門一一五浬，廈門至安平一四七浬、馬尾至淡水一二八浬。又，臺灣海峽昔有黑水溝之稱。

②地脈……翁　推斷它是塊福地，令人回憶起朱晦翁。地脈，亦作「地脉」。堪輿家謂地形好壞。明 郎瑛（一四八七—？）七修類稿 天地三天目山：「天目山前水齧磯，天心地脈露危機。」占，ㄓㄢ。用龜甲、蓍草，後世用銅錢、牙牌等推斷吉凶禍福。易 繫辭上：「以制器者尚其象，以卜筮者尚其占。」東漢 張衡 思玄賦：「占既吉則無誨兮，簡元辰而俶裝。」南宋 范成大 病後詩：「複幕重簾苦見遮，暮占栖雀曉占鴉。」福曰祥。吉利之稱也。詩 大雅 文王之什：「文定厥祥，親迎于渭。」書 伊訓：「作善，降之百祥。」漢

書劉向傳：「和氣至祥。」記，憶。回憶。唐昭宗（李曄，八六七—九〇四）如夢令詞：「長記別伊時，和淚出門相送。」晦翁，朱熹。熹（一一三〇—一二〇〇）。南宋徽州婺源人。父松，宣和中官閩，生熹於延平。熹字元晦、一字仲晦、晦菴、遯翁。紹興十八年進士、歷仕四朝，而在朝不滿四十日，曾任秘閣修撰等職。晚年徙居考亭、主講紫陽書院，亦別稱考亭、紫陽先生。熹為程頤三傳弟子李侗之門生，闡發儒家「仁」與學庸思想，繼承且發展二程理氣二元學說，集理學之大成，後世並稱程朱。元明清三朝科舉，均採熹四書集注。朱熹注釋古籍，疑古文尚書之偽，質疑詩序，多有新解，遺有四書章句集注、詩集傳、周易本義、楚辭集注、通鑑綱目及後人所編朱文公集、朱子語類等書存世。餘參第三句校注者按語。

③百萬……郡　歲月推移，人口新增，四面環海的島嶼已經發展為住戶眾多的州郡。百萬，概稱眾多。形容數量極大。國語晉語二：「吾命之以汾陽之田百萬。」史記平原君虞卿列傳：「今楚地方五千里，持戟百萬，此霸王之資也。」唐韓愈出門詩：「長安百萬家，出門無所之。」人家，住戶。唐杜牧山行詩：「遠上寒山石徑斜，白雲生處有人家。」北宋余靖（一〇〇〇—一〇六四）晚至松門僧舍懷記李太祝詩：「蓼浦初聞雁，人家半在船。」元馬致遠天淨沙秋思曲：「枯藤老樹昏鴉，小橋流水人家。」近人劉大白舊夢詩：「小草，你妝飾了富貴人家底庭園，卻受夠了他們底芟夷和蹂躪。」成，為。變為。易繫辭上：「是故四營而成易，十有八變而成卦。」禮記學記：「玉不琢，不成器。」

北史隋文帝紀：「人以二十一成丁。」島，四週環水（海或江、河、湖泊）的陸地。郡，古行政區域名稱之一。周制：縣大郡小，戰國時逐漸轉變為郡大於縣。秦滅六國，建立郡縣制，以郡統縣。漢因之。隋唐以後，州郡並稱。至明而郡廢。在此，郡，猶謂已開發的聚落。榮按：荷據末期（一六六一前後）臺灣平埔族人口約四萬人（三九、二二三人）、漢族移民約二五、○○○人。割臺前二年（光緒十九年、一八九三），全臺人口總數二、五四六、○○○人。（詳臺灣省通志稿人口篇。）

④十年……紅　長久以來，災火不斷、紅光瀰漫、哀鴻遍野，令人悲傷，值得同情啊！十年，形容時間長久。左傳僖公四年：「一薰一蕕，十年尚猶有臭。」楊伯峻注：「十年，言其久也。」唐賈島劍客詩：「十年磨一劍，霜刃未曾試。」刼火，本作「劫

鼓山天風海濤亭今影

火」，亦作「刧火」、「刦火」。佛教語。謂壞劫之末所起的大火。仁王經：「劫火洞然，大千俱壞。」唐張喬興善寺貝多樹詩：「永共終南在，應隨劫火燒。」南宋李綱（一〇八三—一一四〇）次韻丹霞錄示羅疇老唱和詩：「劫火洞燒時，自有安身處。」清龔自珍懺心詩：「佛言劫火遇皆銷，何物千年怒若潮？」可憐，參考卷一、九注④。紅，現紅光。北宋王安石讀秦漢間事詩：「子羽（按：項羽字子羽）一炬火，驪山三月紅。」南宋陸游感事詩：「廣陵南幸雄圖盡，淚眼山河夕照紅。」榮按：自一八九五年六月二日（光緒廿一年、明治廿八年）日帝完成接收臺灣，至一九〇四年五月廿七日（明治卅七年）臺灣總督公佈銃砲火藥取締規則止，全臺大小抗日事件不下五〇起。其中一八九九年（明治卅二年）依匪徒刑罰令即處死一、〇二三人。

三三〇、吉隆車中有感

陳寶琛

荒榛野箐滿空山①，甌脫寧知不放閒②？三十年前誰過此③？瓊州莫再作臺灣④。

【析韻】

山、閒、灣，上平、十五刪。

【釋題】

作者車經吉隆，思及乙未割臺之恥，悲歎之餘，口占之。吉隆，地名。今屬廣東惠東縣（舊稱平山）轄，位於紅海、大亞二灣間。

【注解】

①荒榛……山 幽深僻靜、人跡罕至的山林，遍生青草、雜木和細竹。荒榛，雜亂叢生的草木。東晉 孫綽 遊天臺山賦：「披荒榛之蒙蘢，陡峭崿之崢嶸。」唐 孟郊 奉報翰林張舍人見遺之詩：「品松位何高，翠宮沒荒榛。」清 顧炎武 金石文字記 序：「登危峰，探窈壑，捫落石，履荒榛。」榛，ㄓㄣ。野箐，野生的細竹。箐，ㄑㄧㄤ。滿，盈。在此，引申作「遍生」或「到處都是」解。空山，幽深少人跡的山林。唐 韋應物 寄全椒山中道士詩：「落葉滿空山，何處尋行跡。」明 李攀龍（一五一四—一五七〇）仲春虎丘詩：「古刹雲光杳，空山劍氣深。」

②甌脫……閒 難道確認東南海域的邊界哨所、防禦據點，個個沒有瑕疵、無懈可擊？甌脫，亦作「區脫」。匈奴語。本指西漢時與匈奴連界的邊塞所構築的土堡哨所。史記 匈奴傳：「東故與匈奴閒，中有棄地，莫居千餘里，各居其邊，為甌脫。」集解引韋昭云：「　上屯守處。」索隱引服虔曰：「作土室以伺漢人。」又纂文曰：「甌脫，土穴也。」正義：「境上斥候之室為甌脫也。」漢書 蘇武傳：「區脫補得雲中生口。」顏師古注引服虔曰：「區脫，土室，胡兒所作以候漢者也。」後亦以泛稱邊境哨所。此處從後解。寧，難道。豈。知，瞭解。引申作「確認」解。不放閒，沒有空隙。猶謂沒瑕疵、無懈可擊。不，沒。沒有。孟子 梁惠王上：「以五十步笑百步，則何為？曰：『不可。直不百步耳，是亦走

也。』」閒，通「間」。榮按：作者所稱「甌脫」係指閩、粵至海南島水域沿岸之防禦工事。

③三十……此　四十多年前，誰行經這個地方？三十，概數，謂逾三十。詩句講平仄，不得已捨「四」用「三」。過，行經。榮按：咸豐七年（一八五七）十二月廿九日（十一月十四、辛卯）英　法聯軍陷廣州、大肆搶掠。翌年，一月五日兩廣總督葉名琛（一八〇七－一八五九）被俘，解送印度　加爾各答。聯軍旋北，八年（一八五八）五月廿日（四月初八、癸丑）占大沽砲臺，直撲天津，清廷與英　法分別簽訂天津條約。翌年，英　法公使赴北京換約，船艦欲強行通過大沽。十年（一八六〇）八月一日（六月十五、丁丑）登陸北塘，廿一日大沽再告失陷，天津（八月廿四日）通州（九月十四日）二度談判破裂，十月十三日（八月廿九、庚寅）英　法聯軍兵臨京師，十八日（九月初三、乙未）英使額爾金下令焚圓明園，先是二國聯軍自十月六日至九日前後四天，已將園內珍貴文物搶劫一空，無法搬動者悉徹底破壞，為掩蓋劫掠罪行，而有焚園之惡行。廿四、廿五日（九月十一、十二日）分別簽訂中　英　北京條約、中　法　北京條約。

④瓊州……灣　瓊州不要變成臺灣第二了。瓊州，位於海南島北岸、南渡河出海口，今稱海口市。天津條約，清廷同意加開牛莊（後改營口）、登州（後改煙臺）、臺灣（即安平）、淡水、潮州（後改汕頭）與瓊州為通商口岸。光緒廿四年（一八九八）四月九日（三月十九、壬寅）、十日，法迫清廷於兩次換文（中　法　天津、北京等兩約）中，允其租借廣州

灣，修築滇越鐵路且聲明滇粵桂三省不割讓予他國。廣州灣，位於廣東省雷州半島北角，今稱湛江市（湛江港）。與瓊州航程約百餘浬。臺灣，詳前首釋題。

卷二〇

三三一、潛園探梅

林鵬霄

行盡長橋與短橋①，名園覽勝值花朝②。逋仙去後寒香在③，多少春光慰寂寥④。

【析韻】

橋、朝、寥，下平、二蕭。

【釋題】

潛園一稱梅園，又稱內公館，以其築於竹塹城內；而與北郭園（外公館）對稱也。道光廿九年（一八四九）竹塹富紳林占梅（一八二一—一八六八）耗資白銀十八萬兩，參酌蘇州名園建築，禮聘北匠來臺，營構於城西門內側，歷十年始竣工。園邸相連，邸南修園，園門位東北角，入園即可見涵鏡軒、碧棲堂。西有瀕水迴廊。迴廊盡頭接爽吟閣。爽吟閣乃全園最精美之建物，分上下二層，屹立於池上，前方附建水上迴廊，樓臺亭閣，其中有卅六宜（一說廿四宜），梅花書屋、掬月弄香，留客處等亭榭。園中遍植梅樹，紅白相間、綠萼盛綻。據稱達百餘種。「潛園探梅」遂成竹塹八景之一。另有釣魚橋、陶愛草廬、香石山房、小螺墩、留香園、吟月舫、蘭汀橋、浣霞池、宿景圓亭、雙虹橋、清滸橋、逍遙館、林下橋諸景。潛園以水池為核心，配構亭、閣、軒、臺……。自城牆水關引護城河流水為源。另闢蓮花池於觀音亭側，兩池相通，波平如鏡。昔，風城端午競渡，多在該池舉行，其規模之大，概可知矣。潛園總面積達一萬平方公尺（合三、〇二五坪逾一甲有餘）。有「文酒之盛冠北臺」之譽。清 陳培桂淡水廳志卷十三：「潛園在廳治西門內，林氏別業。……中有水可泛舟，奇石陡立，……。」民八（日治大正八年）新竹街道改正，潛園經列入計畫道路，林氏後人遂將爽吟閣遷建於松嶺神社邊（松嶺又稱崧子嶺、松仔嶺，屬客雅山。）有松嶺爽吟之稱，惜今僅存臺基矣。園址四周，今名潛園里。探梅，尋訪梅花。南宋 陸游初冬夜宴詩：「泛菊已成前日夢，探梅又續去年狂。」明 陳汝元 金蓮記 賜環：「笑貂裘玉樓粟起，探梅時節。」梅，薔薇科落葉喬木。學名 **prunus mume**。葉子呈闊卵形，有細銳鋸齒，葉柄頂端有二腺體，芽萌發甚早。花單生成双朵齊綻，先葉開放，多為白色與淡紅色，具清香。核果呈球狀，未熟時呈青色，成熟時一般呈黃色，味極酸。梅性喜溫暖濕潤，對土壤適應強。多採嫁接、播種繁殖。原產我國，多分布於長江以南之地。果實可生食或製成蜜餞、果醬……，亦供藥用。花供觀賞。

【注解】

①行盡……橋　信步踏遍長長短短、各式各樣的小橋。行盡，走完。謂踏遍。盡，參考卷一一、二〇四、注②。長，與「短」相對。表示尺寸的大小。按：潛園館、閣、亭、墩、廬、房、池、舫諸景外，尚有釣魚、蘭汀、雙虹、清滸、林下等式樣、長短不一的橋點綴其間。

②名園……朝　在這赫赫有名的園囿，盡情觀賞勝景，正遇上百花生日。名園，參考卷一九、三一二、注②。在此，特指潛園。覽勝，參考卷一七、二七九、注②。值，參考卷一七、二八〇、注②。花朝，詳卷一七、二八二、釋題。

③逋仙……在　孤山處士雖已仙遊；清冽的梅香依然。逋仙，詳卷六、一一三、釋題及注④。去後，離開以後。謂仙遊。寒香，參卷一九、三二五、注④。

④多少……寥　究竟有多少個春天的風光、景緻，能夠撫平我的空虛和孤單？多少，參卷一九、三一八、注②。春光，春天的風光、景緻。南朝 梁 吳孜（？—？；太清前後之人。）春閨怨詩：「春光太無意，窺窗來見參。」南宋 楊萬里 題廣濟圩詩之三：「詩卷且留燈下看，轎中只好看春光。」清 黃遵憲 遣悶詩：「花開花落掩關臥，負汝春光奈汝何。」又，春光亦指男女私情，參卷一九、三一八、注②。慰，撫平。詩 邶風 凱風：「有子七人，莫慰母心。」毛傳：「慰，安也。」唐 韓愈 和侯協律詠筍：「侯生來慰我，詩句讀驚魂。」元 袁桷（一二六六—一三二七）重午日宿南口小店詩：「猶持一卮酒，慰彼湘纍愁。」寂寥，空虛孤單。老子：「有物混成，先天地生，寂兮寥兮，獨立而不改。」楚辭 九歎 惜賢：「聲嗷嗷以寂寥兮，顧僕夫之憔悴。」

潛園正門

院牆（前）、抑爽門（後）

碧棲堂（右）、梅花書屋（左）

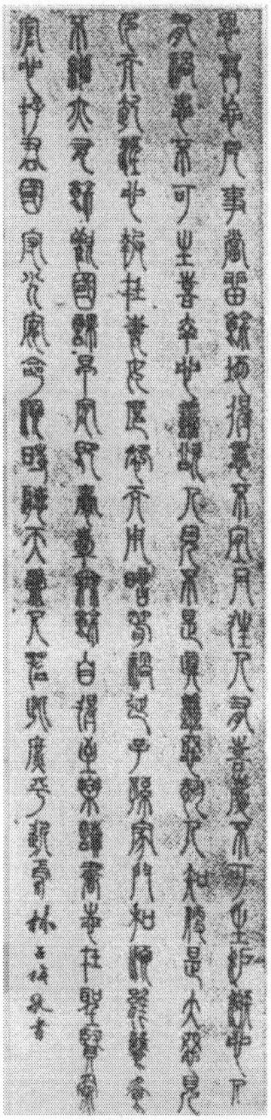

林占梅遺墨

爽吟閣民國八年（日治大正八年）遷建松嶺竣事時留影

潛園內石獅（現移置新竹市議會前）

爽吟閣(右)、蘭汀橋(左)

三三二、潛園探梅

李祖訓

辜負春風暮復朝①，主人有福未能消②。弄香榭外溶溶月③，枉費尋詩載酒瓢④。

【析韻】

朝，消，瓢，下平、二蕭。

【釋題】

同前首。

【注解】

①辜負……朝　黃昏、清晨，和風一再吹拂，總是虧欠著它。辜負，參考卷九、一六一、注④。春風，詳卷三、五一、注④，暮，ㄇㄨˋ。黃昏。日落時。國語晉語五：「范文子暮退於朝。」唐韓愈晚泊江口詩：「郡城朝解纜，江岸暮依村。」復，表性態。副詞。更。南朝宋鮑照擬行路難：「人生亦有命，安能行歎復坐愁。」朝，ㄓㄠ。早晨。天亮。西晉潘岳秋興賦：「游氛朝興，槁葉夕殞。」北宋王安石送劉貢甫謫官衡陽詩：「船頭朝轉暮千里，眼中之人吾老矣。」

②主人……消　主人家光有福份，卻不能即時享受。主人，接待賓客的人。與「客人」相對。儀禮士相見禮：「主人請見，賓反見，退，主人送於門外，再拜。」荀子樂論：「賓出，

主人拜送。」二十年目睹之怪現狀第一二回：「這一根（酒籌）掣得好，又合了主人待客的意思。」有「福」未能「消」，分別參考卷六、一一四、注③及卷一四、二三六、注②。

③弄香……月　掬月弄香榭外金波明淨潔白。弄香榭，指潛園卅六宜之一─掬月弄香榭。溶溶，明淨潔白貌。唐 許渾 冬日宣城開元寺贈元孚上人詩：「林疏霜摵摵，波靜月溶溶。」明 無心子 金雀記 作賦：「雲箋蠶繭淨溶溶，蘸得霜毫墨意濃。」月，月光。月色。猶金波。

④枉費……瓢　白白虛耗覓求詩句的心思；況且隨身還攜帶了盛酒的器具。枉費，虛耗。白費。唐 張鷟 遊仙窟：「忿秋胡之眼拙，枉費黃金；念交甫之心狂，虛當白玉。」南宋 劉過 念奴嬌 留別辛稼軒詞：「虛名相誤，十年枉費辛苦。」警世通言 趙太祖千里送京娘：「你這般不識好歹的，枉費俺一片熱心。」尋詩，參卷六、一〇一、注①。載，ㄗㄞˋ。攜。攜帶。左傳 昭公二〇年：「公載寶以出。」酒瓢，盛酒的瓢（ㄆㄧㄠˊ）。泛指酒具。漢書 揚雄傳下：「間請問其故，乃劉棻嘗從雄學作奇字……雄以病免，復召為大夫。家素貧，耆酒，人希至其門。時有好事者載酒肴從游學，而鉅鹿 侯芭常從雄居，受其太玄、法言焉。」

三三三、潛園探梅

黃如許

今年春比去年遲①，開到園梅客未知②。涵鏡軒前風雪重③，捲簾好共看南枝④。

【析韻】

遲，知，枝，上平、四支。

【釋題】

詳本卷、三三一、釋題。

【注解】

①今年……遲　今年的春天比去年來得晚。春，指春天、春季言。比，根據一定的標準（如：某月某日），在兩種或兩種以上有某種聯繫的事物間（如：民國九十一年的春天與民國九十二年的春天開始的日子），辨別異同、高下。周禮　天官　內宰：「比其大小與其麤良，而賞罰之。」又，地官　小司徒：「及三年，則大比。」遲，ㄔˊ。亦作「遟」、「遲」。晚。戰國策　楚策四：「見兔而顧犬，未為晚也；亡羊而補牢，未為遲也。」西晉　陸機　太湖月夜吟：「出世曾參月落遲，入世翻嫌月出早。」又，作「慢」解，亦通。唐　鄭谷　詠水詩：「洗鉢老僧臨岸久，釣魚閒客捲綸遲。」北宋　蘇軾　次韻錢舍人病起詩：「坐覺香烟攜袖少，獨愁花影上廊遲。」南宋　陸游　初冬有感詩：「閩嶠故人消息惡，蜀江遺老素書遲。」

②開到……知　潛園的梅花已經綻放，眾友儕竟然不知道。開到，謂花朵已經綻放。園梅，潛園裏的梅（樹）。客與「主人」相對。猶云友儕。未知，不知。未，不。儀禮　鄉射禮：「眾賓未拾取矢，皆袒決遂。」鄭玄注：「未，猶不也。」孟子　滕文公下：「（仲子）

所食之粟，伯夷之所樹與？抑亦盜跖之所樹與？是未可知也。」淮南子 天文訓：「（太白）當出而不出，未當入而入，天下偃兵。」北宋 林逋 書孤山隱居壁詩：「山木未深猿鳥少，此生猶擬別移居。」

②涵鏡……重 涵鏡軒的正面，風大、氣溫甚低、溼度亦高。涵鏡軒，位潛園入口處，與碧棲堂比鄰而立。前，與「後」相對。猶言正面。風雪，本謂風與雪。惟臺灣除海拔高處如玉山等入冬偶雪外，平原、臺地、丘陵均無下雪紀錄。在此，風雪係用以形容風大、氣溫低、溼度高。重，表程度深。又，竹塹以風大聞名，昔諺有「新竹風、基隆雨」。

③捲簾……枝 捲起竹簾，便於一起仔細瞧瞧園南梅枝上的花朵。捲，ㄐㄩㄢˇ。收拾成圓筒狀。捲簾，參考卷一五、二五六、注④。好，便於。南朝 梁 劉緩（？—五四一、五四八間？）江南可採蓮詩：「檝小宜迴徑，船輕好入叢。」唐 杜甫 聞官軍收復河南河北詩：「白日放歌須縱酒，青春作伴好還鄉。」共，同。一起。按：涵鏡軒正面屬東北向；其背面為西南向。是時，梅花盛綻於園之西南。

三三四、北郭煙雨

鄭如蘭

養花時節雨煙籠①，萬綠陰濃襯淺紅②。觀稼水田鷺鷺起③，杖藜人立畫圖中④。

【析韻】

籠、紅、中，上平、一東。

【釋題】

咸豐元年（一八五一），竹塹鄉紳鄭用錫（一七八八—一八五八）構園於廳治北城牆外，歷時四年竣工。因其地以名之，且諸山拱峙，翠若列屏，又與「青山橫北郭」（李白送友人詩）句相脗合，爰額之曰北郭園。園「前後凡三四層，有堂廡十數間，鑿池通水、積石為山，樓亭花木，燦然畢備。」清 陳培桂 淡水廳志卷十三考三：「北郭園在廳治北門外水田街，鄭氏別業。咸豐元年鄭用錫建。中有小樓聽雨、歐亭鳴竹、陌田觀稼諸景。」又，新竹縣采訪冊卷一：「北郭煙雨在縣城北門外鄭氏北郭園。……結構清雅，中有一池、四圍亭榭、假山錯落布置。環池雜植花果竹木，每值晴陰春景，花光掩映，樹色葱蘢，一幅天然好圖畫也。」（陳朝龍手撰，時明治卅年、割臺第三年）。「北郭煙雨」、「潛園探梅」與指峯凌霄、隙溪吐墨、香山觀海、合水信潮、鳳崎晚霞、靈泉試茗，昔合稱竹塹八景。用錫，本名蕃，譜名文衍、字在中，號祉亭。祖籍閩南。道光三年進士，為全臺通籍之首，有開臺黃甲之譽。撰著有欽定周易折中衍義、周禮解疑、北郭園全集存世。煙雨，濛濛細雨也。唐 杜牧 江南春詩：「南朝四百八十寺，多少樓臺煙雨中。」五代 前蜀 韋莊 三堂東湖作詩：「何處最添詩客興？黃昏煙雨亂蛙聲。」惜北郭園今已了無遺跡可尋矣。附北郭園記。（詳注解後）

【注解】

①養花……籠　暮春節令，細雨濛濛、霧雰瀰漫。北宋 釋仲林（？—？，不可考。）花品：「每至牡丹開月，多有輕雨微雲，謂之養花天。」時節，節令。季節。南宋 楊萬里 黃菊詩：「比他紅紫開差晚，時節來時畢竟開。」養花時節，天多輕陰微雨，適宜栽植花卉，故稱。泛指暮春。雨煙，雨與霧。煙，參卷一七、二八九、注①。籠，ㄌㄨㄥˇ。遮掩。北宋 秦觀 沁園春 春思詞：「宿靄迷空，膩雲籠日，晝景漸長。」

②萬綠……紅　遍地覆蓋翠綠，凸出點點淡紅，彼此對照。萬，形容數量多。萬綠猶言遍地一片翠綠。陰，通蔭。陰濃，作「覆蓋」解。襯。ㄔㄣˋ。從旁增物烘托，使本來的目標明顯，淺紅，淡紅。

③觀稼……起　我正在詳視水田裏的作物；受驚的鷺鷥卻紛紛展翅高飛。觀稼，觀看莊稼。莊稼，農作物的統稱。唐 羅隱 暇日有寄姑蘇曹使君兼呈張郎中郡中賓僚詩：「湖邊觀稼雨迎馬，城外犒軍風滿旗。」水田，圍有田埂，用以蓄水種稻的耕地。後漢書 馬援傳：「開導水田，勸以耕牧，郡中樂業。」唐 王維 積雨輞川莊作詩：「漠漠水田飛白鷺，陰陰夏木囀黃鸝。」起，飛起。飛翔。孫子 行軍：「鳥起者，伏也。」南朝 齊 謝朓 和伏武昌登孫權故城：「鵲起登吳山，鳳翔陵楚甸。」北齊 祖珽（？—？，生卒年不詳。）望海詩：「時看遠鴻度，乍見驚鷗起。」明 王彝（？—一三七五）秋林高士圖詩：「風杉落葉響，驚起栖烟鳥。」

④杖藜……中　拄著手杖的那個人，就站在這美麗、自然的景色當中。杖藜，拄杖行走。藜屬野生植物，莖堅韌，可為杖。莊子讓王：「原憲華冠縰履，杖藜而應門。」唐杜甫暮歸詩：「年過半百不稱意，明日看雲還杖藜。」北宋蘇軾鷓鴣天詞：「村舍外，古城旁。杖藜徐步轉斜陽。」立，站。畫圖，喻美麗的自然景色。唐元稹春分投簡陽明洞天作詩：「郡邑移仙界，山川展畫圖。」北宋司馬光晚景亭詩：「神遊靈境健，身入畫圖迷。」元謝應芳（一二九六—一三九二）倪元鎮過婁江寓舍因偕智愚隱游姜公墩詩：「三江五湖上，羣峰開畫圖。」

北郭園記

鄭用錫

凡境由於天造者，其施功也易為力；而其由於人造者，非窮締搆之能、極心思之巧，無由化平淡為新奇，此事之所以難而功之所以倍也。塹城背山面海，自東而南而北，層巒疊巘，高出雲霄，當有名勝之區，足以供遊覽而資棲息。然距城較遠，且徑險林深，彝獸叢處，僅為樵獵往來之地。余自價養歸田，屈指至今，已十餘載。自顧樗櫟散材，無復出山之志。竊效法古人買山歸隱，以樂殘年；乃

拆除前之横青山室留影

此願莫償，求一勝地而不可得。庚戌，適鄰翁有負郭之田與余居相近，因購之而卜築計。而次子如梁亦不惜厚貲，匠心獨運，搆材鳩工，前後凡三、四層，堂廡數十間，鑿池通水，積石為山，樓亭花木，燦然畢備；不數月而成巨觀，可云勝矣！嗟夫！以鄰翁艱難創置，至其子孫不能有，迺為我有，而次子復藉此區區，相其陰陽，因其形勢，欲極一時之勝。夫亦知前事之廢興，即為後事之龜鑒者乎？余既爽然喜，復惕然憂。顧今已老矣，無能為好山好水之遊，而朝夕此地，亦足以杖履逍遙；仰而觀山，俯而聽泉，尋花看竹，聞鳥觀魚，豈不快哉！至於盛衰之道，祇聽後人之自致，非予敢知也。爰額之曰「北郭園」，蓋因其地以名之。而諸山拱峙，翠若列屏，又與李太白「青山橫北郭」句相吻合也。是為記。

北郭園稼雲別墅正門

北郭園正門（其後二樓覆黑瓦建物，乃日治後改建者）

三三五、北郭煙雨

櫻井勉

帶煙楊柳枝枝綠①，含雨薔薇顆顆紅②。昨夜城壕漲三尺③，讀書聲在水樓中④。

【析韻】

紅、中，上平、一東。

【釋題】

同前首。

【注解】

①帶煙……綠　附着著霧氣的楊柳，枝條都是翠綠的。帶，附。漢書 兒寬傳：「帶經而鉏，休息輒讀誦。」世說新語 德行：「得數斗焦飯，……遂帶以從軍。」煙，參考卷一七、二八九、注①。楊柳，參卷一七、二九〇、注③。枝，謂柳枝。枝枝，每一枝條。

②含雨……紅　沾著雨水的薔薇，每一朵都是殷紅的。含，嗛。銜。在此，作「沾」解。薔薇，薔薇科（Rosaceae），薔薇屬中某些觀賞類植物的泛稱。如黃薔薇、香水薔薇、十姐妹、粉團薔薇……。落葉灌木。莖有刺。葉互生，奇數羽狀複葉。分布於北半球溫帶及亞熱帶。世界各地都有栽培。扦插、壓條或嫁接繁殖。除供觀賞外，花、果、根均可入藥或製香料。顆顆，猶朵朵。指花朵。

③昨夜……尺　昨天晚上，護城河裏的水升高了三尺許。城壕，城池的壕溝。在此，指竹塹城的護城河。漲，河（溪）水增加後呈現上升的現象。一尺，合公制三〇公分。三尺，謂三尺許。

④讀書……中　水樓裏的琅琅書聲，一波波地傳出來。水樓，水邊或水中的樓臺。亦稱水閣、水榭。在此，指北郭園水池邊某一亭榭。唐孟浩然與薛司戶登樟亭樓作詩：「水樓一登眺，半出青林高。」前蜀牛嶠江城子詞：「簾捲水樓魚浪起，千片雪，雨濛濛。」南宋林景熙（一二四二—一三一〇）哭德和伯氏詩之四：「行人猶說春風夜，燈影書聲共水樓。」

三三六、北郭煙雨

王石鵬

濃濃郭外雨交煙①，描出春陰二月天②。小立南牕觀稼處③，有人簑笠課耕田④。

【析韻】

煙、天、田，下平、一先。

【釋題】

詳本卷、三三四、釋題。

【注解】

①濃濃……煙　城牆外，又是濛濛的細雨、又是厚厚的霧雰。濃濃，很深。甚厚。唐杜甫朝獻太清宮賦：「素髮漠漠，至精濃濃。」水滸傳第二一回：「那老子濃濃的奉一盞二陳湯，遞與宋江吃。」在此，用以形容雨、霧多且厚。郭，本謂外城。此處，郭外，指竹塹北城牆外。餘參本卷、三三四、釋題。交，兩者相接合。煙，參卷一七、二八九、注①。

②描出……天　摹寫（或摹繪）成春季二月陰天的景色。描出，摹寫成。摹繪成。唐白居易小童薛陽陶吹觱篥歌：「緩聲展引長有條，有條直直如筆描。」北宋朱敦儒雙鸂鶒詞：「小艇誰吹橫笛？驚起不知消息。悔不當時瞄得，如今何處尋覓？」元翟耆年（？—？南宋景定、蒙元大德間人。）詠米友仁畫事詩：「善畫無根樹，能描朦朧雲。」春陰，參卷一七、二八八釋題。二月天，陰曆二月的氣候。

③小立……處　在南窗觀稼處稍站一會兒。小立，稍站一會兒。小，猶稍。牕，同「窗」。觀稼處，樓臺、榭閣專供觀稼的空間。觀稼，詳參本卷、三三四、注③。

④有人……田　有人身披蓑衣、頭頂竹笠，正在用心地持犁翻鬆田土。簑笠，簑衣和笠帽。簑，同「蓑」。參卷一、一八、注②。笠，ㄌㄧˋ。用竹篾、箬葉或棕皮等編成，可防曬、遮雨的帽子。詩小雅無羊：「爾牧來思，何蓑何笠。」又小雅都人士：「彼都人士，臺笠緇撮。」國語越語上：「夫雖無四方之憂，然謀臣與爪牙之士，不可不養而擇也。譬如蓑笠，時雨既至必求之。」課，致力於。從事。梁書良吏傳孫謙：「謙為郡縣，常勤

勸課農桑，務盡地利，收入常多於鄰境。」南宋楊萬里看小舟除萍詩：「獨攜便面巡荷沼，自課蘭舟掠水萍。」耕田，用犁翻鬆田土。亦泛指從事農作。樂府詩集雜歌謠辭一擊壤歌：「鑿井而飲，耕田而食。」孟子萬章上：「我竭力耕田，共為子職而已矣。」

三三七、北郭煙雨　　濟　卿

滿園雨細又煙輕①，一常青山郭外橫②。多少樓臺春醞釀③，隔簾靜聽落花聲④。

【析韻】

輕、橫、聲，下平、八庚。

【釋題】

同前首。

【注解】

①滿園……輕　整個園子既見絲絲小雨、又有薄薄霧雰。滿，遍。全。唐杜牧九日齊山登高詩：「人世難逢開口笑，菊花須插滿頭歸。」明瞿佑清明即事詩：「滿院曉煙聞燕語，半窗晴日照蠶生。」細，小。輕，表程度。猶薄。淡。

②一帶……橫　一座青山平行地屹立在城（牆）外。一帶，表數量。恆用以描述景物、景色。唐羊士諤（七六二？—八二二？）泛舟入後溪詩：「雨餘芳草靜沙塵，水綠灘平一帶春。」

明梵琦（？—？，高僧。）懷淨土詩：「一帶雲山一草堂，一瓶淨水一爐香。」儒林外史第一回：「湖邊一帶綠草，各家的牛，都在那裏打睡。」青山，草木蔥蘢、綠草如茵的山嶺。管子地員：「青山十六施，百一十二尺而至于泉。」唐徐凝（？—？）別白公詩：「青山舊路在，白首醉還鄉。」四遊記玉帝起賽寶通明會：「一見我這裏青山隱隱，綠水迢迢，便問我借與他居住。」郭外，詳參本卷、三三六、注①。橫，與「縱」相對。猶謂與……平行。

③多少……釀　幾幢樓閣臺榭紛紛呈現春的景象。多少，不定之數。幾。若干。樓臺，高大建物的泛稱。左傳哀公八年：「邾子又無道，吳子使大宰子餘討之，囚諸樓臺。」唐杜甫院中晚晴懷西郭茅舍詩：「復有樓臺銜暮景，不勞鐘鼓報新晴。」春，四季之首。醞釀，喻事（物）逐漸成熟的過程。資治通鑑漢宣帝地節四年：「豈徒霍氏之自禍哉？亦孝宣醞釀以成之也。」南宋嚴羽滄浪詩話詩辨：「然後博取盛唐名家，醞釀胸中，久之自然悟入。」

④隔簾……聲　間夾著一層簾幕，屏息傾聽花朵枯萎落地的聲音。隔，彼此為某物所分開。簾，猶簾幕。餘參卷六、一一七、注①。靜聽，屏息傾聽。落花聲，花朵枯萎墜下地面所發出的聲響。

三三八、五桂樓　萊園十景之一

梁　啟　超

娟娟華月霧峰頭①，汜汜光風五桂樓②。傳語王孫應好住③，海隅景物勝中州④。

【析韻】

頭、樓、州，下平、十一尤。

【釋題】

林文欽（一八五四—一八九九）素慕萊子斑衣之志，於光緒十九年（一八九三）築萊園於霧峰之麓，亭臺花木，境界幽雅。日侍慈幃、晨昏定省。每逢春秋佳節，即敦請戲班，以娛高堂。宣統三年（一九一一、割臺後第十七年）新會梁任公受林獻堂等人之邀，偕女令嫻薄遊臺灣，下榻萊園五桂樓。櫟社沿革志略清宣統三年（辛亥）條：「粵東名士梁任公（啟超）、湯覺頓（叡）、梁女士令嫻等遊臺，我社開會歡迎之。四月二日（古曆三月初四日），會於瑞軒。社友二十人、來賓十二人……。」梁氏在臺期間，獻堂昆仲屬題園中名勝，渠以萊園為主題，得七絕十二首。詩題分別有：萊園、萊園十景（一景一首）、留別。蔡汝修先生所輯僅園中七景，所遺三景，併前後二首，收錄於本卷、三四四之後。民國八十八年九二一大地震，霧峰林家古厝幾已全圮，萊園亦不能免。舊稱進士登第曰折桂。五桂，親族五人相繼登第之美稱也。宋王應麟小學紺珠氏族五桂：「范致君、致明、致虛、致祥、致厚，相繼登第，有五桂堂。」又，竇禹均之子儀、儼、侃、偁、僖，皆相繼登科，馮道嘗贈詩美之云：「燕山竇十郎，教之以義方。靈椿一株老，丹桂五枝芳。」（宋史竇儀傳）。三字經：「竇燕山，有義方，教五子，名俱揚。」元曹之謙（？—？，定興間進士，金亡隱居平陽。）趙吉甫種德園詩：「從今不羨燕山竇，五桂聯芳老一椿。」樓名五桂，期代代子孫讀書養德，五桂聯芳也。

【注解】

①娟娟……頭　銀葩，明媚、皎潔，高懸阿罩霧的山頂。娟娟，明媚貌。北宋司馬光和楊卿中秋月：「嘉賓勿輕去，桂影正娟娟。」清孫枝蔚刊上酬贈施尚白督學二十韻：「凍月娟娟白，高雲兀兀垂。」華月，皎潔的月亮。南朝梁江淹雜體詩效劉禎感遇：「華月照方池，列坐金殿側。」唐杜甫夏夜嘆詩：「昊天出華月，茂林延疎光。」明劉基次韻和石末公元夜之作：「八表流雲澄夜色，九霄華月動春城。」月，雅稱「銀葩」、「銀盤」、「銀盆」。元本高明琵琶記伯喈牛小姐賞月：「玉作人間秋萬頃，銀葩點破琉璃。」唐盧仝月蝕詩：「爛銀盤從海底出，出來照我草屋東。」南宋陸游十月十四夜月終夜如晝詩：「月從海東來，徑尺熔銀盤。」清鄭燮（一六九三—一七六五）送陳坤秀才入都詩：「是時長安新晴九陌淨，月光爛爛升銀盆。」霧峰，地名，亦為山名。昔稱阿罩霧。前清屬臺灣縣轄地。日治時代歸臺中州，設阿罩霧庄。今稱臺中市霧峰區。阿罩霧主峰

高二四九・四一公尺，萊園位於其西北側，直線最近距離約一公里許。頂曰頭。

②汜汜……樓　春雨稍歇，五桂樓正飽受和風吹拂。汜汜，ㄈㄢˋ ㄈㄢˋ。本作「汎汎」，亦作「泛泛」。充滿貌。唐 杜甫 九日詩之三：「採花香泛泛，坐客醉紛紛。」清 曹寅 與曲師小飲詩：「呶呶騶卒誰可擬，泛泛匏尊空自瀉。」光風，雨止時的和風；亦指月光照耀下的和風。南宋 葉適 潘廣度詩：「光風自汎靈草碧，朗月豈受頑雲吞！」清 方文 元旦試筆詩：「河邊淑氣微微動，漸有光風轉蕙蘭。」五桂樓，詳釋題。

③傳語……住　轉達　闔府老少：這兒既是福地、又是吉邸，當安居保重。傳語，謂傳話。傳，轉達。國語 周語上：「百工諫，庶人傳語。」後漢書 清河王慶傳：「帝將誅竇氏，……又令慶傳語中常侍鄭眾求索故事。」唐 岑參 逢入京使詩：「馬上相逢無紙筆，憑君傳語報平安。」王孫，舊時對人的尊稱。史記 淮陰侯列傳：「吾哀王孫而進食，豈望報乎？」司馬貞 索隱引劉德曰：「秦末多失國，言王孫、公子，尊之也。」西晉 左思 蜀都賦：「有西蜀公子者，言於東吳王孫。」李善注引張華 博物志：「王孫、公子，皆相推敬之辭。」北宋 蘇軾 送曾仲錫通判如京師詩：「應為王孫朝上國，珠幢玉節與排衛。」應，ㄧㄥ。當。詩 周頌 賚：「文王既勤止，我應受之。」好住，猶言安居保重。唐 元稹 酬樂天醉別詩：「前回一去五年別，此別又知何日回？好住樂天休悵望，匹如元不到京來。」南宋 范成大 天平先隴道中時將赴新安掾詩：「好住鄰翁各安健，歸來相訪說情真。」

④海隅……州　臺灣的景緻事物還贏過中原呢！海隅，亦作「海堣」。海角，海邊。恆指僻

遠的地方。書 君奭：「我咸成文王功於不怠，丕冒海隅出日，罔不率俾。」南朝 宋 謝靈運 九日從宋公戲馬臺集送孔令詩：「歸客遂海隅，脫冠謝朝列。」清 李漁 憐香伴 鸞颸：「敝國遠在海隅，久疎貢獻。」景物，可供觀賞的景緻事物。西晉 陸雲（二六二—三〇三）大安二年夏四月大將軍出祖王羊二公詩之一：「景物臺暉，棟隆玉堂。」南宋 葛長庚（一一九四—一二二九）摸魚兒詞：「問滄江，舊盟鷗鷺，年來景物誰主？」勝，贏過。中州，指中原地區。三國志 吳書 全琮傳：「是時中州士人，避亂而南依琮者以百數。」北宋 王安石 黃河詩：「派出崑崙五色流，一支黃濁貫中州。」

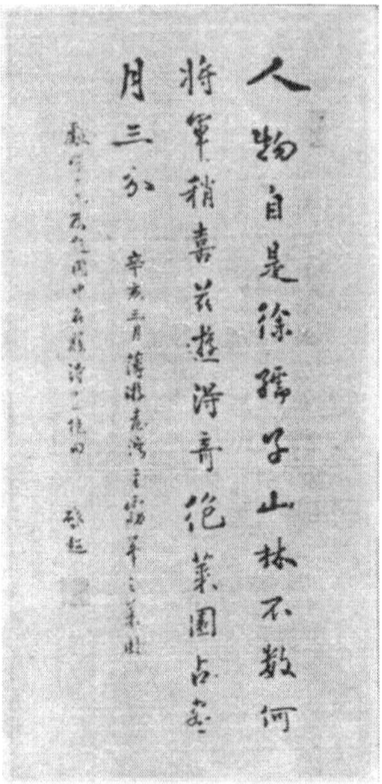

任公手蹟(一)

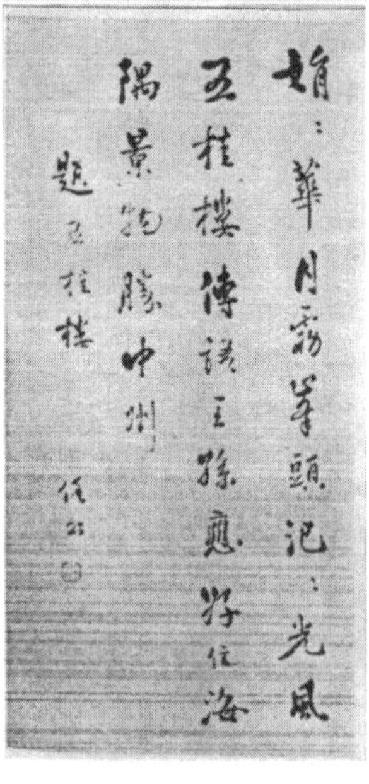

任公手蹟(二)

梁啟超先生偕女公子令嫻遊臺，攝於五桂樓

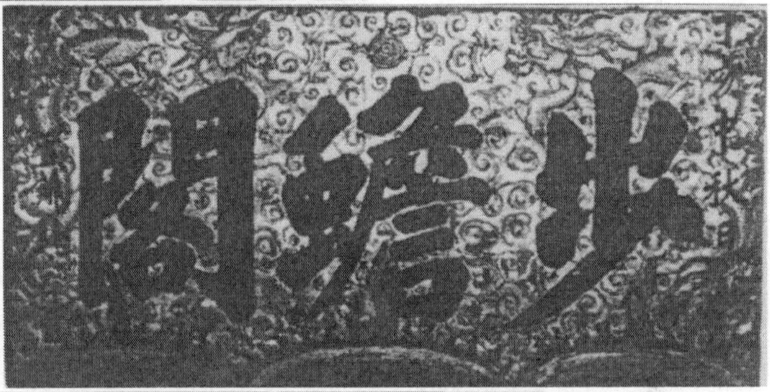

五桂樓匾額。上款「丁亥中秋日」，合清光緒十三年（1887）八月十五日。

小習池飛觴醉月亭（前），五桂樓（後）。

三三九、考槃軒　萊園十景之一

梁　啟　超

久分生涯託澗薖①，齏鹽送老意如何②？奇情未合銷磨盡③，風雨中宵一嘯歌④。

【析韻】

薖、何、歌，下平、五歌。

【釋題】

成德樂道曰考槃。亦作「考盤」、「考磐」。詩衛風考槃：「考槃在澗，碩人之寬。」毛傳：「考，成。槃，樂。」陳奐傳疏：「成樂者，謂成德樂道也。」漢書敘傳下：「寶后違意，考槃于代。」考槃序則言此詩為刺莊公「不能繼先公之業，使賢者退而窮處。」故後即用以喻隱居。西晉陸雲逸民賦：「鄙終南之辱節兮，韙伯陽之考槃。」晉書隱逸傳張忠：「先生考磐山林，研精道素。」唐岑參太一石鱉崖口潭舊廬招王學士詩：「此地可遺老，勸君來考槃。」北宋蘇軾次韻秦觀見寄詩：「考槃溪山間，自獻恥干謁。」清姚鼐獲嘉渡河詩：「想見幽人尚考槃，安得同歸脫羈絆。」建物敞朗，如亭、閣……等泛稱軒。

【注解】

①久分……薖　人生久別，原來你栖息在山間水濱的茅屋。久，形容時間長。分，離別。比

宋王安石再題南澗樓詩：「去此非吾願，臨分更上樓。」生涯，參卷一三、二二九、注②。託，息止。左傳襄公二七年：「託於木門，不鄉衛國而坐；木門大夫勸之仕不可。」西漢李陵答蘇武書：「遠託異國，昔人所悲。」息止，猶栖息。澗薖，ㄐㄧㄢˋ ㄎㄜ。典出詩衛風考槃：「考槃在澗，碩人之寬。……考槃在阿，碩人之薖。」澗，兩山夾水之處。薖，假借為「窠」，猶言茅屋。草屋。

②齏鹽……何　用蔬菜調製的食物來養老，這個意思好嗎？齏鹽，ㄐㄧ ㄧㄢˊ。用蔬菜和薑、蒜、韭、蔥等細末，並以鹽、醬等調製而成的食品。送老，養老。唐杜甫秦州雜詩之十四：「何時一茅屋，送老白雲邊。」李商隱杜工部蜀中離席詩：「美酒成都堪送老，當罏仍是卓文君。」北宋蘇軾送王敏仲北使詩：「吾生如寄耳，送老天一方。」意，心所著想者。猶意思。如何，詳卷一一、一、注③。

③奇情……盡　非常的情操，不應該消耗完。奇情，非常的情操。東晉陶潛讀史述管鮑：「管生稱心，鮑叔必安。奇情雙亮，令名俱完。」未合，不應該。太平廣記卷二八一引唐戴孚廣異記李進士：「須臾，見緋衣人至，為李陳謝：『此人尚有命，未合即留住，但令送錢還耳。』」銷磨，消耗。南宋劉過沁園春贈王禹錫詞：「便平生豪氣，銷磨酒裏。」清陳維崧沁園春三月三日尉氏道中作詞：「誰相問，縱殘碑尚在，一半銷磨。」盡，參卷一一、二〇四、注②。

③風雨……歌　半夜，又颳風、又下雨，獨自長嘯歌吟。風雨，颳風下雨。書洪範：「月

之從星，則以風雨。」東晉干寶搜神記卷一四：「王悲思之，遣往視覓，天輒風雨，嶺震雲晦，往者莫至。」中宵，中夜。半夜。西晉陸機贈尚書郎顏彥先詩之二：「迅雷中宵激，驚電光夜舒。」唐陸贄（七五四—八〇五）貞元九年大赦制：「中宵屢興，終食累歎。」清龔自珍懺心詩：「經濟文章磨白晝，幽光狂慧復中宵。」一，獨。南朝梁蕭統示雲麾弟詩：「爾登陟兮一長望，理化顧兮忽憶予。」唐杜甫秦州雜詩之七：「煙塵一長望，衰颯正摧顏。」一，一本作「獨」。元薩都剌宿經山寺詩之一：「野人一宿經山寺，十里松聲半夜潮。」嘯歌，長嘯歌吟。詩小雅白華：「嘯歌傷懷，念彼碩人。」西晉左思招隱詩之一：「何事待嘯歌，灌木自悲吟。」北宋王安石如歸亭順風詩：「篙師晝臥自嘯歌，戲彼挽舟行復止。」清曹寅和些山冬至前三日詠東軒竹見寄之五：「紅欄碧浪爭清福，道服芒鞋接嘯歌。」嘯，ㄒㄧㄠˋ。撮口吹出聲音。

考槃軒一隅

三四〇、荔支島　萊園十景之一

梁　啟　超

一灣流水接紅牆①，自愬圓陰納午涼②。遺老若知天寶恨③，新詞休唱荔支香④。

【析韻】

牆、涼、香，下平、七陽。

【釋題】

荔枝亦作「荔支」。廣州市城西珠江之灣，名荔枝洲（亦稱荔枝灣）。洲上荔枝林夾岸，冬夏不凋，五代南漢於其地建昌華苑（嘉慶一統志卷一四一）。霧峯林氏於阿罩霧吉地鑿池通水，中留一島，遍植荔枝，故名荔枝島。南方草木狀下：「荔枝樹，高五六丈餘，如桂樹，綠葉蓬蓬，冬夏榮茂，青華朱實，實大如雞子，核黃黑似熟蓮，實白如脂，甘而多汁，似安石榴。」按：萊園小習池中有一島，遍植荔枝，屬十景之一也。

【注解】

①一灣……牆　一條彎曲的活水，毗連著紅牆，徐徐地流動著。一灣，形容江河溪流彎曲。唐張說同趙侍御乾湖作詩：「一彎一浦悵邅迴，千曲千溠怳迷哉。」金王特起（？—？，世次不詳。）梅花引詞：「山之麓，河之曲，一灣秀色盤虛谷。」清翁方綱（一七三三—

一八一八）用德中丞韻贈行：「泉流百磴盤雲細，渾照冰條碧一灣。」流水，活水。流動的水。詩小雅沔水：「沔彼流水，朝宗于海。」北宋沈括夢溪補筆談藥議：「孫思邈千金方人蔘湯，言須用流水煮，用止水則不驗。」接，毗連。連。史記晉世家：「秦晉接境。」新唐書劉禹錫傳：「州接夜郎諸夷。」紅牆，紅色的（圍）牆。

②自憩……涼　午間，單獨一人在圓形的樹蔭底下乘涼、歇息。自，獨自一人。憩，ㄑㄧˋ。本作「憩」，亦作「憇」。歇息。休息。詩召南甘棠：「蔽芾甘棠，勿翦勿敗，召伯所憩。」毛傳：「憇，息也。」。圓，指圓形的。鬼谷子本經：「轉圓石於萬仞之溪。」東漢王充論衡狀留：「圓物投之於地，東西南北，無之不可。」陰，樹蔭。易中孚：「鳴鶴在陰，其子和之。」納午涼，午間乘涼。涼，亦作「凉」。午，指每天十一時至十三時，日正當中的時段。

③遺老……恨　前朝舊臣如果記起天寶年間令人極端憤懣的史實。遺老，前朝的舊臣、老人。呂氏春秋慎大：「武王乃恐懼太息流涕，命周公旦進殷之遺老，而問殷之亡故。」晉書徐廣傳：「君為宋朝佐命，吾乃晉室遺老，憂喜之事固不同時。」知，記。記（憶）起。論語里仁：「父母之年，不可不知也；一則以喜，一則以懼。」注：「知，記識也。」天寶恨，詳參卷五、九〇、九五、九六等四首。恨，心中極端憤懣。

④新詞……香　（必然）停唱荔支香的新歌詞。休，停止。荔支香，本作荔枝香。唐樂曲名。新唐書禮樂志十二：「帝幸驪山，楊貴妃生日，命小部張樂長生殿奏新曲。未有名，會

南方進荔枝，因名曰荔枝香。」按：楊貴妃嗜荔枝，杜牧過華清宮絕句之一：「一騎紅塵妃子笑，無人知是荔枝來。」

三四一、夕佳亭　萊園十景之一

梁　啟　超

小亭隱几到黃昏①，瘦竹高花淨不喧②。最是夕陽無限好③，殘紅蒼莽接中原④。

【析韻】

昏、喧、原，上平、十三元。

【釋題】

日暮，拄杖到此小歇，靜坐煮茗，欣賞夕陽西下，最宜，故名夕佳亭。典出東晉陶潛飲酒詩之五：「山氣日夕佳，飛鳥相與還。」庾闡狹室賦：「南羲熾暑，夕陽傍照。」唐李商隱登樂遊原詩：「夕陽無限好，只是近黃昏。」

【注解】

①小亭……昏　夕陽西沉，他依然蹝伏在小亭的几案上。小亭，佔地少、面積不大的亭子。亭，設在園林、風景名勝或路旁等供人賞景、休息的小型建物。多用竹、木、磚、石等材料構築之。其平面一般呈圓形、方形、扇形或多角型……，且多有頂無牆。唐杜甫登牛

頭山亭子詩：「路出雙林外，亭窺萬井中。」清 阮元（一七五四—一八四九）小滄浪筆談 小滄浪雜詩：「北渚紅橋小笙亭，蕉衫竹扇此消亭。」隱几，亦作「隱机」。靠著几案，伏在案上。孟子 公孫丑下：「有欲為王留行者，坐而言，不應，隱几而臥。」莊子 齊物論：「南郭子綦隱几而坐，仰天而噓。」成玄英疏：「隱，憑也。子綦憑几坐忘，凝神遐想。」南宋 陸游 秋日焚香讀書戲作詩：「世事無端自糾紛，放翁隱几對爐薰。」到，至。介詞。介時間。黃昏，日已落而天色尚未黑的時段。楚辭 離騷：「曰黃昏以為期兮，羌中道而改路。」

②瘦竹……喧 細小、挺直的綠竹，長在高處的叢花，一塵不染、幽靜無聲。細小曰瘦（ㄕㄡˋ）。高花，生長在高處的叢花。南朝 梁 庾肩吾 奉和泛舟漢水往萬山應教詩：「迴岸高花發，春塘細柳懸。」北周 庾信 詠畫屏風詩：「小橋飛斷岸，高花出迴樓。」唐 王勃 對酒春園作詩：「狹水牽長鏡，高花送斷香。」淨，清潔。唐 孟浩然 題義公禪房詩：「看取蓮花淨，方知不染心。」喧，參卷一九、三一八、注③。

③最是……好 此刻正是傍晚，陽光柔和宜人，景色美好無比。最，猶正；恰。世說新語 賞譽：「王大將軍與元皇表云：『（王）舒風概簡正，允作雅人，自多於（王）邃，最是臣少所知拔。』」唐 杜甫 解悶詩之八：「最傳秀句寰區滿，未絕風流相國能。」唐 芮挺章（？—？，永徽、至德間人。）江南弄：「春江可憐事，最在美人家。」榮按：本句典出唐 李商隱 登樂遊原詩：「向晚意不適，驅車登古原。『夕陽無限好，』只是近黃昏！」

樂遊原，地名。在長安南八里許。為唐京最高點。漢唐時，每當三月三日、九月九日，京城士女咸就此登賞祓禊。（詳長安志）。

④殘紅……原　凋萎落地的花朵，綿衍千里，毗連故國山河。殘紅，凋殘的花朵。猶云落花。唐王建宮詞之九十：「樹頭樹底覓殘紅，一片西飛一片東。」北宋李清照怨王孫詞：「門外誰掃殘紅？夜來風。」京本通俗小說西山一窟鬼：「杏花過雨。漸殘紅零落，胭脂顏色。」蒼莽，廣闊無邊貌。韓詩外傳卷四：「所謂天，非蒼莽之天也；王者以百姓為天。」北宋蘇轍黃樓賦：「山川開闔，蒼莽千里。」近人鄭澤（？—？）長沙謁烈士祠詩：「詎唯百世興，浩氣凌蒼莽。」接，參前首注①。中原，泛指中國。近人鄭觀應盛世危言議院：「況今中原大局，列國通商，勢難拒絕，則不得不律之以公法。」

三四二、擣衣澗 萊園十景之一

梁啟超

溪紗浣罷月華明①，荇帶蒲衣各有情②。我識蓬萊深淺水③，出山原似在山清④。

【析韻】

明、情、清，下平、八庚。

【釋題】

擣，ㄉㄠˇ。亦作「搗」。擣衣澗，可供搗衣使用的流水。澗，ㄐㄧㄢˋ。夾在兩山間的流水。詩 召南 采蘩：「于以采蘩，于澗之中。」

【注解】

①溪紗……明　在溪邊洗完了一股股的細絹，月兒已經高掛在天空，那麼皎潔、光耀。溪，指溪邊言。紗，古作「沙」。輕細的絲絹。東漢 王充 論衡 程材：「白紗入緇，不染自黑。」唐 白居易 寄生衣與微之詩：「淺色縠衫輕似霧，紡花紗袴薄於雲。」南唐 張泌 柳枝詞：「膩粉瓊妝透碧紗。」浣罷，洗畢。浣，ㄏㄨㄢˇ。亦作「澣」。洗滌。詩 周南 葛覃：「薄汙我私，薄澣我衣。」鄭玄箋：「澣，濯之耳。」陸德明釋文：「澣，本又作『浣』。」公羊傳 莊公三一年：「何以書？譏。何譏爾？臨民之所漱浣也。」何休注：「去垢曰浣。」月華，月亮。北周 庾信 舟中望月詩：「舟子夜離家，開舲望月華。」前蜀 韋莊 搗練篇：「月華吐艷明燭燭，青樓婦唱搗衣曲。」清 納蘭性德 臺城路 上元詞：「闌干敲徧。問簾底纖纖，甚時重見。不解相思，月華今夜滿。」明，皎潔、光耀。北宋 蘇軾 前赤壁賦：「客曰：『月明星稀，烏鵲南飛』，此非曹孟德之詩乎？西望夏口，東望武昌，……此非孟德之困於周郎者乎？」

②荇帶……情　荇菜毗連蒲衣，有著自個兒不同的情調和趣味。荇，ㄒㄧㄥˋ。學名 Nymphoides peltata（Gmel.）O.Kuntze。又名荇菜、莕菜、水葵。龍膽科，莕菜屬。多年生草本植物。

葉呈圓心形，有長柄，葉緣略成鋸齒狀，有時呈波狀。表面綠色，裏面淡紫色，浮於水面。夏季從葉腋抽軸，開黃花。花萼五深裂、花冠五深裂。蒴果長橢圓形。葉可食用。分布於我國、朝鮮半島、日本、及俄羅斯。帶，毗連。南宋范成大將至石湖道中書事詩：「柳堤隨草遠，麥隴帶桑平。」蒲衣，用香蒲的莖（葉）編織而成的衣服，穿著禦雨。香蒲，學名**Typha orientalis**。亦稱東方香蒲，俗稱蒲草。香蒲科。多年生草本植物，具橫生根狀莖。葉片狹長線形。兩行。夏季開花，花小，雌雄花穗緊密排列在同一穗軸上，形如蠟燭。生長於水邊或沼澤。主要產於我國華北、華東、東北等地。嫩芽稱蒲菜，供食用。葉、莖可編成席子、蒲包……。花粉稱蒲黃，可作止血藥。情，情調趣味。唐元稹任醉詩：「本怕酒醒渾不飲，因君相勸覺情來。」段成式題谷隱蘭若詩之二：「鳥啄靈雛戀落暉，村情山趣頓忘機。」

③我識……水　我曉得臺灣島上大大小小的河流。識，ㄕˋ。曉得。禮記樂記：「識禮樂之文者能述。」老子：「微妙玄通，深不可識。」東晉陶侃遺荀崧書：「杜曾兇狡；……此人不死，州土未寧，足下當識吾言。」蓬萊，仙島名。在此，用以指臺灣島。深淺水，指大大小小的河流。深淺，本用以形容水的深淺程度。引申指事物的輕重、大小、多少。此處，取其引申義。

④出山……清　向外奔流的河水，本來就像在深山裡那麼淨澈。出山，指河水從（深）山向外流。出，自內而外。與「入」相對。在山，在深山之中。清，淨澈。與「濁」相對。詩

鄭風溱洧：「溱與洧，瀏其清矣。」詩小雅信南山：「祭以清酒，從以騂牡，享于祖考。」東晉陶潛歸去來辭：「登東皋以舒嘯，臨清流而賦詩。」

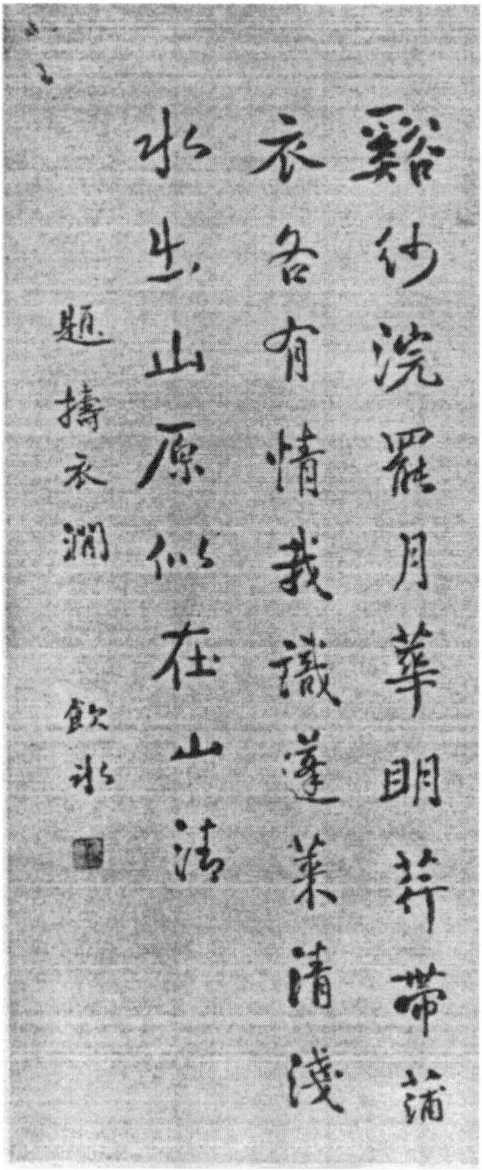

任公手蹟(三)

三四三、木棉橋 萊園十景之一

梁 啟 超

春煙漠漠雨瀟瀟①，刼後逢春愛寂寥②。誰遣蜀魂啼不了③，淚痕紅上木棉橋④。

【析韻】

瀟、寥、橋，下平、二蕭。

【釋題】

木棉，亦作「木緜」、「木綿」。學名 **Bumbax malabaricus**。落葉喬木，先葉開花，大且紅，結卵圓形蒴果。種子表皮有白色纖維，質柔軟，可用以填枕頭、墊褥。又名攀枝花、英雄樹。唐章碣（？—？；咸通末以詩名。）送謝進士還閩詩：「卻擁木綿吟麗句，便攀龍眼醉香醪。」清黃遵憲春夜懷蕭蘭谷詩：「隔牆紅遍千株樹，何日能來看木棉。」霧峰林氏文察、朝棟、祖密三代迭著戰功，史志有傳；癡仙、幼春叔姪，文才斐然、譽滿臺疆。獻堂昆仲，心懷故土，維護固有文化，崇節氣、尚進退。林氏可謂英雄輩出、儒士相繼，橋名木棉，誰曰不宜！

【注解】

①春煙……瀟　春霧迷濛、細雨紛霏。參考卷一七、二八九、注①，卷一九、三二三、注①。

②刦後……寥　大災大難過去了，遇上四季之首，最喜歡的是沉靜無聲。刦後，大災大難後。刦，ㄐㄧㄝˊ。本作「劫」。亦作「刼」、「刧」。逢，遇。春，四季之首。愛，好。喜歡。國語 周語：「聖人保樂而愛財。」明 張邦奇（？—？，生卒籍里待考）題畫詩：「鳩性愛雨花愛情，同倚東風不勝情。」寂寥，靜謐無聲。古文苑 西漢 枚乘 忘憂館柳賦：「鎗鍠啾唧，蕭條寂寥。」唐 柳宗元 至小丘西小石潭記：「坐潭上，四面竹樹環合，寂寥無人。」近人甯調元 立秋柬鈍劍松江詩：「江海悲冥滅，音塵久寂寥。」

③誰遣……了　何人差派來的杜鵑，竟不能啼叫。遣，差派。漢書 高帝紀：「始懷王遣我，固以能寬容。」蜀魂，鳥名。指杜鵑。相傳蜀王名杜宇，號望帝，死化為鵑。春月晝夜悲鳴，蜀人聞之，曰：「我望帝魂也。」故稱。詳太平御覽卷一一六。唐 李商隱燕臺詩 春：「蜀魂寂寞有伴未？幾夜瘴花開木綿。」清 納蘭性德 菩薩蠻詞：「蜀魂羞顧影，玉照斜紅冷，誰唱後庭花？新年憶舊家。」鳥獸鳴叫曰啼。左傳 莊公八年：「豕人立而啼。」唐 張繼（？—七七九？）楓橋夜泊：「月落烏啼霜滿天，江楓漁火對愁眠。」李白下江陵詩：「兩岸猿聲啼不住，輕舟已過萬重山。」不了，恆置於動詞之後，強調動作的不可能。唐 韋應物 渴泉行：「作官不了卻來歸，還是杜陵一男子。」

④淚痕……橋　木棉橋處處沾著杜鵑的斑斑血淚。淚痕，淚水的痕跡。南朝 梁 簡文帝 和蕭侍中子顯春別之三：「淚痕未燥詎終朝，行聞玉珮已相要。」唐 李白 怨情詩：「但見淚痕溼，不知心恨誰。」兒女英雄傳第三二回：「說到這裏，早已滿面淚痕，往下就說不

出來了。」紅，指淚痕的顏色。上，ㄕㄤˋ。動詞。登。在此，猶云「沾」。榮按：木綿花呈紅色，猶如杜鵑泣血所留下的痕跡。

三四四、千步磴　萊園十景之一

梁啟超

綿綿列岫煙如織①，暖暖平疇翠欲流②。好是扶筇千步磴③，依稀風景似揚州④。

【析韻】

流、州，下平、十一尤。

【釋題】

千步，取概數也。一舉足為跬，倍跬為步。荀子勸學：「不積跬步，無以致千里。」跬，ㄎㄨㄟˇ。說文作「趌」。司馬法：「一舉足曰跬，跬三尺。兩舉足曰步，步六尺。」磴，ㄉㄥˋ。石階。北周庾信和從駕登雲居寺塔詩：「重巒千仞塔，危磴九層臺。」南朝宋謝靈運入華子崗是麻源第三谷詩：「銅陵映碧潤，石磴瀉紅泉。」

【注解】

①綿綿……織　峯巒連續不斷，霧雰彌漫、紛亂糾結。綿綿，亦作「緜緜」。連續不斷貌。詩王風葛藟：「緜緜葛藟，在河之滸。」毛傳：「緜緜，長不絕貌。」唐白居易長恨

歌：「天長地久有時盡，此恨綿綿無絕期。」清 陳維崧 添字昭君怨詞：「今朝細雨太綿綿，且高眠。」列，各。眾。荀子 天論：「列星隨旋，日月遞炤。」北宋 梅堯臣 送京西轉運李刑部移京東轉運詩：「列藩環王都，遂分東西道。」紅樓夢第六二回：「我來了，全仗你們列位扶持。」岫，ㄒㄧㄡˋ。峯巒。東晉 陶潛 歸去來辭：「雲無心以出岫，鳥倦飛而知還。」唐 司空圖 楊柳枝 壽杯詞之十四：「隔城遠岫招行客，便與朱樓當酒旗。」近人魯迅 廿二年元旦詩：「雲封高岫護將軍，霆擊寒村滅下民。」煙，霧雰。餘詳卷一七、二八九、注①。織，喻思想或情緒或事物紛亂糾結。南宋 李綱 聞建寇逼境攜家由將樂沙縣以如劍浦詩：「喪亂古今同，臨風意如織。」清 陳維崧 天門謠 汲縣道中作詞：「愁恨織，花落處、棠梨成血。」

②暖暖……流 柔婉、平坦的田野，一片深綠，期願它像水一般一波波地擺動。暖暖，ㄋㄨㄢˇ ㄋㄨㄢˇ。柔婉貌。明 張居正 同望之子文人日立春喜雪詩之一：「暖暖宮雲綴，飛飛苑雪來。」平疇，平坦的田野。東晉 陶潛 癸卯歲始春懷古田舍詩之二：「平疇交遠風，良苗亦懷新。」唐 李夐（？—？，貞觀、天寶間人。）恒岳晨望有懷詩：「禋祠彰舊典，壇廟列平疇。」清 汪中柱（？—？）唐棲夜泊詩：「稻黍平疇熟，魚鰕晚市新。」深青色曰翠。南朝 梁 庾肩吾 奉和春夜應令詩：「水光懸蕩壁，山翠下添流。」唐 王勃 臨高臺詩：「歌屏朝掩翠，妝鏡晚窺紅。」陳子昂 修竹詩：「龍鍾生南嶽，孤翠鬱亭亭。」欲，期願。願。史記 封禪書：「即欲與神通，宮室被服非像神，神物不至。」又，太史公自序：「子曰：『我

欲載之空言，不如見之於行事之深切著明也。』」水行曰流。書 禹貢：「潘冢導漾，東流為漢。」孟子 告子上：「性，猶湍水也。決諸東方則東流，決諸西方則西流。」

③好是……磴 好在手持竹杖，拾級而登千步石階。好是，猶好在。唐 司空圖 楊柳枝 壽杯詞之十七：「好是梨花相映處，更勝松雪日初晴。」南宋 吳琚（？—？，嘉泰二年後卒）酹江月詞：「此景天下應無，東南形勝，偉觀真奇絕。好是吳兒飛綵幟，蹴起一江秋雪。」扶筇，手持竹杖。筇，本作「笻」，ㄑㄩㄥˊ。南朝 宋 戴凱之（？—四六六？一作凱之）竹譜：「竹之堪杖，莫尚於笻，磥砢不凡，狀若人功。」筇竹宜製杖，故亦用以泛稱手杖。唐 李咸用 苔詩：「每憶東行徑，移筇獨自還。」南宋 張孝祥 菩薩蠻詞：「待得月華生，攜筇獨自行。」千步磴，詳本首釋題。

④依稀……州 那風光、景物，彷彿就是揚州。依稀，彷彿。南朝 宋 謝靈運 行田登海口盤嶼山詩：「依稀採菱歌，彷彿含嚬容。」「稀」或作「俙」。南朝 梁 江淹 赤虹賦：「俄而赤蜺電出，蚴虯神驤，曖昧以變，依俙不常。」風景，風光、景物。世說新語 言語：「過江諸人，每至美日，輒相邀新亭，藉卉飲宴。周侯（顗）中坐而歎曰：『風景不殊，正自有山河之異！』皆相視流淚。」似，像。揚州，地名。昔為州、路、府名。治江都。民國卅八年，中共析江都縣城區置揚州市。明 清兩朝揚州為兩淮鹽運中心，有「揚一益二」之稱。瘦西湖、大明寺、個園、何園為其主要名勝景點。

附錄

萊園

梁啟超

人物自是徐孺子，山林不數何將軍。稍喜茲游得奇絕，萊園占盡月三分。

小習池

仝　右

一池春水干誰事，丈人對此能息機。高柳吹棉鴨隱睡，荔枝作花魚正肥。

榮按：習家池，一名高陽池。省作息池，又作習家。古蹟也。在湖北襄陽峴山南。晉書山簡傳：「簡鎮襄陽，諸習氏荊土豪族，有佳園池，簡每出遊嬉，多之池上，置酒輒醉，名之曰高陽池。」後多借指園池名勝。霧峰萊園鑿池通水，襲其名並冠以「小」，示不掠人美也。

萬梅崦

仝　右

滄霧籠谿月上陂，曉來春已滿南枝。君家故事吾能記，可似孤山鶴返時。

望月峰

仝　右

望月峰頭白露滋，南飛烏鵲怨無枝。不知消瘦嫦娥影，還得娟娟似舊時。

留　別

仝　右

鸞比鳳靡送年華，頗識吾生信有涯。惆悵無因成小隱，賣書又欲問東家。

三四五、隙溪吐墨

林維丞

門外溪光漾一匳①，濃痕隱約水痕黏②。臨流錯認南宮畫③，潑墨雲山掃筆尖④。

【析韻】

匳、黏、尖，下平、十四鹽。

【釋題】

淡水廳志卷二志一：「全淡八景：指峯凌宵、香山觀海、鷄嶼晴雪、鳳崎晚霞、滬口飛輪、隙溪吐墨、劍潭幻影、關渡劃流。」又，新竹縣采訪冊卷一：「隙溪吐墨在縣西三里隙子溪。」隙子溪即今客雅溪也。吐墨，呈現墨色的水流。

【注解】

①門外……匳　門外的小河好像飄浮著一具鏡匣。外，與「內」、「裏」相對。門外，宅門的外邊；猶言建物的周遭、附近。溪光，溪景。小河曰溪。漾，ㄧㄤˋ。飄浮。唐 吳融（？－九〇三）病中宜茯苓寄李諫議詩：「金鼎曉煎雲漾粉，玉甌寒貯露含津。」一匳，一具鏡匣。匳，ㄌㄧㄢˊ。俗作「奩」。盛鏡器。今語鏡匣。南朝 梁 劉緩 鏡賦：「欲開匳而更飾，乃當窗而取鏡。」

②濃痕……黏　依稀沾染著厚厚的水跡。濃痕，厚厚的跡象。濃，本意露多。引申作厚、密

等解。事物所留下的跡象曰痕。隱約。依稀貌。南朝梁何遜初發新林詩：「帝城猶隱約，家國無處所。」唐韓愈次硤石詩：「試憑高處望，隱約見潼關。」水痕，水跡。黏，沾染。通「沾」。元楊維楨楊妃襪詩：「塵玷翠盤思亂滾，香黏金蹬憶微兜。」

③臨流……畫　面對著溪水，還以為是米南宮的畫作。臨流，參考卷二、三七、注⑤。錯認，誤以為。米芾（一〇五一—一一〇七）。北宋太原人，後徙居襄陽。字元章。號鹿門居士，又稱海嶽外史、襄陽漫士。累官禮部員外郎，世亦稱米南宮。書法得王獻之筆意，超妙入神，與蘇軾、黃庭堅、蔡襄並稱（北宋）四大家。山水遠宗王洽、近師董源，別出新意，自成一派。榮按：北宋時禮部別稱南宮。北宋王禹偁贈禮部宋員外閣老詩：「未還西掖舊詞臣，且向南宮作舍人。」自注：「禮部員外，號南宮舍人」

④潑墨……尖　運用巧妙的筆下功夫，墨如潑出，塗成雲嵐、山巒。潑墨，墨如潑出。屬國畫技法之一。用水墨揮灑於紙、絹，隨出形狀進行繪畫，筆勢呈現豪放氣勢。唐陸龜蒙和五貺詩華頂杖：「拄訪譚玄客，持看潑墨圖。」宣和畫譜王洽：「王洽不知何許人，善能潑墨成畫，時人皆號曰王潑墨。」雲山，雲和山。南朝梁吳均同柳吳興烏亭集送柳舍人詩：「雲山離晻曖，花霧共依霏。」唐王昌齡過華陰詩：「雲起太華山，雲山共明滅。」北宋蘇舜欽無錫惠山寺詩：「雲山相照翠會合，殿閣對起涼參差。」掃，ㄙㄠˋ。抹畫。唐張祜（榮按：一作「祐」。）集靈臺詩：「卻嫌脂粉污顏色，淡掃蛾眉朝至尊。」筆尖，筆的尖端處，元王惲（一二二七—一三〇四）滕王蝶蟻圖詩之三：「粉香金翠夢能

甜，細寫春悰入筆尖。」醒世恒言 張淑兒巧智脫楊生：「一遇作文時節，鋪著紙、研著墨，蘸著筆尖，颼颼聲、簌簌聲，直揮到底，好像猛雨般灑滿一紙。」清 昭槤 嘯亭雜錄 阿司寇：「嘗定秋審冊，公揚筆曰：『此可謂筆尖兒立掃千人命也。』」

三四六、隙溪吐墨

陳朝龍

碧色渾凝黑色兼①，天然墨瀋一溪添②。文章倘許江山助③，借汝清流潤筆尖④。

【析韻】

兼、添、尖，下平、十四鹽。

【釋題】

同前首

【注解】

①碧色……兼 青綠且深黑的溪水，完全融為一體。碧色，青綠色。論語 陽貨疏：「白是西方正，碧是西方閒。」唐 王勃 乾元殿頌：「霧壇凝紫，河宮湛碧。」清 納蘭性德 齊天樂詞：「鞦韆餘紅，琉璃賸碧。」渾凝，謂融結成一體。今人葉聖陶（一八九四—一九八八）線下一個青年：「我的意思，書法要達到渾凝勻稱，才算神妙。一點一畫乃至一字一行一幅，都成個必須這樣不少那樣的局面，這才是渾凝。」兼，同時具有或涉及若干種

事物或幾方面。易繫辭下：「易之為書也。廣大悉備。有天道焉，有人道焉，有地道焉。兼三才而兩之，故六。」孟子公孫丑下：「宰我、子貢善為說辭，冉牛、閔子、顏淵善言德行。孔子兼之。」唐韓愈苦寒詩：「四時各平分，一氣不可兼。」

②天然……添　這一條小河（竟）增加了好多自然形成的墨汁。天然，自然生成或形成的（有別于人工、人造）。唐皮日休五貺詩太湖硯：「求於花石間，怪狀乃天然。」清俞樾春在堂隨筆卷二：「至所謂香爐峯者，極高峻。雙峯左右立，天然如門。」墨瀋，墨汁。南宋陸游雜興詩之五：「淨洗硯池瀦墨瀋，乘涼要答故人書。」清王式丹（一六四五—一七一八）蕭尺木凌歊臺圖詩：「鍾山有客癖撫彷，坐揮墨瀋升斗傾。」一溪，指隙溪。溪，參前首注①。添，增加。唐岑參見渭水思秦川詩：「憑添兩行淚，寄向故園流。」南宋辛棄疾瑞鷓鴣詞：「先自一身愁不了，那堪愁上又添愁。」

③文章……助　文章如果應允江河、山嶽相佐。榮按：作者將「文章」、「江山」等事物擬人化。文章，文辭或獨立成篇的文字。史記儒林列傳序：「臣謹案詔書律令下者，明天人分際，通古今之義，文章爾雅，訓辭深厚，思施甚美。」唐杜甫偶題詩：「文章千古事，得失寸心知。」南宋張元幹隴頭泉詞：「視文章，真成小技，要知吾道稱尊。」倘，如。若。假設以起下文。詞林摘豔粉蝶兒：「倘或閒些兒箇無是（什）麼管待，你休笑俺這女裾釵。」水滸傳第三回：「凡事自宜省戒，切不可托大，倘有不然，難以相見。」許，應允。書金縢：「爾之許我，我其以璧與珪歸俟爾命；爾不許我，我乃屏璧與珪。」

戰國策 趙策：「魏文侯借道於趙攻中山，趙侯將不許。」江山，江河、山嶽。莊子 山木：「彼其道遠而險，又有江山，我無舟車，奈何？」東晉 郭璞 江賦：「蘆人漁子，擯落江山。」唐 杜牧 宿鑿石浦詩：「早宿賓從勞，仲春江山麗。」佐曰助。猶今語幫忙。詩 小雅 車攻：「射夫既同，助我舉材。」孟子公孫丑下：「得道者多助，失道者寡助。」唐 韓愈春雪詩：「兼雲封洞口，助月照天涯。」

④借汝……尖　借用你潔淨的流水沾濕筆尖。借，利用。西晉 陸機演連珠：「臣聞良宰謀朝，不必借威；貞臣衛主，脩身則足。」清 朱錫（？—？）幽夢續影：「善詐者借我疑，善欺者借我察。」汝，指隙溪。清流，潔淨的流水。西晉 左思 吳都賦：「樹以青槐，亘以綠水，玄蔭耽耽，清流亹亹。」北宋 蘇軾 和子由聞子瞻將如終南太平宮溪堂書：「譬如倦行客，中路逢清流。」潤，ㄖㄨㄣˋ。沾濕使不乾燥。易 說卦：「風以散之，雨以潤之。」南朝 宋 鮑照 學陶彭澤體詩：「秋風七八月，清露潤綺羅。」北宋 王安石 洪範傳：「故水潤而火炎，水下而火上。」筆尖，詳參前首注④。

三四七、番仔溝泛舟

徐莘田

鯉魚風細拂輕艘①，竹裏人家吠小尨②。八字蘭橈之字水③，青山如畫入蓬牕④。

【析韻】

艭、尨、牕，上平、三江。

【釋題】

淡水廳志卷二志一封域志：「大隆同溪，其源自暖暖、三爪仔。……復繞錫口轉至劍潭。又西南經大隆同至番仔溝，會擺接溪，……經關渡入海。」據考證：番仔溝在港仔墘北側（原陳悅記祖宅一帶）。乾隆年間，常有蟒甲（凱達格蘭語 Mounger，亦作「艋舺」、「莽葛」；獨木舟也。）往來其間，當時住民亦稱作「盲腸港仔」。民國六十年加蓋，作為中山高速公路路基。迪化污水處理廠即設於該處。泛舟，亦作汎舟。行船。坐船遊玩。東漢 班固 西都賦：「汎舟山東，控引淮湖，與海通波。」北魏 酈道元 水經注 潁水：「水中有立石，高十餘丈，廣二十許步，上甚平整，緇素之士，多泛舟升陟，取暢幽情。」唐 杜甫 放船詩：「直愁騎馬滑，故作泛舟迴。」泛，ㄈㄢˋ。飄浮。本作「汎」。

【注釋】

①鯉魚……艭　羣鯉簇擁、微風徐徐，斜過小舟。鯉魚，學名 Cyprinus carpio。硬骨魚綱、鯉科。體延長，稍側扁，長可達一公尺許。體呈青黃色，尾鰭下葉紅色。口下位、鬚兩對。背鰭、臀鰭均具硬刺，最後一刺的後緣有鋸齒。棲息水的底層，雜食性。我國除西部高原外，各地淡水普遍有產。鯉成長快，生命力強，耐高溫與污水，屬重要的養殖魚。我國養鯉迄今已逾二千四百餘年，現世界各地都有養殖。鯉魚鱗可製魚鱗膠，鰾可製魚鰾膠，內

臟、骨可製魚粉。飼養品種甚多，常見者有（一）鏡鯉：皮膚光滑，僅側線與背、腹部有少數大型鱗片。（二）革鯉：皮膚綠黑、無鱗。（三）荷包鯉：體短、頭大，腹圓突，含脂豐富。（四）江鯉：體色紅，或有黑白斑，供觀賞。風細，風微。細，微。南朝梁元帝夜宿柏齋詩：「風細雨聲遲，夜短更漏急。」清吳偉業早起詩：「衫輕人影健，風細客心柔。」拂，ㄈㄨˊ。輕輕地斜過。東漢張衡思玄賦：「寒風淒而永至兮，拂穹岫之騷騷。」唐王昌齡送高三之桂林詩：「嶺上梅花侵雪暗，歸時還拂桂花香。」前蜀韋莊浣溪沙詞：「綠樹藏鶯鶯正啼，柳絲斜拂白銅堤。」明劉基踏莎行詠遊絲詞：「高拂樓臺，低黏花絮，如狂如醉無歸處。」清吳偉業八風東風詩：「汴水楊花拂面迎，飄飄飛過洛陽城。」輕艭，小舟。艭，ㄕㄨㄤ。明何景明送毛汝厲按湖南詩：「臘送燕門節，春迎楚水艭。」近人魯迅惜花四律之二：「祇恐新秋歸寒雁，蘭艭載酒櫓輕搖。」

②竹裏……尨　竹林內民家的小尨，斷斷續續的嘶吼。竹裏，指岸上竹林內。裏，與「外」相對。謂內（部）。人家，參卷一七、二八一、注③。吠，ㄈㄟˋ。犬鳴叫。詩召南野有死麕：「舒而脫脫兮，無感我悅兮，無使尨也吠。」史記淮陰侯列傳：「跖之狗吠堯，堯非不仁；狗固吠其非主。」尨，ㄇㄤˊ。多毛狗。說文：「尨，犬之多毛者，从犬、从彡。」

③八字……水　輕巧的小舟在曲折如「之」字的流水中，循著「V」形的路線行進。餘詳卷一九、三一五、注③。

④青山……牕　青蔥的山嶺，像畫一般的秀麗景色，一一從船窗入目。青山，青蔥的山嶺。

管子地員：「青山十六施，百一十二而至於泉。」唐徐凝別白公詩：「青山舊路在，白首醉還鄉。」四遊記玉帝起賽寶通明會：「一見我這裏青山隱隱，綠水迢迢，便問我借與他居住。」如畫，像畫一般的秀麗景色。入，進。謂自外至內。論語先進：「由也升堂矣，未入於室也。」蓬，ㄆㄥˊ。用同「篷」。牕，同「窗」。篷窗，猶船窗。南宋張元幹滿江紅自豫章阻風吳城作詞：「倚篷窗無寐，飲杯孤酌。」清文德翼（？－？）池口阻風詩：「伸腳篷窗西日移，打頭蘆渚北風吹。」清曹寅北行雜詩之六：「日氣挾飛燕，篷窗晚食時。」

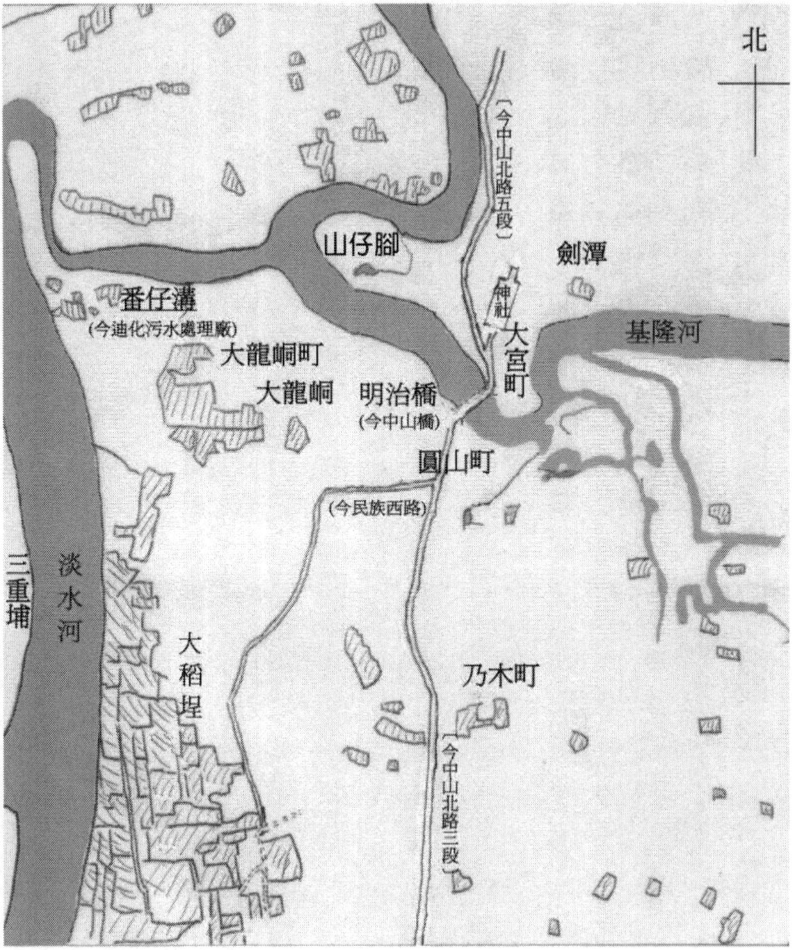

▨ 聚落、建物　　　民前八年翻仔溝附近概況圖
（根據明治卅七年臺北市街圖繪製）

拾、詠　月

卷二一

三四八、曉　月

劉　廷　璧

月色朦朧曉色饒①，為耽奏事坐終宵②。景陽鐘動花陰靜③，多謝嫦娥伴早朝④。

【析韻】

饒、宵、朝，下平、二蕭。

【釋題】

拂曉，肉眼得見之殘月，稱曉月。南朝宋謝靈運廬陵王墓下作詩：「曉月發雲陽，落日次朱方。」唐李羣玉自澧浦東游江表詩：「哀磴攜秋色，曉月啼寒螿。」北宋柳永殢人嬌詞：「曉月將沉，征驂已鞴。愁腸亂，又還分袂。」

【注釋】

①月色……饒　月光微明、晨曦已濃。月色，參卷一五、二五一、注①。朦朧，微明貌。北宋 徐昌圖（？—？，五代、開寶間人。）臨江仙詞：「今夜畫船何處，潮平淮月朦朧。」張先 少年游詞：「碎霞浮動曉朦朧，春意與花濃。」水滸傳第四二回：「是夜，月色朦朧，路不分明，宋江只顧揀僻靜小路去處走。」聊齋志異 公孫五娘：「既而生歸，則暮色朦朧，不甚可辨。」曉色，拂曉時段的天色，即晨曦。唐 虞世南 和鑾輿頓戲下：「銀書含曉色，金輅轉晨飈。」北宋 秦觀 滿庭芳詞：「曉色雲開，春隨人意，驟雨才過還清。」清 黃鶯來 秋曉行阧山詩：「曉色破蒼煙，青山入雲際。」饒，濃；厚；重。唐 祖咏（？—？，開元進士。）泊揚子津詩：「客衣今日薄，寒氣近來饒。」明 李贄 春夜詩：「一簾疏雨坐終霄，秉燭相看春已饒。」

②為耽……霄　將專心於陳訴政事；徹夜端坐案前。為，ㄨㄟˋ。將，副詞，表時間。孟子 梁惠王下：「克告於君，君為來見也。」趙岐注：「君將欲來。」史記 白起王翦列傳：「王翦曰：『大王必不得已用臣，非六十萬人不可。』始皇曰：『為聽將軍計耳。』」耽，ㄉㄢ。專心於。東晉 陶潛 勸農詩：「孔耽道德，樊須是鄙。」清 龔自珍 釋言詩之一：「略耽掌故非劻濟，敢侈心期在簡編。」奏事，向皇帝陳訴政事。史記 汲鄭列傳：「上嘗坐武帳中，黯前奏事。」北宋 沈括 夢溪筆談 謬誤：「黃宗旦晚年病目，每奏事，先具奏目，成誦於口。」終霄，徹夜。唐 韓愈 江漢答孟郊詩：「終霄處幽室，華燭光爛爛。」北宋

蘇轍 次韻王鞏上元見寄：「過眼繁華真一夢，終霄寂寞未應愁。」

③景陽……靜　宮鐘作響，花影闃然。景陽鐘，亦作景陽鍾。南朝 齊武帝以宮深不聞端門鼓漏聲，置鐘于景陽樓上。宮人聞鐘聲，早起裝飾。後人遂稱之為景陽鐘。事詳（南）齊書 武帝紀、皇后傳 武穆 裴皇后。唐 李賀 畫江潭苑詩之四：「今朝畫眉早，不待景陽鍾。」北宋 賀鑄 更漏子詞：「池邐黃昏，景陽鐘動，臨風隱隱猶聞。」說唐第二九回：「（程）咬金道：『……王兄，你可為孤家去金州取景陽鐘。』」動，發。發作。唐 胡曾（？—？；咸通間屢試不第。）詠史詩 秦庭：「包胥不動咸陽哭，爭得秦兵出武關。」在此，謂作響。花陰，猶花影。唐 許渾 重經四皓廟：「避秦安漢出藍關，松桂花陰滿舊山。」鄭谷 寄贈孫路處士詩：「酒醒蘚砌花陰轉，病起漁舟鷺跡多。」靜，闃然（無聲）。

④多謝……朝　很感激妳陪著我上早朝。多，很。甚。謝，表示感激。嫦娥，本為神話中的月中女神。詳卷八、一四四、釋題。在此，係用以指稱月亮。明 唐寅 掬水月在手詩：「玉纖弄水金鈿濕，要捧嫦娥對面看。」伴，ㄅㄢˋ。相陪。唐 駱賓王 出縶寒夜詩：「空餘朝夕鳥，相伴夜啼寒。」王建 宮詞：「密奏君王知入月，喚人相伴洗裙裾。」司空曙 送人北歸詩：「家禽與衰草，處處伴愁顏。」早朝，清晨朝會或朝參。朝，ㄔㄠˊ。唐 白居易 長恨歌：「春宵苦短日高起，從此君王不早朝。」清 俞樾 茶香室續鈔 明皇太子日課：「每日早朝後，皇太子出閤陞座。」

三四九、曉　月

陳朝龍

曉風吹柳影搖搖①，曙光微分月色饒②。旅夢忽驚窗半白③，鷄聲茅店總魂消④。

【析韻】

搖、饒、消，下平、二蕭。

【釋題】

同前首。

【注解】

①曉風……搖　清晨的涼風吹拂著垂柳，它的身影也跟著移來移去。曉風。晨風。唐韓琮露詩：「幾處花枝抱離恨，曉風殘月正潸然。」北宋柳永雨霖鈴詞：「多情自古傷離別，更那堪、冷落清秋節。今宵酒醒何處？楊柳岸、曉風殘月。」清孔尚任桃花扇傳歌：「莫將紅豆輕拋棄，學就曉風殘月墜。」納蘭性德澹黃柳詠柳詞：「紅版橋空，濺裙人去，依舊曉風殘月。」吹，空氣流動觸拂物體。詩鄭風蘀兮：「蘀兮蘀兮，風其吹女。」唐白居易賦得古草原送別：「野火燒不盡，春風吹又生。」柳，ㄌㄧㄡˇ。亦作「栁」、「桺」。楊柳科，柳屬（Salix）植物的泛稱。落葉喬木或灌木。枝條柔韌。葉多狹長，花雌雄異株，柔荑花序，苞片全緣、無花被、有腺體，雄蕊恆僅一或二個，花柱常一，柱頭具兩枚兩裂，

或柱頭極短，種子被毛。全球約有五二〇餘種，其中，我國有二五七種。常見者如：垂柳、旱柳、杞柳……等。影，人或物體因擋住光線而投射的暗像，或因反射而顯見的虛像。在此，指前者言。唐 李白 花間獨酌詩：「舉杯邀明月，對影成三人。」搖搖，詳卷六、一一七、注②。

②曙色……饒　拂曉的天色稍稍可以辨別；月光卻還相當清楚。曙色，拂曉的天色。南朝 梁 簡文帝 守東平中華門開詩：「薄雲初啟雨，曙色始成霞。」太平廣記卷三〇九引唐 薛用弱（?—?，貞元，咸通間人。）集異記 蔣琛：「曙色既分，巨龜負延首於中流，顧眄琛而去。」微，表性態。猶言稍。五代史 李嗣昭傳：「太祖嘗微誡之。」分，辨別。禮記 曲禮：「分爭辨訟。」呂氏春秋 察傳：「是非之經，不可不分。」月色，詳參前首注①。饒，亦詳前首注①。

③旅夢……白　外宿睡夢當中，突然訝異地察覺到窗戶已呈現半白。旅夢，（思鄉）之夢。唐 張喬 荊楚道中詩：「春宵多旅夢，夏閏遠秋期。」韓偓 午寢夢江外兄弟詩：「空庭日午獨眠覺，旅夢天涯相見迴。」前蜀 韋莊 春日詩：「旅夢亂隨蝴蝶散，離魂漸逐杜鵑飛。」清 陸以湉（?—?，世次不詳）冷廬雜識 改官詩：「高枕連宵酣旅夢，小牋沿路記歸程。」半白，一半白。南朝 齊 王融 奉和纖纖詩：「兩頭纖纖綺上紋，半白半黑鶵翔羣。」唐 白居易 臘後歲前遇景咏意：「海梅半白柳微黃，凍水初融日欲長。」南唐 王周（?—?）小園桃李始花偶以成詠：「半紅半白無風雨，隨分天容解笑人。」在此，半

白係用以描述天漸漸亮了。

④鷄聲……消　客棧鷄啼原就令人最感悲傷。鷄聲，鷄啼。鷄鳴。晉書祖逖傳：「嘗與劉琨同寢，中夜聞荒鷄鳴，蹴琨覺曰：『此非惡聲也。』因起舞。」唐劉禹錫桃源行詩：「鷄聲犬聲遙相聞，曉色蔥蘢開五雲。」溫庭筠商山早行詩：「鷄聲茅店月，人跡板橋霜。」紅樓夢第二一回：「省得鷄聲鵞鬭叫別人笑。」茅店，簡陋的客棧、旅舍，恆多以茅草蓋成。南宋楊萬里不寐詩：「忽思春雨宿茅店，最苦僕夫催去程。」明沈鯨雙珠記轅門遇友：「暮宿月留茅店影，曉行鷄弄竹窗聲。」總，表性態。本。唐高適觀李固言司馬題山水圖詩：「方丈渾連水，天臺總映雲。」杜牧題美人詩：「多情卻似總無情，但覺尊前笑不成。」魂消，本作「魂銷」。本謂靈魂離體而消失。形容極度悲傷或極度歡樂激動。舊唐書鄭畋傳：「自函谷構氛，鑾輿避狄，莫不指銅駝而眥裂，望玉壘以魂銷。」北宋張先南鄉子詞：「何處可魂消？京口終朝兩信潮。」清王士禎灞橋寄內詩：「太華終南萬里遙，西來無處不魂銷。」

三五〇、曉　月

鄭兆璜

頻聞曉箭促征軺①，半枕雞聲旅夢遙②。惆悵蘆溝新過客③，一鞭行色馬蹄驕④。

【析韻】

軺、遙、驕，下平、二蕭。

【釋題】

詳本卷、三四八、釋題。

【注解】

①頻聞……軺　接連聽見凌晨的漏壺催著車騎儘早上路。頻，接連。唐韓愈論天旱人飢狀：「今瑞雪頻降，來年必豐。」曉箭，拂曉時漏壺中指示時刻的箭。恒借指凌晨時段。王維冬晚對雪憶胡居士家詩：「寒更傳曉箭，清鏡覽衰顏。」薛逢（？—？，元和、咸通間人。）元日樓前觀仗詩：「千門曙色鎖寒梅，五夜疏鐘曉箭催。」促，催。史記陳涉世家：「促趙兵亟入關。」征軺，遠行的車。清曹寅過沂水有懷芷園弟詩：「寒事顯與早，征軺沂水初。」隨園詩話補遺卷五引清戴璐送徐溉餘夏渠莊赴伊犁詩：「朝衫乍脫理征軺，惜別無端折柳條。」清黃之雋（一六六八—一七四八）對菊述懷詩：「官廨三條燭，征軺四照花。」軺，ㄧㄠˊ。

②半枕……遙　充塞半枕的公鷄啼唱聲與旅人的思鄉夢，彼此漸行漸遠。半枕，半個枕頭。又，單人用枕亦稱半枕。南宋陸游初秋夜賦詩：「低回半枕夢，蕭瑟一窗秋。」金劉仲尹（？—？，天眷、明昌間人。）初秋夜涼詩：「小蟲機杼月西廂，風雨纔分半枕涼。」雞聲、旅夢，分別參考前首注④、注③。遙，遠。禮記王制：「千里而遙。」南唐李煜

清平樂詞：「雁來音信無憑，路遙歸夢難成。」

③惆悵……客　倉猝間，初到盧溝的旅人。惆悵，ㄔㄡˊ　ㄔㄤˋ。倉猝。敦煌變文集 目連緣起：「聞此語惆悵歸家，問母來由，要知虛實。」敦煌掇瑣 十四十五上戰場：「昨夜馬驚轡斷，惆悵無人遮爛（攔）。」蘆溝，河川名。即桑乾河，一名永定河。蘆，本作「盧」。南宋 周煇（一一二六—？）北轅錄：「盧溝河，亦謂之黑水河，色最濁，其急如箭。」名勝志：「桑乾河即今之盧溝河也。俗呼渾河。」金史 河渠志：「（金）大定二十九年（按：時公元一一八九年），以盧溝河湍急，命建石橋。明昌三年（按：時公元一一九二年）成，名曰廣利。」盧溝曉月屬燕（北）京八景之一。明 李東陽 京都十景 盧溝曉月：「霜落桑乾水未枯，曉空雲盡月輪孤。一林燈影稀還見，十里川光澹欲無。不斷鄰鷄催知夢，頻來征馬識長途。石欄橋上時翹首，應傍清虛憶帝都。」橋位今北京 廣安門西，橫跨永定河，清初重修。全橋由十一孔石拱組成，橋兩旁石欄上端計精刻石獅四八五隻，千姿百態、生動雄偉。新，初次出現的。與「舊」相對。詩 豳風 東山：「其新孔嘉，其舊如之何？」五代 和凝 小重山詞：「新牓上，名姓徹丹墀。」過客，旅客。路過之客。韓非子 五蠹：「非疏骨肉愛過客也，多少之心異也。」南朝 梁 何遜 擬輕薄篇：「鳥飛過客盡，雀聚行龍匿。」元 宋本（一二八一—一三三四）水木清華亭記：「我猶以近城郭，過客夥，往往聞官府里巷事為可厭，別買小山敖山驛旁。築亭其上。」

④一鞭……驕　稍事歇息，又匆匆猛一揮鞭、揚長而去。那駕騎高大碩健、腳蹄堅實硬朗，

氣派不凡。一鞭，謂策鞭一次，形容御者動作俐落、速捷。南宋高觀國無題詩：「一鞭花陌曉，雙槳柳橋春。」日本外史源氏正記源氏下：「乃屈其所騎馬後足，一鞭而下。」行色，行旅出發前後的情狀、氣派。莊子盜跖：「今者闕然數日不見，車馬有行色，得微往見跖耶？」南唐馮延巳歸國謠詞：「蘆花千里霜月白，傷行色，明朝便是關山隔。」蹄，亦作「蹏」。馬蹄驕，馬軀體高大碩健、腳蹄堅實硬朗。說文：「驕，馬高六尺為驕。从馬、喬聲。詩曰：『我馬唯驕。』」今本詩小雅皇皇者華作「我馬唯駒。」又，馬壯健貌稱驕。詩衛風碩人：「四牡有驕，朱幩鑣鑣。」毛傳：「驕，壯貌。」唐李白胡無人詩：「嚴風吹霜海草凋，節幹精堅胡馬驕。」

三五一、月鉤

蔡振豐

月痕初現碧雲涯①，鉤起詩心噪晚鴉②。最愛一彎簾外掛③，玉堂不寐伴評茶④。

【析韻】

涯、鴉、茶，下平、六麻。

【釋題】

月隨地球而運轉，其與地球間之角度，因運轉而不同。月狀如鉤，謂之月鉤。鉤，俗作「鈎」。

【注解】

①月痕……涯 月影剛出現在碧空的雲邊。月痕，月影。唐 段成式 光風亭夜宴詩：「梓胡雲彩落，疻面月痕消。」南宋 陸游 晨興詩：「野氣增霜力，窗光淡月痕。」碧雲，碧空上的雲。南朝 梁 江淹雜體詩效惠休 別怨：「日暮碧雲合，佳人殊未來。」張銑注：「碧雲，青雲也。」唐 戴叔倫 夏日登鶴巖偶成詩：「願借老僧雙白鶴，碧雲深處共翱翔。」南宋 劉克莊 沁園春詞：「悵佳人未來，碧雲冉冉；王孫去後，芳草萋萋。」近人程善之古意詩：「高城回首碧雲邊，玉漏淙淙天未曙。」涯，邊際。莊子 養生主：「吾生也有涯，而知也無涯。」清 查慎行 雨後詩：「身憂天下原非分，老覺浮生亦有涯。」

②鉤起……鴉 黃昏烏鴉羣集喧聒；卻引發我覓句作詩的心意。鉤起，引發。鉤，引致。誘致。唐 司空圖 復安南碑：「鉤山就日，截海來庭。」明 王世貞 浣溪沙詞之二：「權把束書鉤午夢，起沽村酒潑春愁，放教殘日過墻頭。」詩心，作詩之心。五代 齊已 謝灉湖茶詩：「還是詩心苦，堪消蠟面香。」北宋 王令（一〇三二—一〇五九）庭草詩：「獨有詩心在，時時一自哦。」噪，喧聒。南朝 梁 劉孝威 奉和六月壬午應令詩：「噪蛙常獨沸，游魚或自跳。」晚鴉，猶晚烏；昏鴉。黃昏時分聚集的烏鴉。唐 錢起 送崔十三東遊詩：「丹鳳城頭噪晚鴉，行人馬首夕陽斜。」劉長卿 送常十九歸嵩少故林詩：「秋天蒼翠寒飛雁，古堞蕭條噪晚鴉。」

③最愛……掛 尤其喜歡珠簾外、天空中高懸著娟秀彎曲的明月。最，表性態。尤。極。史

記蕭相國世家：「羣臣爭功，歲飲不決；高祖以蕭何功最盛，封為酇侯。」唐韓偓三月詩：「四時最好是三月，一去不迴唯少年。」愛，參卷二〇、三四三、注②。一，表數量；彎，用以描述月未盈滿時之形狀。一彎，恆指上（或）下弦月。掛，懸。懸掛屬同義複詞。

④玉堂……茶　夜深人靜，顯貴的文士，各個目未閉、神不藏，大夥兒汲水烹茶，邊品邊談。玉堂人物，省詞作「玉堂」。泛指顯貴的文士。金元好問息軒秋江捕魚圖詩之三：「玉堂人物今安在，紙尾題詩一慨然。」寐，ㄇㄟˋ。眠。詩小雅小宛：「夙興夜寐，無忝爾所生。」又，大雅抑：「夙興夜寐，洒埽庭內，維民之章。」左傳昭公一二年：「王揖而入，饋不食、寢不寐，數日。」伴，侶。同在一起者之稱。唐杜牧旅宿詩：「旅館無良伴，凝情自悄然。」紅樓夢第三回：「姐妹們雖拙，大家一處作伴，也可以解些煩悶。」評茶，品茶。

三五二、梅花月

蔡振豐

梅花弄月影深深①，花正橫斜月未沈②。生怕團圓枝外望③，綺窗一觸故園心④。

【析韻】

深、沈、心，下平、十二侵。

【釋題】

梅花與月，合稱梅花月。

【注解】

①梅花……深　梅花賞月，它的身影是那麼地濃密。弄月，賞月。南朝　陳後主（五五三—六〇四）三婦豔詩之六：「大婦初調箏，中婦飲歌聲，小婦春粧罷，弄月當宵楹。」唐　李白　別山僧詩：「何處名僧到水西，乘舟弄月宿涇溪。」明　陳自得（？—？，世次不詳）太平仙記第一折：「他也曾弄月篩金在鵲橋。」影，參本卷、三四九、注①。深深，參卷一〇、一八七、注①。

②花正……沈　花朵恰恰或橫或斜地開滿枝椏；月兒依然高懸碧空。花，指花朵。正，表性態。恰恰。恰巧。論語　述而：「子曰：『若聖與仁，則吾豈敢！抑為之不厭，誨人不倦，則可謂云爾已矣。』公西華曰：『正唯弟子不能學也。』」襄陽耆舊傳：「莫作孔明擇婦，正得阿承醜女。」橫斜，或橫或斜。與地面平行謂之橫；與地面呈小於九十度或大與九十度者謂之斜。多用以狀梅、竹等花木枝條及其影子。北宋　林逋　山園小梅詩：「疎影橫斜水清淺，暗香浮動月黃昏。」南宋　范成大　伏聞知府秘書欲取小杜桐廬詩語以見花名堂計梅開堂成歸舟已下南浦詩：「說與橫斜應早計，不須更待雪花催。」元　馬謙齋（生卒年、字里均不詳）快活三過朝天子四邊靜　夏曲：「竹影橫斜，荷香飄蕩。一襟滿意涼。」沈，本作「沉」。ㄔㄣˊ。降落。墜落。唐　陳羽（七三三？—？）湘女怨詩：「九山沈白日，二

女泣滄洲。」前蜀韋莊河內別村業閑題詩：「鄰翁莫問傷時事，一曲高歌夕照沈。」

③生怕……望　最不喜歡撇開梅枝，向高處凝視渾圓的皎月。生怕，猶只怕，惟恐。生，甚也。唐曹唐勗劍詩：「生怕雷霆號澗底，長聞風雨在牀頭。」金董解元西廂記諸宮調卷一：「花憔月悴羅衣褪，生怕旁人問。」紅樓夢第一一八回：「平兒生怕寶玉瘋癲嚷出來。」團圓，圓貌。指稱月。元曾瑞（？—？，世次不詳）哨遍古鏡套曲：「寒光皎潔明盈室，素魄團圓照滿天。」金瓶梅詞話第二四回：「但見銀河清淺，珠斗爛斑，一輪團圓皎月，從東而出。」近人劉大白語體詩是誰把？：「是誰把空中明月，捻得如鈎？待我來搏鈎作鏡，看永久團圓，能否？」「枝」外，梅樹的枝椏。望，向高處凝視。唐王建十五夜望月思詩：「今夜月明人盡望，不知秋思在誰家。」

④綺窗……心　一旦碰及那精美的窗戶，不禁引起我思鄉的心愁。綺窗，雕刻或繪飾精美的窗戶。西晉左思蜀都賦：「開高軒以臨山，列綺窗而瞰江。」呂向注：「綺窗。雕畫若綺也。」唐李商隱瑤池詩：「瑤池阿母綺窗開，黃竹歌聲動地哀。」南宋劉子翬聞箏作詩：「月高夜鳴箏，聲從綺窗來。」清黃景仁減蘭中秋夜感舊詞之二：「綺窗人靜，露寒今夜無人問。」一，一旦。一經。禮記文王世子：「是故古之人，一舉事而眾皆知其德之備也。」漢書文帝記：「歲一不登，民有飢色。」觸，ㄔㄨˋ。碰及。莊子養生主：「手之所觸，肩之所倚，足之所履，膝之所踦。」北宋蘇軾定惠院海棠詩：「明朝酒醒還獨來，雪落紛紛那忍觸。」故園，舊家園；故鄉。唐駱賓王晚憩田家詩：「唯有寒潭

菊，獨似故園花。」前蜀 貫休 淮上逢故人詩：「故園離亂後，十載始逢君。」元 倪瓚 桂花詩：「忽起故園想，泠然歸夢長。」

三五三、關山月

鄭兆璜

沙平萬里月痕低①，有客思歸自詠題②。觸我十年征戍恨③，團圓無夢到香閨④。

【析韻】

低、題、閨，上平、八齊。

【釋題】

漢樂府橫吹曲名；多寫邊塞士兵久戍不歸與家人互傷離別之情。餘參所附書影。

【注解】

①沙平……低　邊陲沙原廣闊平坦、月影不高。沙平，沙原廣闊、平坦。萬里，參卷三、五八、注④。月痕，參本卷三五一、注①。

②有客……題　旅人，心想回鄉，當然作詩、題寫，排遣鬱悶。有，與「無」相對。表示存在。客，寄迹於外的人。史記 孟嘗君列傳：「雞鳴而出客。」唐 王維 九月九日憶山東兄弟詩：「獨在異鄉為異客，每逢佳節倍思親。」思歸，想望回故鄉。東漢 張衡 思玄賦：「悲離居之勞心兮，情悁悁而思歸。」西晉 石崇 思歸引 序：「困於人間煩黷，常思歸

而永歎。」自，當然。史記 田單列傳：「即墨人從城上望見，皆涕泣，俱欲出戰，怒自十倍。」五代 齊己 還黃平素秀才卷詩：「如君好風格，自可繼前賢。」詠題，作詩且題寫。唐 劉長卿 賈侍郎自會稽使迴因書數事率成十韻：「風物催歸緒，雲峯發詠題。」南宋 文天祥 題蘇武忠節圖詩 序：「苗守袖出李龍眠畫漢蘇武忠節圖，求余詠題。」

③觸我……恨　碰及我遠守邊境長達十年的種種憤懣。觸，詳參前首注④。征戍，遠行屯守邊疆。後漢書 馮緄傳：「時，荊州兵朱蓋等，征戍役久，財賞不贍，忿恚，復作亂。」南朝 宋 顏延之 還至梁城作詩：「眇默軌路長，憔悴征戍勤。」唐 高適 燕歌行 序：「客有從元戎出塞而還者，作燕歌行以示適，感征戍之事，因而和焉。」清 馬鑾 木蘭詩：「幸不琵琶終馬上，何妨征戍老紅顏。」

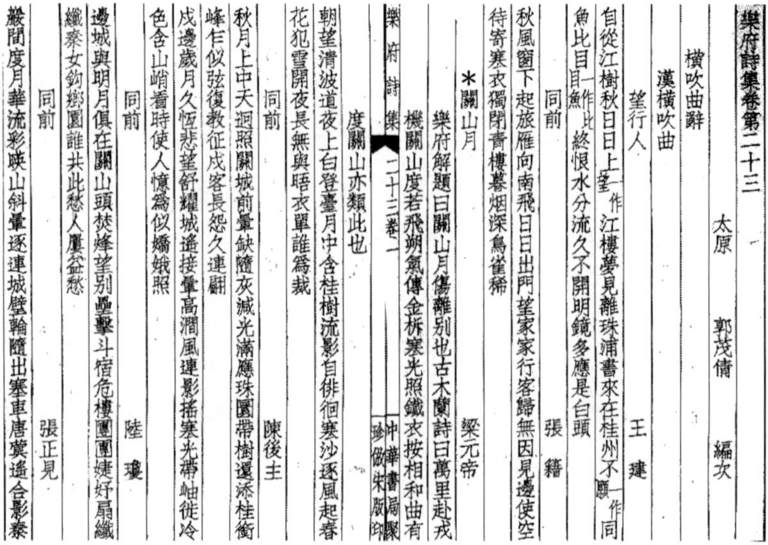
樂府詩集卷第二十三
太原　郭茂倩　編次
橫吹曲辭
漢橫吹曲
望行人　王　建
自從江樹秋日日上望一作江樓夢見離珠浦書來在桂州不願一作同
魚比目一作比目魚終恨水分流久不開明鏡多應是白頭
同前　張　籍
秋風窗下起旅雁向南飛日日出門望家家行客歸無因見邊使空
待寄寒衣獨閉靑樓暮烟深鳥雀稀
*關山月　梁元帝
樂府解題曰關山月傷離別也古木蘭詩曰萬里赴戎
機關山度若飛朔氣傳金柝寒光照鐵衣按相和曲有
樂府詩集　二十三卷一　中華書局聚珍倣宋版印
度關山亦類此也
朝望清波道夜上白登臺月中含桂樹流影自徘徊寒沙逐風起春
花犯雪開夜長無與晤衣單誰爲裁
同前　陳後主
秋月上中天迥照關城前暈缺隨灰減光滿應珠圓帶樹還添桂銜
峰乍似弦復教征戍客長怨久連翩
戍邊歲月久恆悲望舒耀城遙接暈高澗風連影搖寒光帶岫徙冷
色含山峭看時使人憶爲似嬌娥照
同前　陸　瓊
邊城與明月俱在關山頭焚烽望別壘擊斗宿危樓團團婕妤扇纖
纖秦女鉤鄉園誰共此愁人屢益愁
同前　張正見
巖間度月華流彩映山斜暈逐連城璧輪隨出塞車唐蓂遙合影秦

樂府詩集 關山月 局部書影（*部分）

恨，本義「怨」，乃心中憤懣之意。南朝 梁 江淹 恨賦：「自古皆有死，莫不飲恨而吞聲。」唐 白居易 長恨歌：「天長地久有時盡，此恨綿綿無絕期。」

④團圓……閨 竟沒有團圓夢傳抵空閨人。表絕望之至。團圓，親屬相逢聚會。多指夫妻、兄弟等相聚。唐 杜甫 又示兩兒詩：「團圓思弟妹，行坐白頭吟。」清 洪昇 長生殿 補恨：「團圓等待中秋節，管教你情償意愜。」紅樓夢第五四回：「蓉兒！和你媳婦坐在一處，倒也團圓了。」無夢，沒有夢。夢，參卷一、二、注①。到，傳抵。香閨，（青年）女子的居室。唐 陶翰（？—？，貞觀、至德間人。）柳陌聽早鶯詩：「乍使香閨靜，偏傷遠客情。」前蜀 韋莊 贈姬人詩：「請看京與洛，誰在舊香閨。」北宋 柳永 臨江仙引詞：「香閨別來無信息，雲愁雨恨難忘。」清 李漁 風箏誤 閨鬨：「小生蒙詹家二小姐多情眷戀，約我一更以後，潛入香閨。」榮按：無夢到香閨，此「香閨」借指「空閨人」。

三五四、關山月

蔡　振　豐

霜天如畫動征鼙①，月色微斜促曉鷄②。好伴征人關外去③，一鞭瘦影萬山低④。

【析韻】

鼙、鷄、低，上平、八齊。

【釋題】

同前首。

【注解】

①霜天……鼙　深秋的拂曉，天色大白。戰鼓也已咚咚作響。霜天，深秋的天空。南朝梁簡文帝詠雲：「浮雲舒五色，瑪瑙應霜天。」隋薛道衡出塞詩之二：「塞夜哀笛曲，霜天斷雁聲。」北宋柳永采蓮令詞：「月華收，雲淡霜天曙。」元馬致遠任風子第四折：「鶴泣霜天表，猿啼夜月高。」如晝，像白天一般。晝，甲文作「[illegible]」。ㄓㄡˋ。日出至日沒，亦即地球向日的時間為晝，與地球背日的時間—夜，相對。晝即今語「白天」。論語子罕：「逝者如斯夫，不舍晝夜。」動，勞作。操作。孟子滕文公上：「為民父母，使民盻盻然，將終歲勤動，不得以養父母。」此處，謂「擂」鼓的行為。征鼙，戰鼓。亦謂出征的鼓聲，喻戰事也。前蜀毛文錫甘州遍詞之二：「邊聲四起，愁聞戍角與征鼙。」明俞汝言（？—？，世次不詳。）進艇詩：「作客乘春行處好，故鄉曾否息征鼙。」鼙，ㄆㄧˊ。

②月色……鷄　月光稍稍斜映，似乎在催逼公鷄司晨。月色，參卷二一、三四八、注①。微，參卷二一、三四九、注②。斜，參卷二一、三五二、注②。促，參卷二一、三五〇、注①。曉鷄，報曉的公鷄。唐孟浩然寒夜張明府宅宴詩：「醉來方欲臥，不覺曉鷄鳴。」皮日休古函關詩：「今朝行客過，不待曉鷄鳴。」明沈自然（一六〇六—一六四四）曉別曲：「月沒星闌曉鷄唱，離人催起同心帳。」

③好伴……去　高高興興地陪同戍邊的人前往關外。好伴，好好地作陪。好好，喜悅貌。詩小雅巷伯：「驕人好好，勞人草草。」毛傳：「好好，喜也。」伴，參卷二一、三四八、注④。征人，出征或戍邊的人。東晉葛洪抱朴子漢過：「勁銳望塵而冰泮，征人倒戈而奔北。」唐蘇拯（？—？，昭宗間人。）古塞下詩：「血染長城沙，馬踏征人骨。」明高啟春日言懷詩：「征人新戰歿，飲恨沉黃泥。」關外有多義：（一）泛指關隘之外；（二）指函谷關或潼關以東地區；（三）指京城以外地區；（四）指山海關以東地區；（五）指嘉峪關以西地區。

④一鞭……低　他伶俐地揮動馬鞭，單薄的身影，一溜煙已消逝無蹤；週遭的山巒多且低。一鞭，參卷二一、三五〇、注④。瘦影，單薄的身影。指征人。萬山，許多山。指週遭的山巒言。萬，極言其多。近人沈從文（一九〇二—一九八八）從文自傳我所生長的地方：「近抵苗鄉，萬山重疊。」

三五五、拜　月

陳濬芝

涼露無聲透桂梢①，空階夜冷月痕交②。低頭我欲團圓祝③，骨月天涯未忍拋④。

【析韻】

梢、交、拋，下平、三肴。

【釋題】

拜月，向月禮拜。漢書 匈奴傳：「單于朝出營，拜日之始生，夕拜月，其坐長左而北向。」

【注解】

①涼露……梢　微帶寒意的露珠，靜悄悄地霑滿了桂花樹梢。涼露，微帶寒意的露。唐 白居易 贈內詩：「漠漠闇苔新雨地，微微涼露欲秋天。」無聲，沒有聲音。莊子 知北遊：「視之無形，聽之無聲。」三國 魏 曹植 七啟之一：「畫形於無象，造響於無聲。」唐 韓愈 送孟東野序：「草木之無聲，風撓之鳴。」金 元好問 通奉大夫張君神道碑銘：「舞雲之春風，潤物無聲。」透，通。通過。引申作「霑」解。唐 溫庭筠 玉漏子詞：「香霧薄，透簾幕，惆悵謝家池閣！」南宋 陸游 道室晨起詩：「紙帳晨光透，山爐宿火燃。」桂梢，桂花樹的樹梢。桂，木犀（Osmanthus fragrans）一作「木樨」，亦稱桂花。木犀科。常綠灌木或小喬木，葉對生，橢圓形，全緣或上半部疏生細鋸齒，革質。秋開花，花簇生於葉腋，黃或黃白色，極芳香。核果橢圓形，熟時紫黑色。原產我國。久經栽培，變種較多，常見者有金桂（丹桂、花橙黃色）、銀桂（花黃白色）與四季桂等。屬珍貴的觀賞芳香植物。花可提取芳香油或用作食品、糖果等的香料。樹木末端曰梢。ㄕㄠ。

②空階……交　入夜，空氣清冽；月影逕接廣闊的臺階。空階，參卷一〇、一八七、注①。夜，地球背日的時段，自月升至日出。冷，空氣清冽。夜冷，謂入夜後空氣清冽。南朝 梁

吳均餅說：「燮燮曉風，凄凄夜冷。」月痕，參卷二一、三五一、注①。交，兩者相接觸。易泰：「天地交而萬物通也。」孔穎達疏：「由天地氣交而生養萬物。」

③低頭……祝　垂下頭來，我想祈求銀輪。低頭，垂下頭。莊子盜跖：「（孔子）色若死灰，據軾低頭，不能出氣。」唐李白靜夜思詩：「舉頭望明月，低頭思故鄉。」元薩都剌北人冢上詩：「低頭下拜襟盡血，行路人情為慘切。」團圓，在此，指稱月。餘參卷二一、三五二、注③。又，月亦別稱銀輪。銀盆。唐姚合（七八一？—八四六）對月詩：「銀輪玉兔向東流，瑩淨三更正好遊。」前蜀貫休長安道詩：「紫氣銀輪兮常覆金闕，仙掌捧日兮濁河澄澈。」唐盧仝月蝕詩：「爛銀盤從海底出，出來照我草屋東。」南宋陸游十月十四夜月終夜如晝詩：「月從海東來，徑尺熔銀盤。」祝，祈求。祈。史記孝文帝本紀：「今吾聞祠官祝釐，皆歸福朕躬。」易林：「王母祝福，禍不成災。」

④骨月……拋　淪為異族統治的這遙遠邊陲，實在不願意放棄。榮按：「骨月」乃作者獨創之隱語：全句意謂闔家已定居海嶠，臺地雖遭割讓，猶不忍棄之西渡也。骨，音同「古」。骨月即古月。「胡」字的隱語，指胡人。在此用以隱稱日帝。天涯，遙遠的地方，隱指臺灣。臺澎為我國邊陲之地。西隔臺灣海峽與福建相對，閩臺間最短的航程亦達一百四十餘浬。未忍，不忍。猶言不願意。拋，棄。拋棄屬同義複詞。

三五六、待　月

鄭兆璜

爐香閒爇已多時①，待月如何月轉遲②。涼露無聲花斂影③，累人幾度捲簾窺④。

【析韻】

時、遲、窺，上平、四支。

【釋題】

唐 元稹 鶯鶯傳載：鶯鶯約張生月夜會於花園，題月明三五夜詩一首，著紅娘送去。其詞曰：「待月西廂下，迎風半戶開。拂牆花影動，疑是玉人來。」

【注解】

①爐香……時　香爐裡的杜香停止燃燒已經有一段很長的時間了。爐香，香爐裏的香。唐 馬戴（？—？，長慶、咸通間人。）宿陽臺觀詩：「玉洞仙何在，爐香客自焚。」南唐 李璟望遠行詞：「夜寒不去寢難成，爐香烟冷自亭亭」花月痕第五二回：「爐香茗碗，消受閒庭院。」閒，ㄒㄧㄢˊ。止息。國語 晉語八：「本根猶樹，枝葉益長，本根益茂，是以難已也。今若大其柯，去其枝葉，絕其本根，可以少閒。」韋昭注：「閒，息也。」爇，ㄖㄨㄛˋ。亦作「焫」。燒，焚燒。左傳 僖公二八年：「魏犨、顛頡怒曰：『勞之不圖，報於何有？』爇僖負羈氏。」杜預注：「爇，燒也。」淮南子 兵略訓：「毋爇五穀，毋焚積聚。」唐 范

攄（？—？，世次不詳；方干好友。）雲溪友議卷三：「家人誤爇廨舍牌庫印室，殺貌類者數人，用之易服得免。」胡三省注：「爇，如悅反。燒也。」多時，很長的時間。唐杜甫宣政殿退朝晚出左掖詩：「雲近蓬萊常五色，雪殘鳷鵲亦多時。」前蜀韋莊女冠子詞：「昨夜夜半，枕上分明夢見，語多時，依舊桃花面。」北宋秦觀春日偶題錢尚書詩：「日典春衣非為酒，家貧食粥已多時。」

②待月……遲　苦苦地等著妳；妳怎麼反而慢了？待月，參本首釋題。如何，詳卷一、一、注③。月，隱語，隱指情人。轉，反而。反倒。詩小雅谷風：「將恐將懼，惟予與女。將安將樂，女轉棄予。」唐韓愈與崔羣書：「僕無以自全活者，從一官於此，轉困窮甚，思自放於伊潁之上，當亦終得之。」遲，慢。不快。唐鄭谷詠水詩：「洗鉢老僧臨岸久，釣魚閒客捲輪遲。」北宋蘇軾次韻錢舍人病起詩：「坐覺香烟攜袖少，獨愁花影上廊遲。」南宋陸游初冬有感詩：「閩嶠故人消息惡，蜀江遺老素書遲。」

③涼露……影　略帶寒意的露珠，靜若處子，花也默默地將身影隱藏起來。涼露無聲，參本卷、三五五、注①。斂影，把身影隱藏起來。

④累人……窺　害得我多次捲起門簾，暗中往外偷瞧。累，ㄌㄟˋ。又讀ㄌㄟˇ。連累。猶今語害得……。人，指作者本身。幾度，幾次。幾，表不確定的數量。捲簾，參卷一七、二八五、注②。窺，ㄎㄨㄟ。暗中偷看。禮記少儀：「不窺密，不旁狎，不道舊故。」鄭玄注：「嫌伺人之私也。密，隱曲處也。」孟子滕文公下：「鑽穴隙相窺，踰牆相從，則父母國人皆

賤之。」漢書司馬相如傳上：「及飲，卓氏弄琴，文君竊從戶窺，心說而好之，恐不得當也。」

三五七、古　月

劉廷壁

一輪照出影溶溶①，此月分明自古逢②。莫把當時秦鏡比③，千秋歷刧不塵封④。

【析韻】

溶、逢、封，上平、二冬。

【釋題】

古月，故舊之月也。一說，本來之月，亦通。又，古月，「胡」字隱語。指胡人。惟與本首內容無涉。

【注解】

①一輪……溶　圓月對映出的身子，多麼地明淨潔白，一輪，表數量並指圓月。唐孟郊讀張碧集詩：「高秋數奏琴，澄潭一輪月。」元馬致遠陳摶高臥第三折：「臥一榻清風，看一輪明月，蓋一片白雪，枕一塊石頭。」照出，對映至外。按：月球俗稱月亮，地球的衛星。其本身不發光，因恆以半面受日光，當與地球正向，則見滿月，為望；斜向，則見半月，為上下弦；相背，則月光不見，為晦朔。本句「影」，係指「月」在碧空中的本身

表象。溶溶，明淨潔白貌。唐許渾冬日宣城開元寺贈元孚上人詩：「林疏霜摵摵，波淨月溶溶。」明無心子金雀記作賦：「雲箋蠶繭淨溶溶，蘸得霜毫墨意濃。」

②此月……逢　它，清清楚楚地、從久遠的過去，就已經和人類相遇了。分明，詳參卷一、二、注③。自，從。古，與「今」對；久遠的過去。逢，遇。詩王風兔爰：「我生之初，尚無為。我生之後，逢此百罹。」西漢揚雄羽獵賦：「逢之則碎，近之則破。」

③莫把……比　不要把昔時秦鏡與之相類。莫把，不要把……。當時，指過去發生某件事情的時候；意謂昔時。韓詩外傳卷一：「臣先殿上絕纓者也。當時宜以肝膽塗地。負日久矣，未有所致。今幸得用於臣之義，尚可為王破吳而強楚。」唐曹唐劉阮再到天臺不復見仙子詩：「桃花流水依然在，不見當時勸酒人。」清納蘭性德采桑子詞：「近來怕說當時事，結徧蘭襟，月淺燈深，夢裏雲歸何處尋。」秦鏡，亦作秦鑑。神話傳說秦始皇有一方鏡，能照見人心善惡。西京雜記卷三：「（漢）高祖初入咸陽宮，周行庫府……有方鏡，廣四尺，高五尺九寸。表裏有明，人直來照之，影則倒見；以手捫心而來，則見腸胃五臟，歷然無硋；人有疾病在內，掩心而照之，則知病之所在。又女子有邪心，則膽張心動。秦始皇常以照宮人，膽張心動者則殺之。」唐司空曙故郭婉儀輓歌：「一日辭秦鏡，千秋別漢宮。」北宋周邦彥風流子大石詞：「問甚時說與，佳音密耗，寄將秦鏡，偷換韓香。」比，比擬。謂與之相類。詩邶風谷風：「既生既育，比予于毒。」論語述而：「子曰：『述而不作，信而好古，竊比於我老彭。』」

④千秋……封　千年萬世，它經過了多少成毀，卻未遭些許塵土所遮掩。千秋，詳卷一、三、注④。歷刧，佛教語。宇宙一成一毀曰「刧」。謂經過宇宙之成毀。後多用以稱經歷各種災變、患難。南朝梁沈約為文惠太子禮佛願疏：「歷刧多幸，夙世善緣。」金劉迎（？—一一八〇）連日雪惡用聚星堂雪詩韻：「後生曠世安敢望，故事歷刧徒能說。」紅樓夢第一二〇回：「豈知寶玉是下凡歷刧的，竟哄了老太太十九年。」清譚嗣同仁學自序：「歷刧之下，度盡諸苦厄。」塵封，（擱置已久），為塵土蓋滿。宋史樂志十六：「移時俄空，寶鑑脂澤塵封。」明劉若愚酌中志大內規制紀略：「凡遇天變災眚，聖駕居此，以示修省之意。先帝時塵封久矣！」聊齋志異狐嫁女：「此世傳物，什襲已久。緣明府辱臨，適取諸箱簏，僅存其七，疑家人所竊取；而十年塵封如故，殊不可解。」